NOTRE POISON QUOTIDIEN

De la même auteure

Voleurs d'organes – Enquête sur un trafic, Bayard Éditions, Paris, 1996.

Les Cent Photos du siècle, Éditions du Chêne/Arte éditions, Paris, 1999.

Le Sixième Sens – Science et paranormal (avec Mario Varvoglis), Éditions du Chêne, Paris, 2002.

Escadrons de la mort – L'école française, La Découverte, Paris, 2004.

L'École du soupçon – Les dérives de la lutte contre la pédophilie, La Découverte, Paris, 2006.

Le Monde selon Monsanto – De la dioxine aux OGM, une multinationale qui vous veut du bien, La Découverte/Arte Éditions, Paris, et Stanké, Montréal, 2008.

100 photos du xxie siècle (avec David Charrasse), La Martinière, Paris, 2010.

MARIE-MONIQUE ROBIN

NOTRE POISON QUOTIDIEN

LA RESPONSABILITÉ DE L'INDUSTRIE CHIMIQUE DANS L'ÉPIDÉMIE DES MALADIES CHRONIQUES

Une compagnie de Quebecor Media

Catalogage avant publication de Bibliothèque et Archives nationales du Québec et Bibliothèque et Archives Canada

Robin, Marie-Monique
    Notre poison quotidien : la responsabilité de l'industrie chimique dans l'épidémie des maladies chroniques
    Comprend des réf. bibliogr. et un index.
    ISBN 978-2-7604-1079-4
    1. Maladies de l'environnement. 2. Industries chimiques - Aspect de l'environnement. 3. Produits chimiques - Effets physiologiques. 4. Responsabilité environnementale. I. Titre.

RB152.5.R62 2011   616.9'8   C2011-940721-3

Correction d'épreuves : Annie Goulet
Conception de la couverture : Philippe Rouy
Réalisation de la couverture : Clémence Beaudoin
Grille graphique intérieure : Axel Pérez de León
Mise en pages : Hamid Aittouares
Photo de la couverture : © John Molloy / Getty Images

Remerciements
Je tiens à remercier tous ceux et celles qui m'ont aidée à écrire ce livre et, en particulier : Pierrette Ominetti d'Arte, qui m'a permis de réaliser le documentaire *Notre poison quotidien* ; François Gèze des Éditions La Découverte et Isabelle Pailler d'Arte Éditions, qui m'ont soutenue quand le découragement me guettait ; Henriette Souk, Maud Lanaud, Rima Matta, Pascale Iltis, dont l'enthousiasme m'a toujours accompagnée. Je remercie aussi tous ceux et celles qui ont accepté de me rencontrer ou de m'ouvrir leurs archives, sans lesquels cette difficile enquête n'aurait jamais pu voir le jour.

Nous remercions la Société de développement des entreprises culturelles du Québec (SODEC) du soutien accordé à notre programme de publication.

Les Éditions internationales Alain Stanké
Groupe Librex inc.
Une compagnie de Quebecor Media
La Tourelle
1055, boul. René-Lévesque Est
Bureau 800
Montréal (Québec) H2L 4S5
Tél. : 514 849-5259
Téléc. : 514 849-1388
www.edstanke.com

Dépôt légal – Bibliothèque et Archives nationales du Québec et Bibliothèque et Archives Canada, 2011

ISBN 978-2-7604-1079-4

Distribution au Canada
Messageries ADP
2315, rue de la Province
Longueuil (Québec) J4G 1G4
Tél. : 450 640-1234
Sans frais : 1 800 771-3022
www.messageries-adp.com

À mes trois filles, Fanny, Coline, Solène.

Introduction

Savoir, c'est pouvoir

E st-ce que ce livre sera la suite du *Monde selon Monsanto*[1][a] ? » Cette
« question n'a cessé de m'être posée, depuis 2008, lorsque au cours
d'un débat ou d'une conférence j'annonçais que je travaillais sur un
nouveau projet. Oui et non, ce livre est et n'est pas la « suite de *Monsanto* », même si sa matière a évidemment à voir avec celle de mon
enquête précédente. En effet, il en est des livres et des films – pour moi,
les deux sont intimement liés – comme des perles d'un collier ou des
pièces d'un puzzle : ils se succèdent et s'emboîtent sans que j'y prenne
garde. Ils naissent et se nourrissent par ricochets des interrogations
suscitées par le travail qui les a précédés. Et ils finissent par s'imposer
comme les maillons d'une même chaîne. Dans tous les cas, le processus
à l'œuvre est toujours le même : le désir de comprendre, pour ensuite
transmettre au plus grand nombre les connaissances accumulées.

---

a   Toutes les notes de référence sont classées par chapitre, en fin de ce livre, p. 454.

Trois questions à propos du rôle de l'industrie chimique

Notre poison quotidien est donc le fruit d'un long processus, commencé en 2004. À l'époque, je m'inquiétais des menaces qui pèsent sur la biodiversité : dans deux documentaires diffusés par Arte sur le brevetage du vivant et l'histoire du blé[2], j'avais raconté comment des multinationales obtiennent des brevets indus sur des plantes et savoir-faire des pays du Sud. Au même moment, je tournais un reportage en Argentine, qui dressait le bilan (désastreux) des cultures de soja transgénique, le fameux soja Roundup Ready de Monsanto[3]. Pour ces trois films, j'avais voyagé aux quatre coins de la planète, en m'interrogeant sur le modèle agro-industriel mis en place au lendemain de la Seconde Guerre mondiale et dont le but affiché était de « nourrir le monde ». J'avais constaté qu'il induit une extension des monocultures au détriment de l'agriculture vivrière et familiale, provoquant une réduction draconienne de la biodiversité qui, à terme, constitue une menace pour la sécurité et la souveraineté alimentaires des peuples. Je notais aussi que la fameuse « révolution verte » s'accompagne d'un appauvrissement des ressources naturelles (qualité des sols, eau) et d'une pollution généralisée de l'environnement, en raison de l'usage massif de produits chimiques (pesticides ou engrais de synthèse).

Tout naturellement, cette trilogie m'a conduite à m'intéresser à la firme américaine Monsanto, l'un des grands promoteurs et bénéficiaires de la « révolution verte » : d'abord parce qu'elle fut (et continue d'être) l'un des principaux fabricants de pesticides ; ensuite, parce qu'elle est devenue le premier semencier du monde et qu'elle tente de mettre la main sur la chaîne alimentaire grâce aux semences transgéniques brevetées (les fameux « OGM », organismes génétiquement modifiés). Je ne dirai jamais assez à quel point je fus surprise de découvrir les multiples mensonges, manipulations et coups tordus dont est capable la firme de Saint Louis (Missouri) pour maintenir sur le marché des produits chimiques hautement toxiques, quel qu'en soit le prix environnemental, sanitaire et humain.

Et, au fur et à mesure que j'avançais dans ce « thriller des temps modernes », pour reprendre l'expression de la sociologue Louise Vandelac, qui a préfacé l'édition canadienne du *Monde selon Monsanto*, trois questions ne cessaient de me tarauder. Est-ce que Monsanto constitue une exception dans l'histoire industrielle ou, au contraire, son comportement criminel – je pèse mes mots – caractérise-t-il la majorité des fabricants de produits chimiques ? Et puis, une question en appelant une autre, je me demandai aussi : comment sont évaluées et réglementées les quelque 100 000 molécules chimiques de synthèse qui ont envahi notre environnement et nos assiettes depuis un demi-siècle ? Enfin, y a-t-il un lien entre l'exposition à ces substances chimiques et la progression spectaculaire des cancers, maladies neurodégénératives, troubles de la reproduction, diabète ou obésité que l'on constate dans les pays « développés », au point que l'Organisation mondiale de la santé (OMS) parle d'« épidémie » ?

Pour répondre à ces questions, j'ai décidé de m'attacher dans cette nouvelle enquête aux seules substances chimiques qui entrent en contact avec la chaîne alimentaire, du champ du paysan (pesticides) à l'assiette du consommateur (additifs et plastiques alimentaires). Ce livre n'abordera donc pas les ondes électromagnétiques, ni les téléphones portables, ni la pollution nucléaire, mais uniquement les molécules de synthèse auxquelles nous sommes exposés, dans notre environnement ou notre alimentation – notre « pain quotidien » largement devenu notre « poison quotidien ». Sachant que le sujet est hautement polémique – et ce n'est pas surprenant, étant donné l'importance des enjeux économiques qui y sont rattachés –, j'ai choisi de procéder méthodiquement, en partant du plus « simple » et du moins contestable, à savoir les intoxications aiguës, puis chroniques, des agriculteurs exposés directement aux pesticides, pour aller progressivement vers le plus complexe, les effets à faibles doses des résidus de produits chimiques que nous avons tous dans le corps.

Assembler les pièces du puzzle

Notre poison quotidien est le fruit d'une longue investigation, qui a mobilisé trois types de ressources. D'abord, j'ai consulté une centaine de livres, écrits par des historiens, sociologues et scientifiques, majoritairement d'Amérique du Nord. Mon enquête doit ainsi beaucoup au précieux travail de recherche accompli par des universitaires de grand talent, comme Paul Blanc, professeur de médecine du travail et de l'environnement à l'université de Californie, ou ses confrères historiens Gerald Markowitz et David Rosner, ou encore David Michaels, un épidémiologiste nommé en décembre 2009 à la tête de l'OSHA (Occupational Safety and Health Administration), l'agence américaine chargée de la sécurité au travail. Très documentés et malheureusement non traduits en français, leurs ouvrages m'ont permis d'accéder à une masse d'archives inédites et m'ont aidée à replacer l'objet de mon enquête dans le contexte beaucoup plus large de l'histoire industrielle.

C'est ainsi que je suis remontée aux origines de la « révolution industrielle » qui a précédé la « révolution verte », deux faces d'un même monstre insatiable : le progrès, censé nous apporter le bonheur et le bien-être universels, dont tout indique pourtant que, tel un Saturne des temps modernes, il menace de « dévorer ses propres enfants ». Si l'on n'effectue pas cet indispensable retour dans le temps, il est en effet impossible de comprendre comment le système de réglementation des produits chimiques a été inventé et fonctionne encore aujourd'hui – un système nourri du mépris récurrent des industriels et des autorités publiques pour les ouvriers des usines qui ont payé un lourd tribut à la folie chimique des sociétés dites « développées ».

Ce livre se nourrit aussi des multiples documents d'archives que j'ai pu glaner auprès d'avocats, organisations non gouvernementales, experts ou particuliers, particulièrement « têtus » et qui ont réalisé un travail considérable pour documenter les méfaits de l'industrie chimique. Par exemple l'incroyable Betty Martini, à Atlanta, dont je salue la persévérance à rassembler les pièces à conviction contre cet édulcorant de synthèse hautement suspect qu'est l'aspartame. J'ai bien évidemment gardé précieusement une copie de tous les documents que je cite au cours de ces pages, exclusifs ou méconnus de la presse et du grand public. Toutes ces pièces m'ont aidée, de façon décisive, à reconstituer le puzzle dont ce livre entend donner une image claire, sinon définitive.

Mais cette tache eût été incomplète si elle n'avait été également nourrie par la cinquantaine d'entretiens personnels que j'ai menés dans les dix pays où m'a conduite mon investigation : France, Allemagne, Suisse, Italie, Grande-Bretagne, Danemark, États-Unis, Canada, Inde et Chili. Parmi les « grands témoins » que j'ai interrogés figurent notamment dix-sept représentants des agences d'évaluation des produits chimiques, comme l'Autorité européenne de sécurité des aliments (EFSA), la Food and Drug Administration (FDA) américaine ou le Centre international de recherche sur le cancer (CIRC), qui dépend de l'Organisation mondiale de la santé – de même que le Joint Meeting on Pesticides Residues (JMPR), le comité commun de l'OMS et de la FAO chargé d'évaluer la toxicité des pesticides. J'ai aussi interrogé trente et un scientifiques, principalement européens et américains, à qui je voudrais rendre hommage, car ils continuent de se battre pour maintenir leur indépendance et défendre une conception de la science au service du bien commun, et non des intérêts privés. Ces longs entretiens ont tous été filmés, puisqu'ils font aussi partie de la matière de mon film *Notre poison quotidien*, qui accompagne ce livre.

« *Le diable est dans les détails* »

Notre poison quotidien est enfin le fruit d'une conviction que j'aimerais faire partager : il faut se réapproprier le contenu de notre assiette, reprendre en main ce que nous mangeons pour qu'on cesse de nous infliger de petites doses de poisons qui ne présentent aucun avantage. Comme me l'a expliqué Erik Millstone, un universitaire britannique, dans le système actuel, « ce sont les consommateurs qui prennent les risques et les entreprises qui reçoivent les bénéfices ». Mais, pour pouvoir critiquer les (multiples) failles du « système » et exiger qu'il soit revu de fond en comble, il faut comprendre comment il fonctionne.

Je dois admettre qu'il ne fut pas aisé de décrypter les mécanismes qui président à l'établissement des normes régissant l'exposition à ce que le jargon édulcoré des experts appelle les « risques chimiques ». Ce fut par exemple un véritable casse-tête que de reconstituer la genèse de la fameuse « dose journalière acceptable » – ou « admissible », dite « DJA » – des poisons auxquels nous sommes tous exposés. Je soupçonne même que la complexité du système d'évaluation et de réglementation des poisons chimiques, qui fonctionne toujours derrière des portes closes et dans le plus grand secret, est aussi une manière d'assurer sa pérennité. Qui va en effet mettre son nez dans l'histoire de la DJA, ou des « limites maximales de résidus » ? Et si, par hasard, un journaliste ou un consommateur trop curieux osent poser des questions, la réponse des agences de réglementation est généralement : « Ça marche *grosso modo*. Et puis, vous savez, c'est très compliqué, faites-nous confiance, nous savons ce que nous faisons… »

Le problème, c'est qu'il ne peut pas y avoir de *grosso modo* quand il s'agit de données toxicologiques dont l'enjeu est la santé des consommateurs, y compris ceux des générations futures. C'est pourquoi, persuadée à l'inverse que « le diable est dans les détails », j'ai décidé de prendre le parti contraire. J'espère donc que le lecteur me pardonnera ce qu'il pourra considérer parfois comme un souci exagéré de la précision ou de l'explication, la multiplication des notes et des références. Mais mon objectif, c'est que chacun puisse devenir, s'il le désire, son propre expert. Ou, en tout cas, que chacun dispose d'arguments rigoureux qui lui permettent d'agir autant que ses moyens le lui permettent, voire d'influer sur les règles du jeu qui gouvernent notre santé. Car savoir, c'est pouvoir...

I

Les pesticides
sont des poisons

1

L'appel de Ruffec et le combat
de Paul François

« L'humanité consiste dans le fait
qu'aucun homme n'est sacrifié à un objectif. »
ALBERT SCHWEITZER

C'était une belle journée d'hiver, froide et ensoleillée. Et la date, le dimanche 17 janvier 2010, restera à jamais marquée dans ma mémoire, mais aussi dans l'histoire de l'agriculture française. Ce jour-là, trente agriculteurs atteints de pathologies graves – cancer, leucémie ou maladie de Parkinson – avaient accepté de se rencontrer à l'initiative du Mouvement pour le droit et le respect des générations futures (MDRGF[a]), une association qui se bat depuis une quinzaine d'années contre les méfaits des pesticides. Programmée de longue date, cette première mondiale avait été organisée à Ruffec, une commune de 3 500 habitants de la Charente. J'avais quitté Paris la veille en TGV, avec Guillaume Martin, cameraman, et Marc Duployer, ingénieur du son, mes deux indéfectibles complices qui m'ont accompagnée aux quatre coins du monde pour filmer l'enquête à l'origine de ce livre.

a   Le MDRGF a été rebaptisé Générations futures en novembre 2010.

17

À peine installée dans le train, j'avais allumé mon ordinateur portable, pensant profiter des deux heures et demie de trajet pour travailler. Mais, tandis que défilaient les paysages champêtres à travers la fenêtre embuée, je n'ai pu écrire une ligne. Submergée par les souvenirs, j'expliquai à mes deux compagnons pourquoi ce voyage revêtait pour moi une signification particulière, mêlant la quête professionnelle de la journaliste d'investigation à celle plus personnelle de la fille d'agriculteurs, née il y a juste cinquante ans dans une ferme des Deux-Sèvres, située dans une commune de Gâtine, à une centaine de kilomètres de Ruffec.

Les formidables promesses de la « révolution verte »

Quand j'ai vu le jour en 1960, la « révolution verte » ne faisait que balbutier. Quelques années plus tôt, très exactement le 1er avril 1952, le premier tracteur Renault avait remplacé la paire de bœufs sur l'exploitation familiale, suivi bientôt des premiers bidons de pesticides, dont la funeste atrazine – un herbicide sur lequel je reviendrai longuement. Très engagé dans la Jeunesse agricole catholique (JAC), qui fut un vivier de responsables politiques et syndicaux du monde rural, mon père avait accueilli ces « outils venus d'Amérique » comme une « chance nouvelle[1] », qui allait permettre de soulager les paysans des tâches les plus pénibles, mais aussi d'assurer à la France son indépendance alimentaire. Fini les disettes ou les famines : l'agriculture industrielle allait pouvoir « nourrir le monde » en fournissant des aliments abondants et bon marché.

Très fier d'exercer « le plus beau métier de la terre », puisque toute activité humaine en dépend, mon père fut un acteur convaincu de l'inexorable processus de transformation de la production agricole qui bouleversa alors profondément les campagnes, tandis que la génération du *baby-boom* vivait l'euphorie des Trente Glorieuses. Mécanisation, utilisation massive d'« intrants » – engrais et pesticides chimiques –, abandon de la polyculture au profit d'une spécialisation céréalière, remembrement, agrandissement des surfaces cultivées, endettement auprès de l'incontournable Crédit agricole : la ferme de mes aïeuls devint un laboratoire de la « révolution verte », rompant avec le modèle d'exploitation familiale qui prévalait depuis des générations.

Inspirés par les enseignements de la JAC puis du CMR (Chrétiens dans le monde rural) – qui, avant même Mai 68, voulaient « changer le monde» –, mes parents créèrent l'un des premiers «Groupements agricoles d'exploitation en commun» (GAEC). Fondée sur la mise en commun des moyens de production et la répartition égalitaire des revenus, cette communauté agricole, qui compta jusqu'à trois associés et trois salariés, permettait notamment de... partir en vacances, un privilège rare dans les familles de paysans.

Inhabituelle dans cette région très conservatrice, l'expérience fit beaucoup jaser, au point qu'à l'école du village on me surnommait la «fille du kolkhoze». De ces années-là, je garde le souvenir d'une enfance heureuse, au milieu d'une ribambelle de gamins, où l'on m'apprit à revendiquer haut et fort mes origines paysannes, car l'émancipation du monde rural passait par l'affirmation décomplexée de son identité. Grâce à la «révolution verte», censée s'inscrire dans l'irrésistible marche de l'humanité vers le progrès et le bien-être universels, ceux que l'on surnommait parfois les «ploucs» ou les «bouseux» relevaient la tête, pour se lancer résolument dans «L'aventure» – titre d'une chanson méconnue de Jacques Brel qu'il a écrite en 1958 à la demande de la JAC.

«Ce fut une période formidable, me disait récemment mon père. Comment pouvions-nous imaginer que ce nouveau modèle agricole allait semer la destruction et la mort?» Et d'ajouter après un silence ému: «Comment pouvions-nous imaginer que les pesticides que la coopérative agricole nous vendait étaient des produits hautement toxiques qui allaient polluer l'environnement et rendre les paysans malades?» Il serait en effet injuste de jeter la pierre aux seuls paysans, qui ont accompli d'incroyables prouesses pour s'insérer, bon gré mal gré, dans un modèle d'agriculture technologique et chimique promu comme la panacée par la FNSEA – le syndicat agricole majoritaire – et le ministère de l'Agriculture, au prix d'un exode rural aussi massif que douloureux et d'innombrables suicides[2].

Dans la famille, il a fallu que je réalise en 2008 mon film et livre *Le Monde selon Monsanto*[3] pour que d'un coup on ose poser à voix haute les questions qu'on avait jusque-là gardées pour soi: et si les maladies et morts prématurées constatées dans l'entourage proche étaient dues aux pesticides? Seraient-ils la cause de la maladie de Parkinson qui a frappé l'un des cousins de mon père, à moins de cinquante ans? Du cancer de la prostate de l'un de mes oncles, ancien associé du GAEC? Du cancer du foie d'un autre associé, emporté à moins de soixante ans? De la maladie de Charcot de ce voisin, un ancien militant du CMR (Chrétiens dans le monde rural), décédé récemment? Et la liste est loin d'être exhaustive.

L'appel de Ruffec

«Pourquoi cette rencontre aujourd'hui? Ça fait quinze ans que nous travaillons sur les pollutions chimiques, notamment sur les pollutions liées aux pesticides, et ça fait quinze ans que nous voyons partout dans les campagnes de France des agriculteurs qui sont malades ou qui nous disent qu'ils ont des collègues malades. Le but de cette journée est que vous puissiez vous exprimer et puis aussi trouver un certain nombre de réponses à des questions que vous vous posez en termes de toxicologie, médicaux ou bien légaux, car nous avons ici des experts qui sont à votre disposition.»

C'est par ces mots que François Veillerette, le président et fondateur du MDRGF, a ouvert la réunion exceptionnelle du 17 janvier 2010 qui se clôturera par l'«appel de Ruffec». Installé depuis vingt-cinq ans dans l'Oise – une région d'agriculture intensive où se développa sa fibre écologiste –, cet enseignant, qui présida Greenpeace France de 2003 à 2006 avant d'être élu vice-président de la région Picardie sur la liste d'Europe Écologie, est l'un des meilleurs connaisseurs français du dossier des pesticides. Son livre *Pesticides, le piège se referme*[4] est une mine de références scientifiques que j'ai soigneusement épluchées avant de me lancer dans mon enquête.

Parmi les «experts» qu'il avait conviés à Ruffec, il y avait André Picot, un chimiste qui travailla chez le géant de la pharmacie Roussel-Uclaf avant de rejoindre le Centre national de la recherche scientifique (CNRS). Réputé pour son indépendance courageuse, dans un milieu où les connivences avec l'industrie sont fréquentes, il claqua en 2002 la porte de l'Agence française de sécurité sanitaire des aliments (AFSSA[a]), car il était en désaccord avec les pratiques de l'institution pour traiter les dossiers délicats. Il y avait aussi Genon Jensen, directrice de l'Alliance santé environnement (Health and Environmental Alliance, HEAL), une ONG basée à Bruxelles qui coordonne un réseau de soixante-cinq associations européennes, dont le MDRGF, et qui a lancé en novembre 2008 une campagne intitulée «Pesticides et cancers», soutenue par l'Union européenne. Il y avait enfin Mᵉ Stéphane Cottineau, l'avocat du MRDGF, et Mᵉ François Lafforgue, l'un des conseils de l'Association nationale de défense des victimes de l'amiante (Andeva) ainsi que de

---

a   En juillet 2010, l'AFSSA a fusionné avec l'Agence française de sécurité sanitaire de l'environnement et du travail (AFSSET) pour former l'Agence nationale chargée de la sécurité sanitaire de l'alimentation, de l'environnement et du travail (ANSES).

l'Association des vétérans des essais nucléaires ou de celle des victimes de la catastrophe de l'usine d'AZF, à Toulouse.

Me Lafforgue est aussi l'avocat de Paul François, un agriculteur qui souffre de graves troubles chroniques provoqués par une intoxication aiguë accidentelle en 2004 et qui est devenu la figure de proue du Réseau pour défendre les victimes des pesticides, créé en juin 2009 par le MDRGF[5]. Exploitant une ferme à Bernac, à quelques kilomètres de Ruffec, c'est lui qui avait suggéré d'organiser la rencontre sur ses terres, car son histoire est devenue le symbole du drame qui déchire de nombreuses familles de paysans un peu partout en France. Et, tout naturellement, c'est à lui que François Veillerette a demandé d'ouvrir la séance des témoignages, tandis qu'un silence religieux s'abattait sur la salle de l'hôtel de l'Escargot, situé en périphérie de Ruffec, au milieu des champs de maïs.

Assis en cercle, comme dans un groupe de parole, les agriculteurs et leurs épouses avaient fait, pour certains, plusieurs centaines de kilomètres pour rejoindre la petite commune de Charente, malgré la maladie qui les minait. Comme Jean-Marie Desdion, originaire du Centre, atteint d'un myélome, un cancer de la moelle, ou Dominique Marchal, venu des Vosges, soigné pour un syndrome myéloprolifératif, une sorte de leucémie ; ou encore Gilbert Vendée, un agriculteur du Cher souffrant de la maladie de Parkinson ; ou enfin Jean-Marie Bony, qui travaillait dans une coopérative agricole du Languedoc-Roussillon jusqu'à ce qu'on lui diagnostique un lymphome non hodgkinien. Comme nous le verrons, l'affection de certains d'entre eux avait été reconnue comme maladie professionnelle par la Mutualité sociale agricole, après une longue bataille, et d'autres étaient en cours de reconnaissance (voir *infra*, chapitre 3).

Connaissant la pudeur de ces hommes et de ces femmes, durs à la tâche et peu enclins à se plaindre hors du cercle familial, je mesurais sans mal l'effort consenti pour participer à l'«appel de Ruffec», adressé aux pouvoirs publics pour qu'ils retirent du marché au plus vite les pesticides dangereux pour la santé et l'environnement, mais aussi aux agriculteurs pour qu'ils cessent de vivre comme une fatalité les pathologies qui les affligent, en saisissant éventuellement la justice.

«Je suis heureux que vous soyez venus, a dit Paul François, visiblement ému, car je sais que cela n'est pas facile. Les maladies causées par les pesticides sont un sujet tabou. Mais il est temps que nous rompions le silence. C'est vrai que nous avons une part de responsabilité dans la pollution qui contamine l'eau, l'air et les aliments, mais il ne faut pas oublier que nous utilisons des produits homologués par les pouvoirs publics et que nous sommes aussi les premières victimes… »

Victime d'une intoxication aiguë, par l'herbicide « *Lasso* » de Monsanto

Ce n'était pas la première fois que je rencontrais Paul François. En avril 2008, j'avais participé à une projection de mon film *Le Monde selon Monsanto*, à la demande d'une association de Ruffec présidée par Yves Manguy, un ancien de la JAC qui avait bien connu mon père et qui fut le premier porte-parole de la Confédération paysanne, à sa création, en 1987[a]. Près de cinq cents personnes s'étaient pressées dans la salle des fêtes de la commune, et la soirée s'était terminée par une séance de signature de mon livre. Un homme s'était approché en demandant à me parler. C'était Paul François, quarante-quatre ans à l'époque, qui, au milieu de la cohue, avait commencé à me raconter son histoire. Encouragée par Yves Manguy, qui m'avait fait comprendre que son affaire était sérieuse, j'avais invité l'agriculteur à me rendre visite à mon domicile de la région parisienne, dès qu'il « monterait » à la capitale. Il avait débarqué, quelques semaines plus tard, un énorme dossier sous le bras, et nous avions passé la journée à le décortiquer ensemble.

Installé sur une ferme de 240 hectares où il cultive du blé, du maïs et du colza, Paul François avait avoué, avec un sourire contrit, qu'il avait été le « prototype de l'agriculteur conventionnel ». Entendez : un adepte de l'agriculture chimique, qui utilisait sans état d'âme les multiples molécules – herbicides, insecticides et fongicides – recommandées par sa coopérative pour le traitement des céréales. Jusqu'à ce jour ensoleillé d'avril 2004 où « [sa] vie a basculé[6] », après un accident grave dû à ce que les toxicologues appellent une « intoxication aiguë » (*poiso ning* en anglais), un empoisonnement provoqué par l'inhalation d'une grande quantité de pesticide.

Le céréalier venait de pulvériser sur ses champs de maïs du Lasso, un herbicide fabriqué par la multinationale américaine Monsanto. Dans une publicité télévisée de la firme vantant les mérites du désherbant, on voit un agriculteur d'une quarantaine d'années, casquette

---

a   La Confédération paysanne est un syndicat agricole minoritaire, plutôt marqué à gauche, qui milite pour un modèle agricole durable, plus familial et moins industriel.

vissée sur la tête, qui, après avoir énuméré les mauvaises herbes «polluant» ses champs, conclut, regard fixé sur la caméra: «Ma réponse, c'est le contrôle chimique des mauvaises herbes. S'il est bien utilisé, personne n'est affecté, sauf les mauvaises herbes.» Ce genre de spot était monnaie courante aux États-Unis dans les années 1970, quand les industriels de la chimie n'hésitaient pas à recourir au petit écran pour convaincre les agriculteurs, mais aussi les consommateurs, de l'utilité de leurs produits pour le bien de tous.

Après l'épandage, Paul François avait vaqué à d'autres occupations, puis était revenu quelques heures plus tard pour vérifier que la cuve de son pulvérisateur avait bien été rincée par le système de nettoyage automatique. Contrairement à ce qu'il pensait, la cuve n'était pas vide mais contenait des résidus de Lasso, et notamment de monochlorobenzène, encore appelé «chlorobenzène», le principal solvant de la formulation. Chauffé par le soleil, celui-ci s'était transformé en gaz, dont les vapeurs ont assailli l'agriculteur. «J'ai été saisi de violentes nausées et de bouffées de chaleur, m'a-t-il expliqué. J'ai aussitôt prévenu ma femme, infirmière, qui m'a conduit aux urgences de Ruffec, en prenant soin d'emporter l'étiquette du Lasso. J'ai perdu connaissance en arrivant à l'hôpital, où je suis resté quatre jours en crachant du sang, avec de terribles maux de tête, des troubles de la mémoire, de la parole et de l'équilibre.»

Première (étrange) anomalie – et nous verrons que le dossier de Paul François en est truffé –, contacté par le médecin urgentiste de Ruffec, qui avait pris connaissance du produit inhalé, le centre antipoison de Bordeaux a déconseillé par deux fois de réaliser des prélèvements sanguins et urinaires, qui auraient permis de mesurer le niveau de l'intoxication en détectant les traces de la matière active[a] du Lasso, l'alachlore, ainsi que du chlorophénol, le principal métabolite – c'est-à-dire le produit de sa dégradation par l'organisme – du chlorobenzène. L'absence de ces prélèvements fera cruellement défaut quand l'agriculteur portera plainte contre la célèbre multinationale de Saint Louis (Missouri). Mais nous n'en sommes pas encore là...

Après son hospitalisation, Paul François est en arrêt de travail pendant cinq semaines, pendant lesquelles il souffre de bégaiements et

---

a   Chaque pesticide est constitué d'une «matière active» – dans le cas du Lasso, il s'agit de l'alachlore – et de nombreux adjuvants, encore appelés «substances inertes», comme les solvants, dispersants, émulgateurs et surfactants, dont le but est d'améliorer les propriétés physicochimiques et l'efficacité biologique des matières actives, et qui n'ont pas d'activité pesticide propre.

de périodes d'amnésie plus ou moins longues. Puis, malgré un «profond état de fatigue», il décide de «reprendre le boulot». Au début du mois de novembre 2004, soit plus de six mois après son accident, il est frappé d'un «moment d'absence»: alors qu'il conduit sa moissonneuse-batteuse, il quitte brutalement le champ où il est en train de récolter, pour traverser un chemin. «J'étais totalement inconscient, raconte-t-il aujourd'hui. J'aurais très bien pu foncer sur un arbre ou dans un fossé.» Pensant qu'il s'agit des séquelles de l'intoxication d'avril, son médecin traitant contacte le centre antipoison d'Angers, lequel, comme son homologue de Bordeaux, refuse de l'examiner et de faire des prélèvements sanguins et urinaires...

En 2007, lorsque Mᵉ Lafforgue, l'avocat de Paul François, sollicitera le professeur Jean-François Narbonne, directeur du groupe de toxicologie biochimique de l'université de Bordeaux et expert auprès d'institutions comme l'AFSSA, pour établir un rapport, celui-ci ne mâchera pas ses mots: «Il faut insister ici sur le comportement aberrant des centres antipoison français qui, contre toute logique scientifique, ont à plusieurs reprises déconseillé de réaliser des mesures de biomarqueurs d'exposition, malgré les demandes réitérées de la famille de Paul François, écrit-il le 20 janvier 2008. Ces absences ahurissantes sont incompréhensibles pour un toxicologue et laissent la porte ouverte à toutes les hypothèses, allant de l'incompétence grave à une volonté délibérée de ne pas fournir de preuves pouvant impliquer un produit commercialisé et éventuellement la firme productrice. [...] Cette faute grave justifie des suites judiciaires.»

Pourtant, s'ils avaient fait leur travail, en respectant leur mission de santé publique, les toxicologues des centres antipoison de Bordeaux et d'Angers auraient pu sans mal consulter les fiches techniques du Lasso, dont la première «autorisation de mise sur le marché» a été accordée en France à Monsanto le 1ᵉʳ décembre 1968. Ils auraient pu constater que l'herbicide est constitué d'une matière active, l'alachlore, à hauteur de 43%, et de plusieurs adjuvants, encore appelés «matières inertes», dont le chlorobenzène utilisé comme solvant, qui représente 50% du produit. Cette substance a bien été déclarée par Monsanto au moment de sa demande d'homologation du Lasso, mais elle ne figure pas sur l'étiquette des bidons vendus aux agriculteurs. Et, si on additionne les pourcentages attribués à l'alachlore et au chlorobenzène, le compte n'y est pas: les 7% restants sont couverts par le «secret commercial» et, comme nous allons le voir, n'apparaissent pas dans la fiche technique de l'herbicide.

En révisant la fiche du chlorobenzène établie par l'Institut national de recherche et de sécurité pour la prévention des accidents du travail et des maladies professionnelles (INRS), les responsables des centres antipoison auraient en tout cas pu lire que cet «intermédiaire de synthèse organique» utilisé pour la «fabrication de colorants et de pesticides» est «nocif par inhalation» et «entraîne des effets néfastes à long terme». De plus, il «se concentre dans le foie, les reins, les poumons et, surtout, le tissu adipeux. [...] L'inhalation de vapeurs provoque une irritation oculaire et des voies respiratoires lors d'expositions de l'ordre de 200 ppm (930 mg/m^3). À forte dose, on peut observer une atteinte neurologique associant somnolence, manque de coordination, dépression du système nerveux central puis troubles de conscience». Enfin, les experts de l'INRS recommandent d'effectuer un «dosage du 4-chlorocatéchol et du 4-chlorophénol [les deux métabolites du chlorobenzène] dans les urines pour la surveillance biologique des sujets exposés». Précisément ce que les deux centres antipoison consultés ont refusé de faire! À noter, enfin, que le solvant est inscrit au tableau n° 9 des maladies professionnelles du régime général de la Sécurité sociale, parce qu'il peut entraîner des accidents nerveux aigus.

Quant à l'alachlore, la molécule active du Lasso qui lui confère sa fonction herbicide, un document de l'Organisation mondiale de la santé (OMS) et de la Food and Agriculture Organization (FAO), datant de 1996, note que chez des «rats exposés à des doses létales» la mort est précédée «de production de salive, de tremblements, d'un effondrement et de coma[7]». S'agissant de l'étiquetage des bidons, les organisations onusiennes recommandent de préciser que le produit est un «cancérigène possible pour les humains» et que les utilisateurs doivent porter «une combinaison de protection, des gants et un masque» au moment des manipulations. Enfin, elles précisent que, bien qu'«aucun cas n'ait été rapporté», les «symptômes d'une intoxication aiguë seraient probablement des maux de tête, nausées, vomissement et vertige. Une intoxication grave peut produire des convulsions et le coma». C'est pour toutes ces raisons que le Canada a interdit l'usage du Lasso dès le 31 décembre 1985, suivi par l'Union européenne en... 2007[a].

---

a   L'Union européenne a décidé de ne pas inscrire l'alachlore dans l'annexe 1 de la directive 91/414/CEE. Notifiée sous le numéro C (2006) 6567, cette décision précise que «l'exposition résultant de la manipulation de la substance et de son application aux taux (c'est-à-dire aux doses prévues par hectare) proposés par l'auteur de la notification [...] représenterait un risque inacceptable pour les utilisateurs».

En France, un document du ministère de l'Agriculture annonce début 2007 que le « retrait définitif » de l'herbicide est prévu pour le 23 avril 2007, mais qu'un « délai de distribution » a été accordé jusqu'au 31 décembre et que le « délai d'utilisation » a été fixé, lui, au 18 juin 2008 ! Histoire de laisser Monsanto et les coopératives agricoles écouler tranquillement leurs stocks, ainsi que le prouve un article de l'hebdomadaire *Le Syndicat agricole* qui annonce, le 19 avril 2007, plusieurs « retraits programmés » de pesticides, dont ceux à base d'alachlore comme le Lasso, l'Indiana et l'Arizona. « Cependant, précise le journal, comme le prévoit la directive européenne 91/414, les États membres peuvent disposer d'un délai de grâce permettant de supprimer, d'écouler et d'utiliser les stocks existants[8]. »

Il est intéressant de souligner que l'article n'explique à aucun moment pourquoi l'Union européenne a décidé de « suspendre les autorisations de mise sur le marché », c'est-à-dire en termes clairs d'interdire les herbicides de Monsanto, dont la substance active s'est révélée cancérigène dans des études conduites sur des rongeurs. Tout se passe comme si les préoccupations agronomiques passaient au-dessus des préoccupations sanitaires, alors que, faut-il le rappeler, si les herbicides sont retirés de la vente, c'est qu'ils mettent en danger la santé de leurs utilisateurs, en l'occurrence des lecteurs du *Syndicat agricole* !

Le combat de Paul François

Pour Paul François, l'accident du travail tourne au cauchemar. Le 29 novembre 2004, il tombe brutalement dans le coma à son domicile et ce sont ses deux filles, alors âgées de neuf et treize ans, qui donnent l'alerte. Il est hospitalisé au CHU de Poitiers pendant plusieurs semaines. Dans un bilan de santé, établi le 25 janvier 2005, le médecin du service des urgences décrit un « état de conscience extrêmement altérée », le patient « ne répond pas aux ordres simples », « l'électro-encéphalogramme [...] montre une activité aiguë, lente, subintrante pouvant faire penser à un état de mal épileptique ». Le même jour, un neurologue note : « Il persiste des troubles d'élocution (dysarthrie) et amnésie. »

S'ensuivent sept mois rythmés par les hospitalisations, dont soixante-trois jours à l'hôpital parisien de La Pitié-Salpêtrière, les transferts de service en service et les comas à répétition. Curieusement, les différents spécialistes consultés s'acharnent à ignorer, dans un bel ensemble, l'origine des troubles de l'agriculteur : son empoisonnement au Lasso. Dépression, maladie mentale, épilepsie, différentes hypothèses sont tour à tour étudiées, à grand renfort d'examens. Paul François enchaîne les scanners, les encéphalogrammes et subit même une évaluation psychiatrique, mais finalement toutes ces pistes sont écartées.

Las de ces atermoiements et poussé par sa femme, Paul François contacte l'Association toxicologie-chimie, présidée par le professeur André Picot, l'un des experts de la rencontre de Ruffec. Celui-ci lui conseille de faire analyser le Lasso, pour savoir quelle est la composition exacte de l'herbicide et, notamment, quels sont les produits qui n'apparaissent pas dans la fiche technique. Confiée à un laboratoire spécialisé, l'analyse révélera que l'herbicide contient 0,2 % de chlorométhylester de l'acide acétique, un additif issu d'un produit extrêmement toxique, le chloroacétate de méthyle, capable de provoquer par inhalation ou par contact cutané l'asphyxie cellulaire[a]. Désireux de comprendre l'origine de ses troubles neurologiques, pour éventuellement mieux les soigner, Paul François demande au directeur adjoint de la coopérative qui lui a fourni le Lasso de prendre contact avec Monsanto. Celui-ci l'informe qu'il a déjà signalé l'accident à la filiale française de la multinationale, installée dans la banlieue de Lyon, mais que celle-ci n'a pas donné suite. «J'étais très naïf, dit aujourd'hui Paul François. Je pensais que Monsanto allait collaborer pour m'aider à trouver une solution à mes problèmes de santé. Mais il n'en fut rien!» Finalement, grâce à la ténacité du représentant de la coopérative, un premier échange téléphonique a lieu entre Sylvie François, l'épouse de Paul, et le docteur John Jackson, un ancien salarié de Monsanto devenu consultant de la firme en Europe. «Ma femme a été très choquée, commente l'agriculteur, car, après avoir affirmé qu'il ne connaissait pas d'antécédents d'intoxication au Lasso, il a proposé une compensation financière, en échange de l'engagement d'abandonner toute poursuite contre la firme.» Toujours les bonnes vieilles pratiques, que j'ai longuement décrites dans mon livre *Le Monde selon Monsanto*, consistant à acheter le silence des victimes, voire à les intimider, pour que les affaires puissent continuer, quel qu'en soit le prix sanitaire ou environnemental.

Devant l'insistance de Sylvie François, le bon docteur Jackson accepte d'organiser un rendez-vous téléphonique avec le docteur Daniel Goldstein, en charge du département de toxicologie au siège de la

---

a L'analyse révèle aussi que le Lasso comprend 6,1 % de butanol et 0,7 % d'isobutanol.

firme, à Saint Louis, dans le Missouri. Ne parlant pas anglais, Paul François demande à un ami chef d'entreprise de conduire l'entretien. À l'instar de son collègue d'Europe, l'Américain commence par proposer une indemnisation financière. « Nous avions vraiment l'impression que mes problèmes de santé ne lui importaient guère, raconte Paul François. Il est même allé jusqu'à nier la présence de chlorométhylester de l'acide acétique dans la formulation du Lasso ! Mais, quand nous lui avons proposé de lui envoyer le résultat de l'analyse, effectuée sur deux échantillons de Lasso fabriqués à deux ans d'intervalle, il a changé de stratégie en disant que la présence de la molécule devait être due à un processus de dégradation de l'herbicide. Si c'est le cas, il est curieux que le taux soit exactement le même dans les deux échantillons ! » En clair : pour le représentant de Monsanto, le chlorométhylester de l'acide acétique serait le résultat d'une réaction chimique accidentelle provoquée par le vieillissement de l'herbicide. « "C'est de la mauvaise foi", commente André Picot, qui estime que "le chloroacétate était utilisé pour son pouvoir énergisant afin d'augmenter l'activité du désherbant[9]". »

La « bête noire de Monsanto »

C'est ainsi que Paul François devient « l'une des bêtes noires de Monsanto », pour reprendre l'expression de *La Charente libre*. Une caractéristique qu'assurément nous partageons ! Mais, très vite, il devient aussi « un cas d'école et de polémique pour les scientifiques et toxicologues[10] ». En effet, constatant l'aggravation de l'état neurologique du céréalier, l'hôpital de La Pitié-Salpêtrière décide de réaliser les prélèvements urinaires que les centres antipoison n'avaient pas jugé bon de recommander. Effectués le 23 février 2005, soit dix mois après l'accident initial, ceux-ci révèlent, contre toute attente, un pic d'excrétion du chlorophénol, le principal métabolite du chlorobenzène, ainsi que des produits de dégradation de l'alachlore. Tout indique qu'une partie de l'herbicide a été stockée dans l'organisme, notamment les tissus adipeux, de Paul François, et que le relargage progressif dans le sang est à l'origine des comas et troubles neurologiques graves qui l'assaillent régulièrement.

Mais, au lieu de se rendre à l'évidence et d'agir en conséquence, les « spécialistes », avec en tête les toxicologues des centres antipoison, maintiennent que c'est impossible. Pour justifier leur déni, ils invoquent le fait que la durée de vie du chlorophénol ou du monochlorobenzène dans le corps ne peut dépasser trois jours et qu'en aucun cas on ne peut retrouver trace de ces molécules au-delà de ce délai. Une explication toute théorique basée sur les données toxicologiques fournies par les fabricants, dont nous verrons qu'elles sont bien souvent sujettes à caution (voir *infra*, chapitre 5).

Si l'on prend l'exemple de la fiche technique établie par l'INRS pour le chlorobenzène, qui repose bien évidemment sur les études communiquées par les industriels, on constate que les données concernant l'élimination de la substance par l'organisme, après l'administration *orale* d'une dose relativement élevée (500 mg/kg de poids corporel, deux fois par jour, pendant quatre jours), ont été obtenues à partir d'une expérience menée sur le lapin. Le rongeur est certes un mammifère avec lequel nous partageons un certain nombre de caractéristiques, mais de là à conclure, les yeux fermés, que les mécanismes d'excrétion constatés chez la pauvre bête sont extrapolables à l'homme, c'est un pas un peu vite franchi ! Surtout quand cet argument sert à nier le lien entre une intoxication humaine aiguë par *inhalation* et ses effets neurologiques à long terme.

Pour l'homme, les seules données disponibles concernent des prélèvements effectués « en sortie de poste » sur des ouvriers travaillant dans des usines fabricant du chlorobenzène (ou l'utilisant, la fiche ne le précise pas).

« Chez l'homme, écrivent ainsi les experts de l'INRS, le 4-chlorocatéchol et le 4-chlorophénol apparaissent dans les urines rapidement après le début de l'exposition, avec un pic d'élimination atteint à la fin de l'exposition (vers la huitième heure). L'élimination urinaire est biphasique : les demi-vies du 4-chlorocatéchol sont de 2,2 heures et de 17,3 heures pour chaque phase respectivement, celles du 4-chlorophénol sont de 3 heures et de 12,2 heures. L'excrétion du 4-chlorocatéchol est environ trois fois plus importante que celle du 4-chlorophénol. » Il faut bien admettre que la fiche est laconique : elle ne dit pas quel fut le degré de l'exposition des ouvriers, mais on peut subodorer qu'il fut inférieur au « gazage », pour reprendre le terme du professeur André Picot, subi par Paul François, car, dans le cas contraire, ils auraient fini à l'hôpital ! Elle ne dit pas non plus si le mécanisme d'excrétion constaté concerne tout ou partie des métabolites, dont, par ailleurs, l'INRS précise qu'ils ont tendance à « se concentrer dans les tissus adipeux ».

Tout cela ressemblerait fort à une bataille de spécialistes, somme toute assez ennuyeuse, s'il n'était la conclusion honteuse – et je pèse mes mots – tirée par les brillants toxicologues de trois centres anti-poison français : si on a retrouvé les métabolites du chlorobenzène et de l'alachlore dans les urines et même les cheveux de Paul François, en février puis en mai 2005, c'est qu'il avait inhalé du Lasso quelques jours plus tôt !

« La première fois que j'ai entendu cet argument, je me suis passablement énervé, raconte l'agriculteur. C'était dans la bouche du docteur Daniel Poisot, le chef de service du centre antipoison de Bordeaux. En clair, il m'accusait de me shooter au Lasso ! Quand je lui ai fait remarquer que le premier prélèvement urinaire a été effectué au milieu d'une longue hospitalisation à La Pitié-Salpêtrière, rendant difficile un contact avec l'herbicide, il a répondu que rien ne m'empêchait de cacher une fiole dans ma chambre d'hôpital ! J'étais tellement sidéré que j'ai fait une remarque sur les liens entre certains toxicologues et l'industrie chimique. Il a ri, en disant que c'était de la fiction et que de toute façon les firmes étaient là pour fabriquer des produits sains et non pour mettre la planète en danger et encore moins les hommes. »

L'argument de la toxicomanie supposée de Paul François a aussi été évoqué par le docteur Patrick Harry, le responsable du centre antipoison d'Angers, lors d'une conversation téléphonique avec Sylvie François, ainsi qu'il ressort du témoignage qu'elle a rédigé pour le tribunal des affaires de sécurité sociale (TASS) d'Angoulême : « Il m'a dit froidement que les résultats d'analyse ne s'expliquaient que par une inhalation volontaire du produit. »

Quant au docteur Robert Garnier, chef de service du centre antipoison et de toxicovigilance de Paris, il n'a certes pas évoqué ouvertement la possibilité d'une « inhalation volontaire », préférant psychiatriser les troubles de Paul François. « Le monochlorobenzène peut expliquer l'accident initial et les troubles observés pendant les heures, voire les jours suivants, mais il n'est pas directement à l'origine des troubles qui sont survenus au cours des semaines et des mois ultérieurs, affirme-t-il dans un courrier au docteur Annette Le Toux, le 1er juin 2005. Son intoxication aiguë a suffisamment inquiété cet exploitant agricole pour qu'il craigne d'être durablement intoxiqué ; la répétition des malaises pourrait être la somatisation de cette anxiété. » Dans sa réponse, quinze jours plus tard, le médecin de la Mutualité sociale agricole (MSA) rappelle que les « troubles » sont des « pertes de connaissance complète » et que le bilan « exclut l'origine psychiatrique des malaises notés ». Puis, manifestement gênée aux entournures, elle ajoute qu'il manque un « fil conducteur » dans ce dossier.

Et pour cause : tous les toxicologues consultés se sont obstinés à nier les effets chroniques du Lasso et de ses composants pour dédouaner le poison de Monsanto ! Pourquoi ? Nous verrons ultérieurement qu'un certain nombre de toxicologues et chimistes gardent des liens très étroits avec l'industrie chimique, y compris – et c'est là que le bât blesse – quand ils occupent des fonctions dans des institutions publiques, comme ici les centres antipoison. Parfois, il s'agit de véritables conflits d'intérêts que les intéressés se gardent bien de rendre publics ; parfois aussi, il s'agit tout simplement d'une «relation incestueuse» due au fait que ces scientifiques spécialisés dans la chimie ou la toxicologie sont «issus d'une même famille», pour reprendre les termes de Ned Groth, un expert environnemental que j'ai rencontré aux États-Unis (voir *infra*, chapitres 12 et 13).

Cette consanguinité chronique est clairement illustrée par l'exemple du docteur Robert Garnier, le responsable du centre antipoison de Paris. Lors de sa visite à mon domicile, Paul François m'avait montré un document qu'il avait imprimé à partir du site web de Medichem, dont j'ai gardé une copie[11]. Cette «association scientifique internationale», qui s'intéresse exclusivement à la «santé liée au travail et à l'environnement dans la production et l'usage de produits chimiques», a été créée en 1972 par le docteur Alfred Thiess, l'ancien directeur médical de la firme chimique allemande BASF. Parmi ses soutiens, on compte certaines des plus grandes entreprises mondiales de la chimie, dont la plupart ont un passé – et un présent – de pollueurs avérés.

Chaque année, Medichem organise un colloque international. En 2004, celui-ci s'est tenu à Paris, sous la présidence du docteur... Robert Garnier, qui faisait alors partie du conseil d'administration de l'association, aux côtés, par exemple, du docteur Michael Nasterlack, un cadre de BASF occupant la fonction de secrétaire. Dans la liste des participants au colloque figurait le docteur... Daniel Goldstein, le toxicologue en chef de Monsanto, celui-là même qui a proposé une transaction financière à Paul François contre l'abandon d'éventuelles poursuites ! Lors d'une rencontre avec le docteur Garnier, l'agriculteur de Ruffec lui avait demandé s'il connaissait son collègue de la firme de Saint Louis, ce que le responsable du centre antipoison de Paris avait nié. Toujours est-il qu'au moment d'écrire ce livre, je n'ai pas retrouvé sur le Web le document que m'avait remis Paul François, car il a tout simplement disparu...

En procès contre la MSA et Monsanto

«À dire vrai, mon affaire m'a fait perdre ma naïveté, soupire l'agriculteur, et voilà comment, pour la première fois de ma vie, je me suis retrouvé devant les tribunaux.» Devant le refus de la Mutualité sociale agricole et de l'AAEXA – l'organisme dépendant de la MSA qui prend en charge les accidents du travail – de reconnaître ses graves problèmes de santé comme une maladie professionnelle, Paul François décide de saisir le tribunal des affaires de sécurité sociale (TASS) d'Angoulême.

Le 3 novembre 2008, le TASS lui donne raison, en affirmant «que sa rechute déclarée le 29 novembre 2004 est directement liée à l'accident du travail dont il a été victime le 27 avril 2004 et qu'elle doit être prise en charge au titre de la législation professionnelle». Dans son jugement, le tribunal se réfère au rapport du professeur Jean-François Narbonne, que j'ai précédemment cité, qui note que les troubles sont dus au «stockage massif des substances dans les tissus adipeux et/ou [au] blocage persistant des activités de métabolisation». En d'autres termes: devant le niveau extrêmement élevé de l'empoisonnement, les fonctions de métabolisation des substances toxiques se sont bloquées, entraînant un stockage de ces dernières dans l'organisme. «Bien qu'exceptionnelle, cette hypothèse est tout à fait plausible», commente André Picot. Un avis que partage le professeur Gérard Lachâtre, expert au service de pharmacologie et de toxicologie du CHU de Limoges, l'unique spécialiste à avoir envisagé un lien entre les troubles neurologiques récurrents de Paul François et son «gazage» au lasso.

Pour l'agriculteur de Ruffec, la décision du TASS d'Angoulême constitue une première victoire. Mais il ne s'arrête pas là: il porte plainte contre Monsanto, devant le tribunal de grande instance (TGI) de Lyon[a], au motif que la firme a «manqué à son obligation d'information relative à la composition du produit». «Sur l'emballage fourni avec le Lasso, seule la présence d'alachlore est mentionnée comme entrant dans la composition du désherbant, la présence de monochlorobenzène n'est pas notifiée, écrit ainsi l'avocat François Lafforgue, dans les conclusions qu'il a remises au tribunal le 21 juillet 2009. Le risque d'inhalation du monochlorobenzène, substance très volatile, les précautions à prendre pour la manipulation du produit et les effets secondaires à une inhalation accidentelle ne sont pas mentionnés.»

a   En février 2011, le procès n'avait toujours pas eu lieu.

De l'autre côté, les conclusions adressées par Monsanto au TGI utilisent avec un incroyable cynisme l'absence de prélèvements urinaires et sanguins, décidée par le centre antipoison de Bordeaux juste après l'accident :

« M. Paul François n'a jamais établi que le produit qu'il aurait inhalé le 27 avril 2004 a été du Lasso, soutiennent les avocats de la multinationale. En effet, il n'y a aucun document médical faisant état, le 27 avril 2004, d'une inhalation de Lasso. [...] Cette évidence que M. Paul François tente d'expliquer par une négligence des services hospitaliers est patente. » Et de conclure avec un incroyable aplomb : « Il résulte de l'ensemble des éléments précités qu'aucun lien de causalité ne peut être établi (voire même présumé) entre l'accident du 27 avril 2004 et l'état de santé de M. Paul François. »

Pour étayer ses impitoyables conclusions, la firme de Saint Louis joint deux documents en pièces annexes. Le premier émane du docteur Pierre-Gérard Pontal, qui a réalisé une « évaluation médicale scientifique du cas d'intoxication de M. Paul François », le 27 mars 2009. Quand on recherche sur le Web le nom du toxicologue, on tombe sans mal sur le *curriculum vitae* qu'il a lui-même mis en ligne. On découvre ainsi qu'il a travaillé au centre antipoison de Paris, puis cinq ans comme médecin-chef dans une usine de Rhône-Poulenc Agrochimie, avant de diriger l'équipe Évaluation des risques pour l'homme au sein d'Aventis CropScience. Ses liens avec l'industrie chimique sont donc évidents. D'une manière générale, son rapport sert tous les poncifs de la toxicologie institutionnelle, en invoquant des « connaissances scientifiques établies » comme l'intangible principe de Paracelse, « seule la dose fait le poison », sur lequel je reviendrai longuement (voir *infra*, chapitre 7).

Mais, pour résumer le caractère biaisé de son évaluation, il suffit de citer sa critique du rapport de Jean-François Narbonne, lequel, prétend-il, « omet de se poser la question de la détermination de la dose à laquelle M. François a été exposé ». Un comble, quand on sait que le professeur Narbonne a clairement dénoncé l'incurie des centres antipoison qui ont refusé de faire les prélèvements, lesquels auraient justement permis de mesurer le niveau d'intoxication de l'agriculteur de Ruffec...

Rédigé par le docteur Daniel Goldstein, responsable du « Product Safety Center » (centre de sécurité des produits) à Saint Louis, le second document cité par les avocats de Monsanto constitue précisément une défense *pro domo* des fameux centres antipoison, ce qui a le mérite de la clarté : « Étant donné qu'il s'agit d'une exposition identifiée à une substance qui est en principe rapidement excrétée et qui ne devrait pas avoir de toxicité chronique, le fait d'obtenir des concentrations dans le sang ou dans l'urine n'offre pas ou peu d'intérêt pour le patient», note-t-il sans peur du ridicule. Puis, il enfonce le clou, en soutenant avec ostentation ceux que ses propos élèvent au rang de «complices» dans ce qui ressemble fort à un déni organisé: «Nous confirmons les dires du centre antipoison français selon lesquels la réalisation d'analyses peu après exposition n'aurait pas donné d'information utile, et selon lesquels M. François aurait dû se remettre de la brève exposition par inhalation sans problème.» Inutile de commenter, la messe est dite.

2

Des armes chimiques
recyclées dans l'agriculture

« Le monde ne sera pas détruit par ceux qui font le mal,
mais par ceux qui les regardent sans rien faire. »

ALBERT EINSTEIN

L'histoire de Paul François est exemplaire, car elle rappelle une évidence que le discours édulcoré de l'industrie chimique, et des pouvoirs publics, a voulu faire oublier : les pesticides sont des poisons. Comme le soulignent le médecin Geneviève Barbier et l'écrivain Armand Farrachi dans leur livre *La Société cancérigène*, leur « emploi s'est banalisé au point qu'on en oublie qu'ils ont été conçus pour tuer[1] ». Et d'ajouter : « On cherche en vain sur les emballages de ces produits en vente libre les mises en garde censées alerter les fumeurs sur les paquets de cigarettes : "Traiter les mauvaises herbes tue" ou "Bombarder les moustiques ou les cafards donne le cancer[2]" ! »

Des « tueurs de fléaux » aux « produits
phytopharmaceutiques »

Les pesticides sont même « uniques, car ils sont les seuls produits chimiques conçus par l'homme et intentionnellement libérés dans l'environnement pour tuer ou endommager d'autres organismes vivants », ainsi que l'écrit Pesticides Action Network (PAN), un réseau international d'action contre les pesticides, dans un fascicule publié en 2007 avec le soutien financier de l'Union européenne[3]. La grande famille des pesticides est d'ailleurs identifiable par leur suffixe commun « cide » (du latin *caedere*, « tuer » ou « abattre »), car, d'après leur étymologie, les pesticides sont des tueurs de « pestes » (du mot anglais *pest* – animal, insecte ou plante nuisibles –, lui-même issu du latin *pestis*, qui désigne des fléaux ou des maladies contagieuses) : les adventices ou « mauvaises herbes » (herbicides), les insectes (insecticides), les champignons (fongicides), les escargots et autres limaces (molluscicides), les vers (nématicides), les rongeurs (rodenticides) ou les corbeaux (corvicides).

Dans les années 1960, au moment où l'atrazine faisait son entrée dans la ferme de mes aïeuls, les promoteurs de l'agriculture chimique n'hésitaient pas à rappeler le caractère hautement toxique, voire mortel, des pesticides pour justifier leurs campagnes de prévention. C'est ainsi que j'ai retrouvé dans les archives audiovisuelles américaines un spot télévisé de 1964 où l'on voit un homme en blouse blanche – le signe distinctif du scientifique –, debout derrière une table remplie de bidons de produits chimiques, qui assène d'un air docte : « N'oubliez jamais que les pesticides sont des poisons ! Leur bon usage dépend de vous ! Utilisez les pesticides avec précaution[4] ! »

Un demi-siècle plus tard, il est inutile de rechercher un avertissement aussi explicite dans la communication des grandes entreprises du secteur, comme on peut le vérifier par exemple en France en visitant le site web de l'Union des industries de la protection des plantes (UIPP), regroupant aujourd'hui les « dix-neuf entreprises qui mettent sur le marché et commercialisent des produits phytopharmaceutiques et services pour l'agriculture ». Les mots choisis pour la présentation de l'organisation professionnelle, qui compte notamment parmi ses membres les filiales françaises des six géants mondiaux de la filière – BASF Agro SAS, Bayer Crop-Science, Dow AgroSciences, DuPont, Monsanto et Syngenta –, sont révélateurs du processus d'euphémisation qui s'est progressivement mis en place à partir des années 1970. Dans le petit monde (très puissant) de l'agro-industrie, on évite en effet soigneusement de parler de « pesticides », préférant le terme de « produits phytosanitaires », d'ailleurs récemment remplacé par celui de « produits phytopharmaceutiques », sans doute encore plus rassurant. Voici la définition qu'en donne le site de l'UIPP : « Les produits *phytopharmaceutiques* ont pour rôle de *protéger* les productions agricoles contre de multiples agressions qui peuvent faire obstacle *au bon développement* des plantes : insectes nuisibles, maladies (champignons...), mauvaises herbes. [...] Ils *favorisent des récoltes régulières, de qualité et en quantité suffisante*[a]. »

Le glissement qui consiste à remplacer le terme « pesticide » par celui de « produit phytosanitaire » ou « phytopharmaceutique » constitue plus qu'un tour de passe-passe sémantique : il vise *de facto* à tromper les agriculteurs – et, par ricochet, les consommateurs – en faisant passer des « produits conçus pour tuer » pour des médicaments censés protéger la santé des plantes et donc la qualité des aliments. Une embrouille en bonne et due forme que l'on pourrait considérer comme anodine, car somme toute typique des manipulations de la communication d'entreprise, si elle n'était relayée au plus haut niveau des organismes d'État.

La page d'accueil du site web du ministère de l'Agriculture[b] est à cet égard très instructive : le mot « pesticide » n'y apparaît pas une seule fois ! En revanche, il comporte une section intitulée « Santé et protection des végétaux », où l'on apprend que le ministère « conduit de nombreuses actions pour la prévention et la gestion des risques sanitaires et phytosanitaires inhérents à la production végétale ». Quel art de l'évitement ! À lire la prose ministérielle, on a l'impression que c'est le fait de produire des végétaux qui induit *en soi* des « risques sanitaires et phytosanitaires », alors que ce sont bien sûr les poisons utilisés – jamais mentionnés – qui sont à l'origine desdits risques ! Et la suite n'éclaire pas davantage notre chandelle : « Les services chargés de la protection des végétaux ont ainsi trois objectifs : la veille sanitaire et phytosanitaire ; le contrôle des conditions de production des végétaux ; et la promotion de pratiques agricoles plus respectueuses de la santé et de l'environnement. »

On retrouve la même *doxa* sur le site de la Mutualité sociale agricole, pourtant chargée de la santé des agriculteurs, où l'« embrouille » est si bien intégrée que les rédacteurs d'un article pourtant plein de bonnes intentions, présentant en avril 2010 le « dispositif Phyt'-attitude, un observatoire spécifique des risques liés à l'utilisation des

---

a   C'est moi qui souligne.

b   Dont l'adresse était en décembre 2010 : http://agriculture.gouv.fr. L'appellation officielle de cette institution était alors tout un poème... « ministère de l'Agriculture, de l'Alimentation, de la Pêche, de la Ruralité et de l'Aménagement du territoire ».

phytosanitaires[a] », se prennent les pieds dans le tapis : « Les *produits phytosanitaires, appelés aussi pesticides* [...], sont des préparations destinées à : protéger les végétaux ou produits végétaux contre tous les organismes nuisibles ou à prévenir leur action ; exercer une action sur leurs processus vitaux, assurer leur conservation ; détruire les végétaux indésirables ou certaines de leurs parties[5]. » On aura noté l'étonnante inversion, car, en réalité, ce sont les « pesticides » qui sont « appelés aussi » « produits phytosanitaires » ! Le terme imposé par l'industrie chimique, pour masquer la nocivité de ses produits, a pris le pas sur l'appellation originale, aujourd'hui dénoncée par les adeptes de l'agriculture chimique comme le signe d'une obsession rétrograde des écologistes et autres « babas cools »...

Le message a en revanche été parfaitement intégré dans les campagnes, et de longue date : dans la commune où j'ai grandi, je n'ai jamais entendu parler de « pesticides », mais tout simplement de « produits phytos » que l'on sort du « magasin à phyto » comme un médicament de l'armoire à pharmacie.

De l'arsenic au gaz moutarde

Comme le rappelle la biologiste Julie Marc dans une thèse de doctorat consacrée au Roundup de Monsanto, l'herbicide le plus vendu au monde, « l'emploi des pesticides remonte à l'Antiquité[6] », mais jusqu'au début du XXe siècle les « tueurs de fléaux » étaient des dérivés de composés minéraux ou de plantes, d'origine naturelle (plomb, soufre, tabac ou feuilles de margousier en Inde[7]). Leur caractère naturel ne les empêchait pas, pour certains, d'être très dangereux, comme l'arsenic, recommandé par Pline l'Ancien dans sa monumentale *Histoire naturelle*. Utilisé en Chine et en Europe comme insecticide dès le XVI[e] siècle, le célèbre poison, et plus précisément son dérivé l'arsénite de soude, a été interdit en 2001 dans les cultures viticoles[b].

D'un usage auparavant limité, les pesticides connaissent un premier essor avec l'avènement de la chimie minérale au XIX[e] siècle. Le

---

a   « Ses objectifs : mieux cerner les effets aigus et subaigus de ces produits pour développer la prévention individuelle en tenant compte du travail réel et améliorer la prévention collective par la remontée d'informations aux pouvoirs publics et aux fabricants. »
b   L'interdiction a été obtenue grâce à une étude conduite par la Mutualité sociale agricole, qui a demandé l'inscription de l'arsenic, en raison de ses effets cancérigènes, dans le tableau des maladies professionnelles du régime agricole.

symbole de cette évolution est la célèbre «bouillie bordelaise», constituée d'un mélange de sulfate de cuivre et de chaux et utilisée sur les vignes, dès 1885, pour lutter contre le mildiou, mais aussi plus tard comme herbicide. À la même époque, l'arsénite de cuivre, plus connu sous le nom de «vert de Paris» parce qu'il était appliqué pour tuer les rats dans les égouts parisiens, connaît un énorme succès aux États-Unis, où il sert d'insecticide dans les vergers[a]. Un peu plus tard, on découvrira qu'épandu sur des champs de céréales, le sulfate de cuivre détruit les adventices sans endommager les céréales.

Mais il faut attendre la Première Guerre mondiale pour que soient jetées les bases de la production massive de pesticides, qui profitera du développement de la chimie organique de synthèse et de la recherche sur les gaz de combat. De fait, l'histoire de la plupart des produits phytosanitaires largement utilisés aujourd'hui est intimement liée à celle de la guerre chimique, dont la paternité revient à l'Allemand Fritz Haber. Né en 1868, ce chimiste s'était d'abord rendu célèbre pour avoir inventé un procédé de fabrication de l'ammoniac par synthèse de l'hydrogène avec l'azote de l'air, ce qui lui vaudra le prix Nobel de chimie en 1918. Ses travaux sur le processus de fixation de l'azote atmosphérique serviront pour la production d'engrais chimiques azotés (qui remplaceront le guano chilien ou péruvien[b] et accompagneront le développement de l'agriculture industrielle), mais aussi d'explosifs. Lorsque éclate la Grande Guerre, il est à la tête du prestigieux Institut Kaiser Wilhelm, à Berlin, et son laboratoire est sollicité pour participer à l'effort de guerre. Dirigeant une équipe de 150 scientifiques et de 1 300 techniciens, il a pour mission de développer des gaz irritants, censés faire sortir les soldats alliés de leurs tranchées, bien que les armes chimiques aient été interdites lors de la Déclaration de la Haye de 1899.

Les travaux pratiques sont confiés à Ferdinand Flury, chargé de tester les effets et mécanismes toxicologiques de toutes sortes de gaz toxiques sur des souris, rats, singes et même sur des chevaux. Mais un seul sort véritablement du lot : le gaz de chlore. À l'époque, l'utilisation

---

a   Le vert de Paris servait également comme pigment, largement utilisé par les peintres impressionnistes. Sa toxicité serait à l'origine du diabète de Cézanne et de la cécité de Monet, mais aussi des troubles neurologiques de Van Gogh.

b   Le guano désigne les fientes d'oiseaux marins ; utilisé comme engrais biologique, sa teneur en nutriments et matières organiques n'a jamais été égalée, d'autant plus que, à la différence des engrais chimiques, un surdosage n'affecte pas l'environnement ni la qualité des sols (voir mon reportage *L'Or noir du Pérou*, «Thalassa», FR3, 1992).

industrielle du chlore, que l'on trouve abondamment dans la nature, combiné avec d'autres éléments – comme le sodium, sous forme de sel (chlorure de sodium) –, n'en est qu'à ses balbutiements. Depuis la présentation très remarquée du chimiste Claude-Louis Berthollet, en 1785, qui avait décrit la fonction blanchissante de l'«eau de Javel» – une solution de chlore et de potasse inventée dans une manufacture parisienne du quartier de Javel –, la molécule connaît un succès fulgurant comme agent de blanchiment (dans l'industrie textile, puis papetière) et, plus tard, comme désinfectant. Mais son usage reste encore limité car, à l'état de corps simple, le chlore qui est un gaz jaune-vert – d'où son nom *chloros*, signifiant «vert pâle» en grec[a] – est extrêmement toxique, avec une odeur suffocante très désagréable qui attaque violemment les voies respiratoires. Ajoutées au fait qu'il est plus lourd que l'air et qu'il a tendance à se concentrer près du sol – ce qui est très «pratique» dans une guerre de tranchée –, ce sont précisément les «qualités» toxiques du gaz de chlore (encore appelé «dichlore») qui intéressent Fritz Haber.

Le 22 avril 1915, l'armée allemande lâche 146 tonnes de gaz à Ypres (Belgique) sous la direction du scientifique, qui n'hésite pas à se déplacer sur le front pour superviser les attaques chimiques. C'est lui qui a organisé l'installation secrète de 5 000 fûts de chlore, sur une distance de six kilomètres, et ordonné qu'on ouvre les robinets, à 5 heures du matin. Poussé par la brise, le gaz se répand sur les tranchées alliées. Pris par surprise, les soldats français (principalement algériens), britanniques et canadiens tombent comme des mouches, en essayant de se protéger avec un mouchoir trempé dans l'urine. «Je n'oublierai jamais l'agonie terrible mêlée de surprise que l'on pouvait lire dans les yeux des hommes victimes de cette première attaque, a raconté un survivant canadien. C'était le regard d'un chien qui a été battu pour quelque chose qu'il n'a pas fait. […] Ils ont commencé par haleter, tousser, puis sont tombés par terre, leur visage entre les mains. […] Pris d'une quinte de toux, due au gaz dans mes poumons, je me tordais de douleur[8].»

Fritz Haber paiera très cher cette première victoire: quelques jours après le gazage des tranchées d'Ypres, sa femme Clara Immerwahr, chimiste comme lui, se suicide en se tirant une balle dans le cœur avec l'arme de service de son époux, élevé au grade de capitaine. L'histoire

---

a   Le gaz de chlore a été isolé du chlorure de sodium par le chimiste suédois Carl Wilhelm Scheele en 1774, mais c'est le chimiste britannique Humphry Davy qui lui donna son nom en 1809.

rapporte qu'elle se serait vivement opposée à ses travaux sur les gaz de combat.

Mais Fritz Haber ne s'arrête pas en si bon chemin. Constatant que les Alliés ont équipé leurs troupes de masques à gaz, qui rendent le chlore inopérant, il met au point le phosgène, constitué d'un mélange de deux gaz très toxiques, le dichlore et le monoxyde de carbone. Moins irritant pour les yeux, le nez et la gorge que le gaz de chlore seul, il représente cependant la plus mortelle des armes chimiques concoctées dans les laboratoires de Berlin, car il attaque violemment les poumons en les remplissant d'acide chlorhydrique. Les rares poilus survivants succomberont des suites de leur gazage, dans les années qui suivront la fin de la grande boucherie. À noter qu'aujourd'hui le phosgène continue d'être largement utilisé comme composé chimique dans l'industrie des pesticides. C'est l'un des composants du sévin, l'insecticide qui fut à l'origine de la catastrophe de Bhopal en décembre 1984 (voir chapitre suivant).

Vers la fin de la guerre, alors que les gazés se comptent par dizaines de milliers, l'armée allemande lâche la dernière trouvaille de Fritz Haber : le gaz moutarde, aussi appelé «ypérite», car il fut inauguré, comme le gaz de chlore, sur les tranchées d'Ypres. Ses effets sont terribles : il provoque d'énormes vésicules sur la peau, brûle la cornée, entraînant la cécité, et attaque la moelle osseuse, provoquant des leucémies. Rares sont les soldats qui survivront à une intoxication au gaz moutarde.

Si l'usage des gaz de combat est sans conteste une initiative allemande, finalement tous les belligérants les utiliseront, en mobilisant leur industrie chimique. D'une manière générale, la Grande Guerre sera une aubaine pour les industriels, qui profiteront de l'effort de guerre pour jeter les bases de véritables empires – dont les héritières sont aujourd'hui des multinationales spécialisées dans la production de pesticides ou de semences transgéniques. Ainsi, Hoechst (qui fusionnera en 1999 avec le français Rhône-Poulenc pour donner Aventis, un géant de la biotechnologie) approvisionnait l'armée allemande en explosifs et gaz moutarde. À la même époque, l'américain DuPont (aujourd'hui l'un des plus grands semenciers du monde) fournissait les Alliés en poudre à canon et explosifs. De même, Monsanto (le leader mondial des OGM), qui avait été créée au début du siècle pour produire de la saccharine, multiplia ses profits par cent en vendant des produits chimiques qui servaient à la fabrication d'explosifs ou de gaz de combat, dont l'acide sulfurique et le redoutable phénol.

La «loi de Haber» et le Zyklon B

«En temps de paix, le scientifique appartient au monde, mais en temps de guerre, il appartient à son pays.» Patriote zélé, c'est ainsi que Fritz Haber justifiait ses travaux sur les gaz de combat, qui, après l'armistice, lui valent d'être inscrit sur la liste des criminels de guerre dont les Alliés réclament l'extradition. Le scientifique se réfugie en Suisse, jusqu'à ce que cette demande soit officiellement retirée en 1919. Un an plus tard, il reçoit, à Stockholm, le prix Nobel de chimie pour ses travaux sur le procédé industriel de synthèse de l'ammoniac. Sa nomination provoque un tollé dans la communauté scientifique internationale et les lauréats français, anglais et américains des prix antérieurs boycottent la prestigieuse cérémonie. Pour eux, Haber incarne précisément ce qu'Alfred Nobel, le richissime inventeur de la dynamite, avait dénoncé dans son testament: l'alliance entre la science et la guerre.

Mais, si le rôle du «père de la guerre chimique» s'est perdu dans les annales de la science, son nom est en revanche bien connu des toxicologues, qui utilisent toujours aujourd'hui la «loi de Haber» comme une référence pour l'évaluation de la toxicité des produits chimiques contaminant notre environnement, notamment les pesticides. «Fritz Haber n'était pas un toxicologue mais un chimiste physique, note ainsi Hanspeter Witschi, professeur à l'université David, dans la revue *Inhalation Toxicology*, mais il a profondément influencé la science de la toxicologie[9].» En effet, tandis qu'il développait des armes chimiques redoutables, le scientifique allemand s'employa à comparer la toxicité des gaz, pour dégager une loi permettant d'évaluer leur «efficacité», c'est-à-dire leur pouvoir létal. Cette «loi de Haber» exprime une relation entre la concentration d'un gaz et le temps d'exposition nécessaire pour provoquer la mort d'un être vivant. Voici la définition que son concepteur en donna: «Pour chaque gaz de combat, la quantité C présente dans un mètre cube d'air est exprimée en milligrammes et multipliée par le temps T exprimé en minutes qui est nécessaire pour obtenir un effet létal sur l'animal expérimental inhalant cet air. Plus le produit $C \times T$ est petit, plus la toxicité du gaz de combat est grande[10].»

Au cours des observations qui le conduisirent à établir sa terrible loi, Haber nota aussi que l'exposition à une concentration faible de gaz toxique pendant une longue période a souvent le même effet mortel qu'une exposition à une dose élevée pendant une courte durée. Curieusement, comme nous le verrons ultérieurement, les agences de réglementation qui se servent amplement des enseignements de Haber pour évaluer la toxicité des pesticides semblent avoir oublié cette partie de ses conclusions. En effet, si elles admettent sans trop de mal que les produits phytosanitaires peuvent avoir des effets sévères, voire mortels, lors d'une intoxication aiguë, en revanche, elles nient souvent les effets à long terme provoqués par l'exposition chronique à de faibles doses.

En attendant, une chose est sûre : la « loi de Haber » est « souvent utilisée pour établir les règles d'exposition aux substances toxiques », comme le reconnaît David Gaylor, un toxicologue de la Food and Drug Administration, l'agence américaine chargée de la sécurité des aliments et des médicaments[11]. De fait, elle a directement inspiré la création de l'un des outils fondamentaux de l'évaluation et de la gestion des risques chimiques : la « dose létale 50 » ou DL 50. Inventé officiellement en 1927 par le Britannique John William Trevan, cet indicateur de toxicité mesure la dose de substance chimique nécessaire pour tuer la moitié des animaux – en général des souris et des rats – qui y sont exposés, généralement par inhalation, mais aussi par ingestion ou application cutanée. Elle s'exprime en unités de masse de substance rapportée à la masse corporelle du sujet exposé (mg/kg). Un exemple : si un pesticide a une DL 50 de 40 mg/kg, une quantité de 3 200 mg (3,2 g) est censée provoquer la mort de la moitié des humains pesant 80 kg.

D'après un document de l'Organisation mondiale de la santé (OMS), on estime qu'un produit chimique présentant une DL 50 inférieure à 5 mg/kg de poids corporel (produits solides) ou à 20 mg/kg (produits liquides) peut être considéré comme « extrêmement dangereux ». En revanche, il est « légèrement dangereux » si sa DL 50 est supérieure respectivement à 500 et 2 000 mg/kg[12]. À titre indicatif, la DL 50 de la vitamine C est de 11 900 mg/kg, celle du sel de table de 3 000 mg/kg, du cyanure de 0,5 à 3 mg/kg ou celle de la dioxine de 0,02 mg/kg, mais de 0,001 mg/kg pour le chien.

Et celle du Zyklon B ? Elle est de 1 mg/kg[13]... La tragique ironie de l'histoire, en effet, veut que Fritz Haber, qui était d'origine juive, ait été aussi l'inventeur du funeste Zyklon B, utilisé par les nazis pour exterminer les Juifs dans les chambres à gaz des camps de la mort. Dans les années 1920, il est contacté par Degesch, la société allemande de lutte contre les parasites, qui lui demande de reprendre ses travaux sur le gaz d'acide cyanhydrique pour développer une application insecticide. Haber connaît bien ce gaz : d'après les critères de la loi qui porte son nom, il est si toxique que sa manipulation est extrêmement dangereuse, d'où la décision de ne pas l'utiliser comme arme chimique. Qu'à cela ne tienne : le scientifique développera une formulation permettant de le transporter sans danger et de l'épandre sur les cultures. À noter qu'en France le Zyklon B a été homologué en 1958 pour le traitement des semences de céréales et la protection des céréales stockées. Commercialisé par la firme L'Eden vert, il sera interdit en... 1988[14]. La société Degesch France continuera d'exploiter un produit dérivé du Zyklon B comme agent de désinfection des locaux de stockage jusqu'en... 1997[15].

En attendant, le destin du patriote zélé, converti au protestantisme par pragmatisme, finit bien tristement. En 1933, après l'arrivée d'Hitler au pouvoir, le parti national-socialiste lui demande de licencier tous ses collaborateurs d'origine juive. Voyant qu'il est impossible de résister, Haber décide de démissionner. « Vous ne pouvez pas attendre d'un homme de soixante-cinq ans qu'il change sa manière de penser et la conduite qui l'a si bien guidé pendant les trente-neuf ans de sa carrière académique, écrit-il dans sa lettre de congé. Et vous comprendrez que la fierté d'avoir servi l'Allemagne, son pays pendant toute sa vie, exige de lui qu'il soit relevé de ses fonctions[16]. »

Souffrant d'angine chronique, Fritz Haber s'exile en Suisse, pensant se refaire une santé avant de gagner la Palestine, à l'instigation de son ami Chaïm Weizmann. Mais le voyage n'aura jamais lieu. Il meurt le 29 janvier 1934. Il ne saura jamais qu'une partie de sa famille mourra asphyxiée par le Zyklon B dans les camps de la mort.

Le DDT et le début de l'ère industrielle

« Qui peut croire que l'on puisse déverser sur la surface de la Terre un tel déluge de poisons sans rendre malade toute forme de vie ? écrit la biologiste américaine Rachel Carson dans son best-seller *Le Printemps silencieux*, publié en 1962 et considéré comme l'œuvre fondatrice du mouvement écologiste (voir *infra*, chapitre 3). On ne devrait pas appeler ces produits des "insecticides", mais des "biocides". » Et d'ajouter : « Cette industrie est l'enfant de la Seconde Guerre mondiale. Dans la course pour développer des agents de la guerre chimique, certains produits chimiques créés dans les laboratoires se sont révélés létaux pour les insectes. Cette découverte ne fut pas un hasard : les insectes ont été largement utilisés pour tester les produits chimiques comme agents mortels pour l'homme[17]. »

De fait, les travaux de Fritz Haber sur les gaz chlorés ont ouvert la voie à la production industrielle d'insecticides de synthèse, dont le plus célèbre est le DDT (dichlorodiphényltrichloroéthane), qui fait partie de la vaste famille des organochlorés. Un organochloré est un composé organique où un ou plusieurs atomes d'hydrogène ont été remplacés par des atomes de chlore, pour former une structure chimique extrêmement stable et, du coup, très difficilement dégradable. Certains sont considérés comme des «polluants organiques persistants» (POP), parce qu'ils s'accumulent dans la graisse des animaux et des hommes et que, très volatils, ils se déplacent dans l'atmosphère pour contaminer les coins les plus reculés de la planète. Je reviendrai sur les méfaits des POP, dont plusieurs – connus depuis 1995 comme les «douze salopards» (du nom du film de Robert Aldrich en 1967), ou la «sale douzaine» (*dirty dozen*[a]) – ont été bannis par la convention de Stockholm adoptée le 22 mai 2001 par le Programme des Nations unies pour l'environnement (PNUE), mais continuent aujourd'hui de polluer l'environnement et jusqu'au lait maternel. Parmi eux: les BPC de Monsanto[18], ainsi que neuf pesticides, dont le DDT, l'«insecticide miracle» qui débuta sa brillante carrière pendant la Seconde Guerre mondiale, entraînant dans son sillon de nombreuses molécules élaborées dans l'entre-deux-guerres.

Synthétisé par le chimiste autrichien Othmar Zeidler en 1874, le DDT a dormi dans un tiroir de paillasse jusqu'à ce qu'en 1939 le chimiste suisse Paul Müller, qui travaillait pour la firme Geigy[b], identifie ses propriétés insecticides. Sa découverte eut un tel succès que, neuf ans plus tard, dans un délai record, il fut couronné par le prix Nobel de médecine. Se présentant sous forme solide, insoluble dans l'eau – pour être appliqué, il doit être dissous dans une huile –, le DDT a été utilisé pour la première fois par l'armée américaine en 1943 à Naples, pour enrayer une épidémie de typhus qui, transmise par les poux, décimait les troupes alliées. Massive, l'opération fut réitérée dans le Pacifique Sud pour éradiquer l'anophèle, le moustique vecteur du paludisme, puis comme antiseptique pour les rescapés des camps de la mort, les prisonniers coréens ou les populations civiles allemandes, au moment de l'occupation du pays vaincu.

---

a   Parmi les pesticides de la «sale douzaine» figurent un fongicide, l'hexachlorobenzène, et huit insecticides: l'aldrine, le chlordane, la dieldrine, l'endrine, l'heptachlore, le mirex, le toxaphène et le DDT.
b   Geigy a été absorbée en 2001 par Syngenta, une multinationale suisse leader sur le marché des pesticides.

En revanche, l'insecticide organochloré n'a jamais été utilisé à des fins militaires pendant la Seconde Guerre mondiale, car il semble que les états majors aient tiré les leçons de la Grande Guerre. C'est en tout cas ce que suggère le major William Buckingham dans un livre publié en 1982 par le service historique de l'armée de l'air américaine, où il note que «les Alliés et les puissances de l'Axe se sont abstenus de se servir de cette arme contre l'ennemi, soit en raison des restrictions légales, soit pour éviter des mesures de rétorsion[19]». Mais, au lendemain de la guerre, le DDT est célébré partout comme un «insecticide miracle», capable de venir à bout de n'importe quel insecte nuisible. J'ai pu ainsi consulter des archives audiovisuelles hallucinantes : on y voit comment, aux États-Unis, des villes entières ont été traitées au DDT dans les années 1950. Les épandeurs sillonnent alors les rues en crachant d'énormes nuages blancs, tandis que les ménagères sont invitées à désinfecter leurs placards avec des éponges imbibées de l'insecticide. Autorisé dans l'agriculture dès 1945, le DDT est ensuite utilisé massivement pour le traitement des cultures, des forêts et des rivières, dans une impressionnante débauche de moyens.

En 1955, l'Organisation mondiale de la santé lance une vaste campagne pour lutter contre le paludisme dans de nombreuses parties du monde – Europe, Asie, Amérique centrale et Afrique du Nord. Aux succès initiaux, qui entraînent parfois l'éradication complète de la maladie, succède toutefois le désenchantement, car très vite les moustiques vecteurs du parasite à l'origine du paludisme développent une résistance au DDT, se soldant, notamment en Inde et en Amérique centrale, par une recrudescence spectaculaire du fléau[20]. Mais, pour l'industrie chimique, avec en tête Monsanto et Dow Chemical, c'est le jackpot : de 1950 à 1980, plus de 40 000 tonnes de DDT ont été déversées chaque année dans le monde, la production atteignant un record de 82 000 tonnes en 1963 (soit un total de 1,8 million de tonnes entre le début des années 1940 et 2010). Aux seuls États-Unis, quelque 675 000 tonnes ont été épandues avant l'interdiction de l'usage agricole du DDT en 1972[21].

Comme le souligne Rachel Carson dans *Le Printemps silencieux*, «le mythe de l'innocuité du DDT repose sur le fait qu'il fut d'abord utilisé en temps de guerre sur des milliers de soldats, réfugiés et prisonniers pour lutter contre les poux[22]». S'ajoute à cela sa faible toxicité aiguë chez les mammifères : classé comme «modérément dangereux» par l'OMS, sa DL 50 n'est que de 113 mg/kg (chez le rat). En revanche – j'y reviendrai (voir *infra*, chapitres 16 et 17) –, ses effets à long terme sont terribles : agissant comme un perturbateur endocrinien, il induit des cancers, des malformations congénitales et des troubles de la repro-duction, notamment chez les sujets exposés pendant la vie prénatale[a].

Boostée par le succès du DDT et autres pesticides organochlorés, une deuxième catégorie d'insecticides a fait son apparition dans la foulée de la Seconde Guerre mondiale. Il s'agit des organophosphorés[b], dont le développement est directement lié à la recherche sur de nouveaux gaz de combat, mais qui, pour les mêmes raisons que le DDT, ne seront jamais utilisés à des fins militaires. Comme le résume sobrement le très officiel site de l'Observatoire des résidus de pesticides, créé par le gou-vernement français en 2003, «à défaut d'être utilisés pendant les hos-tilités, ils le furent contre les insectes[c]». Conçues pour attaquer le sys-tème nerveux des ravageurs, ces molécules présentent une toxicité aiguë beaucoup plus élevée que les organochlorés, mais elles se dégradent plus rapidement. On retrouve dans cette famille des insecticides très dangereux comme le parathion (DL 50: 15 mg/kg), utilisé dès 1944, le malathion, le dichlorvos ou le chlorpyriphos, mais aussi le sévin (res-ponsable de la catastrophe de Bhopal) et le sarin (DL 50: 0,5 mg/kg), un gaz hautement toxique développé en 1939 dans les laboratoires de l'entreprise allemande IG Farben et considéré aujourd'hui comme une «arme de destruction massive» par les Nations unies[d].

Les précurseurs de l'agent orange

Lancée sur les chapeaux de roues par la grâce des insecticides de syn-thèse, la «révolution verte» s'accompagne de la mise sur le marché d'herbicides chimiques développés dans les laboratoires britanniques

a   L'usage du DDT a finalement été limité aux campagnes d'éradication des mous-tiques vecteurs du paludisme, par ailleurs très controversées. Des études récentes attestant du lien entre le DDT et certains cancers pourraient conduire l'OMS à pro-noncer une interdiction définitive de l'insecticide (voir Agathe Duparc, «L'OMS pourrait recommander l'interdiction du DDT», *Le Monde*, 1er décembre 2010).
b   Un organophosphoré est un composé organique comprenant au moins un atome de phosphore lié directement à un atome de carbone.
c   L'Observatoire des résidus de pesticides est administré depuis 2010 par l'Agence nationale de sécurité sanitaire de l'alimentation, de l'environnement et du tra-vail (ANSES). Voir son site: www.observatoire-pesticides.gouv.fr
d   Le gaz sarin a été utilisé pour un attentat terroriste dans le métro de Tokyo le 20 mars 1995, faisant douze morts et plusieurs milliers de victimes. Ce gaz a également été fabriqué au Chili, dans les années 1970, par la police secrète du général Augusto Pinochet pour assassiner ses opposants (voir Marie-Monique Robin, *Escadrons de la mort, l'école française*, La Découverte, Paris, 2004).

et américains au cours de la Seconde Guerre mondiale[a]. Au début des années 1940, les chercheurs parviennent en effet à isoler l'hormone qui contrôle la croissance des plantes, dont ils reproduisent la molécule de manière synthétique. Ils constatent qu'injectée à petites doses, l'hormone artificielle stimule fortement le développement végétal et qu'au contraire, à fortes doses, elle provoque la mort des plantes. C'est ainsi que sont nés deux désherbants très efficaces qui provoquent une véritable « révolution agricole et le début de la science des mauvaises herbes », selon les mots du botaniste américain James Troyer[23] : ce sont les acides 2,4-dichlorophénoxyacétique (2,4-D) et 2,4,5-trichlorophénxyacétique (2,4,5-T), deux molécules chimiques qui font partie de la famille des chlorophénols[b].

Très vite, les chercheurs se rendent compte du potentiel que ces désherbants très puissants représentent en temps de guerre, car ils permettent de détruire les cultures et donc d'affamer les armées et les populations ennemies. Dès 1943, le Conseil pour la recherche agricole du Royaume-Uni lance un programme d'essais secret qui servira dans les années 1950 en Malaisie où, pour la première fois de l'histoire, l'armée britannique utilisera des herbicides pour détruire les récoltes des insurgés communistes. Au même moment, aux États-Unis, le Centre de la guerre biologique de Fort Detrick, dans le Maryland, teste le dinoxol et le trinoxol constitués d'un mélange de 2,4-D et de 2,4,5-D, l'ancêtre de l'« agent orange », le défoliant massivement utilisé par l'armée américaine pendant la guerre du Viêt-nam.

De fait, si les Alliés avaient renoncé à utiliser des armes chimiques, craignant surtout une escalade qui aurait provoqué un effroyable effet boomerang, l'émergence de la guerre froide fait tomber ce tabou de circonstance, car pour la Maison-Blanche tous les moyens sont bons pour venir à bout de la menace communiste. C'est ainsi que, du 13 janvier 1962, date du lancement de l'opération « Ranch Hand », à 1971, quelque 80 millions de litres de défoliants ont été déversés au Viêt-nam, contaminant pour des décennies 3,3 millions d'hectares et plus

---

a   Cette « révolution » agricole sera plus tard qualifiée de « verte » parce qu'elle était censée freiner l'expansion de la « révolution rouge » dans les pays « sous-développés », notamment en Asie, où l'arrivée au pouvoir de Mao Dzedong en Chine en 1949 risquait de faire des émules (voir Marie-Monique ROBIN, *Blé : chronique d'une mort annoncée*, Arte, 15 novembre 2005).

b   Les chlorophénols sont des composés organiques constitués d'un noyau phénolique dans lequel un ou plusieurs atomes d'hydrogène sont remplacés par un ou plusieurs atomes de chlore. On compte dix-neuf variantes de chlorophénol, dont les effets toxiques sont directement proportionnels à leur degré de chloration.

de 3 000 villages; 60 % des produits utilisés étaient de l'agent orange, qui continue de provoquer de graves malformations congénitales trente-cinq après la fin de la guerre.

En effet, l'extrême toxicité de cette arme chimique est due principalement au 2,4,5-T, un poison redoutable qui a la caractéristique d'être pollué par de très faibles quantités de dioxine, ou « TCDD[24] ». Considérée comme la substance la plus toxique jamais créée par l'homme – sous-produit des processus industriels, elle n'existe pas à l'état naturel –, la molécule a été isolée en 1957 dans un laboratoire allemand de Hambourg[a]. On sait aujourd'hui que sa DL 50 est de 0,02 mg/kg (pour le rat) et que, selon une étude de l'université Columbia (New York) publiée en 2003, la dissolution de 80 grammes de dioxine dans un réseau d'eau potable pourrait éliminer une ville de 8 millions d'habitants[25]. Or, au Viêt-nam, selon des estimations concordantes, 400 kilos de dioxine pure ont été déversés sur le sud du pays[26]...

Pour le grand public, la TCDD est sortie du secret des laboratoires, le 16 juillet 1976, lors d'un grave accident industriel, entré dans les annales de l'histoire comme la « catastrophe de Seveso ». Ce jour-là, l'explosion d'un réacteur dans une usine italienne de 2,4,5-T, appartenant à la multinationale Hoffmann-La Roche, provoque l'émission d'un nuage extrêmement toxique qui contamine la région de Seveso (Lombardie). Le bétail meurt en masse et officiellement 183 personnes sont atteintes de chloracné, une pathologie extrêmement grave caractéristique d'un empoisonnement à la dioxine, qui se traduit par une éruption de pustules sur tout le corps pouvant perdurer plusieurs années, voire ne jamais disparaître[b].

Les caractéristiques de cette maladie créée par l'homme avaient défrayé la chronique médicale dès la fin des années 1930, après la mise sur le marché du pentachlorophénol, un cousin du 2,4,5-T, fabriqué par Monsanto et Dow Chemical et utilisé comme fongicide pour le traitement du bois, mais aussi dans le processus de blanchiment de la pâte à papier. Pour son passionnant ouvrage publié en 2007, *How Everyday Products Make People Sick*[27] (Comment les produits de tous les jours rendent les gens malades), Paul Blanc, professeur de médecine du travail et de l'environnement à l'université de Californie, a pu consulter les

---

a   La 2,3,7,8-tétrachlorodibenzo-p-dioxine, ou TCDD, surnommée le « poison de Seveso », a été découverte par Wilhelm Sandermann, qui travaillait à l'Institut de l'industrie du bois.

b   La chloracné est la maladie qui a défiguré, en 2004, le président ukrainien Viktor Iouchtchenko, à la suite d'un empoisonnement attribué aux services secrets.

archives du *Journal of the American Medical Association* (*JAMA*[a]). Il y a retrouvé de nombreuses lettres adressées par des médecins demandant des conseils pour traiter des patients atteints de cette terrible maladie de la peau, alors inconnue. «Je n'ai jamais trouvé dans la littérature médicale un cas de brûlure caustique ou chimique qui dure pendant des années sans qu'il y ait un contact constant avec l'agent», s'étonne ainsi le docteur Karl Stingily, du Mississippi, dans un congrès de l'association médicale du sud des États-Unis[28]. Dans cette rencontre où fut largement abordée la «nouvelle épidémie», le docteur Toulmin Gaines, de l'Alabama, a rapporté le cas d'un patient, ouvrier dans une usine de bois et père de deux jeunes enfants: «Il avait de l'acné, avec des comédons [terme médical désignant les lésions spécifiques de l'acné] sur tout le visage, le dos, les épaules, les bras et les cuisses. Ses deux enfants étaient une fille de cinq ans et un petit garçon d'environ trois ans. Ils avaient aussi des comédons sur tout le visage, typiques de l'acné. Le garçon avait une plaque d'acné incrustée sur le cou comme on pourrait en voir sur un homme de trente ans. J'ai diagnostiqué une acné-chlorée que les enfants avaient attrapée au contact des vêtements du patient. Celui-ci m'a raconté que, quand il rentrait à la maison en bleu de travail, les enfants avaient l'habitude de s'accrocher à ses jambes et il les prenait sur ses genoux pour les embrasser.»

Les mêmes symptômes seront constatés secrètement par Monsanto après une explosion survenue dans son usine de 2,4,5-T à Nitro, en Virginie-Occidentale, le 8 mars 1949. Victimes d'un empoisonnement à la dioxine, les ouvriers présents lors de l'accident ou mobilisés pour le nettoyage du site sont pris de nausées, de vomissements et de maux de tête persistants et développent une forme sévère de chloracné. Le 17 novembre 1953, un accident similaire se produit dans une usine de BASF fabriquant l'herbicide qui inonde alors les champs d'Europe et d'Amérique. Suivis tout aussi secrètement, à la demande de la firme, par le docteur Karl Schultz, les ouvriers intoxiqués développent la même maladie de peau, que le scientifique de Hambourg baptisera «chloracné». Tout au long des années 1950, de nombreux cas de cette pathologie extrêmement défigurante sont enregistrés aux quatre coins des États-Unis, tandis qu'une «étonnante pluie de mort[29]» s'abat sur le pays...

---

a   Créée en 1847, l'American Medical Association revendique aujourd'hui 250 000 médecins adhérents. Son journal, le *JAMA*, est l'hebdomadaire médical le plus lu au monde.

3

« *Élixirs de mort* »

> «Je ne pourrais vivre en paix
> si je gardais le silence. »
>
> RACHEL CARSON

L e printemps silencieux est désormais un été bruyant», écrit le *New York*
« *Times* le 22 juillet 1962, tandis que son concurrent *The New Yorker*
fait un tabac avec la publication des bonnes feuilles du livre de Rachel
Carson *Silent Spring*, qui, dès sa sortie, fin septembre, devient un incroyable
phénomène de librairie (600 000 exemplaires vendus en un mois). De fait,
il est rare qu'un ouvrage scientifique traitant de questions a *priori* ardues,
comme les conséquences de la pollution sur l'environnement, connaisse
un tel succès populaire et mobilise pendant des mois la communauté
scientifique, la presse, l'industrie et jusqu'à la Maison-Blanche.

Le « *printemps silencieux* », ou le combat
de *Rachel Carson*

D'aucuns ont comparé le cataclysme déclenché par le livre de Rachel
Carson à celui qu'a provoqué en son temps *De l'origine des espèces* de

Charles Darwin. En France, où *Le Printemps silencieux* sort dès 1963, la préface du très respecté Roger Heim, alors directeur du Muséum d'histoire naturelle et président de l'Académie des sciences, fait grand bruit : « On arrête les "gangsters", on tire sur les auteurs de "hold-up", on guillotine les assassins, on fusille les despotes – ou prétendus tels –, mais qui mettra en prison les empoisonneurs publics instillant chaque jour les produits que la chimie de synthèse livre à leurs profits et à leurs imprudences ? » s'interroge l'ancien centralien et ingénieur chimiste, devenu un mycologue réputé et un ardent défenseur des ressources naturelles[1]. Cinquante ans plus tard, *Le Printemps silencieux* constitue toujours une référence, car il est unique : alors que l'agriculture chimique conquérait le monde, c'était la première fois qu'un scientifique osait questionner ce modèle agro-industriel, censé engendrer l'abondance et le bien-être universels, en dénonçant méthodiquement les dégâts provoqués par les « élixirs de mort[2] » sur la faune sauvage mais aussi sur les hommes.

Rien ne prédestinait pourtant Rachel Carson à devenir l'auteur d'un tel best-seller, qui contribua à la naissance du mouvement écologiste, à la création de l'Agence de protection de l'environnement des États-Unis (EPA) et à l'interdiction de l'usage agricole du DDT. Née en 1907 dans la petite ville de Springdale (Pennsylvanie) non loin de Pittsburgh, qui deviendra la capitale (très polluée) du fer et de l'acier, la jeune Rachel découvre la nature en compagnie de sa mère, avec qui elle apprend à observer les oiseaux au cours de longues promenades au bord de l'Allegheny River. D'origine modeste, elle obtient une bourse pour étudier la biologie marine à l'université Johns-Hopkins, où la gent féminine est très peu représentée. Comme l'écrit Linda Lear, sa biographe, « dans l'Amérique d'après-guerre, la science est Dieu et la science est mâle[3] ». Passionnée par la mer, mais aussi par l'écriture, Rachel Carson est embauchée par le Bureau de la pêche de Baltimore, où elle travaille comme assistante de laboratoire, tout en écrivant ses premiers articles dans le *Baltimore Sun*. Elle y milite pour une réglementation des déchets industriels déversés dans la baie de Chesapeake, qui polluent les bassins d'huîtres. Pour être prise au sérieux, elle se fait passer pour un homme, en signant « E.L. Carson » !

En 1939, elle est recrutée comme biologiste marine dans ce qui deviendra bientôt l'US Fish and Wildlife Service, où elle est nommée rédactrice en chef de toutes les publications de l'agence. Deux ans plus tard, elle publie *Under the Sea Wind*, suivi de *The Sea around Us* (1951), puis de *The Edge of the Sea* (1955), une trilogie dédiée à la mer qui remporte un énorme succès et la consacre comme l'écrivain scientifique le plus en vue de son temps. Couronnée par de nombreux prix et élue à l'Académie américaine des arts et des lettres, elle travaille à l'écriture de son prochain livre, quand un événement bouleverse sa vie.

En 1957, en effet, le Département de l'agriculture annonce à grand renfort de publicité une campagne d'éradication des « fourmis de feu » (*fire ants*), un insecte d'origine latino-américaine entré aux États-Unis dans les années 1930 depuis le port de Mobile (Alabama). D'un coup, la fourmi rouge qui a conquis les États du Sud devient la bête noire du tout nouveau département du Plan Pest Control, le service fédéral en charge des épandages aériens de pesticides. « Soudainement, écrira Rachel Carson dans *Le Printemps silencieux*, la fourmi de feu est devenue la cible d'un déluge de communiqués, de dessins animés et de pamphlets gouvernementaux la décrivant comme le fossoyeur de l'agriculture du Sud, un tueur d'oiseaux, de bétail et d'humains » (p. 162). Et de préciser : « Le président de la Société américaine d'entomologie n'a pas reçu un seul rapport faisant état de dommages causés par les fourmis aux cultures ou au bétail au cours des cinq dernières années » (p. 163). De même, bien que crainte pour ses piqûres vénéneuses, la fourmi de feu n'a jamais « causé la mort d'un seul homme », ainsi que le rapporte le directeur de la Santé de l'État de l'Alabama.

Le programme d'éradication prévoit de « traiter » 8 millions d'hectares avec des épandages de DDT, mais aussi de dieldrine et d'heptachlore, qui commencent en 1958 et dureront jusqu'en 1961. S'appuyant sur les comptes rendus faits par de nombreux scientifiques – biologistes, entomologistes ou zoologues –, mais aussi par des élus ou des associations locales, Rachel Carson dresse le bilan de cette « pluie de mort » : dès la première année, une grande partie de la faune sauvage est exterminée. Un peu partout dans la campagne, on retrouve des cadavres d'oiseaux, de castors, d'opossums et de tatous. Les animaux domestiques ne sont pas épargnés : volailles, bétail, chats et chiens font les frais de cette incroyable chasse à la fourmi.

« Jamais un programme de pesticides n'avait provoqué un opprobre aussi documenté et quasi unanime, à l'exception de ceux qui ont profité de cette aubaine commerciale, écrit Rachel Carson. C'est l'exemple parfait d'une expérience foncièrement nuisible, mal conçue et mal exécutée, dans le domaine du contrôle de masse des insectes. Une expérience qui a coûté si cher en dollars, en destruction de vies animales et en perte de confiance du public dans le Département de l'agriculture qu'il est incompréhensible qu'on puisse encore consacrer des fonds à ce type d'opération. » Et cela alors même que l'opération est un fiasco complet.

Dès 1962, le directeur de la faculté d'entomologie de l'université de Louisiane dresse ainsi un bilan sans appel : « Le programme d'éradication de la fourmi de feu, qui a été conduit par des agences régionales et fédérales, est un échec patent. Il y a, aujourd'hui, en Louisiane, plus d'hectares infestés qu'avant le début du programme » (p. 172).

Des « chaînes de poison »

« Qui a pris la décision de mettre en branle ces chaînes de poison, cette vague de mort de plus en plus puissante, qui ne cesse de s'étendre telles les ondes provoquées par un caillou jeté dans l'eau calme d'une mare ? Qui a décidé, qui a le *droit* de décider au nom de la multitude de gens qui n'ont pas été consultés que la valeur suprême est un monde sans insectes ? » (p. 127). Cette question ne cessera de tarauder Rachel Carson tout au long de l'enquête précédant *Le Printemps silencieux*. Après son combat contre le programme d'éradication des fourmis de feu, la biologiste réalise un gigantesque travail de recherche sur les dégâts environnementaux causés par la furie des pesticides. Elle consulte moult rapports et études universitaires, obtient des informations confidentielles grâce à ses relations avec de nombreux scientifiques au sein des agences gouvernementales, comme l'Institut national du cancer, accumulant les données sur ce qu'elle appelle les « chaînes de poison et de mort » (p. 6). Et de s'interroger, un brin ironique : « Comment des gens intelligents ont-ils pu prétendre contrôler quelques espèces non désirées avec une méthode qui a contaminé tout l'environnement en menaçant de maladie et de mort jusqu'à leur propre espèce ? » (p. 8).

Un demi-siècle plus tard, il faut relire *Le Printemps silencieux* pour mesurer l'ampleur de la folie qui s'est emparée des hommes au lendemain de la Seconde Guerre mondiale. Documents à l'appui, Rachel Carson y raconte par exemple la dramatique histoire du lac Clear, en Californie. Situé à une centaine de kilomètres au nord de San Francisco, ce lac était prisé des amateurs de pêche, qui venaient y taquiner le poisson. Mais, pour leur malheur, il était aussi l'habitat privilégié du *Chaoborus astictopus*, « une sorte de petit moucheron, proche du moustique, même s'il n'est pas un suceur de sang », qui gênait les habitants du secteur. Qu'à cela ne tienne : les insecticides chimiques sauraient résoudre le problème ! En l'occurrence, ici, le DDD, un insecticide apparenté au DDT et censé être « moins nocif pour les poissons ».

Las! Après une première application «très diluée», les insectes sont toujours là. On décide donc d'augmenter la concentration jusqu'à 50 ppm (partie par million, soit un facteur de dilution de 1 mg par litre de liquide). Les effets sont terribles: des dizaines de glèbes élégants, une espèce d'oiseaux aquatiques qui se nourrissent de poissons, sont retrouvés morts dans les environs du lac. À la troisième application – car les moucherons résistent toujours –, l'hécatombe est telle qu'il n'y a plus un seul glèbe vivant sur le lac Clear. Intrigués, les scientifiques procèdent à l'autopsie des cadavres et découvrent que leurs tissus adipeux contiennent des concentrations extrêmement élevées de DDD – jusqu'à 1 600 ppm –, alors que le taux de dilution de l'insecticide épandu n'a jamais excédé 50 ppm.

C'est en analysant les poissons du lac que les biologistes comprennent le phénomène en cause: celui de la bioaccumulation, «dans lequel les gros carnivores ont mangé les plus petits carnivores, qui ont mangé les herbivores, lesquels ont mangé le plancton, qui a absorbé le poison présent dans l'eau» (p. 48). Le DDD utilisé pour exterminer les moucherons avait en effet contaminé le plancton du lac et s'était accumulé dans les organismes, à tous les échelons de la chaîne alimentaire, pour atteindre des records dans les glèbes élégants, qui ont additionné tout le poison ingurgité par les espèces intermédiaires. Nous verrons plus loin que c'est ce processus de bioaccumulation qui explique pourquoi l'homme, ultime prédateur de la chaîne alimentaire, est particulièrement menacé par les polluants organiques persistants, les fameux «POP», parce que son assiette constitue le réceptacle de toutes les pollutions accumulées par les prédateurs inférieurs qui ont contribué à son alimentation.

Si l'on ajoute au phénomène de la bioaccumulation celui de la bioconcentration – qui désigne la capacité d'un organisme vivant d'accumuler le poison ingéré dans ses tissus adipeux –, on comprend pourquoi les oiseaux furent les premières victimes de cet assaut programmé contre ce que Rachel Carson appelle le «réseau écologique de la vie» (p. 74).

Le silence des oiseaux

Experte en ornithologie depuis ses longues promenades au bord du fleuve de son enfance, la biologiste avait envisagé d'intituler son livre *Le Silence des oiseaux*, tant le destin de ces innocents volatiles lui semblait emblématique du processus de destruction à l'œuvre. Pour son enquête, elle a consulté les centaines de lettres adressées aux agences gouvernementales ou aux institutions universitaires, comme ce courrier d'une habitante de Hinsdale (Illinois) retrouvé dans les archives de Robert Cushman Murphy, un ornithologue réputé du Musée américain d'histoire naturelle : «Quand j'ai emménagé six ans plus tôt, il y avait des oiseaux à profusion, raconte-t-elle. Après plusieurs années d'épandage de DDT, la ville est presque vide de rouges-gorges et d'étourneaux ; je n'ai pas vu une seule mésange sur le bord de ma fenêtre depuis deux ans et, cette année, les cardinaux ont aussi disparu ; dans tous les environs, je n'ai pu trouver qu'un nid de palombes et de jardiniers. Il est difficile d'expliquer aux enfants que les oiseaux ont été exterminés, alors qu'on leur apprend à l'école qu'une loi fédérale interdit de les tuer ou de les capturer» (p. 103).

Ces observations privées – les sceptiques de l'industrie chimique parleront de «cas anecdotiques» – sont confirmées tout au long des années 1950 par les rapports des organismes officiels, comme l'US Fish and Wildlife Service (où travaille Rachel Carson), qui note que certains «points du territoire» sont désormais «étrangement vides de toute forme de vie d'oiseaux». Ce phénomène n'épargne pas l'Europe, ainsi que le montrent les comptes rendus des institutions britanniques, comme la Société royale de protection des oiseaux, qui rapporte un «déluge d'oiseaux morts» provoqué par l'enrobage des semences avec des fongicides et des insecticides, ce qui a entraîné par ricochet la mort de 1 300 renards entre novembre 1959 et avril 1960 (p. 123). Si les renards sont morts, c'est parce qu'ils avaient mangé les oiseaux intoxiqués, lesquels s'étaient goinfrés de vers de terre, eux-mêmes repus du poison enrobant les semences.

Pour bien comprendre le double phénomène de la bioaccumulation et de la bioconcentration – et, si j'insiste, c'est qu'il nous concerne au premier chef –, il faut citer la longue étude réalisée par le professeur George Wallace, ornithologue à l'université du Michigan, à la suite d'un épandage de DDT dans le campus et ses environs, en 1954. L'objectif du «programme» était d'exterminer les scolytes, des coléoptères soupçonnés de transmettre la graphiose, encore appelée «maladie hollandaise de l'orme». Au printemps suivant, tout semble normal : les rouges-gorges affluent sur le campus arboré pour faire leurs nids. Puis, d'un coup, le parc universitaire se transforme en «cimetière». «Malgré l'assurance des techniciens que les insecticides étaient "inoffensifs pour les oiseaux", les rouges-gorges sont pourtant morts d'un empoisonnement par pesticide, écrit le professeur Wallace. Ils montraient les symptômes bien connus de la perte d'équilibre, suivie de tremblements et de convulsions, puis de mort» (p. 107).

Perplexe, l'ornithologue contacte le docteur Roy Barker, membre d'un centre de recherche de l'Illinois, qui « retrace le cycle complexe des événements par lequel le destin du rouge-gorge est relié aux ormes par le biais des vers de terre ». En effet, le DDT forme sur les feuilles des arbres un « film » qui tue *tous* les insectes, aussi bien les insectes ciblés, les scolytes, que les « bons insectes », précieux prédateurs pour l'équilibre écologique et la protection des cultures. À l'automne, les vers de terre ingurgitent l'insecticide déposé sur les feuilles mortes et dans la terre à travers les insectes empoisonnés et l'accumulent dans leur graisse, sans être directement affectés. Car il en va des pesticides comme de la roulette russe : leurs effets varient d'une espèce à l'autre et, dans ce cas, les vers de terre sont insensibles au DDT (mais pas, par exemple, au Roundup de Monsanto, qui leur est fatal). Au printemps suivant, les imprudents rouges-gorges signent leur acte de mort en picorant les lombrics. D'après le docteur Barker, la dose létale est atteinte avec seulement onze vers de terre.

Mais l'histoire ne s'arrête pas là. Dans les années qui suivent l'épandage sur le campus de l'Université du Michigan, le professeur Wallace constate que les rouges-gorges qui y ont survécu ont perdu leur capacité de se reproduire. Les chiffres sont éloquents : en 1953, la population des oiseaux adultes était de 370 ; cinq ans plus tard, celle-ci s'est réduite à « deux ou trois douzaines ». Une baisse draconienne des effectifs qui s'accompagne d'un phénomène inquiétant : « Les rouges-gorges construisent des nids, mais ne pondent pas d'œufs, note l'ornithologue ; parfois, ils pondent et couvent des œufs, mais ceux-ci n'éclosent pas. Nous avons observé un rouge-gorge qui a couvé ses œufs consciencieusement pendant vingt et un jours, mais ils n'ont jamais éclos » (p. 108).

Si tous les rouges-gorges n'ont pas été exterminés, il plane sur les survivants ce que Rachel Carson appelle l'« ombre de la stérilité ». À l'époque, personne n'est encore en mesure d'expliquer le processus à l'origine de ce dysfonctionnement qui menace la survie de l'espèce. Comme nous le verrons (voir *infra*, chapitre 16 et 17), on sait aujourd'hui que le DDT agit comme un perturbateur endocrinien, qui affecte le développement des organismes exposés pendant la phase fœtale. De fait, en 1960, lors d'une audition au Congrès, le professeur Wallace rapportera avoir trouvé des taux extrêmement élevés de DDT dans les ovaires et testicules des oiseaux. À son tour, dans son chapitre consacré à l'effondrement de la population des aigles, le symbole des États-Unis, Rachel Carson cite d'« importantes études » montrant que la deuxième génération est affectée, alors qu'elle « n'a pas été en contact direct avec le poison insecticide. Le stockage du poison dans l'œuf, notamment dans le jaune qui nourrit le développement de l'embryon, [...] explique pourquoi tant d'oisillons sont morts avant l'éclosion des œufs ou quelques jours après» (p. 123[4]).

L'arrogance et le déni de l'industrie américaine

«Les principales affirmations du livre *Le Printemps silencieux* de Mlle Rachel Carson constituent des distorsions grossières des faits. La suggestion que les pesticides sont des biocides qui détruisent notre vie est évidemment absurde, car le fait est que ces produits seraient complètement inutiles s'ils n'avaient pas d'activité biologique.» En traduisant ces paroles de Robert White Stevens, le biochimiste de la société American Cyanamid (l'un des principaux fabricants de pesticides à l'époque), je me suis demandé si le journaliste de la chaîne CBS qui l'interviewait, ce 3 avril 1963, lui avait fait remarquer à quel point son argument était contre-productif, voire ridicule[5]. Désigné comme porte-parole de l'industrie chimique, l'homme à la voix grave et au débit mécanique fut l'un des plus virulents détracteurs de Rachel Carson, qu'il présentait comme une obscurantiste, opposée au sacro-saint «progrès»: «Si l'homme devait suivre les enseignements de Mlle Carson, nous retournerions aux Moyen Âge et les insectes, les maladies et la vermine hériteraient une nouvelle fois de la Terre[6].»

Cette vision apocalyptique d'un monde sans pesticides fut le leit-motiv d'une parodie, publiée par Monsanto un mois seulement après la sortie du best-seller, sous le titre *The Desolate Year* (L'année de la déso-lation), dont il est difficile aujourd'hui de trouver une copie, tant ce texte insipide est tombé dans les oubliettes de l'histoire. Optant pour le genre (difficile!) de la science-fiction, la firme y décrit les horreurs qui s'abattraient sur les États-Unis si ceux-ci venaient à interdire le DDT. C'est tellement affligeant que je ne peux résister à l'envie d'en traduire un passage: «Avec l'interdiction des pesticides, les entreprises chargées du contrôle des ravageurs avaient dû fermer. Soudainement, certains ont compris ce qu'était l'austérité d'antan. Il n'y avait plus de moyen de se protéger contre les mites dans les vêtements, les meubles, les tapis; plus d'armes, autres que les tapettes à mouches, pour lutter contre les punaises galopantes, les puces, les cafards glissants et les fourmis enva-hissantes. Nombreux sont ceux qui se mirent à frissonner et pourtant l'année de la désolation ne faisait que commencer[7].»

Pris par surprise – c'est la première fois qu'est remise en question l'utilité de leurs « produits miracles » –, les fabricants de pesticides réagissent violemment et avec toute la puissance de leur arrogance. Rien à voir avec les subtiles campagnes de désinformation des années 2000, soigneusement distillées par des agences de communication qui agissent dans l'ombre : au début des années 1960, les industriels de la chimie sont des dieux intouchables, suscitant respect et gratitude, car ils sont considérés comme les garants du progrès et de l'abondance censés caractériser la « société civilisée ». Sûr de son bon droit, le P-DG de Monsanto ne craint pas par exemple, dans la lettre qui accompagne alors l'envoi gracieux de *The Desolate Year* à tous les décideurs du pays, de recourir à l'insulte sexiste en traitant « Mlle Rachel Carson » de « femme hystérique », de « petite copine des oiseaux et des gentils lapins », de « vieille fille romantique » ou d'« adepte fanatique du culte de l'équilibre de la nature ».

Les détracteurs du *Printemps silencieux* reçoivent aussitôt le soutien de la presse acquise à la *doxa* ambiante, comme *Time Magazine*, qui fustige en septembre 1962 le « débordement émotionnel et erroné » d'un livre « bourré de simplifications et d'erreurs grossières[8] ». Ce qui n'empêchera pas le même magazine, trente-sept ans plus tard, de classer Rachel Carson parmi les « cent personnes les plus influentes du xxe siècle », en rappelant à juste titre l'« énorme contre-attaque organisée et dirigée par Monsanto, Velsicol, American Cyanamid – toute l'industrie chimique –, dûment soutenue par le ministère de l'Agriculture et les plus prudents des médias[9] ». De fait, dans une lettre adressée à l'ex-président Dwight Eisenhower, l'ancien secrétaire à l'Agriculture Ezra Taft Benson[a], qui encouragea activement le développement de l'agriculture chimique dans les années 1950, suggéra que Rachel Carson était « probablement une communiste, car sinon comment expliquer qu'une célibataire s'intéresse autant à la génétique[10] » ?

Mais les dénégations outrancières des supporters des pesticides ne parviennent pas à étouffer l'incroyable écho du *Printemps silencieux*, y compris à la Maison-Blanche. J'ai pu ainsi consulter les archives d'une conférence de presse donnée par le président John F. Kennedy, le 29 août 1962, où un journaliste l'interroge sur la « possibilité d'effets secondaires nocifs et à long terme des épandages du DDT et autres

---

a   Proche de l'industrie et anticommuniste virulent, Ezra Taft Benson, secrétaire à l'Agriculture des États-Unis de 1953 à 1961 sous les deux mandats du président Dwight David Eisenhower, fut l'une des figures de l'Église de Jésus-Christ des saints des derniers jours, qu'il présida de 1985 à 1994.

pesticides » : « Avez-vous envisagé de demander au Secrétariat de l'Agriculture ou de la Santé d'étudier cela de plus près ?

— Oui, et ils sont déjà en train de le faire, répond le président, ils travaillent sur la question depuis la publication du livre de Mlle Carson. »

De fait, dans les jours qui suivent la publication des bonnes feuilles dans *The New Yorker*, Kennedy demande à son conseiller scientifique Jerome Wiesner de constituer un comité chargé d'étudier l'« usage des pesticides ». Le 15 mai 1963, celui-ci rend son rapport[11], dont les conclusions confirment la « thèse du *Printemps silencieux* », selon les mots du magazine *Science*, puisqu'il recommande un programme d'« élimination progressive des pesticides persistants[12] ». Dans leur introduction, les auteurs reconnaissant que, « jusqu'à la publication du *Printemps silencieux*, les gens n'étaient en général pas conscients de la toxicité des pesticides ».

Le lendemain de la publication du rapport, le Sénat commence une série d'auditions sur les risques environnementaux – dont celle de Rachel Carson. Ses travaux conduiront, le 3 décembre 1970, à la création de l'Agence de protection de l'environnement des États-Unis (EPA). Une première mondiale. Deux ans plus tard, malgré les manœuvres dilatoires de l'industrie, la nouvelle agence interdit l'usage agricole du DDT, qui « entraîne des risques inacceptables pour l'environnement et des dégâts potentiels pour la santé humaine[13] ». Une belle victoire posthume pour Rachel Carson, hélas prématurément disparue d'un cancer du sein le 14 avril 1964, à l'âge de cinquante-six ans. Au moment de voter la loi qui entérina la création de l'EPA, certains parlementaires américains se sont sans doute souvenus de ses mots : « La question est de savoir si une civilisation peut mener une guerre implacable contre la vie sans se détruire elle-même et perdre le droit d'être qualifiée de civilisée[14]. »

De Bhopal au Pakistan ou au Sri Lanka : les pesticides, « poisons du tiers monde »

« Les oiseaux se sont mis à tomber du ciel. Les rues et les champs étaient jonchés de cadavres de buffles d'eau, de vaches et de chiens, gonflés au bout de quelques heures passées dans la chaleur de l'Asie centrale. Et partout des gens morts d'étouffement recroquevillés, l'écume à la bouche, les mains crispées agrippées dans la terre. » Ces phrases ne proviennent pas d'un récit de la Grande Guerre, mais d'un reportage sur la catastrophe de Bhopal, paru dans *Der Spiegel* en décembre 1984. Horrifié par cette « apocalypse industrielle sans précédent dans l'histoire », l'hebdomadaire allemand y consacra alors sa une, avec un titre sans ambiguïté : « Le gaz mortel de l'usine à poison[15]. »

Le drame est survenu dans la nuit du 3 au 4 décembre 1984, dans l'usine indienne de la firme américaine Union Carbide installée quatre ans plus tôt à Bhopal (dans l'État du Madhya Pradesh) avec la mission de fabriquer 5 000 tonnes annuelles de sévin, un insecticide chimique destiné à l'agriculture. Celui-ci est constitué de deux gaz : le phosgène – inventé par Fritz Haber, dont j'ai parlé précédemment – et le monoéthylamine. Quand elles sont mélangées, les deux molécules produisent de l'isocyanate de méthyle – « MIC » en anglais –, une substance extrêmement toxique qui se décompose sous l'effet de la chaleur en acide cyanhydrique, tout aussi mortel. Lors de cette funeste nuit, des défaillances techniques ont entraîné l'explosion d'une cuve contenant quarante-deux tonnes de MIC et l'émission d'un nuage gazeux qui « s'est déposé tel un linceul sur 65 km² très densément peuplés[16] ». Bilan : au moins 20 000 morts, auxquels s'ajoutent de 250 000 à 500 000 blessés.

En décembre 2004, j'étais à Bhopal, à l'occasion du vingtième anniversaire de la catastrophe, avec Vandana Shiva, une généticienne lauréate du prix Nobel alternatif, une figure de la lutte contre les OGM. Je réalisais à l'époque un documentaire sur les brevets abusifs déposés par des multinationales sur les plantes un peu partout dans le monde. C'est ainsi que la firme chimique américaine W. R. Grace, fabricant notamment des pesticides, avait obtenu en septembre 1994 un brevet sur les feuilles du « neem » (ou margousier), cet « arbre aux médicaments », comme on le surnomme en Inde, dont les nombreuses propriétés médicinales ont été décrites dans les traités de médecine ayurvédique il y a au moins trois mille ans. Parmi elles : la fonction insecticide de ses feuilles, dont W. R. Grace avait décrypté le « principe actif », justifiant ainsi sa demande de brevet[17].

« C'est la catastrophe de Bhopal, puis l'acte de piraterie de W. R. Grace qui ont entraîné mon combat contre toute forme d'appropriation du vivant, avait expliqué Vandana Shiva à la tribune. Il faut que nous rejetions les pesticides chimiques et utilisions nos plantes, qui sont bien plus efficaces et ne menacent pas l'environnement ni la santé des gens ! » Je me souviens de mon émotion quand une délégation de femmes aveugles avait ensuite pris la parole, demandant que les responsables d'Union Carbide soient enfin jugés, les victimes indemnisées et les alentours du site industriel décontaminés.

Si la catastrophe de Bhopal a rappelé au monde que les pesticides sont des poisons mortels, rares sont ceux qui savent que, chaque année, quelque 220 000 personnes meurent des suites d'une intoxication aiguë par ces produits. Ce chiffre est issu d'une étude de l'Organisation mondiale de la santé publiée en 1990[18], selon laquelle on compte alors chaque année entre 1 et 2 millions de cas d'empoisonnements non volontaires, survenus lors d'accidents liés aux activités de pulvérisation (cause de 7 % du nombre total de morts). S'y ajoutent 2 millions de tentatives de suicide (cause de 91 % du total des victimes), perpétrées principalement dans les pays du Sud[19]. Les 2 % restants sont liés à des empoisonnements alimentaires. De plus, 500 millions de personnes, essentiellement des paysans ou des ouvriers agricoles, sont victimes d'une intoxication « moins sévère ».

Ainsi, une étude conduite en 1982 au Sri Lanka par le docteur Jerry Jeyaratnam montre qu'en moyenne annuelle, entre 1975 et 1980, 15 000 personnes ont été admises à l'hôpital à la suite d'un empoisonnement par les pesticides, 75 % étant dus à des tentatives de suicide (sur une population totale de 15 millions d'habitants) ; quelque 1 000 personnes sont décédées. Les pesticides incriminés étaient en général des organophosphorés, mais aussi le paraquat[20]. Une situation extrêmement préoccupante que l'on retrouve en Indonésie, en Thaïlande et en Malaisie, où le taux moyen d'intoxication professionnelle est de 13 pour 100 000, au point que le docteur Jeyaratnam considère que « les pathologies liées aux pesticides représentent la nouvelle maladie du tiers monde[21] ».

Parfois, les intoxications sont massives. C'est le cas en 1976 au Pakistan où, lors d'une campagne d'éradication du paludisme, 2 800 ouvriers agricoles mobilisés pour appliquer du malathion sont gravement intoxiqués (certains sont morts[22]). De même, le document de l'OMS révèle que dans la province du Sichuan, en Chine, 10 millions de travailleurs agricoles (soit 12 % de la population) sont en contact avec des pesticides ; en moyenne, 1 % d'entre eux, soit 100 000 personnes, sont chaque année victimes d'intoxication aiguë. Pour enrayer cette situation dramatique, l'organisation onusienne préconise des stages de formation à tous les niveaux de la chaîne, des utilisateurs de pesticides aux personnels de santé.

Pour cela, ses experts rédigeront en 2006 un énorme manuel de 332 pages, censé soutenir les actions de prévention des intoxications aiguës ou chroniques dues aux pesticides[23]. Il faut lire ce document pour mesurer à quel point on marche sur la tête, y compris au sein d'une organisation internationale comme l'OMS, dont la mission est de protéger la santé des hommes. Certes, la rédaction d'un manuel de prévention est un effort louable, mais, devant les horreurs qu'il décrit, on serait en droit d'attendre une prise de position beaucoup plus radicale, appelant à bannir *sine die* tous les poisons qui mettent en danger les paysans (ainsi que, nous le verrons, les consommateurs). Au lieu de cela, la vénérable institution s'emploie à gérer comme elle le peut – c'est-à-dire forcément mal – les terribles dégâts que peuvent causer des poisons « conçus pour tuer » et qui, de ce fait, n'auraient jamais dû être autorisés dans la production d'aliments.

Page après page, pesticide par pesticide, les experts onusiens décrivent les symptômes cliniques d'une intoxication aiguë et les moyens de la soigner, quand il n'est pas trop tard. On apprend ainsi, dans le module 6 (« Premiers soins pour un empoisonnement aux organophosphorés », p. 214), que la personne intoxiquée « commence à transpirer et saliver (elle bave) ; elle peut vomir, avoir la diarrhée et se plaindre de crampes d'estomac ; ses pupilles se rétrécissent et sa vision se brouille ; les muscles tressautent et les mains tremblent ; la respiration devient erratique et la personne peut avoir une attaque et perdre conscience ».

Concernant le Roundup, l'herbicide de Monsanto dont la firme a toujours prétendu qu'il était aussi inoffensif que du « sel de table » – certaines coopératives agricoles allant jusqu'à affirmer à leurs adhérents qu'on peut en boire sans aucun danger –, l'OMS précise que c'est un « produit très dangereux s'il est bu de manière accidentelle ou intentionnelle. Les manifestations cliniques après l'ingestion du glyphosate [la matière active du Roundup] varient selon le degré d'empoisonnement. S'il est léger : crampes d'estomac, nausées, vomissement, douleur extrême dans la gorge et la bouche, hypersalivation ; [...] s'il est sévère : défaillance respiratoire et rénale, pneumonie, attaque cardiaque, coma, mort » (p. 224 et 271). Quant au 2,4-D, le composant de l'agent orange toujours largement utilisé aujourd'hui[a], une intoxication aiguë par ce produit provoque « de la tachycardie, une faiblesse et des spasmes musculaires qui peuvent évoluer [...] vers le coma et la mort dans les vingt-quatre heures » (p. 225).

Enfin, dernier exemple : le paraquat, l'un des herbicides les plus vendus au monde. « Ses effets sont catastrophiques, avec un taux de mortalité très élevé, écrivent les experts de l'OMS en sortant du ton

---

a   Le 2,4,5-T, l'autre composant de l'agent orange, a été interdit à la fin de la guerre du Viêt-nam.

feutré habituel. [...] Dans les cas sévères, la mort est rapide, faisant suite à un œdème pulmonaire et une défaillance rénale aiguë; dans les cas moins graves, on constate un dysfonctionnement rénal et des dégâts au foie; des crises d'anxiété, de l'ataxie[a] et éventuellement des convulsions» (p. 270).

Les intoxiqués du Chili

«Si je vous offre une pomme avec des résidus de l'insecticide chlorpyriphos [voir *infra*, chapitre 13] et d'autres pesticides, est-ce que vous la mangez?» La question surprend manifestement la docteure Clelia Vallebuona, responsable du programme de toxicovigilance au ministère chilien de la Santé, que j'interroge à Santiago le 11 novembre 2009. «Non!» lâche-t-elle après un long silence.

Elle n'en dira pas plus, preuve que, au Chili comme ailleurs, le sujet des pesticides est extrêmement délicat. Pourtant, Clelia Vallebuona peut être fière de son action: en 1992, avec des collègues «particulièrement motivés», elle avait décidé d'appliquer les recommandations du rapport de l'OMS de 1990 au pied de la lettre, en proposant la création d'un réseau national de surveillance épidémiologique des pesticides (Red de vigilancia epidemiológica de plaguicidas, REVEP), car le pays était alors confronté à de graves problèmes sanitaires. «Dix ans plus tôt, le gouvernement avait décidé de développer l'agro-exportation, m'explique-t-elle, et d'un coup des milliers de travailleurs agricoles se sont trouvés exposés à des substances très toxiques, sans aucune protection. Il fallait absolument faire quelque chose, car nous savions que les cas d'intoxication étaient nombreux, même si nous n'avions pas de données officielles.»

C'est ainsi que, de 1997 à 2005, 6 233 empoisonnements – dont plus de trente furent mortels – ont été déclarés au REVEP, soit une moyenne annuelle de 600 cas. «L'obligation légale de déclarer les intoxications aiguës ne date que de 2004, mais nous sommes persuadés que le chiffre réel doit être au moins cinq fois supérieur, commente la docteure Vallebuona, qui me montre les statistiques accumulées année par année. Les pesticides le plus souvent incriminés sont le chlorpyriphos, le methamidophos, le diméthoate et la cyperméthrine, qui sont tous

---

a   L'ataxie est une maladie neuromusculaire qui se traduit par un manque de coordination des mouvements.

des insecticides, et le glyphosate, un herbicide ; 34 % sont des organo-phosphorés, 12 % des carbamates et 28 % des pyréthroïdes.

— J'imagine que ce ne fut pas facile de créer ce réseau de surveillance des pesticides. Avez-vous subi des pressions ?

— Il y a toujours des gens pour remettre en cause nos statistiques, répond Clelia Vallebuona en cherchant visiblement ses mots.

— Et ces "gens", c'est qui ?

— L'industrie... lâche la fonctionnaire d'un air las.

— Et comment se comporte le ministère de l'Agriculture ?

— Ce n'est pas toujours facile... Parfois, nous parvenons à colla-borer, mais leur logique est totalement différente de la nôtre...

— En tant que fonctionnaire du ministère de la Santé, pensez-vous que les pesticides représentent un vrai problème de santé publique ?

— Oui... Quand on connaît la quantité de pesticides utilisés dans le pays et la gravité de leurs effets potentiels, c'est un énorme problème sanitaire qui n'épargne personne, des enfants aux personnes âgées. »

De fait, au Chili, de 1985 à 2009, la consommation annuelle de pes-ticides a quintuplé, passant de 5 500 à 30 000 tonnes. Les poisons chimi-ques sont principalement utilisés dans la vallée centrale qui commence au sud de la capitale, où se concentrent les cultures intensives destinées au marché américain et européen. Avec Marc Duployer et Guillaume Martin, nous avons parcouru cette région magnifique, bordée par la cordillère des Andes, au début du mois de novembre 2009. Nous étions accompagnés par Patricia Bravo et Maria Elena Rosas, deux respon-sables de la section chilienne de RAP-AL, la branche latino-américaine de Pesticides Action Network (PAN), un réseau international d'organi-sations non gouvernementales qui promeut des substituts durables à l'utilisation des pesticides.

Sur la route du Sud, nous nous sommes arrêtés dans le vignoble très réputé de San Pedro, où un ouvrier agricole sans aucune protec-tion était en train de pulvériser du diméthoate (un insecticide organo-phosphoré dont la DL 50 pour le rat est de 255 mg/kg). « Malheureu-sement, m'a expliqué Patricia Bravo, de nombreuses entreprises ne fournissent toujours pas d'équipement de protection à leurs salariés. Ce jeune homme ne va peut-être jamais subir d'intoxication aiguë, mais quels seront les effets de son exposition répétée à des doses fai-bles de pesticides ? »

Avec Guillaume et Marc, nous avons décidé de descendre discrète-ment au milieu des vignes, pour filmer l'épandage. Postés au bout des rangées de ceps parfaitement alignées, nous avons pu capter le nuage blanc que crachait en permanence le pulvérisateur accroché à l'arrière du mini-tracteur, qui n'était pas doté d'une cabine. Alors que nous étions à au moins 200 mètres de l'engin, nous avons clairement senti l'odeur âcre qui prenait à la gorge et picotait les yeux. Nous nous sommes alors promis de ne plus entreprendre ce genre de tournage sans enfiler au préalable la combinaison, le masque et les lunettes de protection...

Edita et Olivia, deux saisonnières chiliennes brûlées au second degré par les pesticides

Nous avons ensuite repris la route à destination de la région de Maule, où sont produites de manière intensive toutes sortes de fruits (kiwis, pommes, fruits rouges, raisins de table) et légumes, dont certains transiteront par le marché de Rungis, près de Paris, avant de finir dans les assiettes françaises. Ici, pendant quatre mois de l'année, les récoltes font vivre plusieurs dizaines de milliers de travailleurs saisonniers (dont un tiers de femmes), premières victimes des intoxications aiguës.

Ce jour-là, nous avions rendez-vous avec deux d'entre elles : Edita Araya Fajardo, soixante-trois ans, et Olivia Muñoz Palma, trente-neuf ans, dont la tragique histoire avait défrayé la chronique cinq ans plus tôt. La rencontre avait été organisée au domicile de Jacqueline Hernandez, qui préside une association de défense des droits des *temporeras* (travailleuses saisonnières), ce qui lui vaut de figurer sur la liste rouge des grands producteurs agricoles. Assises dans le modeste salon de la maisonnette de parpaing, Edita et Olivia avaient accepté de raconter leur calvaire, « pour que le monde sache », même si leur témoignage pouvait être lourd de conséquences.

À l'aube du 22 octobre 2004, elles faisaient partie d'un groupe de vingt et une femmes recrutées par un « rabatteur » dénommé Alejandro Esparza. Celui-ci les avait conduites dans un... camion à bestiaux au lieu-dit El Descanso (en français : le repos...), dans le secteur de Pelarco. Payées à la journée, sans contrat de travail, elles avaient pour mission de récolter un champ de fèves. « Dès que nous sommes arrivées, nous avons senti une odeur pénétrante de produit chimique, raconte Edita, la voix voilée par l'émotion. Les fèves étaient humides. Le chef nous a dit qu'elles avaient été arrosées la veille avec un pesticide, mais qu'il n'y avait pas de problème. Il m'avait donné dix sacs à remplir. J'ai eu beaucoup de mal à arriver au bout du cinquième, car j'avais très envie de vomir.

— Je me sentais aussi très mal, poursuit Olivia. J'avais de violentes démangeaisons sur les jambes, les pieds et les bras ; j'avais l'impression qu'on m'aspergeait d'eau bouillante. »

Au milieu de la matinée, les trois quarts des femmes décident de consulter le service des urgences de San Clemente, la ville la plus proche. Les médecins diagnostiquent des dermatites aiguës et des érythèmes sévères dont ils ne comprennent pas la cause, malgré le récit unanime des patientes – du centre antipoison de Bordeaux aux hôpitaux chiliens, on retrouve ainsi toujours le même déni, mâtiné de couardise et de connivence... Malgré les malaises persistants, toutes les *temporeras* sont invitées à rentrer chez elles, à l'exception d'Edita et d'Olivia, dont l'état a empiré.

J'ai pu consulter les archives de la chaîne chilienne Canal 13, qui a consacré le soir même du 22 octobre 2004 une émission entière à leur histoire et aux empoisonnements causés par les pesticides. Le programme avait alors fait grand bruit : c'était la première fois que la télévision abordait ce sujet tabou, car il est difficile au Chili de critiquer le modèle de l'agro-exportation, grande pourvoyeuse de devises. Sur les images, filmées à l'hôpital régional de Talca où elles avaient été transportées en ambulance, on voit Edita et Olivia allongées sur un lit, incapables de bouger, car une grande partie de leur corps – abdomen, dos et jambes – est brûlée au second degré. Ce soir-là, le journaliste avait été particulièrement virulent, non pas contre le fait qu'on utilise des poisons pour produire des aliments, mais contre les « chefs d'entreprise irresponsables qui ne respectent pas le droit du travail ni la vie de leurs travailleurs, en les transportant comme du bétail et en les exposant à des produits dangereux sans contrat de travail ni protection. Ce sont pourtant des êtres humains qui cueillent tous ces fruits que nous exportons et dont nous sommes si fiers ! Tout cela doit être dénoncé et les coupables doivent être punis ! ».

Pas si facile... Sur les vingt et une *temporeras* intoxiquées, seules Edita et Olivia ont porté plainte, les autres « préférant se taire par peur des représailles ». Et une fois n'est pas coutume : grâce à la médiatisation, les juges les ont entendues. Le 26 août 2005, la Cour suprême du Chili a condamné Antonio Navarrete Rojas, le propriétaire du champ de fèves, à une amende de 6 millions de pesos (environ 1 800 dollars canadiens), et Alejandro Esparza, le « rabatteur », à 5 millions de pesos (1 500 dollars). Plus tard, la presse a révélé que le « rabatteur » n'a jamais payé l'amende, grâce à l'aide du maire de San Clemente, Juan Rojas Vergara, réputé pour avoir le bras long dans cette région phare des affaires agricoles.

Appuyées par diverses associations, dont RAP-AL et l'Association nationale des femmes rurales et indigènes (ANAMUR), Edita et Olivia ont demandé des dommages et intérêts, pour pouvoir au minimum payer leurs frais médicaux, mais leur plainte au civil n'a jamais été instruite. Le 3 septembre 2005, elles ont donné une conférence de presse, en présence des députés Juan Pablo Letelier et Adriana Muñoz, auteurs d'un projet de loi pour améliorer la réglementation et le contrôle des pesticides utilisés dans le pays. C'est ainsi qu'on a appris que 279 cas d'intoxication aiguë ont été enregistrés en 2004 dans la seule région de Maule. «Cela fait honte de savoir que, dans le Chili du xxie siècle, un kiwi ou une pomme ont plus de valeur que les travailleurs qui les ramassent», a déclaré Adriana Muñoz. Aujourd'hui, Edita et Olivia souffrent d'un syndrome d'hypersensibilité, qui se traduit notamment par une sévère allergie au soleil. «Dès que je sors sans protection, j'ai des plaques rouges qui apparaissent sur le visage et je ressens une énorme fatigue, raconte Edita. Malgré tout, j'ai dû reprendre le travail de cueillette, car je suis veuve et je n'ai pas d'autres moyens de subsistance…»

L'histoire des deux Chiliennes est malheureusement d'une triste banalité. D'après une étude de l'Organisation panaméricaine de la santé, quelque 400 000 personnes sont chaque année victimes d'intoxications par les pesticides dans les sept pays d'Amérique centrale. Au Brésil, le chiffre s'élève à 300 000. En Argentine, où 16 millions d'hectares de soja transgénique sont arrosés de Roundup au moins deux fois par an, les victimes se comptent par milliers. «Et les intoxications aiguës ne sont que la partie émergée de l'iceberg, souligne Maria Elena Rosas, la directrice de RAP-AL Chili. Ce qui ne se voit pas, ce sont les intoxications chroniques à petites doses, qui entraînent des années plus tard des cancers, des malformations congénitales ou des problèmes de stérilité…»

L'impossible prévention

«La principale difficulté que vous aurez en utilisant les phytosanitaires, c'est d'apprendre à percevoir l'invisible… C'est-à-dire apprendre à savoir que le "produit phyto" que vous aviez au départ dans le bidon s'est retrouvé progressivement dans votre environnement. Vous comprenez, ce n'est pas de la peinture rouge, *il ne se voit pas*[a]… C'est d'autant plus difficile que le matériel de pulvérisation n'est pas

---

a   C'est moi qui souligne.

extraordinaire, que les formulations sont difficiles à utiliser et les produits dangereux. Malgré tout ça, il faudra apprendre à gérer votre propre prévention… »

Surréaliste, la scène se déroule le 9 février 2010, dans le lycée agricole catholique Bonne-Terre de Pézenas (Hérault). Médecin du travail à la Mutualité sociale agricole (MSA), Gérard Bernadac est venu animer une séance de « prévention des risques phytosanitaires » en compagnie d'Édith Cathonnet, conseillère en prévention à la MSA du Languedoc, et du docteur Jean-Luc Dupupet, médecin en charge du risque chimique, venu spécialement de Paris où se trouve le siège de la mutuelle. La formation s'adresse à une trentaine d'élèves – tous des garçons – de la filière viticulture œnologie, des fils de vignerons qui se préparent à rejoindre l'exploitation familiale[a]. Elle fait partie d'un module qui permettra à ces futurs agriculteurs d'obtenir le « certiphyto », un diplôme autorisant l'usage professionnel des produits phytopharmaceutiques et qui sera obligatoire à compter de 2015, en vertu d'une directive européenne d'octobre 2009 « pour une utilisation durable des pesticides ». D'ici là, la MSA a du pain sur la planche, car c'est à elle que le ministère de l'Agriculture a confié la mission de former les utilisateurs, magasiniers et négociants, soit environ un million de personnes. Jusqu'alors, n'importe qui pouvait utiliser les poisons sans aucune formation préliminaire…

En observant les jeunes lycéens assis bien sagement dans la jolie chapelle de l'établissement privé, je ne peux m'empêcher de penser aux multiples dangers auxquels ils seront immanquablement confrontés au cours de leur activité professionnelle. Chaque année, en effet, quelque 220 000 tonnes de pesticides sont épandues dans l'environnement européen : 108 000 tonnes de fongicides, 84 000 tonnes d'herbicides et 21 000 tonnes d'insecticides[24]. Si on y ajoute les 7 000 tonnes de « régulateurs de croissance » – des hormones destinées notamment à raccourcir la paille du blé –, cela fait environ un demi-kilo de substances actives pour chaque citoyen européen. La France se taille la part du lion car, avec ses 80 000 tonnes annuelles, elle est le premier consommateur européen de pesticides et le quatrième consommateur mondial, derrière les États-Unis, le Brésil et le Japon. Quatre-vingts pour cent des substances pulvérisées concernent quatre types de cultures, qui ne représentent pourtant que 40 % des surfaces cultivées : les céréales

---

a   La présence de mon équipe de tournage a été signalée sur le site du lycée : www.bonne-terre.fr

à paille, le maïs, le colza et la vigne justement, l'un des secteurs agricoles où l'on utilise le plus de «produits phytos».

La formation au lycée Bonne-Terre a débuté par une séance de «Phyto théâtre», un sketch joué par le docteur Bernadac et sa collègue de la MSA pour sensibiliser les futurs agriculteurs aux «bonnes pratiques» permettant d'éviter le pire. Dans son introduction, Édith Cathonnet a d'ailleurs fait un drôle d'aveu : après avoir énuméré toutes les phases du travail qui comportent des «risques» – l'ouverture du bidon, la préparation de la «bouillie», les remplissage ou nettoyage de la cuve, l'épandage lui-même surtout si la cabine n'est pas étanche ou est souillée, etc. –, elle a fini par lâcher, comme un cri du cœur : «La façon idéale de se protéger, c'est de ne pas traiter, parce qu'on n'est pas du tout en contact avec le produit!»

Puis, au fur et à mesure que se déroulait le «Phyto théâtre» d'un réalisme absolu – j'ai vu ces gestes mille fois sur les fermes de ma commune natale –, j'ai senti le malaise m'envahir. Toute la démonstration reposait en effet sur l'usage de la combinaison de cosmonaute que les agriculteurs sont censés porter pour se protéger, avec les incontournables accessoires que sont les masques à gaz et lunettes de batraciens qui donnent aux paysans des allures d'extraterrestres. Or, trois semaines plus tôt, le 15 janvier 2010, l'Agence française de sécurité sanitaire de l'environnement et du travail (AFSSET) avait publié un rapport très inquiétant sur l'inefficacité de ces combinaisons[25]. Dans leur étude, les experts y expliquaient en détail qu'ils avaient testé dix modèles de combinaison : «Seuls deux modèles sur les dix testés conformément à la norme atteignent le niveau de performance annoncé. Pour les autres combinaisons, le passage des produits chimiques a été quasi immédiat à travers le matériau de trois d'entre elles et à travers les coutures pour deux autres, ce qui constitue des non-conformités graves. Les trois dernières sont à déclasser pour au moins une substance.»

Enfonçant le clou, ils constataient que les tests réalisés par les fabricants «sont réalisés en laboratoire dans des conditions trop éloignées des conditions réelles d'exposition. Les facteurs essentiels, tels que la durée d'exposition, la température extérieure, le type d'activité, la durée de contact, n'entrent pas en considération». Et leur conclusion était sans appel : «Un contrôle de conformité de l'ensemble des combinaisons de protection contre les produits chimiques liquides présentes sur le marché doit être réalisé et les combinaisons non conformes retirées sans délai.»

« Phyt'attitude » : la campagne de la Mutualité sociale agricole en France

Bien sûr, on peut se réjouir que la MSA, qui a longtemps sous-estimé, et même nié, les risques inhérents aux pesticides, soit sortie de son inaction pour lancer un vaste programme de prévention. Dès 1991, en effet, la mutuelle a mis en place un réseau de toxicovigilance, similaire au REVEP chilien, baptisé «Phyt'attitude». Les données sont centralisées à l'Institut national de médecine agricole (INMA) de Tours.

En 1999, une étude interne révèle que «un utilisateur de produits phytopharmaceutiques sur cinq a ressenti des troubles (irritations de la peau, problèmes respiratoires, vomissements, maux de tête...) au moins une fois dans l'année écoulée». Pour inciter les victimes à sortir du silence, la MSA crée un numéro vert (0800 887 887) où elles «peuvent signaler leurs symptômes, gratuitement et de manière anonyme», ainsi qu'il est précisé sur le site de la mutuelle.

«Pourquoi de manière anonyme? Les agriculteurs ont-ils honte d'être victimes d'une intoxication?» La question ne fait pas hésiter un instant le docteur Jean-Luc Dupupet, qui supervise le programme Phyt'attitude et qui m'a accordé une interview au terme de la journée de formation dans le lycée agricole: «Bien sûr! Les effets toxiques potentiels des produits phytopharmaceutiques sont encore un sujet tabou et, pour certains utilisateurs, l'intoxication signe une erreur de manipulation, voire une faute professionnelle, d'autant plus honteuse qu'elle donne raison à ceux qui prétendent que l'agriculture est une source de contamination de l'environnement et des aliments.

— Combien de signalements avez-vous reçus en 2009?

— Deux cent soixante et onze, répond le médecin-chef de la MSA. Les troubles observés concernaient principalement les muqueuses et la peau, avec des irritations, des brûlures, des démangeaisons ou de l'eczéma (40% des cas étudiés), le système digestif (34% des cas), le système respiratoire (20%), puis le reste de l'organisme, dont des atteintes au système neurologique, comme des céphalées (24%); 13% des auteurs d'un signalement font état d'une hospitalisation consécutive à l'intoxication et 27% ont dû recourir à un arrêt de travail. D'après nos estimations, chaque année, environ 100 000 paysans se plaignent de troubles après avoir utilisé des produits phytopharmaceutiques, mais notre réseau s'occupe en priorité des intoxications aiguës.

— Quels sont les types de produits le plus souvent incriminés?

71

— En général, les maux de tête, c'est-à-dire les symptômes neurologiques, sont provoqués par les insecticides, avec les fongicides, on observe plus de manifestations cutanées, et, avec les herbicides, les effets sont à la fois digestifs et cutanés.

— Et quelles sont les maladies chroniques qui peuvent être aujourd'hui reconnues en maladies professionnelles par la MSA?

— Euh… Il y a des maladies neurodégénératives, comme la maladie de Parkinson ou la myopathie, des cancers, comme ceux du sang – les leucémies ou les lymphomes non hodgkiniens –, ceux du cerveau, de la prostate, de la peau, du poumon et du pancréas… En fait, lorsque nous parlons des maladies chroniques, cela nous aide à faire passer nos messages de prévention auprès des agriculteurs. Car, si on se contente de leur dire qu'ils risquent une petite manifestation oculaire, des éternuements, le nez qui coule ou une irritation cutanée qui disparaît dans les 24 heures, ça ne sert pas à grand-chose… Mais, quand on leur dit que l'on voit plus de maladies de Parkinson, de cancers du cerveau ou de la prostate chez les agriculteurs que dans le reste de la population, ça leur donne à réfléchir et, là, nos messages de prévention passent mieux[26]… »

Cela n'a l'air de rien, mais une telle interview, filmée de surcroît, eût été impossible encore cinq ans plus tôt. La franchise du docteur Dupupet et de la MSA rompt avec la posture des pouvoirs publics et des industriels, mais aussi des coopératives agricoles qui, comme nous allons le voir, continuent de nier les effets sanitaires à long terme d'une exposition chronique aux poisons utilisés pour la production d'aliments.

4

Malades des pesticides

« Je suis désolé, madame, mais je ne peux pas vous laisser filmer... »
Plutôt avenant dans son costume de haut fonctionnaire, Jean-Marc
de Cacqueray, le directeur de la Direction régionale du travail, de l'emploi et de la formation professionnelle (DRTEFP) de Bretagne, a l'air
franchement embarrassé. « Mais pourquoi ? insisté-je. Qui s'y oppose ? »
Le directeur jette un regard désespéré vers François Boutin, son chargé
de mission pour la prévention des risques professionnels, qui, devant
l'insistance de son chef, finit par lâcher : « Coop de France !

— Soit, dis-je, un brin amusée, tandis que Guillaume filme l'incroyable scène avec une caméra cachée, dans ce cas j'aimerais parler à
un représentant de Coop de France.

— Allez chercher Lacombe ! » ordonne Jean-Marc de Cacqueray.
François Boutin s'exécute et entre dans l'amphithéâtre de la Faculté
des métiers de Ker Lann, près de Rennes, où j'avais réussi à pénétrer
quelques instants plus tôt, avant d'être éconduite par un gros bras très
agressif dont je présume qu'il était l'un des représentants de Coop de

France Ouest. Mais le dénommé Étienne Lacombe, chargé de mission au sein de cette structure, ne daignera pas venir expliquer pourquoi il veut m'empêcher de filmer le séminaire sur «Les agriculteurs et leur santé» organisé ce 1er décembre 2009 par la DRTEFP et la Mutualité sociale agricole, et ouvert à tous les «magasiniers et vendeurs de produits phytosanitaires» de la région bretonne.

Quand les coopératives agricoles font la loi

Cette journée fort intéressante s'inscrivait dans le cadre de la mise en place du «certiphyto», ce diplôme qui, on l'a vu, sera obligatoire dès 2015 pour exercer toutes activités de conseil, vente ou application de produits phytosanitaires à usage professionnel. «Des produits qui ne sont pas inoffensifs, puisque certaines préparations se trouvent classées pour leurs effets cancérogènes, mutagènes ou reprotoxiques (CMR)», précise à juste titre le carton d'invitation que j'ai gardé précieusement.

Pourtant, tout s'annonçait très bien. J'avais été informée de cette manifestation quelques jours plus tôt par le docteur Jean-Luc Dupupet, qui devait y faire un exposé sur le lien entre l'exposition aux pesticides et les cancers et qui m'avait mise en relation avec François Boutin. À peine avais-je contacté ce dernier que, le 24 novembre, il m'envoyait un courriel avec tous les «documents relatifs au séminaire» pour que je puisse préparer le tournage. Le 26 novembre, je trouvais sur mon répondeur un message un peu gêné mais très cordial de François Boutin. J'en retranscris ici le contenu, non pour importuner son auteur, mais pour montrer le pouvoir des coopératives agricoles, capables de dicter leur loi à un représentant de l'État dès qu'elles sentent leurs intérêts menacés.

«C'est au sujet du séminaire sur les phytosanitaires, me disait le chargé de mission de la DRTEFP. *A priori*, j'ai posé la question à nos partenaires et l'animateur des entreprises de négoce est plutôt favorable; le directeur régional du Travail, mon supérieur hiérarchique, est aussi favorable à votre intervention; par contre, mon partenaire de Coop de France est un petit peu en retrait.» Puis François Boutin me lisait un mail un peu alambiqué, où le représentant des coopératives agricoles demandait à ce que nous renoncions à filmer le séminaire, avec un bien étrange argument: «La raison principale tient au délai qui, d'ici le 1er décembre, ne nous permet pas de préparer avec Arte les conditions dans lesquelles ce documentaire va être réalisé. Nous sommes ouverts pour échanger sur des propositions que nous pourrions faire conjointement, par exemple organiser des visites et des entretiens dans les coopératives.»

Malgré tout, François Boutin semblait plutôt confiant: «Je suis en train d'essayer de désamorcer cet argument pour qu'on vous permette de venir malgré tout, mais je ne peux pas trahir ni être déloyal avec mes partenaires dans cette affaire. Je vous tiens au courant dans la journée par téléphone ou par mail.» De fait, quelques heures plus tard, je recevais un courriel me demandant finalement de renoncer à notre voyage à Rennes. Avec l'Institut national de l'audiovisuel (INA), le producteur de mon film, nous avions cependant décidé de nous y rendre, pensant que le blocage devrait pouvoir se dénouer sur place. Eh bien non! Malgré l'intervention du docteur Dupupet, qui a essayé de convaincre le directeur régional de nous laisser filmer au moins son exposé, nous sommes rentrés bredouilles à Paris.

À peine arrivée chez moi, j'ai mené une petite enquête sur Coop de France. J'ai découvert que, créée en 1966, au moment du boom de l'agriculture chimique, l'«organisation professionnelle unitaire de la coopération agricole» regroupe «3000 entreprises industrielles et commerciales et plus de 1500 filiales», qui ont réalisé un «chiffre d'affaires global évalué à plus de 80 milliards d'euros pour l'année 2008». Avec «au moins 150000 salariés permanents», Coop de France représente une énorme entreprise qui totalise «40% de l'agroalimentaire français» et contrôle la majorité de la production agricole puisque, «sur les 406000 exploitations agricoles, les trois quarts sont adhérentes d'une coopérative au moins». En revanche, ce que ne dit pas le site web de Coop de France, c'est combien rapporte aux coopératives la vente des «produits phytos», qui constituent une part très importante de leurs revenus faramineux.

Il est d'ailleurs intéressant de constater à quel point lesdits produits semblent avoir mauvaise presse même sur les sites web des coopératives agricoles, où on peine à en retrouver la trace... Un exemple: le site de Terrena, une très grosse coopérative bretonne, qui prône une «agriculture écologiquement intensive» [sic] et réalise un chiffre d'affaires de 3,9 milliards d'euros. Inutile de chercher quels revenus elle tire des «produits phytos», l'information n'apparaît jamais, y compris dans son rapport annuel, qui est pourtant en ligne. Si on consulte la rubrique «Agronomie et agrofournitures», une subdivision du «Pôle productions animales et grandes cultures», on obtient «quelques chiffres»: «amendements et fertilisants» (300000 tonnes); «santé végétale» (1,6 million d'hectares); «semences» (320000 hectares); «équipement agricole et rural» (35 millions d'euros); «chiffre d'affaires global» (216 millions d'euros). Les poisons chimiques se cachent sous le vocable «santé végétale», mais la seule indication fournie concerne le nombre d'hectares traités avec les produits vendus par la coopérative...

Le site de Terrena explique également que la coopérative possède à hauteur de 43% la «plate-forme Odalis», dont le «métier» est de «relier les fournisseurs aux distributeurs et agriculteurs». Les «fournisseurs», ce sont notamment les fabricants de pesticides, dont les sympathiques bidons sont visibles dans une vidéo mise en ligne par Odalis pour présenter son savoir-faire[1]. On apprend ainsi que «26000 tonnes de produits sont expédiées par an», pour un chiffre d'affaires de 3,6 millions d'euros. Mais la part qui revient aux seuls pesticides n'est pas précisée, car le montant indiqué concerne aussi bien les «produits de santé végétale» que les «semences agricoles».

En surfant sur le Web, j'ai découvert en tout cas que Coop de France Ouest avait parrainé en janvier 2009 une petite brochure intitulée «Le bon usage du glyphosate en agriculture», sans que Monsanto ait apparemment mis la main à la poche[a]. L'un de ses rédacteurs n'était autre que le très courageux Étienne Lacombe...

Les intoxications chroniques d'agriculteurs par les pesticides: un piège infernal

«Est-ce que vous avez compris pourquoi Coop de France m'avait empêchée de filmer le séminaire de Rennes?» Trois mois après le lamentable incident breton, je n'ai pas résisté à l'envie de recueillir le témoignage du docteur Jean-Luc Dupupet, lors de notre rencontre de février 2010 au lycée agricole de Pézenas. Une question à l'évidence délicate... «Euh...» a bafouillé le médecin en charge des risques chimiques à la MSA. Puis, après un long silence, il s'est lancé: «Ah! Là, vous m'avez scotché! C'est très difficile pour moi de fournir une explication... Euh... Vous savez, les effets chroniques des produits phytos sont encore un sujet tabou et manifestement les coopératives agricoles préfèrent qu'on en parle, disons, de manière privée, sans la présence des médias...

— Est-ce qu'elles craignent que leurs adhérents et leurs salariés se retournent contre elles, en les accusant de complicité d'empoisonnement

---

a   La plaquette a été financée par «les chambres d'agriculture de Bretagne, le conseil régional de Bretagne, l'État, l'Europe».

ou de non-assistance à personne en danger, comme l'a fait récemment Sylvain Médard ?

— Euh…

— Vous voyez qui est Sylvain Médard ?

— Tout à fait ! Il était technicien dans une coopérative agricole et a développé une forme de myopathie rare qui a été reconnue en maladie professionnelle… »

De fait, c'était même une première, qui a défrayé la chronique nationale et fait pas mal de remous dans le milieu agricole. Sylvain Médard travaillait depuis treize ans dans une coopérative agricole de Picardie, Capsom (située à Corbie, dans la Somme), quand, en 1997, les médecins lui ont diagnostiqué une « myopathie mitochondriale acquise », une maladie neuromusculaire au pronostic très sombre qui se traduit par une dégénérescence des tissus musculaires. Comme son nom l'indique, à la différence d'autres types de myopathie, celle dont souffre le jeune homme de trente-trois ans n'est pas d'origine congénitale, mais est provoquée par un agent toxique qui peut être d'origine médicamenteuse ou chimique. Or, le principal travail du technicien agricole consistait à tester les nouveaux pesticides, pour le compte des fabricants qui avaient déposé une demande d'autorisation de mise sur le marché. Dans le jargon professionnel, il était « responsable des essais sur parcelles ». Pour cela, les firmes adressaient à la coopérative des bidons sans étiquette, avec juste un numéro écrit dessus. Pendant des années, le technicien a manipulé des dizaines de poisons, avec pour seule protection une combinaison de coton et un simple masque en papier, tout juste bon à le protéger de l'inhalation de poussières.

Sylvain Médard décide de porter son affaire devant le tribunal des affaires de sécurité sociale d'Amiens. Le 23 mai 2005, estimant que « la protection respiratoire prévue était insuffisante », les magistrats ont condamné la coopérative pour « faute inexcusable », au motif qu'elle « ne pouvait ignorer à l'époque les risques sanitaires liés aux produits toxiques auxquels se trouvaient exposés ses salariés ». « Cette décision donne espoir aux victimes des maladies professionnelles en milieu agricole », s'est félicité dans un communiqué Me Michel Ledoux, l'avocat de Sylvain Médard[2]. De fait, cette affaire a marqué un tournant dans la manière dont les pesticides sont appréhendés en France – en premier lieu par les coopératives agricoles, tétanisées par la perspective de ce que d'aucuns appellent le « nouveau scandale de l'amiante[3] ».

« C'est un peu exagéré, estime quant à lui le docteur Dupupet, qui manifestement n'apprécie pas la comparaison. Ce que je peux vous dire, c'est que l'attitude des coopératives est en train de changer : c'est vrai que, jusqu'à une date récente, elles ne s'intéressaient qu'aux performances agronomiques des produits phytos, mais maintenant elles commencent à parler des risques sanitaires en mettant en garde les utilisateurs, comme le fait un pharmacien quand un patient vient acheter un médicament après une consultation médicale[4]... » Le médecin-chef de la MSA n'en dira pas plus, mais il faut saluer sa franchise et les efforts qu'il déploie pour rompre l'implacable loi du silence qui entoure les conséquences à long terme de l'exposition répétée aux pesticides. En effet, force est de reconnaître que, bien qu'encore très prudente, la nouvelle posture adoptée par la mutuelle française, longtemps dénoncée comme la « grande muette du monde agricole », rompt nettement avec le déni qui continue de caractériser les bénéficiaires de ce commerce mortifère – les négociants, dont font partie les coopératives agricoles, et les fabricants –, mais aussi les pouvoirs publics.

Car une chose est de reconnaître que les pesticides peuvent provoquer des intoxications aiguës : devant un travailleur agricole qui se met à vomir ou présente des brûlures au deuxième degré après avoir manipulé des « produits phytos », il est difficile de nier le lien de cause à effet, même si, on l'a vu avec l'affaire de Paul François (voir *supra*, chapitre 1), les victimes sont souvent confrontées à la mauvaise foi de leurs employeurs ou des industriels. Mais autre chose est de s'aventurer sur le terrain beaucoup plus mouvant, en fait carrément miné, des conséquences à long terme d'une intoxication chronique – c'est-à-dire répétée à de faibles doses – aux descendants des gaz de combat.

D'ailleurs, dans l'affaire de Paul François, il y a fort à parier que Monsanto ne se serait pas entêtée à nier son intoxication aiguë si l'agriculteur de Ruffec ne s'était pas obstiné. Ce que ne veut pas admettre la firme, c'est que l'empoisonnement accidentel peut entraîner de graves effets chroniques, car cela reviendrait à ouvrir la boîte de Pandore et conduirait à une remise en question du dogme des toxicologues selon lequel « seule la dose fait le poison » – j'y reviendrai.

Le fait que les empoisonnements accidentels ne représentent que la « partie émergée de l'iceberg », selon les mots de Maria-Elena Rosas, la directrice de RAP-AL Chili, avait déjà été entrevu par Rachel Carson dans *Le Printemps silencieux* : « Nous savons qu'une seule exposition à ces produits chimiques, si la dose est suffisamment élevée, peut déclencher un empoisonnement aigu. Mais ce n'est pas le problème essentiel. Certes, la maladie ou la mort soudaine de paysans, applicateurs de pesticides ou pilotes d'avions épandeurs, à la suite d'une exposition à des quantités importantes de pesticides, est tragique et ne devrait jamais avoir lieu. Mais, pour la population générale, nous devrions être plus préoccupés encore par les effets différés de l'absorption de petites quantités de pesticides qui contaminent notre environnement de manière invisible[5].»

Ce que décrit Rachel Carson pour la «population générale» est particulièrement vrai pour les agriculteurs qui manipulent de nombreux pesticides pendant de longues années sans jamais être victimes d'une intoxication aiguë, mais qui sont en contact régulier avec ces substances, en les inhalant ou en les absorbant par voie cutanée – d'autant plus que, comme l'a montré le rapport précité de l'Afsset, les combinaisons de protection sont le plus souvent inopérantes. Le problème, c'est que, le jour où ils développent une pathologie grave, comme un cancer ou la maladie de Parkinson, il leur est très difficile de démontrer une relation entre leurs troubles et leur activité professionnelle, précisément parce qu'ils ont été exposés à une multitude d'agents pouvant causer les mêmes effets, ce qui complique l'identification d'un lien causal avec une substance particulière. Or, sans lien causal établi, pas de reconnaissance officielle en maladie professionnelle et, donc, pas de prise en charge ni d'indemnisations pour le préjudice subi.

Cette situation, qui assure durablement l'impunité des fabricants de poisons, conduit à ce que le toxicologue québécois Michel Gérin et ses coauteurs ont appelé, dans leur ouvrage de référence *Environnement et santé publique*[6], une «sous-déclaration des maladies environnementales», à commencer par celles qui sont liées à l'exposition chronique aux pesticides: «La reconnaissance de l'impact réel de l'environnement sur la santé souffre de la difficulté à établir, sur une base individuelle, l'origine environnementale d'une maladie. Le problème est particulièrement aigu dans le cas des effets liés à l'exposition à des substances toxiques, effets souvent à moyen ou long terme et dont la "signature" échappe aux médecins. Plusieurs facteurs contribuent à cette sous-évaluation. Un obstacle de taille provient de la latence souvent importante entre exposition et effet diagnostiquable, qui rend l'établissement du lien causal problématique. Les expositions ou emplois passés sont oubliés, ou il n'y a plus de renseignements objectifs sur l'exposition. D'autre part, la non-spécificité de la plupart des effets liés à l'environnement fait que leur origine environnementale possible passe inaperçue[7].»

De fait, la situation des agriculteurs est très différente de celle des ouvriers des usines de Saint-Gobain qui étaient exposés à des fibres d'amiante lors de la fabrication de plaques en fibrociment. Comme l'expliquent très justement Fabrice Nicolino et François Veillerette, « le drame inconcevable de l'amiante avait, si l'on ose écrire, un avantage considérable sur celui des pesticides. Cette fibre cancérigène laisse en effet des traces, sorte d'empreinte digitale et même génétique du crime. Qui prend la forme guillerette d'un cancer spécifique de la plèvre, corrélé si étroitement au contact avec l'amiante que tous, spécialistes compris, appellent le mésothéliome le "cancer de l'amiante[8]" ». Rien de semblable en effet pour les pesticides, lesquels sont de plus constitués à la fois d'une molécule active – comme l'alachlore pour le Lasso de Monsanto – et de diverses substances très toxiques qui, on l'a vu dans l'affaire de Paul François, ne sont pas toujours déclarées au moment de la demande d'homologation de la formulation. Quand un agriculteur malade frappe à la porte de la MSA pour obtenir la reconnaissance de sa maladie professionnelle, il doit donc s'attendre à un long parcours du combattant, bien souvent au-dessus de ses forces et de ses moyens.

L'affaire de Dominique Marchal

Rien n'illustre mieux ce difficile processus de reconnaissance que l'histoire de Dominique Marchal, un agriculteur de Meurthe-et-Moselle qui a participé à l'appel de Ruffec. En 1978, il s'installe en GAEC (groupement agricole d'exploitation en commun) avec trois associés sur la ferme familiale de 550 hectares située près de Lunéville. Le travail est strictement réparti : son oncle et son cousin s'occupent de l'élevage, son frère des semis et lui de la « santé des cultures », c'est-à-dire de l'application des produits phytosanitaires sur leurs champs de blé, d'orge et de colza[a]. En janvier 2002, lors d'une opération du genou, les médecins lui constatent un taux anormalement élevé de plaquettes sanguines et, après des examens complémentaires, ils diagnostiquent un « syndrome myéloprolifératif », une affection de la moelle

---

a   D'après l'Institut national de la recherche agronomique (INRA), le nombre moyen de traitements annuels est de 6,6 pour le blé, 3,7 pour le maïs et 6,7 pour le colza (*Pesticides, agriculture et environnement. Réduire l'utilisation des pesticides et en limiter les impacts environnementaux*, rapport de l'expertise collective réalisée par l'INRA et le CEMAGREF à la demande du ministère de l'Agriculture et de la Pêche et du ministère de l'Écologie et du Développement durable, décembre 2005).

osseuse susceptible d'évoluer vers une leucémie. «Comme j'étais le seul à effectuer les traitements sur les cultures, j'ai tout de suite pensé aux produits phytos, a expliqué Dominique Marchal lors de la rencontre de Ruffec. D'autant plus que le syndrome myéloprolifératif figure dans le tableau des maladies professionnelles agricoles associées à une exposition au benzène. »

Avant de poursuivre l'incroyable histoire de l'agriculteur lorrain, il faut expliquer ce que sont en France les « tableaux des maladies professionnelles du régime général et du régime agricole de la Sécurité sociale », que l'on peut consulter sur le site de l'INRS. Leur origine remonte au 25 octobre 1919, lorsqu'une loi reconnaît officiellement comme maladies professionnelles un certain nombre de pathologies liées à l'usage du plomb et du mercure au cours d'activités industrielles ou artisanales[9]. Cette décision fait suite à de nombreuses observations cliniques réalisées sur des ouvriers travaillant dans des usines ou ateliers utilisant des métaux lourds comme le plomb, dont la toxicité est connue depuis l'Antiquité et fait l'objet de multiples rapports médicaux, à partir du début du xxe siècle, en Amérique et en Europe. C'est ainsi que lors de la première Conférence nationale sur les maladies industrielles, organisée à Chicago en 1910, Alice Hamilton, médecin du travail, décrit les affections qui caractérisent les peintres utilisant des peintures à base de blanc de plomb (encore appelé « céruse » ou « carbonate de plomb ») et que l'on regroupe aujourd'hui sous le terme de « saturnisme[10] ». Aujourd'hui encore, le premier « tableau » des « maladies professionnelles du régime général » concerne les « affections dues au plomb et à ses composés », comme l'anémie, la néphropathie ou l'encéphalopathie, énumérées dans la colonne de gauche du tableau. La colonne centrale présente le « délai de prise en charge », c'est-à-dire le délai maximal entre la cessation de l'exposition au risque et la première constatation médicale de la maladie. Enfin, la colonne de droite indique les travaux susceptibles de provoquer l'affection concernée, en l'occurrence « l'extraction, le traitement, la préparation, l'emploi, la manipulation du plomb, de ses minerais, de ses alliages, de ses combinaisons et de tout produit en renfermant ».

Depuis 1919, la liste des maladies professionnelles du régime général s'est considérablement allongée, puisqu'elle compte aujourd'hui 114 « tableaux ». Fixés par décrets, ceux-ci ont été ajoutés au fur et à mesure que progressait la connaissance médicale sur les effets des poisons utilisés dans le milieu professionnel. Mais la création d'un nouveau « tableau » – nous y reviendrons (voir *infra*, chapitre 6) – est le fruit d'un long processus, souvent ralenti par les manœuvres de l'industrie : avant qu'une substance chimique et les maladies qui lui sont associées rejoignent la liste, on compte les malades et les morts[a]...

Le 17 juin 1955 sont créés par décret les sept premiers tableaux des maladies professionnelles dépendant du régime agricole qui concernent des maladies infectieuses telles le tétanos, la leptospirose ou la brucellose, mais aussi certaines pathologies liées à l'arsenic (la dernière mise à jour du tableau 10 concernant « l'arsenic et ses composés minéraux » date du 22 août 2008 : ont été ajoutés les cancers de la peau, du poumon, des voies urinaires et du foie). Aujourd'hui, la liste compte cinquante-sept tableaux qui désignent des affections associées au plomb, au mercure, aux goudrons de houille et aux poussières de bois et d'amiante. Mais seuls deux tableaux ont trait à des pesticides : le tableau 11, qui concerne certains « organophosphorés et carbamates anticholinestérasiques » (« travaux de désherbage et traitements antiparasitaires des cultures et des productions végétales »), et le tableau 13 relatif aux « dérivés nitrés du phénol » et au « pentachlorophénol associé avec du lindane » (pour le « traitement des bois coupés et charpentes »). Ainsi que je l'ai expliqué plus tôt, la quasi-absence des poisons agricoles dans la liste tient à la difficulté d'établir un lien causal entre une substance et une pathologie donnée, notamment parce que les agriculteurs sont exposés à de nombreux pesticides différents tout au long de leur activité professionnelle.

En revanche, comme l'a souligné Dominique Marchal, le tableau 19 concerne les « hémopathies provoquées par le benzène et tous les produits en renfermant » telles que les « anémies, le syndrome myéloprolifératif et les leucémies[11] ». Je reviendrai sur l'histoire du benzène (voir *infra*, chapitre 9), qui, à l'instar de celle du plomb, illustre parfaitement comment la réglementation de substances éminemment toxiques peut être retardée à cause du déni organisé par les fabricants, avec la complicité rémunérée de certains scientifiques – ce qui vaut également pour les pesticides et pour tout autre poison entrant en contact avec nos aliments. Mais, pour l'heure, il suffit de savoir qu'à l'origine le benzène est un sous-produit du goudron de houille, dont la production industrielle débuta au milieu du xviiie siècle, avec un nombre croissant

---

a L'article L.461-6 du code de la Sécurité sociale français fait obligation à tout médecin de déclarer les maladies qui lui semblent susceptibles d'avoir une origine professionnelle. Le nombre de personnes ayant été reconnues comme victimes d'une maladie professionnelle en France est passé de 4 032 en 1989 à 45 000 en 2008.

d'usages (solvant pour la fabrication de colles et teintures synthétiques, puis détergent pour dégraisser les métaux, intermédiaire dans la synthèse de caoutchouc synthétique, de plastiques, d'explosifs et de pesticides, ou encore additif dans l'essence).

Qualifié de «nouveau poison domestique» par le journal *The Lancet* dès 1862[12], le benzène est classé depuis 1981 «cancérigène pour les humains» par le Centre international de recherche sur le cancer (CIRC), lequel, après des années d'atermoiements, a enfin tenu compte des nombreuses études montrant qu'une exposition chronique à de faibles doses provoque de graves lésions de la moelle osseuse. En effet, dès la fin des années 1920, des rapports médicaux provenant essentiellement d'Amérique du Nord et d'Europe révèlent une épidémie d'anémies aplastiques et de leucémies chez les ouvriers travaillant en contact avec le benzène. En octobre 1939, le *Journal of Industrial Hygiene and Toxicology* publie un numéro spécial sur l'«exposition chronique au benzène», où il recense cinquante-quatre études montrant un lien entre cette substance et les cancers de la moelle osseuse[13].

Seuls contre tous

«J'avais toujours entendu dire qu'il y avait du benzène dans les produits phytos, a raconté Dominique Marchal lors de la rencontre de Ruffec, et j'ai pensé que je n'aurais pas de mal à obtenir le statut de maladie professionnelle. Ce fut une grave erreur!» À ses côtés, sa femme Catherine avait opiné du chef, d'un air entendu. En effet, en décembre 2002, le couple adresse une demande de reconnaissance à la Mutualité sociale agricole en invoquant le tableau 19 des maladies professionnelles du régime agricole. La MSA classe le dossier sans suite, au motif que le benzène n'apparaît pas dans les fiches de sécurité des pesticides utilisés par le céréalier entre 1986 et 2002, soit la bagatelle de 250 produits, dont il avait eu la bonne idée de garder les factures. Inutile de préciser que s'il avait été un «agriculteur bordélique», pour reprendre ses termes, il n'aurait eu que ses «yeux pour pleurer».

Comme on l'a vu avec l'affaire de Paul François, les adjuvants qui interviennent dans la formulation ne sont pas mentionnés sur l'étiquette des bidons et, quand ils le sont, c'est au mieux sous la vague appellation de «solvant aromatique» ou de «dérivé de produits pétroliers». De plus, pour justifier sa décision, la MSA invoque un rapport établi par le docteur François Testud, médecin du travail et toxicologue au centre antipoison de Lyon, qui affirme que «les hydrocarbures pétroliers utilisés pour mettre en solution certaines matières actives sont exempts de benzène depuis le milieu des années 1970». Interrogé plus tard sur sa grossière «erreur» par *L'Express*, l'expert, qui une fois de plus fait le jeu de l'industrie, bottera en touche: «Il s'agit d'une imprécision, argumentera-t-il. J'aurais dû indiquer que le benzène n'était pas présent dans des proportions comportant un risque pour la santé[14].»

Enfin, enfonçant le clou, la mutuelle souligne que l'activité professionnelle invoquée par Dominique Marchal, à savoir l'épandage de pesticides, ne fait pas partie de la «liste indicative des travaux susceptibles de provoquer la maladie» ainsi que stipulée dans la colonne de droite du tableau 19: «Préparation et emploi des vernis, peintures, émaux, mastics, colles, encres, produits d'entretien renfermant du benzène.»

Devant le refus de la MSA, le couple Marchal décide de saisir le tribunal des affaires de sécurité sociale d'Épinal, qui nomme un toxicologue incapable de faire avancer le dossier car il bute toujours sur le même problème: l'absence de données concernant la composition exacte des pesticides utilisés. «J'étais découragé et je voulais tout abandonner, a raconté l'agriculteur lorrain. Mais ma femme ne voulait pas lâcher!» Et comment! Le récit de Catherine a littéralement bouleversé l'audience de Ruffec, tant il est incroyable!

D'abord, persuadée que le benzène est bien la cause de la grave maladie de son mari, elle décide de solliciter Christian Poncelet, sénateur des Vosges et président du Sénat, lequel s'adresse à l'Institut national de la recherche agronomique (INRA). Dans un courrier daté du 28 janvier 2005, sa présidente Marie Guillou refuse d'intervenir en arguant que «la composition intégrale des produits phytosanitaires est soumise au secret industriel[15]»! Le lecteur a bien lu: la présidente d'un institut public, dont les liens avec les fabricants de pesticides sont un secret de polichinelle, refuse de venir en aide à un agriculteur malade en invoquant un «secret industriel» qui n'a d'autre justification que de protéger les intérêts privés de ces fabricants.

Mais Catherine effectivement ne lâche pas. Encouragée par l'avocate du couple, Me Marie-José Chaumont, elle décide de mener elle-même l'enquête. Munie des noms des molécules que son mari a utilisées et de... gants à vaisselle, elle fait le tour des fermes avoisinantes pour récupérer des échantillons qu'elle transvase minutieusement dans des pots à confiture. Elle parvient ainsi à récupérer seize «élixirs de mort». Reste à les faire analyser. Plusieurs laboratoires refusent d'exécuter la délicate mission, mais la société Chem Tox d'Illkirch, dans la banlieue de Strasbourg, accepte[a]. «La moitié des pesticides analysés contenaient du benzène, a conclu Catherine Marchal sous les applaudissements des participants de l'appel de Ruffec. À partir de là, nous savions que l'affaire était gagnée!»

De fait, dans son jugement du 18 septembre 2006, le TASS des Vosges a classé le syndrome myéloprolifératif de Dominique Marchal en maladie professionnelle. Après Sylvain Médard, le technicien de la coopérative agricole picarde, il était le deuxième utilisateur de pesticides à obtenir ce statut. La décision courageuse du TASS lorrain a ouvert la voie pour d'autres paysans atteints de leucémies. D'après le docteur Jean-Luc Dupupet, quatre ans plus tard, quatre d'entre eux ont obtenu le statut de maladie professionnelle, comme Yannick Chenet, qui a fait l'énorme effort de participer à la rencontre de Ruffec. Le témoignage de cet agriculteur qui exploite une ferme à Saujon (Charente-Maritime), comprenant soixante hectares de céréales et six hectares et demi de vignes pour la production de cognac, a une fois de plus bouleversé l'assistance. Après avoir développé une «leucémie myéloïde de type 4» en octobre 2002, il subit «une greffe de moelle osseuse, qui n'était pas compatible à 100%», a-t-il expliqué, avec une grande difficulté d'élocution. «Mon corps réagit contre le greffon et, aujourd'hui, je souffre d'une rétraction des tendons et de sclérodermie de la peau, sécheresse des yeux et plein d'autres problèmes...» Reconnu en maladie professionnelle en 2006, l'agriculteur touche certes une pension d'invalidité, mais doit continuer à faire tourner sa ferme et, pour cela, il a dû embaucher un salarié. «Toutes les économies que nous avions pu faire avant ma maladie ont été injectées dans l'entreprise pour tenter de la sauver, mais là, avec ma femme, nous sommes au bout du rouleau... J'aimerais savoir à quoi j'ai droit pour pouvoir m'en sortir[b]...»

«La seule chose que vous puissiez faire, a répondu en substance M[e] François Lafforgue, l'avocat de Paul François, c'est de porter plainte contre les fabricants pour obtenir une compensation financière qui vous permettrait de payer le salarié dont vous avez besoin. Ce n'est pas facile et l'issue est incertaine, mais plus vous serez nombreux à le faire, plus vous aurez la chance d'obtenir réparation du préjudice que vous avez subi. C'est ce qui s'est passé avec les victimes de l'amiante qui, en s'organisant et en portant systématiquement plainte, ont fini par être indemnisées...»

---

a   C'est le Groupement des assureurs maladie des exploitants agricoles (GAMEX) qui a payé les frais d'analyse.
b   Le 15 janvier 2011, presque un an jour pour jour après la rencontre de Ruffec, Yannick Chenet est décédé.

« *Compter les malades et les morts dans la morgue* »

Pour l'heure, les agriculteurs malades n'en sont pas encore là. Ni même ceux qui ont fait le chemin de Ruffec, car certains en sont encore à se battre pour obtenir le statut de maladie professionnelle. Les histoires de Dominique Marchal et de Yannick Chenet constituent des exceptions, car leur maladie (le syndrome myéloprolifératif et la leucémie respectivement) fait partie des tableaux des maladies professionnelles annexées au code de la Sécurité sociale. Pour toutes les autres pathologies, les patients doivent faire ce que l'on appelle une demande de reconnaissance « hors tableaux », selon une procédure, en général longue et éprouvante, instituée en 1993. Celle-ci prévoit que les personnes s'estimant victimes d'une maladie professionnelle non inscrite dans les fameux « tableaux » peuvent s'adresser au Comité régional de reconnaissance des maladies professionnelles (CRRMP) s'ils présentent une incapacité permanente partielle au moins égale à 25 % ou s'ils sont... morts (dans ce cas, la demande est faite par la veuve ou les orphelins). C'est ce qu'avait fait Sylvain Médard, qui dans son malheur a eu la « chance » de souffrir d'une maladie si rare, la myopathie mitochondriale acquise, que son origine chimique ne fut pas trop difficile à démontrer.

En effet, les CRRMP – il y en a un par région – sont constitués de trois médecins-experts : le médecin-conseil régional ou son représentant, un médecin inspecteur du travail et un professeur d'université et/ou praticien hospitalier, qui ont pour mission d'examiner le dossier médical pour déterminer s'il y a un lien causal entre la pathologie et l'activité professionnelle du demandeur. Et c'est là que les choses se corsent, car, pour des pathologies beaucoup plus « banales » que la myopathie de Sylvain Médard, sur quoi peuvent se fonder les « experts » pour faire leur évaluation ?

Dans l'absolu, pour pouvoir déclarer avec certitude qu'un poison donné provoque bien une maladie donnée, l'idéal serait de conduire une expérience où l'on expose des volontaires au dit poison à une *certaine* dose, pendant un *certain* temps, pour observer après un *certain* nombre d'années combien déclenchent ladite maladie. De plus, pour éviter que les cobayes humains soient contaminés par d'autres substances – ce qui pourrait être utilisé par les fabricants du poison pour mettre en doute la pertinence des résultats –, il conviendrait de les enfermer dans un lieu isolé, pendant toute la durée de l'expérience, en contrôlant très strictement leur environnement. On voit bien que c'est impossible! D'abord, pour des raisons éthiques évidentes : après les horreurs perpétrées par les médecins nazis sur les victimes des camps d'extermination, le procès de Nuremberg a rappelé que ce genre d'expérience constituait un crime. Et puis, à supposer que la morale ne l'interdise pas, pour être concluante l'étude devrait être répétée plusieurs fois, en variant le profil des cobayes humains (âge, sexe, état de santé), les doses, le temps d'exposition et d'observation des effets (d'autant plus que le temps de latence des maladies chroniques est estimé à au moins une vingtaine d'années). Quand on sait que quelque 100 000 molécules potentiellement toxiques ont été larguées dans l'environnement depuis la fin de la Seconde Guerre mondiale, on imagine sans mal l'étendue de la tâche…

Avant de poursuivre plus avant, je voudrais rappeler que si nous en sommes là, à savoir nous demander comment mesurer *au mieux* le lien entre une maladie grave et l'exposition à un produit chimique, c'est précisément parce qu'à un moment de leur histoire, les hommes ont décidé qu'ils pouvaient impunément inonder de poisons leurs champs, leurs usines, leurs maisons, l'eau qu'ils boivent, l'air qu'ils respirent ou leurs aliments. Et, ce faisant, ils ont transformé *de facto* les habitants de notre bonne vieille planète en cobayes, puisque cinquante ans plus tard nous en sommes réduits à « compter les malades et les morts dans la morgue », pour reprendre l'expression de l'épidémiologiste américain David Michaels, qui souligne, à juste titre, que c'est une « méthode très primaire » et somme toute « étonnante à l'époque où nous vivons[16] ».

Et, si nous en sommes là, c'est aussi parce que les politiciens ont laissé les industriels dicter leur loi, qui consiste à « exiger qu'on prouve la toxicité de leurs produits avant toute réglementation, ce qui revient à appliquer le principe du droit pénal aux substances, présumées innocentes tant que leur culpabilité n'a pas été prouvée, ainsi que l'expliquent Geneviève Barbier et Armand Farrachi dans leur livre *La Société cancérigène*. Or, si l'ensemble des écosystèmes est contaminé, il devient impossible d'isoler la responsabilité propre de l'une d'entre elles[17] ».

En attendant, ce que la morale interdit de faire sur des humains de laboratoire est autorisé sur les animaux, qui ont payé un lourd tribut à l'industrialisation forcenée imposée par les hommes. De fait, comme nous le verrons (voir *infra*, chapitre 9), depuis une petite trentaine d'années, les industriels sont tenus de réaliser des études toxicologiques pour obtenir l'autorisation de mise sur le marché de leurs produits. Conduites sur des animaux, en général des rongeurs, celles-ci doivent tester un certain nombre d'effets toxiques potentiels, comme la cancérogénicité ou la neurotoxicité. Le problème, c'est que, à supposer qu'elles soient bien faites – ce qui est loin d'être la règle (j'y reviendrai notamment avec l'exemple de l'aspartame) –, ces études ne sont généralement pas considérées comme une «preuve suffisante» quand il s'agit d'extrapoler leurs résultats aux êtres humains. C'est même un curieux paradoxe, que souligne l'épidémiologiste américaine Devra Davis dans son livre magistral *The Secret History of the War on Cancer* (L'Histoire secrète de la guerre contre le cancer) : «Quand il existe des données animales sur les causes du cancer, celles-ci sont souvent dénigrées comme n'étant pas pertinentes pour l'homme. En revanche, quand des études suivant un protocole similaire sont utilisées pour mettre au point de nouveaux médicaments ou thérapies, subitement les différences physiologiques entre les animaux et les hommes deviennent insignifiantes[18].»

L'impossible preuve

Toujours est-il que pour pouvoir prendre une décision, les experts des agences de réglementation ou des Comités régionaux de reconnaissance des maladies professionnelles (CRRMP) exigent des données humaines : avant d'interdire un produit ou d'accorder le statut de maladie professionnelle à un agriculteur malade, ils veulent qu'on ait préalablement «compté les malades et les morts dans la morgue». Et cela, c'est le travail des épidémiologistes. «Les études épidémiologiques sont capitales, confirme le docteur Jean-Luc Dupupet, c'est sur elles que la MSA s'est fondée pour progressivement reconnaître en maladies professionnelles des pathologies jusque-là ignorées, telles que certains cancers ou la maladie de Parkinson.»

Comme l'expliquent Michel Gérin et ses coauteurs dans leur livre *Environnement et santé publique*, «l'épidémiologie est classiquement définie comme l'étude de la distribution des maladies et de leurs déterminants dans les populations humaines. [...] Elle ne cherche pas à étudier ni à définir les mécanismes d'action des expositions sur l'organisme humain», mais elle «mesure leur effet[19]», en recherchant par exemple pourquoi certaines personnes développent un cancer et d'autres non. Pour cela, elle dispose de différents outils que je dois brièvement présenter, car ces connaissances de base sont capitales pour comprendre l'incroyable complexité dans laquelle nous a placés l'industrialisation débridée de l'agriculture et, au-delà, de la société dans son ensemble. Elles serviront aussi, tout au long de ce livre, à mieux saisir les multiples astuces déployées par les industriels pour entretenir, voire fabriquer, le doute sur la toxicité de leurs produits afin de retarder aussi longtemps que possible leur réglementation, voire leur retrait du marché.

Pour déterminer quels peuvent être les facteurs qui contribuent à l'émergence d'une pathologie, les épidémiologistes procèdent par comparaison. Par exemple, ils comparent un groupe de personnes souffrant d'une maladie donnée, comme le lymphome non hodgkinien (un cancer du système lymphatique), à un groupe comparable (par sa taille ou l'âge des participants) de personnes non malades. Une telle étude, dite de «cas-témoins» ou de «cas-contrôle», est rétrospective, car elle fait appel à la mémoire des personnes, avec qui les scientifiques essaient de reconstituer leur mode de vie ou les expositions qu'elles ont pu subir à l'aide de questionnaires et d'entretiens. Souvent décriées par l'industrie, qui soupçonne les patients d'adapter leurs souvenirs aux besoins de l'enquête, les études de cas-témoins sont fréquemment utilisées pour mesurer le rôle des pesticides dans l'apparition de certaines maladies dans les populations agricoles. Un autre type d'étude rétrospective, dite de «cohorte», consiste à comparer un groupe de personnes ayant subi la même exposition à un facteur donné (comme les céréaliers pratiquant l'agriculture chimique) à un groupe n'ayant pas subi cette exposition, pour déterminer quelles maladies sont plus fréquentes chez les exposés.

Dans les deux types d'études, le risque relatif de développer une pathologie (comme le lymphome non hodgkinien) chez des individus exposés au facteur étudié (comme les pesticides) par rapport aux sujets non exposés s'exprime en *odds ratio* (ou OR, «ratio de probabilités»), qui découle de calculs statistiques. Si un OR dépasse le nombre 1, qui est le risque normal d'une population non exposée, cela veut dire que l'étude a montré une augmentation du risque chez le groupe exposé. Par exemple, un OR de 4 indique que le risque est multiplié par quatre chez les personnes exposées au facteur étudié[a]. À l'opposé, un OR inférieur à 1 indique que l'exposition protège contre la maladie concernée.

Enfin, pour clore provisoirement ce bref exposé, j'ajouterai que les épidémiologistes ont parfois recours à un troisième type d'étude, dite «prospective». D'un coût beaucoup plus élevé que les enquêtes rétrospectives mais moins sujette à caution car elle ne repose pas sur la mémoire des participants, elle consiste à étudier à partir d'un temps T

---

a   Pour être précise, je dois ajouter que l'*odds ratio* est suivi de deux nombres entre parenthèses qui, comme dans toutes les statistiques, indiquent l'intervalle de confiance dans lequel s'inscrivent les résultats.

une population exposée à un facteur donné, comme un groupe de familles d'agriculteurs utilisant des pesticides, et de la suivre sur plusieurs années, voire décennies, en enregistrant les pathologies au moment de leur apparition. Les résultats sont comparés à une population témoin, ou «groupe contrôle», supposée non exposée au facteur de risque étudié.

Et c'est là que réside le principal point faible des études épidémiologiques: qu'elles soient rétrospectives ou prospectives, il est difficile de trouver un «groupe contrôle» dont on soit absolument sûr qu'il n'a pas été exposé au facteur étudié, voire à d'autres facteurs ayant des effets similaires. «Dans une maladie comme le cancer, les résultats incontestables sont rares, notent ainsi Geneviève Barbier et Armand Farrachi, d'une part parce que le processus de cancérisation est long, d'autre part, parce que, faute de vivre sous cloche, tout le monde est soumis à de nombreux facteurs cancérigènes qui brouillent les pistes des enquêtes. Les travaux comparent d'ailleurs le taux de cancer dans une population exposée à un taux dit "attendu" dans la population générale, terme terrible qui, mieux que n'importe quel discours, accrédite ce qu'on appelle un bruit de fond et banalise un mal qui n'épargne plus personne.» Et d'ajouter: «L'absence de résultats ne prouve pas l'absence de risque, mais bien souvent l'impossibilité de les mettre en évidence[20].»

5

Pesticides et cancers :
des études concordantes

« Meurtrie, elle demande aux hommes : À quoi sert
Le ravage ? Quel fruit produira le désert ? »
VICTOR HUGO, *Hymne à la Terre*

« Nous avons repris les publications internationales récentes, études épidémiologiques recherchant une relation possible entre le lymphome non hodgkinien et les phytosanitaires, et une recherche exhaustive ne permet pas à ce jour d'apporter une réponse positive. [...] Au total, nous n'avons pas d'élément qui puisse étayer raisonnablement une relation certaine entre votre pathologie et votre activité professionnelle antérieure. » Je me souviens du vif étonnement manifesté par François Veillerette, lorsqu'à Ruffec Jean-Marie Bony a lu cet extrait de la lettre que lui avait adressée, le 21 mars 2003, le professeur Jean Loriot, chef du service Médecine du travail et pathologie professionnelle au CHU de Montpellier. « C'est surprenant qu'il ait écrit cela, a commenté le président du Mouvement pour le droit et le respect des générations futures, il y a pourtant plusieurs agriculteurs atteints d'un lymphome non hodgkinien qui ont été reconnus en maladie professionnelle. »

C'est exact. D'après le docteur Jean-Luc Dupupet, au printemps 2010 ils étaient très précisément trois à avoir obtenu le précieux statut auprès de leur Comité régional de reconnaissance des maladies professionnelles. Pour appuyer sa décision, les CRRMP avaient dû se fonder sur l'importante littérature scientifique concernant le lymphome non hodgkinien (LNH), qui représente « l'un des cancers le plus étudiés en relation avec l'usage de pesticides », ainsi que le souligne le docteur Michael Alavanja, de l'Institut national du cancer de Bethesda aux États-Unis. Dans un article de 2004 souvent cité comme référence, « Les effets sur la santé d'une exposition chronique aux pesticides : cancer et neurotoxicité », l'épidémiologiste rappelle que, dans dix-huit des vingt études qu'il a examinées, « le LNH a été associé avec les herbicides à base d'acide phénoxyacétique[a], les pesticides organochlorés et organophosphorés », où le risque « était multiplié par deux[1] ».

Récompensé par Monsanto et atteint d'un lymphome non hodgkinien

« C'est exactement le genre de produits que j'ai manipulés pendant plus de trente ans ! » m'a expliqué Jean-Marie Bony, soixante-deux ans, en exhibant son volumineux dossier où il a recensé, année par année, les multiples poisons avec lesquels il a été en contact : organophosphorés, organochlorés, carbamates, solvants (benzène, esters de polyéthylène, glycol d'alkylphénol, sulfate d'ammonium), pour ne citer que quelques noms de familles, car les produits eux-mêmes remplissent une dizaine de pages. Jusqu'en 2002, en effet, Jean-Marie Bony était le directeur de la coopérative agricole Provence-Languedoc, qui couvre une partie des départements du Vaucluse, du Gard et des Bouches-du-Rhône, un « secteur riche en vignes, arbres fruitiers, cultures maraîchères et céréales » où on ne lésine par sur les « produits phytos ».

Embauché par la coopérative à l'âge de vingt et un ans, ce fils d'agriculteur a d'abord manipulé, « à la main et sans gants, car à l'époque il n'y avait pas de chariot élévateur ni d'équipement de protection, des milliers de sacs en papier cousus, qui parfois s'éventraient, contenant des semences enrobées[b] ou les produits livrés en poudre », a-t-il raconté lors de la réunion de Ruffec. « Je déchargeais les camions, installais les

---

a   Rappelons que les herbicides 2,4,5-T et 2,4-D, les deux composants de l'agent orange, font partie de cette catégorie (chlorophénols). Le 2,4-D est toujours l'un des herbicides les plus utilisés au monde.
b   Par « semences enrobées », on entend des semences qui sont livrées par les fabricants après avoir été imprégnées de pesticides.

produits dans le magasin et aidais les paysans à les transporter dans leurs voitures. » Puis, ayant pris du « grade », il supervisa la collecte des céréales traitées, fit du conseil pour le réglage des pulvérisateurs et intervient sur les fermes « lors d'attaques de maladies, champignons, ou insectes », en dirigeant les applications sur les « vignes, arbres fruitiers, pommes de terre, céréales, melons, tomates, asperges, oignons ». « J'ai même eu le privilège d'aller tester dans le champ des paysans des produits qui n'étaient pas encore homologués, dont les firmes nous faisaient cadeau, a-t-il aussi rapporté avec une moue d'amertume. Je les pulvérisais sur les plantes, puis décortiquais les feuilles à main nue pour voir si les insectes étaient bien morts... Plus tard, au moment des inondations dans l'Ardèche et le Rhône, qui empêchaient les agriculteurs d'entrer dans leurs champs, j'ai supervisé les épandages par hélicoptères. Bref, la totale ! »

Et d'ajouter, après un silence : « Je ne crache pas dans la soupe, car j'en ai bien profité. Comme j'étais un très bon commercial, j'ai perçu de grosses commissions et j'ai fait plusieurs beaux voyages payés par Monsanto et Phyteurope : je suis allé aux chutes du Niagara, j'ai fait de la motoneige au Canada, j'ai visité la Grèce, le Sénégal. En 2001, Monsanto a même organisé un bus pour que les dirigeants des coopératives agricoles aillent voir les premiers champs de maïs transgénique dans la région de Toulouse ! Mais, au final, j'ai payé cela très cher, comme André, le président de ma coopérative, qui est mort d'une leucémie... »

En 1993, Jean-Marie Bony est opéré d'un polype cancéreux au côlon. Neuf ans plus tard, lors d'un contrôle de routine, on lui diagnostique un lymphome centroblastique de phénotype B, qui fait partie des lymphomes non hodgkiniens dits « agressifs ». « Quand, après la chimiothérapie, le professeur Jean-François Rossi, le chef du service d'hématologie du CHU Lapeyronie à Montpellier, m'a conseillé de faire une demande de reconnaissance en maladie professionnelle, j'ai cru que le ciel me tombait sur la tête ! Je n'avais jamais imaginé que les pesticides que j'avais manipulés pendant des années puissent me rendre malade. J'avais confiance dans ceux qui les fabriquent et ceux qui autorisent leur commercialisation... »

De fait, dans un courrier daté du 8 octobre 2002, le professeur Rossi écrit que sa maladie a « un lien probable ou possible avec les organophosphorés ». Il sera bien le seul car, dès lors, tous les experts consultés diront exactement le contraire. Le 5 novembre 2004, la MSA classe son dossier avec un argument attendu : « L'affection dont vous êtes atteint ne figure pas au tableau des maladies professionnelles des salariés agricoles. » Jean-Marie Bony saisit donc le tribunal des affaires de sécurité sociale (TASS) d'Avignon, lequel demande au professeur Bertrand Coiffier, chef du service d'hématologie clinique du centre hospitalier Lyon sud, de réaliser un rapport. « Il n'y a pas d'étude sérieuse qui permette de conclure *définitivement*[a] à l'implication des pesticides dans la survenue d'un lymphome », écrit celui-ci, péremptoire, le 3 décembre 2007[b].

Dans cette affirmation, c'est bien sûr l'adverbe « définitivement » qui attire tout de suite l'attention. Pourtant, le professeur Coiffier doit bien savoir que, dans le domaine de la santé environnementale, la preuve « définitive » est impossible à obtenir, sauf à exiger, comme on l'a vu, qu'on enferme des cobayes humains pour tester sur eux la toxicité des produits. La seule option, ce sont donc les études épidémiologiques, imparfaites certes, mais qui indiquent une tendance et constituent la « meilleure preuve disponible », pour reprendre les mots de l'épidémiologiste américain David Michaels[2]. Or, ce qui est curieux, c'est que, dans le rapport du professeur Coiffier, n'apparaît aucune référence scientifique qui montre qu'il a *au minimum* pris connaissance des nombreuses études épidémiologiques ayant évalué le lien entre l'exposition aux pesticides et le LNH. On a beau chercher, on ne trouve pas. Peut-être le professeur ne connaît-il pas PubMed, la banque de données de la Bibliothèque nationale de médecine des États-Unis, qui recense toutes les études scientifiques publiées dans le monde, avec les références, un résumé du contenu et un lien vers le site de la revue éditrice[c]. En anglais, certes, ce qui ne devrait pas cependant constituer un obstacle insurmontable…

Le difficile travail des épidémiologistes

De fait, quand on tape « Non Hodgkin Lymphoma » et « Pesticides » dans le moteur de recherche de PubMed, on obtient 240 résultats. C'est beaucoup, certes, d'autant qu'il faut savoir séparer le bon grain de l'ivraie – et nous verrons ultérieurement que ce n'est pas chose simple –, car la littérature scientifique est souvent polluée par des études peu

---

a   C'est moi qui souligne.
b   Le TASS d'Avignon a transféré le dossier de Jean-Marie Bony au Comité régional de reconnaissance des maladies professionnelles de Montpellier, qui devait rendre un avis en février 2011,
c   J'invite les lecteurs à consulter cet outil précieux, qui comptait fin 2010 plus de 20 millions de références.

rigoureuses, voire biaisées, qui ont été commandées par l'industrie non pas dans le but de rechercher la vérité, mais au contraire dans celui de brouiller les pistes.

Pour s'orienter dans ce labyrinthe fascinant que constitue PubMed (ou d'ailleurs MedLine, une banque de données similaire), il est conseillé de s'appuyer sur les revues systématiques de la littérature scientifique réalisées par des chercheurs dont la réputation n'est pas sujette à caution, et qui ont rigoureusement passé au crible toutes les études portant sur le sujet qui vous intéresse. C'est ce qu'a fait, par exemple, le docteur Michael Alavanja, de l'Institut national du cancer de Bethesda aux États-Unis, dans son article précité, «Les effets sur la santé d'une exposition chronique aux pesticides : cancer et neurotoxicité[3]».

C'est aussi ce qu'a réalisé en 2004 un groupe de médecins, cancérologues et épidémiologistes canadiens, pour une étude intitulée «Revue systématique des effets des pesticides sur la santé humaine», souvent citée en référence en raison de la rigueur de sa méthodologie[4]. À la demande du Collège des médecins de l'Ontario, les chercheurs ont repéré dans quatre banques de données bibliographiques (MedLine, Premedicine, CancerLit et Lilacs) les études publiées entre 1992 et 2003, en français, anglais, espagnol et portugais, qui concernaient «les lymphomes non hodgkiniens, les leucémies et huit tumeurs cancéreuses solides : cerveau, sein, rein, poumon, ovaire, pancréas, prostate et estomac».

Après un examen approfondi des 1 684 articles qu'ils avaient initialement sélectionnés (sur un total de plus de 12 061 concernant les pesticides !), ils en ont finalement retenu 104, répondant aux critères de qualité qu'ils avaient définis. En résulte un document de 188 pages, présentant chaque étude examinée, avec une note d'appréciation (sur la méthodologie, la prise en compte ou non de possibles biais, etc.), les populations étudiées (nombre de personnes) et le type d'étude (enquête de cohorte ou de cas-témoins). C'est ainsi que, sur les vingt-sept études épidémiologiques sélectionnées pour le lymphome non hodgkinien (LNH), «vingt-trois montrent une association positive entre l'exposition aux pesticides et la maladie, la plupart avec des résultats statistiquement significatifs».

Pour illustrer comment travaillent les épidémiologistes, dont la contribution est capitale pour l'évaluation des risques environnementaux, j'ai choisi de présenter quatre études. La première est une étude de cas-témoins publiée en 1999 par les Suédois Lennart Hardell et Mikael Eriksson et conduite dans sept comtés du nord et du centre du pays[5]. Dans leur introduction, les auteurs soulignent qu'en Suède, de 1958 à 1992, l'incidence moyenne (ajustée à l'âge) des LNH a augmenté, chaque année, de 3,6 % pour les hommes et de 2,9 % pour les femmes.

J'en profite pour rappeler ce qu'est le « taux d'incidence », qu'on a souvent tendance à confondre avec le « taux de prévalence », deux outils fondamentaux en épidémiologie que nous serons amenés à manier régulièrement au cours de ce livre : le premier (l'incidence) désigne le nombre de nouveaux cas d'une maladie qui apparaissent pendant une période donnée (en général l'année) pour une population déterminée (en général 100 000 personnes). En revanche, la prévalence mesure le nombre de personnes malades à un moment donné, incluant les anciens et les nouveaux cas. Quand on s'intéresse à la progression d'une maladie susceptible de se transformer en épidémie, par exemple la grippe, il est plus utile de suivre l'évolution de l'incidence, car elle renseigne sur les fameux « pics » où le nombre des personnes qui déclarent la maladie augmente considérablement. Dans le domaine du cancer, le fait que le taux d'incidence ne cesse de croître d'année en année signifie que des facteurs cancérigènes sont à l'œuvre, ce qui amène un nombre de plus en plus important de personnes à déclarer la maladie.

C'est précisément certains de ces facteurs que les Suédois Hardell et Eriksson ont essayé de déterminer en comparant un groupe de 404 hommes sur lesquels avait été diagnostiqué un LNH entre 1987 et 1990, avec un groupe contrôle de 741 hommes non malades du même âge (plus de vingt-cinq ans). Les participants ont dû répondre à un long questionnaire, doublé d'un entretien téléphonique, sur leur mode de vie (habitudes alimentaires, conduites à risques – tabagisme, alcoolisme –, activités sportives), leurs maladies antérieures et leur activité professionnelle. Les utilisateurs de pesticides devaient préciser dans quel secteur ils les appliquaient (forêts, cultures, jardins), le type de produits utilisés (herbicides, insecticides, fongicides), les familles de molécules (carbamates, organophosphorés, chlorophénols), les substances actives ou formulations des fabricants, mais aussi la fréquence et la durée de l'utilisation. Les résultats ont montré que les personnes qui avaient été exposées à des herbicides de la famille des phénoxy (chlorophénols) avaient un risque plus élevé de développer un LNH (*odds ratio* : 1,6) et que ce risque grimpait (OR : 2,7) si l'herbicide était de l'acide 4-chloro 2-méthyle phénoxyacétique (MCPA). L'association avec des fongicides quadruplait pratiquement le risque (OR, 3,7).

Des résultats similaires ont été obtenus par des chercheurs américains de l'Institut national du cancer de Rockville, aux États-Unis, lors d'une étude de cas-témoins qu'ils ont conduite dans l'État agricole du Nebraska et publiée en 1990. Celle-ci a montré que le risque de déclarer un LNH était multiplié par trois si les personnes utilisaient du 2,4-D (l'un des composants de l'agent orange qui fait aussi partie de la famille des chlorophénols) au moins vingt jours par an[6].

Parmi les études sélectionnées dans la revue systématique canadienne, il en est de surprenantes, comme l'enquête de cohorte rétrospective réalisée par des chercheurs de l'université de l'Iowa, à la demande de l'Association américaine des... superintendants de cours de golf! S'inquiétant d'un nombre croissant de morts prématurées parmi ses adhérents, dont la mission est d'entretenir les légendaires gazons à grand renfort de pesticides, l'association a confié ses registres de décès aux épidémiologistes, qui ont pu éplucher 686 morts survenues, entre 1970 et 1982, dans les cinquante États de l'Union. Vingt-neuf pour cent étaient dus à un cancer. Les causes de la mortalité ont été comparées avec celles de la population générale (hommes blancs uniquement). Les résultats montrent une surmortalité pour quatre types de cancer : le LNH (OR : 2,37), et les cancers du cerveau, de la prostate et de l'intestin.

Pour terminer, je voudrais citer une étude prospective conduite sur une population de jardiniers professionnels danois (859 femmes et 3 156 hommes), qui ont été suivis de 1975 à 1984[7]. Les chercheurs de l'université de Copenhague ont conclu que l'usage des pesticides conduit à un doublement du risque de LNH, mais aussi à une augmentation très significative de l'incidence des sarcomes des tissus mous (OR : 5,26) et des leucémies (OR : 2,75).

Contrairement à ce qu'ont affirmé un peu vite les professeurs Jean Loriot du CHU de Montpellier et Bertrand Coiffier du centre hospitalier de Lyon, un grand nombre d'études épidémiologiques convergent donc vers un même constat : il existe bien un lien entre l'exposition aux pesticides et le LNH et, d'une manière plus générale, toutes les maladies du système lymphatique (leucémies, myélomes).

Ces résultats statistiques ont été validés en 2009 par une étude extrêmement importante qui apporte une explication biologique aux observations faites par les épidémiologistes. En effet, des chercheurs de l'Institut national de la santé et de la recherche médicale (Inserm) travaillant au centre d'immunologie de Marseille-Luminy ont révélé que des agriculteurs exposés aux pesticides présentent des « empreintes moléculaires de précurseurs tumoraux », c'est-à-dire qu'ils « développent des anomalies de leur génome pouvant être à l'origine d'un cancer du système lymphatique », pour reprendre les termes de la Ligue contre le cancer, qui a présenté ces travaux lors de la Journée mondiale contre le cancer du 4 février 2009.

Pour parvenir à ces résultats, les scientifiques ont conduit une étude prospective sur une cohorte de 128 agriculteurs utilisant des pesticides et qu'ils ont suivis pendant neuf ans, parallèlement à un groupe contrôle de 25 agriculteurs non exposés. Grâce à des prises de sang régulières, ils ont analysé l'évolution des lymphocytes sanguins et ont constaté que les agriculteurs exposés présentaient « 100 à 1 000 fois plus de cellules transloquées » que le groupe contrôle. Les « cellules transloquées » sont le produit d'une anomalie génétique provoquée par un échange de fragments d'ADN entre les chromosomes 14 et 18 (d'où leur nom en anglais « T 14:18 »). Existant aussi chez des individus en bonne santé, elles peuvent être considérées comme un marqueur biologique d'un processus de cancérisation, notamment si elles se mettent à proliférer.

« Bien que le nombre des cellules transloquées ait lentement augmenté dans le groupe contrôle (+ 87 %), ce qui s'explique par le vieillissement, nous avons observé que cet accroissement était extrêmement plus important dans le groupe exposé (+ 253 %) », notent les chercheurs dans leur étude intitulée « Empreintes moléculaires de précurseurs tumoraux chez les agriculteurs exposés aux pesticides ». Et de conclure : « Nos données montrent clairement que l'exposition répétée aux pesticides est associée à une augmentation considérable de la fréquence des cellules transloquées dans le sang[8]. »

Des études concordantes sur le rôle des pesticides dans certains cancers

Les résultats presentés dans la revue systématique canadienne confirment ceux qui ont été obtenus dans des méta-analyses, comme celle qu'a conduite en 1992 Aaron Blair, un collègue de Michael Alavanja à l'Institut national du cancer de Bethesda et l'un des épidémiologistes les plus en vue pour l'étude des liens entre cancers et pesticides[9]. Au passage, précisons la différence entre une « revue systématique », telle que celles qui ont été pratiquées par l'équipe de la docteure Margaret Sanborn de l'Ontario ou par Michael Alavanja, et une méta-analyse, qui constitue un autre outil de l'épidémiologie. La première consiste à isoler, puis à analyser toutes les études relatives au sujet d'intérêt, comme celles qui portent sur « les pesticides et le cancer ». La seconde désigne une démarche statistique qui consiste à rassembler les données issues d'études comparables et à les additionner pour en dégager une conclusion globale. Très utilisée dans la recherche pharmaceutique pour mesurer l'effet de nouvelles thérapies, la méta-analyse permet d'accroître la puissance statistique de résultats isolés en augmentant le nombre de sujets prenant part à la comparaison. À condition toutefois que les études sélectionnées pour ce nouveau calcul statistique soient réellement comparables et que les études médiocres ou carrément biaisées soient écartées, pour ne pas fausser le résultat final.

C'est ainsi que, pour sa méta-analyse, Aaron Blair a retenu vingt-huit études épidémiologiques qui répondaient aux critères de qualité qu'il avait définis. Dans son introduction, le chercheur rappelle que d'une manière générale les agriculteurs meurent moins de cancer et de maladies cardiovasculaires que la population générale et qu'ils présentent un «taux plus faible pour les cancers du poumon, de l'œsophage et de la vessie», car ils ont moins tendance à fumer. En revanche, ainsi que le montrent les résultats de sa méta-analyse, «ils ont un risque significativement plus élevé d'être atteint d'un cancer des lèvres, de la peau (mélanome), du cerveau, de la prostate, de l'estomac, des tissus cognitifs ou du système lymphatique». Et l'épidémiologiste de préciser : «L'excès de risque observé chez les agriculteurs pour certains cancers spécifiques, alors qu'ils présentent globalement un risque faible pour la plupart des cancers et maladies non tumorales, suggère que les expositions professionnelles jouent un rôle. Ce constat peut avoir des implications sanitaires plus larges, car les tumeurs les plus fréquentes chez les agriculteurs sont aussi celles qui sont en augmentation dans la population générale de nombreux pays développés.»

Est-ce la conclusion de l'article qui n'a pas plu à la firme Monsanto? Toujours est-il qu'elle a demandé à son épidémiologiste «maison», John Acquavella, de conduire une contre-méta-analyse. Évidemment, le chercheur a trouvé ce qu'il cherchait et, après avoir mélangé dans un même pot trente-sept études soigneusement sélectionnées, il a conclu sans surprise : «Les résultats ne permettent pas de suggérer que les agriculteurs aient un taux plus élevé pour certains cancers[10].»

Dans un courrier adressé au journal *Annals of Epidemiology*, qui a publié la méta-analyse de Monsanto (le nom de la multinationale apparaît sous le nom des auteurs dans le résumé mis en ligne par PubMed), Samuel Milham, un épidémiologiste de Washington, s'étonne de la méthode utilisée par son collègue de Saint Louis pour élaborer ses statistiques : «Pourquoi avez-vous mélangé les éleveurs et les cultivateurs, qui ne sont pas soumis aux mêmes expositions et ne présentent pas le même type de mortalité par cancer? Le fait de mixer des études aussi différentes perturbe le calcul du risque relatif. Je pense qu'il y a une telle hétérogénéité des expositions chez les agriculteurs que ce genre de méta-analyse ne peut que brouiller le sujet des cancers agricoles. Ce qu'il faudrait, au contraire, c'est une catégorisation beaucoup plus fine des expositions[11]. »

Pour bien comprendre la pertinence d'une telle remarque, il faut savoir que le métier d'«agriculteur» regroupe des activités très différentes, qui dépendent du type de production pratiqué sur la ferme. Rien à voir, en effet, entre un «céréalier», dont l'essentiel du travail consiste à faire pousser des cultures de blé ou de maïs, et un «éleveur» qui, comme son nom l'indique, élève du bétail. En termes d'exposition aux pesticides, les risques ne sont évidemment pas les mêmes, le premier utilisant beaucoup plus de «produits phytos» que le second. Ne pas tenir compte de ces différences, c'est faire preuve d'une méconnaissance des réalités du monde agricole qui pourrait prêter à sourire si celle-ci n'était pas le fait d'un scientifique, qui travaille pour une multinationale leader sur le marché mondial des pesticides et des semences.

Sur le fond, la question de l'épidémiologiste de Washington souligne l'un des dangers principaux des méta-analyses, qui peuvent conduire à des résultats erronés si le choix des enquêtes additionnées n'est pas suffisamment rigoureux, en mêlant «les torchons et les serviettes», comme on dirait familièrement. Dans sa partie consacrée à la méthodologie employée pour sa méta-analyse, Aaron Blair insiste tout particulièrement sur ce biais qu'il convient absolument d'éviter: «Dans la mesure où tous les agriculteurs n'ont pas les mêmes expositions, le fait de combiner les différents niveaux d'exposition aura tendance à diluer les effets des expositions élevées et à tirer l'estimation du risque vers un résultat nul. L'ampleur potentielle de cet effet de dilution peut être illustrée avec les données d'une étude conduite récemment dans l'Iowa et le Minnesota[12]. Parmi les 698 témoins vivant sur une ferme, 110 n'avaient jamais utilisé d'insecticides et 344 n'avaient jamais utilisé d'herbicides. [...] Environ 40% des agriculteurs utilisaient des herbicides de type phénoxy et 20% des insecticides organochlorés. Bien que ces produits chimiques représentent des facteurs de risque importants pour certains types de cancer, des études qui prendraient pour seul critère le métier d'"agriculteur" obtiendraient des résultats qui sous-estimeraient sérieusement le risque. »

Tout cela ressemblerait fort à une bataille d'experts, somme toute sans grand intérêt pour le profane, s'il n'y avait derrière d'énormes enjeux, avec des répercussions très concrètes sur la vie des citoyens. Par exemple, dans l'affaire de Jean-Marie Bony, la question n'est pas de mettre en doute l'intégrité des professeurs Jean Loriot et Bertrand Coiffier, d'autant que rien n'indique qu'ils ont des «liens d'intérêts» avec des fabricants de pesticides, comme c'est parfois le cas pour certains experts (voir *infra*, chapitres 10 et 11). En revanche, on peut facilement imaginer que, débordés par leur travail, ils n'aient pas pu passer une quinzaine de jours, comme je l'ai fait, à naviguer sur les sites de PubMed ou de MedLine. Il est aussi possible qu'ils soient tombés, par hasard, sur la méta-analyse de John Acquevella, sans savoir qu'il fallait la prendre avec quelques pincettes car, si le nom du commanditaire apparaît bien dans le résumé mis en ligne par PubMed, en revanche cette information est difficile à trouver dans l'article publié par *The Annals of Epidemiology* (elle est écrite en tout petit en bas de la première page). Donc, si les experts chargés d'évaluer le dossier médical de Jean-Marie Bony se sont contentés de consulter la méta-analyse de l'épidémiologiste patenté de Monsanto, on comprend mieux pourquoi ils ont conclu à l'absence de lien entre l'exposition aux pesticides et le LNH et, au-delà, avec tout type de cancer, contre l'avis des dizaines de scientifiques indépendants qui ont montré le contraire.

Cancers des os et du cerveau: les agriculteurs en première ligne

En général, tous ces chercheurs font le même constat: si les populations agricoles meurent globalement moins de cancers que la population générale, certains types de cancer y sont en revanche plus représentés. C'est le cas des hémopathies malignes, comme la leucémie ou le LNH, mais aussi du myélome multiple des os. Encore appelé «maladie de Kahler» ou tout simplement «myélome», ce cancer qui se développe dans la moelle osseuse «ne cesse de progresser un peu partout dans le monde», ainsi que le souligne Michael Alavanja dans sa revue systématique, où il cite une méta-analyse ayant évalué trente-deux études publiées entre 1981 et 1996 qui a estimé l'excès de risque en milieu agricole à + 23 %[13].

La première fois que j'ai entendu parler de cette pathologie, qui représente 1 % des cancers et dont les chances de survie sont très faibles, c'était à Ruffec, par la voix de Jean-Marie Desdion, un producteur de maïs venu spécialement du Cher. Accompagné de son épouse, il avait raconté son calvaire, qui a commencé en 2001 avec la rupture spontanée et brutale des deux humérus, suivie de la disparition de la moitié des côtes. Le diagnostic est sans appel : « Myélome multiple à chaînes légères. » Hospitalisé à l'hôpital parisien de l'Hôtel-Dieu, le céréalier subit deux autogreffes de moelle osseuse, puis des traitements très lourds – chimiothérapie, radiothérapie et corticothérapie – à l'hôpital Georges-Pompidou. « Pour finir, a-t-il expliqué, j'ai reçu un don de cellules souches, qui m'ont été injectées dans une chambre stérile, après destruction totale de ma moelle osseuse. Ce fut un long processus, très éprouvant... Aujourd'hui, je vais mieux, mais d'un point de vue professionnel je me retrouve dans une situation inextricable : j'ai entrepris les démarches pour obtenir le statut de maladie professionnelle et, en attendant, c'est très dur. En effet, j'ai touché des indemnités journalières pendant trois ans, comme c'est prévu par mon contrat d'assurance.

« Et puis après, plus rien... Le paradoxe, c'est que je ne rentre dans aucune case : normalement, après trois ans d'arrêt-maladie, on est soit mort, soit guéri. Comme je ne suis ni l'un ni l'autre, je dois travailler et faire tourner mon exploitation, ce qui est vraiment très difficile. »

Encouragé par son avocat, Mᵉ François Lafforgue – qui est aussi celui de Paul François –, Jean-Marie Desdion a décidé de porter plainte contre Monsanto. « Paul et moi avons beaucoup de choses en commun, a expliqué l'agriculteur du Cher avec un sourire. Comme nous sommes tous les deux producteurs de maïs, nous avons beaucoup utilisé le Lasso. La différence, c'est que lui a été victime d'une intoxication aiguë et moi d'une intoxication chronique. Pourtant, je suivais toutes les recommandations de la MSA, qui préconisait d'échelonner les traitements le plus possible dans le temps. En général, mes applications de Lasso duraient deux à trois semaines, à raison de deux ou trois heures par jour. C'était une erreur fondamentale... »

Je me souviens du sentiment de colère sourde qui m'a envahie quand j'ai entendu Jean-Marie Desdion raconter son histoire. En relisant les notes que j'avais prises ce jour-là, j'ai retrouvé une question soulignée de deux traits rageurs : combien sont-ils, aujourd'hui, à mourir de cancer sur les fermes de France et de Navarre ? Le saura-t-on jamais ? « À ce jour, une trentaine d'études épidémiologiques ont exploré le risque de tumeur cérébrale en milieu agricole et la majorité d'entre elles mettent en évidence une élévation de risque, de l'ordre de 30 % », écrivent Isabelle Baldi et Pierre Lebailly, deux spécialistes de médecine agricole français, dans un article publié en 2007, « Cancer et pesticides[14] ». Ils confirment ainsi les conclusions de la revue systématique canadienne, qui notait que, parmi les tumeurs dites « solides », celle qui frappait le plus les agriculteurs était le cancer du cerveau.

Isabelle Baldi, qui travaille au Laboratoire de Santé travail environnement de l'université de Bordeaux, et Pierre Lebailly, du Groupe régional d'études sur le cancer de l'université de Caen (GRECAN), connaissent particulièrement bien le sujet, puisqu'ils ont participé à l'étude CEREPHY (comme tumeurs CÉRÉbrales et produits PHYtosanitaires), publiée en 2007 dans la revue *Occupational and Environmental Medicine*[15]. Conduite en Gironde, cette étude de cas-témoins a examiné le lien entre l'exposition aux pesticides et les maladies du système nerveux central : 221 patients atteints de tumeurs bénignes ou malignes, diagnostiquées entre le 1er mai 1999 et le 1er avril 2001, ont été comparés à un groupe de 422 témoins ne présentant pas les pathologies étudiées et tirés au sort sur les listes électorales du département (l'âge et le sexe ont bien sûr été pris en considération). Parmi les patients, dont l'âge moyen était de cinquante-sept ans, 57 % étaient des femmes ; 47,5 % souffraient d'un gliome, 30,3 % d'un méningiome, 14,9 % d'un neurinome de l'acoustique et 3,2 % d'un lymphome cérébral.

Lors d'entretiens réalisés au domicile des participants ou à l'hôpital, les psychologues enquêteurs ont soigneusement évalué les modalités de l'exposition aux pesticides, en les classant par catégories : activité de jardinage, traitement des plantes d'intérieur, pulvérisation sur les vignes ou, tout simplement, résidence près des cultures traitées. Ils ont aussi noté les autres facteurs qui pouvaient contribuer à l'apparition de la maladie, comme les antécédents familiaux, l'utilisation d'un téléphone portable ou de solvants, etc. Les résultats sont sans ambiguïté : les viticulteurs, qui utilisent massivement les produits phytopharmaceutiques[a] – comme j'ai pu le vérifier lors de ma visite au lycée agricole de Pézenas –, présentent un risque deux fois plus élevé d'être atteints d'une tumeur cérébrale (OR : 2,16) et trois fois plus élevé d'avoir un gliome (OR : 3,21). De même, les personnes qui traitent régulièrement leurs plantes d'intérieur avec des pesticides ont deux fois plus de risques de contracter une tumeur cérébrale (OR : 2,21).

L'incidence des tumeurs cérébrales chez les viticulteurs avait déjà fait l'objet d'une étude publiée en 1998 par Jean-François Viel, un

---

a   En France, la vigne n'occupe que 10 % des surfaces cultivées, mais sa culture consomme 80 % des fongicides et 46 % des insecticides utilisés nationalement (Bernard Delemotte *et alii*, « Le risque pesticide en agriculture », *Archives des maladies professionnelles*, vol. 48, 1987, p. 467-475).

épidémiologiste qui avait consacré sa thèse de doctorat aux «associations géographiques entre mortalité par cancers en milieu agricole et exposition aux pesticides[16]». Pour ce travail universitaire, il avait utilisé les «indices géographiques d'exposition aux pesticides» pour «tester leur liaison potentielle avec la mortalité par cancers chez les agriculteurs français». Au moment où il menait son enquête – à la fin des années 1980 –, quelque 93 000 tonnes de pesticides étaient épandues chaque année sur le territoire français. S'appuyant sur les données fournies par le ministère de l'Agriculture ainsi que sur une étude réalisée par l'agronome André Fougeroux[17], il a pu établir la carte des expositions département par département, culture par culture. On découvre ainsi que 96 % des cultures de céréales à paille (qui totalisaient 7 millions d'hectares) étaient alors traitées avec des herbicides, 31 % avec des insecticides et 70 % avec des fongicides; pour le maïs (3 216 000 hectares), 100 % des surfaces étaient traitées avec des herbicides; pour la vigne (978 000 hectares), 80 % des parcelles étaient traitées avec des herbicides, 82 % avec des insecticides et 100 % avec des fongicides; pour les pommiers (62 000 hectares), on atteignait respectivement 80 %, 100 % et 98 %. Et, pour l'ensemble des surfaces cultivées françaises, les proportions étaient de 95 %, 39 % et 56 %.

Connaissant la répartition géographique des onze principales cultures françaises[a] et les pratiques agronomiques liées à chaque type de culture (catégories des pesticides utilisés, quantités par hectare et nombre d'applications annuelles), Jean-François Viel a ainsi reconstitué le maillage des expositions chimiques dans tous les départements français (à l'exception des cinq les plus urbanisés, ceux d'Île-de-France et le Territoire de Belfort). Il a ensuite consulté les statistiques de l'Inserm et de l'Insee, notamment les registres de décès survenus entre 1984 et 1986 concernant les catégories socioprofessionnelles «10» (agriculteurs exploitants) et «69» (ouvriers agricoles). Les résultats de cette vaste étude, dite «écologique» parce qu'elle s'intéressait à des groupes de personnes plutôt qu'à des individus, montrent une surmortalité par cancers du pancréas et du rein dans les territoires où prédominent les terres labourables (comme la Beauce ou l'Auvergne) et une surmortalité par cancers de la vessie et du cerveau dans les secteurs viticoles (comme la région du Bordelais).

---

a   Dans l'ordre des surfaces cultivées: les céréales à paille, le maïs, la vigne, le tournesol, le colza, les pois protéagineux, la betterave, la pomme de terre, les pommiers, le lin et les poiriers.

Au sujet des tumeurs cérébrales, il faut enfin évoquer une vaste étude de cohorte réalisée en Norvège, publiée en 1996. Ses auteurs ont examiné l'incidence de certains cancers chez les descendants d'agriculteurs ou de professionnels utilisant des pesticides. Exceptionnelle par son ampleur, l'étude a décortiqué l'histoire médicale de 323 292 enfants nés entre 1952 et 1991, dont les parents étaient alors enregistrés comme actifs agricoles[18]. Les résultats ont montré un excès de tumeurs cérébrales et de LNH chez les enfants de moins de quatre ans, notamment dans les familles d'horticulteurs et de cultivateurs, ainsi qu'un excès d'ostéosarcomes (tumeurs osseuses) et de maladies de Hodgkin chez les adolescents nés dans des familles d'éleveurs de volailles – les élevages intensifs de volailles en batterie (dits « hors sol ») sont de grands consommateurs de désinfectants chimiques et d'insecticides. Ce qui rejoint les résultats des nombreuses études épidémiologiques qui attestent d'un lien entre l'exposition parentale aux pesticides et les deux cancers les plus fréquents chez les enfants : les tumeurs du cerveau et les leucémies (voir *infra*, chapitre 19).

Les troublants résultats de la grande étude américaine « *Agricultural Health Study* »

C'est la plus grande étude prospective sur l'impact sanitaire des pesticides jamais conduite en milieu agricole. Baptisée « Agricultural Health Study » (Étude de santé agricole), elle a été lancée en 1993 par trois prestigieuses institutions publiques américaines : l'Institut national du cancer, l'Institut national des sciences de l'environnement et de la santé et l'Agence pour la protection de l'environnement. Du 13 décembre 1993 au 31 décembre 1997, 89 658 personnes résidant dans les États ruraux de l'Iowa et de la Caroline du Nord ont été « enrôlées », selon le terme consacré, dans cette vaste cohorte qui comptait 52 395 agriculteurs utilisant des pesticides et 32 347 épouses, ainsi que 4 916 « applicateurs professionnels » de pesticides[a].

Pour être inclus dans l'étude, les participants devaient répondre à un questionnaire de vingt et une pages, où étaient soigneusement consignées toutes les informations concernant leur passé médical (pathologies

---

a   Ces « applicateurs professionnels » (*pesticides applicators*) sont des salariés travaillant pour des entreprises spécialisées dans les activités d'épandage agricole ou de traitement des locaux de stockage, comme les silos à grains.

antérieures), leurs antécédents familiaux et habitudes alimentaires, leurs habitudes de vie (tabagisme, consommation d'alcool, activités sportives) et la description précise des pesticides utilisés (familles de produits, noms exacts des formulations, quantités appliquées, fréquence des traitements, usage ou non d'un équipement de protection). De plus, lors de leur inclusion dans la cohorte, les témoins se sont engagés à communiquer, au cours d'entretiens de suivi réguliers, tout changement dans leurs pratiques agricoles ainsi que l'apparition de nouvelles pathologies dès l'établissement du diagnostic par un médecin.

Cette étude exceptionnelle comblait ainsi un certain nombre de lacunes, fréquemment soulevées dès qu'il s'agit d'interpréter les résultats d'enquêtes de cas-témoins. D'abord, le « recueil des données » concernant l'exposition aux pesticides y était « antérieur au diagnostic de cancer », ce qui permettait d'éviter les biais dus aux défaillances incontrôlables de la mémoire, comme l'ont souligné Michael Alavanja et Aaron Blair, deux des principaux responsables de l'étude. Ensuite, celle-ci évitait la difficulté sur laquelle butent la plupart des enquêtes de cas-témoins : l'absence d'informations précises sur les niveaux d'exposition et l'identification des produits les plus dangereux. Car l'une de ses forces était précisément qu'elle permettait de connaître pour chaque utilisateur son « niveau d'exposition pour chaque pesticide, avec le nombre de jours d'utilisation par année, le nombre d'années d'utilisation, les méthodes d'application et l'usage d'un équipement de protection ». Et les épidémiologistes de conclure : « La taille importante de la cohorte confère une puissance statistique suffisamment forte pour pouvoir examiner les risques liés à l'exposition de produits chimiques spécifiques[19]. »

En 2005, douze ans après le lancement de cette étude, de nombreux résultats avaient déjà été obtenus et synthétisés dans quelque quatre-vingts publications scientifiques – que tout internaute peut consulter sur le site de l'Agricultural Health Study, expression d'une transparence très inhabituelle en la matière[20]. On y découvre ainsi que, en 2005, 4 000 cas de cancer s'étaient déclarés dans la cohorte, dont 500 cancers du sein, frappant essentiellement les agricultrices (et pas les épouses d'agriculteurs), 360 cancers pulmonaires, 400 cancers du système lymphatique et 1 100 cancers de la prostate. La comparaison avec les données de la population générale confirme ce qu'avaient déjà révélé les études rétrospectives, à savoir une significative sous-incidence globale du cancer chez les agriculteurs (– 12 %) et leurs épouses (– 16 %), notamment pour les cancers pulmonaires (– 50 %) et ceux des voies digestives (– 16 %). En revanche, les données montrent une légère surincidence (+ 9 %) du cancer du sein chez les agricultrices (mais pas chez les épouses d'agriculteurs), et une surincidence beaucoup plus importante pour le cancer des ovaires chez les applicatrices industrielles (le risque est multiplié par trois) et le mélanome (cancer de la peau) chez les épouses d'agriculteurs (+ 64 %). Chez les hommes, les résultats indiquent un excès des cancers du système lymphatique, comme les myélomes multiples (+ 25 %), ainsi que du cancer de la prostate (+ 24 % chez les agriculteurs et + 37 % chez les applicateurs industriels[21]).

Comme le rappellent Michael Alavanja et Aaron Blair, le « cancer de la prostate est la tumeur maligne la plus courante chez les hommes aux États-Unis et dans la plupart des pays occidentaux, mais son étiologie demeure largement inconnue ». C'est pourquoi les chercheurs se sont attachés à déterminer s'il y avait des expositions spécifiques qui pouvaient expliquer cette surincidence. L'étude qu'ils ont publiée dès 2003 montre que, parmi les quarante-cinq pesticides étudiés, l'usage du bromure de méthyle[a] et de produits organochlorés augmente considérablement le risque (OR : 3,75).

Il est intéressant de noter que le taux d'incidence du cancer de la prostate constaté dans la méga-étude prospective américaine est très similaire à celui qu'avaient obtenu, par exemple, les chercheurs belges Geneviève Van Maele-Fabry et Jean-Louis Willems dans la méta-analyse qu'ils ont publiée en 2004. S'appuyant sur vingt-deux études rétrospectives, ceux-ci avaient en effet observé également une augmentation moyenne du risque de 24 % (OR : 1,24), sans toutefois préciser quels pesticides étaient impliqués dans cette surincidence[22].

En attendant AGRICAN

Pour clore ce chapitre sur les liens entre pesticides et cancer, j'aurais aimé pouvoir faire état des premiers résultats de l'étude AGRICAN, lancée en France en 2005 par la Mutualité sociale agricole en collaboration

---

a   Banni par le protocole de Montréal du 22 septembre 1987, en raison de son effet sur la couche d'ozone stratosphérique, le bromure de méthyle était, jusqu'en 2005, l'un des insecticides les plus utilisés au monde. Il servait pour la désinfection des sols agricoles (notamment dans les cultures de tomates sous serres), la fumigation des graines, la protection des denrées stockées et le nettoyage des silos et moulins. En 2005, la France a obtenu le droit d'utiliser 194 tonnes, au motif que, pour certains usages, il n'y avait pas de solutions de rechange...

avec le Groupe régional d'étude sur le cancer de Caen (GRECAN) et le Laboratoire Santé travail environnement de Bordeaux, où travaillent respectivement Pierre Lebailly et Isabelle Baldi. Malheureusement, bien qu'annoncées pour la « fin de l'année 2009 », les données concernant les « cancers les plus courants », pour reprendre les mots de la MSA, à savoir ceux de la prostate et du sein, n'avaient toujours pas été rendues publiques un an plus tard. S'inspirant de la méthodologie de l'Agricultural Health Study, AGRICAN rassemble la « cohorte agricole la plus importante au niveau international », comme le souligne l'Institut national du cancer (INCa), qui finance en partie l'étude. En effet, de 2005 à 2007, 600 000 questionnaires ont été adressés aux salariés et non-salariés agricoles ayant cotisé au moins trois ans à la MSA et résidant dans l'un des douze départements français qui disposent d'un registre des cancers[a].

J'ai pu consulter le modèle du questionnaire sur le site de la Mutualité sociale agricole. Comprenant huit pages, celui-ci débute par une phrase de présentation de l'étude, dont le but affirmé est de « mieux connaître les *risques professionnels* et améliorer la santé et la sécurité du monde agricole en faisant progresser la *prévention*[b] ». Il est intéressant de noter que les auteurs évitent soigneusement de nommer les produits phytosanitaires, dont les effets potentiels sur la santé des agriculteurs sont pourtant à l'origine de ce vaste chantier. Le tabou a décidément la peau dure ! Pour le reste, le document pose une série de questions très détaillées sur le type d'activités agricoles (vigne, céréales, prairie, betterave, élevage…), les « fongicides ou insecticides ou herbicides utilisés au cours de la vie professionnelle », les « habitudes de vie » et la « santé ».

Concernant cette dernière catégorie, on peut relever un second « tabou ». À la question « Un médecin vous a-t-il déjà dit que vous aviez les maladies suivantes ? » suit en effet une liste de quinze pathologies comprenant « rhume des foins, eczéma, asthme, hypertension artérielle, diabète, infarctus, maladie de Parkinson ou maladie d'Alzheimer », mais pas le cancer ! J'imagine que les témoins sont censés pouvoir communiquer cette information, apparemment jugée trop délicate, à la ligne H2 du document, où est réservé un espace blanc permettant de préciser l'« état de santé actuel ». Mais, dans le cas d'une étude visant à évaluer

---

a   Bas-Rhin, Calvados, Côte-d'Or, Doubs, Gironde, Haut-Rhin, Isère, Loire-Atlantique, Manche, Somme, Tarn et Vendée.

b   C'est la MSA qui souligne.

les cancers dans le milieu agricole – d'où son nom «AGRICAN» –, cet «oubli» est tout de même surprenant.

Toujours est-il que le dépouillement des questionnaires, réalisé entre 2005 et 2007, a permis l'inclusion de 180 000 personnes dans la cohorte d'AGRICAN, dont «les résultats sont attendus dès 2009 pour les cancers les plus fréquents (sein, prostate) et à l'horizon 2015 pour les cancers les moins fréquents», ainsi que l'écrivaient Isabelle Baldi et Pierre Lebailly en 2007[23]. Bien que centrée sur le cancer, il n'est pas exclu que l'étude fournisse également des informations précieuses sur le lien entre l'exposition aux pesticides et la maladie de Parkinson, objet de nombreuses études épidémiologiques de par le monde, comme on va le voir.

6

Pesticides et maladies neurodégénératives : l'irrésistible ascension

« Tôt ou tard, les risques liés à la modernisation touchent aussi
ceux qui les produisent ou en profitent. »
ULRICH BECK, *La Société du risque*

Qu'on n'aille pas me dire que la maladie de Parkinson est une
« maladie de vieux : moi, je l'ai eue à quarante-six ans ! » Aujourd'hui
âgé de cinquante-cinq ans, Gilbert Vendée est un ancien salarié agricole qui a participé en janvier 2010 à l'appel de Ruffec. Avec une grande
difficulté d'élocution, caractéristique des parkinsoniens, il a raconté
son histoire, provoquant l'attention émue de l'auditoire. Il travaillait
comme chef de cultures sur une grande exploitation (1 000 hectares)
de la « Champagne berrichonne », lorsqu'en 1998 il a été victime d'une
intoxication aiguë au Gaucho.

Maladie de Parkinson et Gaucho : le cas exemplaire de Gilbert Vendée

Les amateurs de miel ont sans doute entendu parler de ce produit à base
d'imidaclopride, fabriqué par la firme Bayer, qui a fait des « milliards

de victimes », pour reprendre les mots de Fabrice Nicolino et François Veillerette évoquant bien sûr les indispensables butineuses[1]. De fait, mis sur le marché en France en 1991, cet insecticide dit « systémique » est un redoutable tueur : appliqué sur les semences, il pénètre dans la plante par la sève pour empoisonner les ravageurs de la betterave, du tournesol ou du maïs, mais aussi tout ce qui ressemble de près ou de loin à un insecte piqueur suceur, y compris les abeilles. On estime qu'entre 1996 et 2000 quelque 450 000 ruches ont purement et simplement disparu en France, notamment du fait de son utilisation et de celle d'autres produits insecticides[2].

Il faudra la ténacité des syndicats d'apiculteurs, qui saisiront la justice, et les travaux courageux de deux scientifiques – Jean-Marc Bonmatin, du CNRS, et Marc-Édouard Colin, de l'INRA – pour qu'un avis du Conseil d'État parvienne à faire plier le ministère français de l'Agriculture[a]. Celui-ci finira par interdire le Gaucho en 2005, malgré les manœuvres de certains de ses hauts fonctionnaires pour soutenir jusqu'au bout son fabricant. Parmi eux, Marie Guillou, directrice de la très puissante Direction générale de l'alimentation (DGAL) de 1996 à 2000 (que nous avons déjà croisée dans l'affaire de Dominique Marchal, quand elle dirigeait en 2005 l'Institut national de la recherche agronomique – voir *supra*, chapitre 4), et Catherine Geslain-Lanéelle, qui lui a succédé à la DGAL, de 2000 à 2003, en y faisant preuve d'un zèle tout à fait remarquable : elle refusa de communiquer le dossier d'autorisation de mise sur le marché du Gaucho au juge Louis Ripoll, alors qu'il perquisitionnait au siège de la DGAL après l'ouverture d'une instruction ! En juillet 2006, cette haut fonctionnaire sera nommée à la tête de l'Autorité européenne de sécurité des aliments (EFSA) à Parme, où je la rencontrerai en janvier 2010 (voir *infra*, chapitre 15[3]).

Ce bref rappel historique était nécessaire pour comprendre à quel point les décisions – ou non-décisions – de ceux qui nous gouvernent ont des répercussions directes sur la vie des citoyens qu'ils sont censés servir : en l'occurrence, les manœuvres dilatoires pour maintenir le Gaucho sur le marché, en niant sa toxicité malgré les preuves accablantes, ont contribué à mettre quelque 10 000 apiculteurs sur

---

a   Il faut noter que la couleur politique n'a rien changé à l'affaire : l'immobilisme des deux ministres de l'Agriculture concernés, le socialiste Jean Glavany (octobre 1998-février 2002) et le RPR Hervé Gaymard (mai 2002-novembre 2004), fut strictement identique.

le carreau[a] et ont rendu malades un certain nombre d'agriculteurs, comme Gilbert Vendée.

En effet, après avoir «inhalé toute une journée du Gaucho» en octobre 1998, le salarié agricole souffre de violents maux de tête, accompagnés de vomissements. Il consulte son médecin, qui confirme l'intoxication; puis il reprend peu après le travail, «comme si de rien n'était». «Pendant des années, j'ai pulvérisé des dizaines de produits, a-t-il expliqué à Ruffec. J'étais certes enfermé dans une cabine, mais je refusais de mettre le masque à gaz, parce que c'est insupportable de passer des heures comme cela, on a l'impression d'étouffer.» Un an après son intoxication, Gilbert Vendée ressent régulièrement d'insoutenables douleurs à l'épaule : «C'était si fort que je descendais du tracteur pour me rouler par terre», a-t-il expliqué. En 2002, il décide de consulter une neurologue à Tours, qui l'informe qu'il a la maladie de Parkinson. «Je n'oublierai jamais ce rendez-vous, a raconté l'agriculteur, la voix voilée par l'émotion, car la spécialiste a carrément dit que ma maladie pouvait être due aux pesticides que j'avais utilisés.»

Il y a fort à parier que cette neurologue connaissait la «littérature scientifique abondante suggérant que l'exposition aux pesticides augmente le risque d'avoir la maladie de Parkinson», ainsi que l'écrit Michael Alavanja[4]. Dans sa revue systématique de 2004, l'épidémiologiste de l'Institut du cancer de Bethesda cite une trentaine d'études de cas-témoins qui montrent un lien statistiquement significatif entre cette affection neurodégénérative et l'exposition chronique aux «produits phytos» (organochlorés, organophosphorés, carbamates), notamment à des molécules très utilisées comme le paraquat, le maneb, la dieldrine ou la roténone. Deux ans plus tard, lorsque, avec son collègue Aaron Blair, le chercheur a analysé une première série de données provenant de l'Agricultural Health Study, il est parvenu à des conclusions similaires.

En effet, cinq ans après leur inclusion dans la méga-cohorte, 68% des participants (57 251) ont été interrogés. Entre-temps, 78 nouveaux cas de maladie de Parkinson (56 applicateurs de pesticides et 22 conjoints) avaient été diagnostiqués, s'ajoutant aux 83 cas enregistrés lors de l'«enrôlement» (60 applicateurs et 23 conjoints). Les résultats

---

a   On estime qu'entre 1995 et 2003 la production française de miel est passée de 32 000 à 16 500 tonnes. Au même moment, un autre insecticide tout aussi toxique, le Régent de BASF, décimait également les abeilles. Il a été à son tour interdit en 2005.

de l'étude montrent que la probabilité de développer la maladie de Parkinson augmente avec la fréquence d'utilisation (le nombre de jours par an) de neuf pesticides spécifiques, le risque pouvant être multiplié par 2,3. Dans leurs conclusions, les auteurs notent que «le fait d'avoir consulté un médecin à cause des pesticides ou d'avoir vécu un incident provoqué par une forte exposition personnelle est associé à un risque accru[5]». En lisant cela, j'ai bien sûr pensé à Gilbert Vendée, car tout indique que son intoxication aiguë au Gaucho fut une circonstance aggravante qui a accéléré le processus pathologique, initié par l'exposition chronique aux pesticides.

Quant à la suite de son histoire, elle ressemble étrangement à celles que j'ai déjà racontées. Devant le refus de la MSA de lui accorder le statut de maladie professionnelle, au motif que la maladie de Parkinson ne figure pas dans les fameux tableaux, l'agriculteur s'est tourné vers le Comité régional de reconnaissance des maladies professionnelles d'Orléans, qui a émis un avis défavorable. Il saisit alors le tribunal des affaires de sécurité sociale de Bourges, qui finalement lui donne raison en mai 2006. Pour fonder sa décision, le TASS s'appuie sur un avis favorable émis par le CRRMP de Clermont-Ferrand, qui n'a manifestement pas fait la même lecture de la littérature scientifique disponible que son homologue d'Orléans.

À l'époque, Gilbert Vendée est le deuxième agriculteur atteint de la maladie de Parkinson à être reconnu en maladie professionnelle. Quatre ans plus tard, ils étaient «une dizaine», d'après les statistiques de la MSA fournies par le docteur Jean-Luc Dupupet. L'agriculteur berrichon a alors quitté son «pays d'origine» pour s'installer à Paris, où il travaille comme bénévole à l'association France Parkinson. «Pourquoi? a-t-il interrogé lors de la réunion de Ruffec. Tout simplement parce que dans la capitale je vis incognito, je suis libre! Je serais dans ma campagne, on me montrerait du doigt. Je ne pourrais pas vivre...»

Toxines et produits toxiques à l'origine de la maladie de Parkinson

Longtemps considérée comme une pathologie liée au vieillissement, la maladie neurodégénérative a été décrite pour la première fois en 1817 par le Britannique James Parkinson (1755-1824) dans son bref *Essay on the Shaking Palsy* (Essai sur la paralysie trépidante), où il en énumère les symptômes : tremblements, gestes rigides et incontrôlés, difficultés d'élocution[a]. Ce médecin hors norme, passionné de géologie et de paléontologie, était aussi un activiste politique qui écrivait sous un pseudonyme (« Old Hubert ») des pamphlets qui, au regard de l'histoire industrielle, apparaissent aujourd'hui d'une grande lucidité : « On ne devrait plus punir d'emprisonnement les ouvriers qui s'unissent pour obtenir de meilleurs salaires, alors que leurs maîtres conspirent contre eux en toute impunité », conseillait-il ainsi dans *Révolutions sans bain de sang*[6].

Dans son *Essai sur la paralysie trépidante*, le docteur Parkinson ne donne pas d'explications pour la maladie qui portera son nom, mais suggère qu'elle est d'origine professionnelle ou environnementale. Il avait vu juste car, si la majorité des cas sont aujourd'hui déclarés « idiopathiques » – on n'en connaît pas la cause –, un certain nombre de facteurs professionnels et environnementaux ont été déterminés. C'est ainsi qu'après la Seconde Guerre mondiale des chercheurs ont découvert tout à fait fortuitement que des toxines pouvaient déclencher un syndrome parkinsonien, comme le rapporte le professeur Paul Blanc dans son livre : ceux-ci relevèrent un taux de prévalence de la maladie anormalement élevé chez les aborigènes Chamorro des îles Mariana de Guam et Rota, dans le Pacifique Ouest[7]. Ils avancèrent l'hypothèse que cet excès (le taux était cent fois plus élevé qu'aux États-Unis) était dû aux graines de cycas, un petit palmier, que les Chamorro mangeaient sous forme de farine et qui contient une toxine nommée « BMAA ». Certains scientifiques contestèrent cette explication, arguant que la quantité de BMAA présente dans la farine était trop faible pour provoquer de tels troubles. Finalement, c'est un chercheur d'Hawaii qui mettra un terme à la polémique : il observera en effet que les aborigènes sont friands de chauves-souris, lesquelles raffolent de graines de cycas. Or, la toxine BMAA s'accumule dans les graisses des mammifères volants, selon le processus de bioconcentration (voir *supra*, chapitre 3). D'ailleurs, l'extinction des chauves-souris, très prisées pour la délicatesse de leur chair, entraînera la disparition de la maladie de Parkinson sur les îles Mariana.

Les annales industrielles confirment le rôle des produits toxiques dans l'étiologie de la pathologie. Dès le début du XXe siècle, en effet, des médecins du travail constatent que l'exposition aux poussières de

---

a   C'est le médecin français Jean-Martin Charcot (1825-1893) qui lui donnera le nom de « maladie de Parkinson ».

manganèse provoque un syndrome parkinsonien chez des mineurs ou des ouvriers travaillant dans des aciéries. En 1913, neuf cas sont ainsi rapportés dans le *Journal of the American Medical Association*. Comme le souligne ironiquement Paul Blanc, l'article commençait par une « note optimiste », caractéristique de l'idéologie alors naissante (et qui sévit encore aujourd'hui) selon laquelle le progrès s'accompagne immanquablement de « dégâts collatéraux ». « L'un des signes évidents de la tendance humanitariste des temps modernes est l'intérêt sans cesse croissant pour les accidents, intoxications et maladies qui sont le lot de différentes activités industrielles », écrivaient ainsi les auteurs, avec l'arrogance qui caractérise ceux qui n'auront jamais à souffrir des maux qu'ils s'évertuent à minimiser[8].

Tout au long du xxᵉ siècle, les études scientifiques s'accumulent un peu partout dans le monde sur les effets psychiatriques provoqués par l'exposition au métal (notamment dans les ateliers de soudure), dont la « folie du manganèse », qui se traduit par des hallucinations et des gestes désordonnés, considérés comme des symptômes précurseurs de la maladie de Parkinson. En 1924, une étude réalisée sur des singes permet de décrypter l'effet du manganèse sur le système nerveux central, causant la mort prématurée de certains neurones : cette perte provoque une diminution de la production de la dopamine, un neurotransmetteur nécessaire au contrôle de la motricité[9].

Jusqu'aux années 1980, la littérature scientifique ne concernait que les formes non organiques du manganèse, à savoir de simples oxydes ou sels du métal utilisés dans des applications industrielles. Mais, en 1988, une étude publiée dans la revue *Neurology* révèle que des ouvriers agricoles chargés de pulvériser du maneb, un fongicide à base de manganèse, développent les signes avant-coureurs de la maladie[10]. Ces résultats sont confirmés par une autre étude publiée six ans plus tard, concernant notamment un homme de trente-sept ans qui avait appliqué du maneb sur ses semences d'orge pendant deux ans, avant de développer la maladie de Parkinson[11]. Des effets similaires ont été observés sur les applicateurs de mancozeb, un fongicide apparenté et toujours utilisé aujourd'hui, comme le maneb.

Enfin, le rôle des toxines dans l'apparition de la pathologie a été validé par une série d'observations effectuées sur des… toxicomanes californiens. Dans les années 1980, des médecins ont en effet constaté que l'injection d'une héroïne de synthèse, appelée « MPPP », déclenchait la maladie. Or, le MPPP contient un agent contaminant, le MPTP, dont l'un des dérivés – le cyperquat – est structurellement similaire à des herbicides très utilisés, le paraquat et le diquat. Le « modèle du MPTP », qui permet de comprendre les mécanismes biologiques conduisant à la maladie de Parkinson, a fait l'objet de multiples études chez les singes[12]. Il a servi notamment à tester les effets de la roténone, une toxine naturelle produite par certaines plantes tropicales et entrant dans la composition de nombreux insecticides. Les chercheurs ont observé qu'injectée à de faibles doses répétées, la roténone induit un syndrome parkinsonien chez des rats[a].

Une fois de plus, il faut noter que, comme le bromure de méthyle, la roténone a été interdite par la Commission européenne en 2009, mais que la France a obtenu une dérogation spéciale pour l'utiliser sur les pommes, pêches, cerises, vignes et pommes de terre jusqu'en octobre 2011[b]. À l'instar de Rachel Carson dans *Le Printemps silencieux*, il importe donc plus que jamais de trouver une réponse à cette question : « Qui prend ce genre de décision ? » Qui décide que les avantages agronomiques d'un poison priment sur les considérations sanitaires et les dangers qu'il fait courir à la santé des utilisateurs, mais aussi, on le verra, des consommateurs ? D'autant plus qu'on imagine sans mal le nombre de malades et de morts qu'il a fallu compter dans les laboratoires expérimentaux et les morgues avant que l'institution européenne décide enfin d'agir. Que la France demande systématiquement un « délai de grâce » – pour reprendre l'expression du journal *Le Syndicat agricole* en 2007 à propos de l'interdiction du Lasso de Monsanto – est tout simplement scandaleux[13].

---

a   C'est précisément parce qu'il avait utilisé de la roténone et du paraquat qu'un jardinier parisien, travaillant dans une grande entreprise d'horticulture depuis trente-quatre ans, a obtenu le statut de maladie professionnelle en 2009. Le jardinier avait développé la maladie de Parkinson à l'âge de quarante-huit ans. C'est ce qu'a expliqué la docteure Maria Gonzales, du CHU de Strasbourg, qui faisait partie du comité d'experts saisis par le CRRMP de Paris, dans une interview à *Hygiène, Sécurité, Environnement* le 19 juin 2009.

b   Un rapport publié en janvier 2011 par Générations futures et Pesticides Action Network Europe a révélé qu'en Europe le recours aux dérogations pour utiliser des pesticides interdits avait augmenté de 500 % entre 2007 et 2010. La directive européenne sur les pesticides (91/414) comporte en effet un article, le 8.4, qui permet d'obtenir une « dérogation de cent vingt jours » donnant la possibilité à un État membre d'utiliser des pesticides interdits « en cas de danger imprévisible ». On est ainsi passé en Europe de 59 dérogations en 2007 à 321 en 2010, dont 74 pour la France (GÉNÉRATIONS FUTURES ET PESTICIDES ACTION NETWORK EUROPE, « La question des dérogations accordées dans le cadre de la législation européenne sur les pesticides », 26 janvier 2011).

Une maladie du monde industriel

« Étant donné les similitudes fondamentales qui existent entre le système nerveux des vertébrés et celui des invertébrés, les insecticides qui ont été conçus pour attaquer le système nerveux des insectes sont clairement capables de produire des effets neurotoxiques aigus et à long terme chez les humains », écrit l'Organisation mondiale de la santé dans son manuel de prévention publié en 2006 (voir *supra*, chapitre 3). Et la vénérable institution de préciser : « Les symptômes peuvent apparaître immédiatement après l'exposition ou de manière différée. Ils comprennent un affaiblissement des membres ou un engourdissement ; des pertes de mémoire, une diminution de la vision ou des facultés intellectuelles ; des maux de tête, des problèmes cognitifs et comportementaux et des dysfonctionnements sexuels[14]. »

Tout ce que décrit l'OMS, avec la froideur clinique si caractéristique des « experts », a été constaté dans de nombreuses études épidémiologiques, qu'il est impossible de toutes présenter. Elles concernent le syndrome parkinsonien et la maladie d'Alzheimer, qui touchent 800 000 personnes en France, auxquelles s'ajoutent 165 000 nouveaux cas par an, ou la sclérose latérale amyotrophique, encore appelée « maladie de Charcot ». C'est ainsi que, dans une étude publiée en 2001, l'épidémiologiste Isabelle Baldi a montré que l'exposition aux nombreux pesticides appliqués sur les vignes entraînait une diminution des fonctions cognitives (attention sélective, mémoire, élocution, capacité de traitement de données abstraites) chez les viticulteurs du Bordelais. Baptisée « Phytoner », l'enquête a concerné 917 agriculteurs affiliés à la MSA : 528 avaient été exposés directement aux pesticides pendant au moins vingt-deux ans ; 173 avaient été exposés de manière indirecte par contact avec des feuilles ou des raisins traités ; et 216 n'avaient jamais été exposés (groupe témoin). Soumises à des tests d'aptitude mentale, les personnes directement exposées avaient trois fois plus de risques que le groupe témoin de répondre de manière erronée aux questions qu'on leur posait. Et, fait très troublant : les personnes exposées aux pesticides de manière *indirecte* répondaient presque aussi mal que celles directement exposées[15].

Cela me rappelle le sort des élèves du lycée Bonne-Terre de Pézenas, destinés à rejoindre l'exploitation viticole familiale où ils seront en contact avec une multitude de poisons. En effet, dans une autre étude publiée en 2003, Isabelle Baldi et Pierre Lebailly ont montré que l'exposition aux pesticides, utilisés notamment sur les vignobles de Gironde, multipliait par 5,6 le risque de développer la maladie de Parkinson et par 2,4 celui d'avoir la maladie d'Alzheimer – ces résultats sont le fruit d'une étude prospective (baptisée « Paquid ») où 1 507 personnes âgées de plus de soixante-cinq ans ont été suivies sur dix ans[16].

« Ce qui est regrettable, m'a expliqué Caroline Tanner, neurologue à l'Institut Parkinson de Sunnyvale, en Californie, où je l'ai rencontrée le 11 décembre 2009, c'est que toutes les données que nous avons accumulées sur les populations humaines avaient déjà été obtenues sur des animaux de laboratoire il y a plusieurs décennies.

— Vous voulez dire que les résultats des études expérimentales sont extrapolables à l'homme et qu'ils devraient être utilisés pour agir, en retirant par exemple les produits suspects du marché ? lui ai-je demandé.

— Tout à fait ! L'idéal serait même que les produits soient testés *avant* leur mise sur le marché pour éviter des drames humains douloureux », me répondit sans hésiter la scientifique, avec une franchise qu'on ne trouve que de ce côté-là de l'Atlantique.

Auteure de nombreuses publications sur la maladie de Parkinson, Caroline Tanner est l'une des neurologues les plus réputées des États-Unis. Elle travaille dans un « endroit privilégié », puisque l'Institut Parkinson est « un centre à la fois de soins et de recherche ». Associée à l'interprétation des données recueillies par l'Agricultural Health Study, elle a publié en 2009 une étude de cas-témoins qui a montré que l'exposition aux pesticides augmentait de façon significative le risque de développer un syndrome parkinsonien[17].

« Nous avons constaté que le risque pouvait être multiplié par trois après l'exposition à trois pesticides : le 2,4-D et le paraquat, deux herbicides, et la perméthrine, qui est un insecticide, a-t-elle commenté. Nos travaux sont arrivés au bon moment pour les vétérans de la guerre du Viêt-nam qui ont été exposés à l'agent orange, dont le 2,4-D était un composant. En effet, ceux-ci avaient demandé que la maladie de Parkinson soit ajoutée à la liste des maladies ouvrant droit à une indemnisation et à une prise en charge médicale par le Département des anciens combattants, ce qu'ils ont finalement obtenu[a]. En ce qui concerne le paraquat, nous n'avons pas été surpris, car l'Institut Parkinson a beaucoup travaillé sur le MPTP[b], et ce sont deux molécules très proches.

---

a   En 2008, seize pathologies faisaient partie de cette liste, dont des cancers (appareil respiratoire, prostate, sarcome des tissus mous, leucémie ou lymphome non hodgkinien), mais aussi le diabète de type 2 et la neuropathie périphérique.

b   William Langston, dont j'ai cité l'étude sur le MPTP, l'agent contaminant de l'héroïne de synthèse, travaille pour l'Institut Parkinson de Sunnyvale.

Enfin, pour ce qui est de la perméthrine, nos résultats sont inquiétants, car cet insecticide est largement utilisé pour la prévention du paludisme. On le retrouve imprégné dans les moustiquaires, les uniformes des militaires ou dans de simples vêtements, et beaucoup de gens peuvent entrer en contact avec la molécule par voie cutanée...

— Est-ce que le temps de l'exposition est un facteur important ?

— D'après notre étude, ce n'est pas un facteur déterminant. D'ailleurs, l'une des surprises fut que les épouses d'agriculteurs présentaient aussi un risque plus élevé que la population générale. En fait, elles sont aussi exposées aux produits, parce qu'elles participent parfois à la préparation des bouillies, mais aussi parce qu'elles lavent les vêtements de leur mari ou tout simplement parce qu'elles vivent dans un environnement pollué ou consomment des aliments contaminés. J'ai participé à une étude avec des collègues d'Honolulu, qui ont comparé des jumeaux masculins où l'un avait développé la maladie de Parkinson et l'autre pas. Nous avons constaté que l'un des facteurs de risque était la consommation de produits laitiers et l'hypothèse que nous avons avancée, c'est que les polluants organiques persistants, les fameux "POP", dont certains ont des effets neurotoxiques, comme les dioxines ou les BPC, ont la faculté de s'accumuler dans les graisses du lait. Il serait intéressant de conduire une étude spécifiquement sur ce sujet, d'autant plus qu'une expérience récente a montré que la combinaison du paraquat et du maneb, un herbicide à base de manganèse, augmentait considérablement le risque d'avoir la maladie de Parkinson et pouvait induire les signes de la maladie chez des animaux qui avaient été exposés *in utero*...

— On dit souvent que la maladie de Parkinson est en nette progression dans les pays industrialisés, est-ce que c'est vrai ?

— En fait, nous n'en savons rien ! Pour une raison très simple, c'est que nous n'avons pas de registres suffisamment anciens pour pouvoir l'affirmer avec certitude. Je me suis moi-même posé cette question et, pour y répondre, je me suis rendue en Chine, il y a une vingtaine d'années, à un moment où le processus d'industrialisation de l'agriculture était très peu avancé et où la maladie de Parkinson était très rare. J'ai dirigé plusieurs recherches là-bas et je peux dire qu'aujourd'hui la pathologie y est devenue aussi courante qu'aux États-Unis. La seule explication, c'est qu'en vingt ans le pays s'est fortement industrialisé et qu'on y utilise désormais les mêmes pesticides que dans les pays occidentaux.»

Les pesticides ratent largement leur cible, mais n'épargnent pas l'homme

Quelques jours plus tard, le 6 janvier 2010, je rencontrais à l'hôpital de La Pitié-Salpêtrière, à Paris, le docteur Alexis Elbaz, un neuroépidémiologiste qui travaille pour une unité de l'Inserm. En France, ce jeune chercheur est un pionnier, et Gilbert Vendée lui doit une fière chandelle. C'est en effet en lisant un article dans *Le Quotidien du médecin*, en 2004, que Me Gilbert Couderc, l'avocat du salarié agricole berrichon, a découvert qu'une étude du docteur Elbaz, montrant une corrélation positive entre l'exposition aux pesticides et la maladie de Parkinson, venait de remporter le prix Épidaure[18]. « Nous nous sommes sentis confortés », a raconté Gilbert Couderc, qui s'est empressé de communiquer la précieuse publication au Comité régional de reconnaissance des maladies professionnelles[19].

Au moment où je l'ai interviewé, Alexis Elbaz venait de publier dans les *Annals of Neurology* une nouvelle étude qu'il avait conduite en collaboration étroite avec la Mutualité sociale agricole[20]. Une preuve supplémentaire, s'il en était besoin, que la mutuelle a vraiment décidé de faire la lumière sur les conséquences sanitaires de l'usage des pesticides. Dans cette enquête de cas-témoins, 224 agriculteurs parkinsoniens ont été comparés à un groupe de 557 agriculteurs non malades, tous affiliés à la MSA et originaires du même département. « Les médecins du travail de la MSA ont joué un rôle capital, m'a expliqué le neuroépidémiologiste. En effet, ils se sont rendus au domicile des agriculteurs et ont reconstitué très minutieusement avec eux leur exposition aux pesticides durant toute leur vie professionnelle. Ils ont recueilli un grand nombre d'informations, telles que la surface des exploitations, le type de cultures et les pesticides utilisés, le nombre d'années et la fréquence annuelle d'exposition, ou encore la méthode d'épandage – avec un tracteur ou à l'aide d'un réservoir à dos. Ils ont mené un véritable travail de détective, en tenant compte de tous les documents fournis par les agriculteurs : les recommandations des chambres d'agriculture ou des coopératives agricoles, qui sont très suivies, les calendriers de traitement, les factures, les bidons vides qui avaient pu être gardés sur la ferme. Toutes ces données ont ensuite été évaluées par des experts, qui ont vérifié leur validité.

— Quel fut le résultat ?

— Nous avons constaté que les insecticides organochlorés multiplient par 2,4 le risque d'avoir la maladie de Parkinson. Parmi eux, il y a le DDT ou le lindane, qui furent largement utilisés en France entre les années 1950 et 1990 et qui se caractérisent par une persistance dans l'environnement de nombreuses années après l'utilisation.

— Est-ce que vous savez si les pesticides utilisés dans les champs peuvent aussi affecter les résidents qui vivent près des zones traitées ?

— Nous n'avons pas de données là-dessus, mais il est vrai que, au-delà de l'exposition à des niveaux élevés en milieu professionnel, nos résultats soulèvent la question des conséquences d'une exposition à des doses plus faibles, telle qu'elle peut être observée dans l'environnement, à savoir dans l'eau, l'air et l'alimentation. À ce jour, seule une étude a pu apporter une réponse convaincante. »

Publiée en avril 2009, l'étude dont parle le docteur Elbaz a été conduite par une équipe de chercheurs de l'université de Californie dans la vallée centrale de Californie[21]. Ceux-ci disposaient d'un avantage précieux, dont la France ne peut malheureusement se prévaloir. Depuis les années 1970, en effet, l'État le plus riche de la fédération américaine exige que soient enregistrées dans un système informatique centralisé, baptisé California Pesticides Use Reports, toutes les ventes de pesticides, avec l'indication du lieu et de la date prévue de leur utilisation. Ce qui permet de savoir au jour le jour quels secteurs géographiques ont été traités et avec quelles molécules. C'est ainsi que l'équipe de Sadie Costello a pu « reconstituer l'histoire de l'exposition aux pesticides agricoles dans l'environnement résidentiel » de toute la région étudiée, entre 1975 et 1999. Pour cela, les participants à l'étude – 368 parkinsoniens et 341 témoins non malades, tous résidant dans la vallée centrale de Californie – ont dû communiquer leur adresse pour que soit calculé leur niveau d'exposition au cours de ces vingt-quatre années.

Avant de découvrir les résultats très inquiétants de ce travail remarquable, il importe de bien comprendre sa pertinence, car elle nous concerne tous. En effet, ainsi que l'expliquait en 1995 l'Américain David Pimentel, professeur au Collège d'agriculture et des sciences de la vie de l'université Cornell, « moins de 0,1 % des pesticides appliqués pour le contrôle des nuisibles atteignent leur cible. Plus de 99,9 % des pesticides utilisés migrent dans l'environnement, où ils affectent la santé publique et les biotopes bénéfiques, en contaminant les sols, l'eau et l'atmosphère de l'écosystème[22] ». Certains observateurs sont un tout petit peu moins pessimistes, comme Hayo van der Werf, agronome à l'INRA : « On estime que 2,5 millions de tonnes de pesticides sont appliquées chaque année sur les cultures de la planète, écrivait-il en 1996. La part qui entre en contact avec les organismes indésirables cibles – ou qu'ils ingèrent – est minime. La plupart des chercheurs l'évaluent à moins de 0,3 %, ce qui veut dire que 99,7 % des substances déversées s'en vont *ailleurs*[23]. » Et d'ajouter : « Comme la lutte chimique expose inévitablement aux traitements des organismes non cibles – dont l'homme –, des effets secondaires indésirables peuvent se manifester sur des espèces, des communautés ou des écosystèmes entiers. »

À lire la suite, on comprend que l'agriculture chimique est tout sauf une science exacte, au point qu'on finit par se demander comment et au nom de quoi on a pu laisser s'installer sur nos territoires un tel système d'empoisonnement généralisé : « Dès qu'ils ont atteint le sol ou la plante, les pesticides commencent à disparaître : ils sont dégradés ou sont dispersés. Les matières actives peuvent se volatiliser, ruisseler ou être lessivées et atteindre les eaux de surface ou souterraines, être absorbées par des plantes ou des organismes du sol ou rester dans le sol. Durant la saison, le ruissellement emporte en moyenne 2 % d'un pesticide appliqué sur le sol, rarement plus de 5 % à 10 %. En revanche, on a parfois constaté des pertes par volatilisation de 80 % à 90 % du produit appliqué, quelques jours après le traitement. [...] Lors des traitements par aéronef, jusqu'à la moitié du produit peut être entraîné par le vent en dehors de la zone à traiter. [...] On a commencé à se soucier du passage des pesticides dans l'atmosphère durant les années 1970 et 1980, en constatant que les substances peuvent se répandre très loin, comme l'atteste leur découverte dans les embruns océaniques et dans la neige de l'Arctique[24]. »

Après la lecture de ce scénario catastrophe, la question se pose immédiatement : est-ce qu'au moins cela sert à quelque chose ? Est-ce que les « nuisibles » ont bien tous été exterminés ? Eh bien non ! C'est ce qu'expliquait dès 1995 le professeur David Pimentel : « On estime que quelque 67 000 parasites attaquent chaque année les récoltes mondiales : 9 000 insectes et mites, 50 000 plantes pathogènes et 8 000 mauvaises herbes. En général, on considère que moins de 5 % présentent un réel danger. [...] Malgré l'application annuelle d'environ 2,5 millions de tonnes de pesticides et l'usage de moyens de contrôle non chimiques, 35 % de la production agricole sont détruits par les parasites : 13 % par les insectes, 12 % par les plantes pathogènes et 10 % par les mauvaises herbes[25]. »

En résumé : les poisons déversés dans les champs ratent généralement leurs cibles, soit parce que les nuisibles leur résistent ou leur échappent, soit parce qu'ils « s'en vont ailleurs », pour reprendre l'expression de Hayo van der Werf, en contaminant l'environnement. D'où la question, hautement pertinente, de l'équipe de Sadie Costello : les pesticides peuvent-ils induire la maladie de Parkinson chez des personnes vivant à proximité des cultures traitées ? La réponse est clairement positive. Les registres d'utilisation des pesticides ont indiqué que parmi les produits les plus utilisés dans la vallée centrale de Californie figuraient le maneb, le fongicide à base de manganèse que j'ai déjà évoqué, et l'incontournable paraquat. Les résultats de l'étude ont montré que le fait de vivre à moins de 500 yards (environ 450 mètres) d'une zone traitée augmentait de 75 % le risque de développer la maladie. De plus, la probabilité d'être atteint du mal avant l'âge de soixante ans était multipliée par deux lors de l'exposition à l'un des deux pesticides (OR : 2,27) et par plus de quatre (OR : 4,17) lors d'une exposition combinée, surtout si l'exposition avait eu lieu entre 1974 et 1989, c'est-à-dire à un moment où les personnes concernées étaient enfants ou adolescentes.

« Cette étude confirme deux observations faites lors d'expériences sur des animaux, a expliqué Beate Ritz, professeur d'épidémiologie à l'UCLA School of Public Health, qui a supervisé les travaux de l'équipe de l'université de Californie. Premièrement, l'exposition à des produits chimiques multiples augmente l'effet de chaque produit. C'est important, parce que les humains sont généralement exposés à plus d'un pesticide dans l'environnement. Deuxièmement, le moment de l'exposition est aussi un facteur important[26]. »

Pesticides et immunotoxicité : baleines, dauphins et phoques sont touchés

« Le nombre des données scientifiques qui suggèrent que de nombreux pesticides endommagent le système immunitaire est impressionnant. Des études sur les animaux ont montré que les pesticides altèrent la structure normale du système immunitaire, perturbent les réponses immunitaires et réduisent la résistance des animaux aux antigènes et agents infectieux. Il y a aussi des preuves convaincantes que ces résultats peuvent être extrapolés aux populations humaines exposées aux pesticides. » Voilà ce qu'écrivaient en 1996 Robert Repetto et Sanjay Baliga dans un rapport intitulé *Pesticides et le système immunitaire : les risques pour la santé publique*, qui leur avait été commandé par le prestigieux World Resources Institute (WRI) de Washington[27].

« Ce document a déclenché les foudres de l'industrie chimique, m'a expliqué Robert Repetto, un économiste spécialisé dans le développement durable qui était vice-président du WRI au moment de la rédaction du rapport. En effet, c'était la première fois qu'une étude rassemblait toutes les données disponibles sur les effets des pesticides sur le système immunitaire, un sujet qui, à l'époque, était complètement sous-estimé et, à mon sens, continue de l'être, alors qu'il est capital pour comprendre l'épidémie de cancers et de maladies auto-immunes que l'on constate notamment dans les pays industrialisés[28]. »

En effet, on y reviendra, un cancer est rarement causé par un seul facteur : il est le plus souvent le résultat d'un processus complexe et multifactoriel, généralement initié par l'action d'agents pathogènes (encore appelés « antigènes »), tels que des rayons, des virus, des bactéries, des toxines ou des polluants chimiques, et peut être favorisé par des prédispositions génétiques, le mode de vie ou le régime alimentaire. Lorsqu'il est en bonne santé, l'organisme sait se défendre contre l'agression d'un agent pathogène en mobilisant son système immunitaire, dont la fonction est précisément de traquer et d'éliminer les intrus grâce à l'action de trois mécanismes distincts, mais complémentaires.

Le premier, que les biologistes appellent l'« immunité non spécifique », fait intervenir les macrophages et les neutrophiles, chargés d'ingérer les envahisseurs (on parle de « phagocytose »), et les lymphocytes NK (de l'anglais *natural killers*, « tueurs naturels »), qui ont pour mission de les exterminer. Le deuxième, baptisé « immunité humorale », active les lymphocytes B produisant les anticorps. Enfin, le troisième, l'« immunité cellulaire », met en branle les lymphocytes T (T4 ou T8), qui empoisonnent les intrus phagocytés par les macrophages grâce à la sécrétion de lymphotoxines.

Dans leur volumineux rapport, Robert Repetto et Sanjay Baliga consacrent une quinzaine de pages aux nombreuses études *in vivo* (c'est-à-dire directement sur des animaux) ou *in vitro* (sur des cultures de cellules) qui ont montré que les pesticides pouvaient perturber l'un ou l'autre des mécanismes qui constituent le système immunitaire[29]. Parmi cette longue liste, où les organochlorés (DDT, lindane, endosulfan, dieldrine ou chlordécone) se taillent la part du lion, j'ai choisi l'exemple de l'atrazine, un herbicide interdit en Europe en 2004 mais qui continue d'être massivement utilisé, notamment aux États-Unis (voir *infra*, chapitre 19). On découvre qu'administrée par voie orale à des souris l'atrazine perturbe l'action des lymphocytes T ainsi que le processus de phagocytose par les macrophages[30]. Dans une autre étude publiée en 1983, des chercheurs ont montré un effet sur le poids du thymus des rats exposés – or le thymus est un organe essentiel dans le système immunitaire puisqu'il est le siège de la maturation des lymphocytes T et joue un rôle dans la protection contre l'auto-immunité[31], c'est-à-dire la fabrication d'anticorps, qui, au lieu de s'attaquer aux intrus, prennent pour cible les cellules du système immunitaire. Enfin, une autre expérience a révélé en 1975 que des saumons exposés à de l'atrazine par voie orale ou cutanée présentaient une diminution du poids de la rate, un organe qui intervient dans le contrôle des infections provoquées par des bactéries, comme les pneumocoques ou méningocoques[32].

Or, soulignent Robert Repetto et Sanjay Baliga, les anomalies du système immunitaire constatées chez les animaux de laboratoire, à la suite d'une exposition aux pesticides, l'ont aussi été dans la faune sauvage. Au Canada, par exemple, l'autopsie de baleines retrouvées mortes au large du fleuve Saint-Laurent a révélé une concentration élevée de pesticides organochlorés et de BPC, ainsi qu'un taux anormal d'infections bactériennes et de cancers. « Il n'y a que deux facteurs qui puissent expliquer une telle prévalence dans cette population, a expliqué Sylvain de Guise, qui a conduit une étude sur la surmortalité des cétacés. C'est l'exposition à des produits cancérigènes ou une baisse de la résistance au développement des tumeurs[33]. »

De même, au début des années 1990, une étrange épidémie a décimé les dauphins de la Méditerranée, dont des dizaines de cadavres ont échoué sur les côtes de Valence, en Espagne. L'autopsie a révélé que les mammifères marins avaient succombé à une infection provoquée par des virus qu'ils savaient normalement combattre (comme le morbillivirus). « Nous avons consulté la littérature scientifique et sommes remontés un siècle en arrière, mais nous n'avons trouvé aucune épidémie d'une telle virulence », a commenté un chercheur britannique[34]. Finalement, des études ont conclu que l'hécatombe devait être due à une baisse des défenses immunitaires des dauphins, qui avaient accumulé dans leurs organismes des pesticides organochlorés, des BPC et divers polluants chimiques[35].

Nombreuses sont les études conduites sur la faune qui montrent les effets immunosuppresseurs des pesticides, mais l'une d'elles est particulièrement impressionnante. Tout a commencé pendant les années 1980, lorsque des zoologues ont observé que les phoques vivant près des ports de la mer Baltique et de la mer du Nord succombaient massivement à une infection par le morbillivirus. Des chercheurs hollandais ont décidé de conduire une expérience prospective. Ils ont capturé des bébés phoques sur la côte nord-ouest de l'Écosse, considérée comme relativement peu polluée. Les sympathiques mammifères ont été divisés en deux groupes : le premier était nourri avec des harengs provenant de la mer Baltique, où le taux de pollution est important ; le second avec des harengs pêchés en Islande, où la contamination est très faible. À noter que les harengs des deux groupes ont été achetés sur des marchés « normaux », c'est-à-dire destinés à la consommation humaine... Au bout de deux ans, la graisse des phoques du premier groupe présentait un taux de concentration en pesticides organochlorés dix fois supérieur à celui du groupe contrôle. Les chercheurs ont aussi constaté que les phoques nourris avec des harengs contaminés avaient des défenses immunitaires trois fois plus faibles que ceux du groupe contrôle, avec notamment une réduction flagrante de l'activité des *natural killers* et des lymphocytes T, et une diminution de la réponse des anticorps et du niveau des neutrophiles.

« C'est la première fois qu'une étude montre que l'immunosuppression chez les mammifères peut être le résultat d'une exposition à des polluants que l'on trouve à des niveaux similaires dans l'environnement », a commenté le virologue néerlandais Albert Osterhaus lors d'une conférence qui s'est tenue en février 1995 à Racine (Wisconsin), où il a présenté les travaux de son équipe[36]. Notons au passage le titre de la conférence : « Les altérations du système immunitaire par les produits chimiques : la connexion entre la faune et les hommes ».

Allergies et maladies auto-immunes : les effets sur l'homme

Car, comme le soulignent Robert Repetto et Sanjay Baliga, « les systèmes immunitaires de tous les mammifères (mais aussi des oiseaux et des poissons) ont des structures similaires », et ce qui arrive aux baleines, aux dauphins ou aux phoques nous concerne directement. Pour preuve : les études menées sur la cyclosporine, un médicament immunosuppresseur prescrit aux bénéficiaires d'un don d'organe pour bloquer les réactions de rejet du greffon. Les chercheurs ont constaté que lorsque le médicament est administré à « diverses espèces de mammifères, tels des rats, des souris, des singes ou des hommes », il possède exactement les « mêmes propriétés toxicologiques et immunitaires » qui, à terme, font le lit du... cancer. En effet, ainsi que l'a montré Arthur Holleb, un oncologue qui fut le directeur médical de la Société américaine du cancer, les patients traités avec la cyclosporine ont cent fois plus de risques d'avoir un cancer du système lymphatique, notamment des leucémies et des lymphomes[37]. Est-il besoin de rappeler que ce sont précisément les tumeurs malignes pour lesquelles les agriculteurs présentent un risque accru?

Dans leur rapport, Robert Repetto et Sanjay Baliga présentent plusieurs études réalisées par des scientifiques soviétiques, qui avaient scrupuleusement recensé les effets des pesticides sur le système immunitaire. «C'était très précieux, car à l'époque les études occidentales ne s'intéressaient qu'au cancer et aux maladies neurodégénératives, m'a expliqué Robert Repetto lors de notre entretien téléphonique. De plus, la bureaucratie communiste présentait un avantage: comme il n'y avait pas de logique de profit – à la différence des pays capitalistes, où l'intérêt des fabricants est de cacher la toxicité de leurs produits, sous peine de voir leurs ventes chuter –, les chercheurs soviétiques faisaient un véritable travail de veille sanitaire, en enregistrant consciencieusement tous les effets observés sur les populations agricoles, dans le but de réduire le coût des soins que ceux-ci pouvaient engendrer.»

Quitte à passer pour une cryptocommuniste invétérée, je dois avouer qu'en écoutant ces paroles, je m'étais dit que la recherche scientifique «bureaucratique», c'est-à-dire indépendante des intérêts privés, a du bon et que ce modèle suranné devrait inspirer les agences de réglementation qui oublient généralement d'inclure dans leur évaluation des produits chimiques les coûts sanitaires que ceux-ci peuvent induire à moyen ou à long terme... On me rétorquera que les études des chercheurs «bureaucrates» n'ont pas empêché la pollution catastrophique de vastes territoires de l'ex-Union soviétique, comme la mer d'Aral, ce qui est vrai. Mais il n'empêche: comme nous le verrons ultérieurement, l'explosion des maladies chroniques pèse très lourd sur les comptes des systèmes de sécurité sociale, qui font les frais d'un système de réglementation où les considérations agro-économiques (les fameux «bénéfices» que sont censés fournir les pesticides) priment systématiquement sur les considérations sanitaires (les «risques» associés à ces «bénéfices»).

En attendant, la littérature scientifique «bureaucratique» a bien montré que l'exposition aux pesticides provoque des réactions auto-immunes; elle entraîne aussi la perturbation de l'activité des neutrophiles ou des lymphocytes T, ce qui contribue au développement des infections pulmonaires et respiratoires. Plusieurs études conduites entre 1984 et 1995 dans les régions cotonnières de l'Ouzbékistan, où l'on pulvérisait de grandes quantités d'insecticides organochlorés et organophosphorés, ont montré des taux très élevés d'infections respiratoires, gastro-intestinales et rénales chez les ouvriers agricoles, mais aussi dans les populations vivant près des zones traitées. Au même moment, en Occident cette fois, des chercheurs montraient que l'exposition à des pesticides comme l'atrazine, la parathion, le maneb ou le dichlorvos provoquait des allergies, entraînant ce que le docteur Jean-Luc Dupupet appelle des «manifestations cutanées» (voir *supra*, chapitre 3), à savoir des dermatites qui sont l'expression d'une réaction du système immunitaire à une agression chimique[38].

Dans le manuel de prévention des intoxications par les pesticides qu'elle a publié en 2006, l'OMS consacre une partie importante aux allergies, dont la prévalence ne cesse d'augmenter, notamment chez les enfants, ainsi qu'aux maladies auto-immunes[a]. Voici ce qu'elle écrit: «Les allergies peuvent se manifester de différentes manières, comprenant le rhume des foins, l'asthme, l'arthrite rhumatismale et les dermatites. La cause des allergies est une réponse d'hypersensibilité provoquée par l'exposition à des agents toxiques professionnels ou environnementaux. Les antigènes qui déclenchent une réponse allergique sont appelés "allergènes". [...] Lorsque le système immunitaire perd sa capacité de distinguer les cellules étrangères des propres cellules du corps, il se met à attaquer et à tuer ces dernières, provoquant de graves dégâts tissulaires. On appelle ce phénomène l'"auto-immunité". Bien que moins fréquentes que l'immunosuppression ou l'allergie, les réactions auto-immunes ont été associées à l'exposition professionnelle à certains produits chimiques[39].»

Comme me l'a rapporté Robert Repetto lors de notre entretien téléphonique, le rapport qu'il a rédigé pour le World Resources Institute a déclenché une vive réaction (allergique!) des industriels, dont, une fois n'est pas coutume, les scientifiques ont décidé de signer ensemble une «critique» dans le journal *Environmental Health Perspectives*[40]. Parmi les signataires de ce morceau d'anthologie, on retrouve les épidémiologistes patentés de Dow Chemical (Carol Burns et Michael Holsapple), Zeneca (Ian Kimber), DuPont de Nemours (Gregory Ladics et Scott Loveless), BASF (Abraham Tobia) et bien sûr de Monsanto, à savoir Dennis Flaherty et... John Acquavella, l'auteur de la méta-analyse controversée que j'ai présentée précédemment! Après une critique en règle du rapport,

---

a «Inconnue il y a deux siècles, l'atopie, c'est-à-dire la prédisposition à développer une allergie, touche aujourd'hui plus de 15% de la population mondiale et, vraisemblablement, 20% à 30% dans les pays industrialisés», constate ainsi Mohamed Laaidi («Synergie entre pollens et polluants chimiques de l'air: les risques croisés», *Environnement, Risques & Santé*, vol. 1, n° 1, mars-avril 2002, p. 42-40).

notamment des études soviétiques qu'ils jugent « difficiles à évaluer », les auteurs finissent leur article avec des propos pour le moins contradictoires, dont on ne sait s'ils sont l'expression d'un embarras ou d'une stratégie de conciliation bien calculée : « Nous n'avons pas trouvé de preuves consistantes et crédibles qui permettent de conclure qu'il existe un phénomène largement répandu d'immunosuppression liée à l'exposition aux pesticides, écrivent-ils en effet. Néanmoins, le rapport du WRI est un document important pour la recherche future, car il attire l'attention des scientifiques occidentaux sur une littérature substantielle constituée d'études en langue étrangère... »

C'est ce qu'on appelle l'« art de souffler le chaud et le froid ». Mais, nous allons le voir, l'attitude des industriels peut être beaucoup plus violente, voire perverse, quand il s'agit de neutraliser l'impact d'études qui ne leur sont pas favorables. Et, avant de voir comment fonctionne la réglementation des produits chimiques qui entrent en contact avec la chaîne alimentaire, il est important de revenir à l'histoire industrielle du XXᵉ siècle, pour comprendre comment des molécules extrêmement toxiques ont pu durablement empoisonner l'environnement et les populations humaines.

Science et industrie : la fabrique du doute

7

La face funeste du progrès

« La science découvre, l'industrie applique
et l'homme suit. »
Slogan de l'Exposition universelle de Chicago en 1933

« Quand je pense à tous les morts qu'on aurait pu éviter dans les usines si on avait pris des mesures dès que fut connue la toxicité de nombreux produits chimiques, vraiment je suis révolté... » Peter Infante, l'homme qui me parle ainsi quand je le rencontre un jour d'octobre 2009 dans sa maison de la banlieue de Washington, est un épidémiologiste américain qui s'est battu pendant toute sa carrière pour défendre une cause « malmenée par l'idéologie du progrès » : la santé publique et la sécurité au travail. « Les cols bleus, c'est-à-dire les ouvriers, ont payé un lourd tribut pour fabriquer tous les objets magnifiques que la société de consommation nous fournit quotidiennement, m'explique-t-il, la gorge nouée par l'émotion. Et la moindre des choses, c'est que la puissance publique fasse tout ce qu'elle peut pour réduire au minimum leur exposition à des substances chimiques dangereuses tout en leur garantissant une indemnisation quand ils tombent malades. Malheureusement, l'industrie a systématiquement laminé tous les efforts qui allaient dans ce sens[1]. »

Peter Infante et David Michaels contre les lobbies de l'industrie chimique

À soixante-neuf ans, Peter Infante sait de quoi il parle. Pendant vingt-quatre ans, il a travaillé à l'Occupational Safety and Health Administration (OSHA[a]), l'agence chargée de la sécurité et de la santé du travail, qui fut créée en 1970, en même temps que l'Agence de protection de l'environnement des États-Unis (EPA). C'était l'époque où, attentive aux préoccupations environnementales qu'avait suscitées *Le Printemps silencieux* de Rachel Carson, l'Amérique montrait la voie. «Je suis arrivé à l'OSHA en 1978, à un moment où l'agence faisait bien son travail, m'explique-t-il. Sous la direction d'Eula Bingham, une toxicologue qui avait été nommée par le président Jimmy Carter, nous avions réussi à réduire considérablement les seuils d'exposition professionnelle au plomb, au benzène et aux poussières de coton. Puis Ronald Reagan, qui ne jurait que par la déréglementation, a été élu à la Maison-Blanche. Les industriels ont pour ainsi dire pris le contrôle de l'OSHA et j'ai failli perdre mon travail...»

Et l'épidémiologiste de me montrer une lettre adressée par Al Gore[b], alors président de la commission des investigations et du contrôle au Congrès, à l'«honorable Thorne Auchter», le directeur de l'OSHA, également ministre adjoint du Travail. Rédigée le 1er juillet 1981, elle contestait un préavis de licenciement de Peter Infante, à qui sa direction reprochait d'avoir informé le Centre international de recherche sur le cancer (CIRC) des derniers travaux scientifiques visant le formaldéhyde – le CIRC, qui dépend de l'Organisation mondiale de la santé, a pour mission de classer les produits chimiques selon leur degré de cancérogénicité (voir *infra*, chapitre 10). Plus connu sous le nom de formol, le formaldéhyde faisait partie d'une liste de substances prioritaires dont le CIRC avait annoncé l'évaluation; lorsqu'il est dissous dans l'eau, ce composant organique très volatil est présent dans de nombreux produits d'usage courant: colles des meubles en contreplaqué, détergents, désinfectants ou cosmétiques (comme les vernis à ongles). À ce titre,

---

a   Peter Infante y a dirigé le Service de la classification des substances cancérigènes de 1978 à 1983, puis celui des normes sanitaires de 1983 à 2002.

b   En 1992, le démocrate Albert Arnold Gore sera élu vice-président des États-Unis, aux côtés de Bill Clinton (1992-2000). Candidat malchanceux à la présidence face au républicain George W. Bush en novembre 2000, il deviendra l'un des porte-parole de la lutte contre le réchauffement climatique, grâce à son film *Une vérité qui dérange* (2006).

il intervient dans de nombreux processus de fabrication industriels ou artisanaux. En novembre 1980, un groupe de scientifiques sollicités par le Programme national de toxicologie avait conclu qu'il était «prudent de considérer que le formaldéhyde présente un risque cancérigène pour les humains». Peter Infante avait décidé d'en informer John Higginson, le directeur du CIRC, ce qui déclencha les foudres de la direction de l'OSHA.

Dans sa lettre, Al Gore ne mâchait pas ses mots : «Je pense raisonnablement que l'action que votre agence envisage relève d'une motivation politique. D'ailleurs, après l'exposé de vos motifs, vous joignez en annexe plusieurs lettres émanant de l'Institut du formaldéhyde qui critiquent vivement le docteur Infante. Pour ma part, je considérerais comme hautement suspecte toute action fondée sur les courriers d'une organisation industrielle dont l'objectif évident est de conclure que le formaldéhyde n'est pas cancérigène. [...] Si l'OSHA licencie le docteur Infante, ce sera un message clair pour tous les serviteurs civils chargés de protéger la santé publique, à savoir que ceux qui font bien leur travail vont le perdre.»

«Finalement, vous n'avez pas été licencié ? demandai-je après avoir lu l'incroyable lettre.

— Non ! Et le CIRC a classé le formaldéhyde "cancérigène pour les humains" en 2006, me répond Peter Infante. Mais, à l'OSHA, la période noire ne faisait que commencer. Avec les administrations républicaines, de Reagan puis de Bush père et fils, notre action a été paralysée. Le nombre de produits que nous avons réglementés est ridicule, à peine deux au cours des quinze dernières années ! En 2002, j'ai quitté l'agence, pour m'installer comme conseiller indépendant.»

Si la deuxième partie de ce livre commence par l'histoire de Peter Infante – que nous retrouverons un peu plus tard –, c'est parce qu'elle est exemplaire des multiples manœuvres de l'industrie chimique tout au long du xxᵉ siècle pour maintenir sur le marché des produits hautement toxiques, quitte à empoisonner ceux qui les fabriquent ou les consomment. C'est ce que démontre avec brio l'épidémiologiste américain David Michaels dans son livre de 2008 déjà cité, *Doubt is Their Product* (Leur produit, c'est le doute. Comment l'assaut de l'industrie sur la science menace votre santé), que Peter Infante m'a vivement recommandé. Et pour cause : peu de temps avant que j'interviewe ce dernier en octobre 2009, on apprenait que le président Barack Obama avait nommé David Michaels à la tête de l'OSHA. J'aurais beaucoup aimé rencontrer cet épidémiologiste réputé, professeur de santé de l'environnement et du travail à l'université George Washington, mais ce ne fut pas possible.

Au moment où je cherchais à le rencontrer, il était très occupé par sa nomination, qui déclencha l'opposition virulente des lobbies de l'industrie, prêts à tout pour bloquer l'indispensable feu vert du Sénat. En vain.

Le 3 décembre 2009, David Michaels a été confirmé dans ses fonctions, ce qui est assurément une bonne nouvelle pour les États-Unis. Car, s'il y a une chose que l'on ne peut vraiment pas reprocher au nouveau patron de l'OSHA (et ministre adjoint du Travail), c'est de rouler de près ou de loin pour les fabricants de poisons : dans son livre (j'y reviendrai), il montre comment ceux-ci, à grand renfort de mensonges, de manipulations mais aussi de mépris pour la vie humaine, sont à l'origine d'un « assaut » sans précédent sur notre santé en favorisant l'instauration de ce que Geneviève Barbier et Armand Farrachi appellent la « société cancérigène[2] ».

Le cancer, une maladie de la « civilisation »

Avant de plonger dans l'histoire nauséabonde et, il faut bien le dire, criminelle de l'industrie chimique, qui constitue l'une des clés de mon enquête, je voudrais remonter brièvement dans l'histoire médicale de l'humanité. J'ai passé beaucoup de temps dans les bibliothèques parisiennes à consulter livres et thèses de doctorat pour essayer de répondre à cette question fondamentale : le cancer est-il, comme certains l'affirment, une « maladie de la civilisation » ? Et, pour être plus précise : son développement est-il lié à celui de l'activité industrielle ? Et, de mes multiples lectures, j'ai conclu que le cancer est, certes, une maladie très ancienne, mais qu'il était extrêmement rare jusqu'à la fin du XIXᵉ siècle.

En effet, ainsi que l'expliquent les auteurs de *La Société cancérigène*, « aucune découverte n'a jamais établi qu'un homme était mort du cancer avant l'apparition de l'agriculture. On a pu déceler des lésions infectieuses, du rachitisme, des traumatismes, mais aucun cancer[3] ». De son côté, Jean Guislaine, spécialiste de la préhistoire et des civilisations néolithiques, note que le chapitre des « néoplasies se réduit à néant, aucun cas de néoplasie maligne authentique n'ayant été signalé[a] ». Certes, il précise que « l'absence de localisation osseuse ne prouve rien

---

a   La néoplasie désigne la formation de tumeurs, bénignes ou malignes (cancéreuses).

quant à l'existence possible de tumeurs malignes des parties molles » et qu'il reste à établir « si les populations préhistoriques payaient le même tribut que les actuelles au cancer[4] ».

Tous les observateurs rapportent que « la plus ancienne description écrite d'un cancer date approximativement de 1600 av. J.-C. », ainsi que l'explique le site de la Société américaine du cancer. Elle a été retrouvée sur un papyrus égyptien, découvert par le chirurgien britannique Edwin Smith en 1862, et présentait huit cas de tumeurs du sein, pour lesquelles il était précisé qu'il n'y avait « pas de traitement ». D'après les toxicologues britanniques John Newby et Vyvyan Howard, qui ont consulté une grande partie de la littérature disponible, les « preuves d'un mélanome malin » (cancer de la peau) ont été retrouvées sur une momie inca du Pérou, vieille d'environ 2 500 ans, tandis qu'est attribuée au paléontologue kenyan Louis Leakey la découverte des traces d'un lymphome sur les restes d'un *Homo erectus*[5].

Preuve que la maladie avait été dûment identifiée pendant l'Antiquité, le mot « cancer » a été inventé par Hippocrate (460-370 av. J.-C.) qui, en observant les ramifications caractérisant les tumeurs, associa leur forme à celle d'un crabe (*carcinos* en grec). Dans ses traités, celui qu'on surnomme le « père de la médecine » décrit plusieurs types de cancer qu'il explique par un excès de « bile noire[a] ». Le mot *carcinos* a ensuite été traduit en latin par le médecin romain Celsius au début de notre ère.

Si la maladie est donc bien connue des Anciens, elle reste en revanche « remarquablement rare ou absente[6] » dans les peuples restés à l'écart du développement industriel, ainsi que le montre très clairement le livre *Cancer: Disease of Civilization?* de Vilhjalmur Stefansson (1879-1962), un ethnologue islandais explorateur de l'Arctique, qui fait référence dans ce domaine[7]. Dans la préface de son ouvrage, René Dubos, professeur de biologie moléculaire à l'Institut Rockefeller, note que le cancer est inconnu des « peuples primitifs […] tant que rien ne change dans leur mode de vie ancestral ». Ce constat est confirmé par les nombreux témoignages de médecins voyageurs cités par Vilhjalmur Stefansson, comme celui du docteur John Lyman Bulkley, qui rapporta dans le journal *Cancer* en 1927 : « Pendant mon séjour d'une douzaine d'années chez les différentes tribus natives d'Alaska, je n'ai pas rencontré un seul cas de tumeur cancéreuse[8]. » De même, Joseph Herman

---

a   Pour Hippocrate, le corps est composé de quatre « humeurs » : le sang, le phlegma (dans le cerveau), la bile jaune (dans la vésicule biliaire) et la bile noire (dans la rate).

Romig, qui était alors le « docteur le plus célèbre d'Alaska[9] », témoigna en 1939 qu'« en trente-six ans de contact avec les Eskimos et Indiens vraiment primitifs » il n'avait « jamais rencontré un cas de maladie maligne, alors que cela arrive fréquemment dès qu'ils commencent à se moderniser[10] ». Vilhjalmur Stefansson cite également le témoignage du docteur Eugene Payne, qui « examina quelque 60 000 patients dans certaines parties du Brésil et de l'Équateur pendant un quart de siècle et ne trouva pas un seul exemple de cancer[11] ». Ou celui du docteur Frederick Hoffman qui, lors du Congrès sur le cancer tenu à Bruxelles en 1923, déclara à propos des femmes boliviennes : « Je n'ai pas été capable de détecter un seul cas authentique de maladie maligne. Et tous les médecins que j'ai pu interviewer m'ont dit qu'ils n'avaient jamais vu de cancer du sein chez les femmes indiennes[12]. »

Les observations réalisées par les scientifiques anglophones sont corroborées par leurs homologues francophones, tel Albert Schweitzer, qui dans son livre *À l'orée de la forêt vierge* commente son expérience « chez les indigènes d'Afrique équatoriale » pendant l'année 1914 : « Au cours des neuf mois de mon activité, j'ai traité près de 2 000 malades et j'ai pu constater que la plupart des maladies européennes se rencontrent dans ce pays. Cependant, je n'ai encore trouvé ni de cancer ni d'appendicite[13]. » Les auteurs de *La Société cancérigène* citent aussi le témoignage du professeur de Bovis, « un des premiers médecins à s'intéresser à la généralisation des tumeurs malignes », qui écrit au tout début du xxᵉ siècle : « Les races primitives étaient autrefois indemnes ou presque de cancer. Depuis que notre civilisation a pénétré chez elles, elles se sont mises à faire du cancer. On a également prononcé à ce sujet le mot de "cancérisation" des races primitives[14]. »

Et, à ceux qui objecteraient qu'« il est impossible d'obtenir des données statistiques convaincantes sur la fréquence du cancer parmi les races non civilisées comme celles de l'Afrique et chez les Indiens du nord et du sud de l'Amérique », le docteur Giuseppe Tallarico rétorque à juste titre que « tous les médecins qui ont longtemps exercé parmi ces races primitives sont unanimes à témoigner qu'ils ont rarement ou jamais vu de cas de cancer[15] ». Et ce n'est pas faute d'avoir cherché ! Ainsi que le rapporte l'historien français Pierre Darmon, les médecins voyageurs ont identifié un certain nombre de « cancers exotiques », comme le cancer dit du « kangri », qui affecte l'« épithélioma de la paroi abdominale antérieure ». Il est « très courant au Cachemire, où les habitants se protègent du froid en glissant sous leur tunique un kangri, sorte de vase en terre cuite contenant un brasier de charbon de bois qui provoque brûlures et irritation chronique». De même, «les cancers des lèvres, de la langue et de la bouche sont relativement fréquents en Inde où femmes et hommes mastiquent du bétel, espèce de mixture composée de feuilles de bétel, de tabac et de chaux[16]». Les cancers liés à la mastication du bétel sont toujours courants dans l'État indien de l'Orissa, où je me suis rendue fin 2009, tandis que tous les autres cancers y sont quasiment inexistants, mais peut-être plus pour longtemps...

En lisant ces récits de voyages effectués par des hommes de science au début du xxᵉ siècle, j'ai aussi compris pourquoi ils étaient devenus des pièces à conviction que certains s'évertueront bientôt à nier, voire à ridiculiser, en ironisant sur le «mythe du bon sauvage»: l'absence de cancer constatée incidemment chez les «peuples primitifs» contrastait violemment avec la situation qui prévalait alors dans les pays «civilisés», où dans la foulée de la révolution industrielle le cancer enregistrait une progression fulgurante.

Un précurseur du xviiiᵉ siècle : Bernardino Ramazzini et les maladies professionnelles

«La période historique de la lutte contre le cancer commence en 1890, année de la prise de conscience collective du fléau dans toute son ampleur», écrit Pierre Darmon, qui évoque la «flambée statistique: 1880-1990[17]». Se faisant l'écho des préoccupations d'une époque encore caractérisée par la prédominance des maladies infectieuses[a], l'historien note que «le bilan des premières enquêtes est accablant. D'année en année, le cancer gagne du terrain. Il faut dire que les données brutes sont sans appel. Entre 1880 et 1900, la mortalité cancéreuse par 100 000 habitants semble avoir doublé dans la plupart des pays», comme le Royaume-Uni, l'Autriche, l'Italie, la Norvège et la Prusse. En Angleterre, considérée comme le berceau de la révolution industrielle, le nombre des décès attribués au cancer est passé de 2 786 en 1840 (soit 177 décès par million d'habitants) à 21 722 en 1884 (713 décès par million d'habitants), d'après un rapport publié en 1896 dans *The British Medical Journal*[18]. «En l'espace de quarante ans, la virulence du mal a donc quadruplé», résume Pierre Darmon, qui donne aussi l'exemple

---

a   En 1906, en France, les pathologies infectieuses représentaient 19 % des causes de mortalité, avec en tête la tuberculose et la diphtérie; elles représentent aujourd'hui 1,8 % des causes de mortalité et le cancer, 27 %.

de la «petite ville suédoise de Follingsbro, où les décès par cancer sont recensés depuis le début du XIXe siècle: leur nombre est passé de 2,1 à 108 par 100 000 habitants[a]». D'après les (nombreuses) études alors publiées, le cancer frappe les pays industrialisés du Vieux Continent, mais aussi ceux du Nouveau Monde. «Si la même progression se poursuit, il y aura d'ici dix ans dans l'État de New York plus de morts par cancer que par tuberculose, petite vérole et fièvre typhoïde réunies», écrit ainsi en 1899 le professeur Roswell Park dans *The Medical News*[19].

Il est intéressant de noter que, pour expliquer cette inquiétante évolution, certains commentateurs ont déjà recours aux arguments matraqués aujourd'hui par ceux qui veulent nier l'origine environnementale du cancer, dont la prévalence n'a pourtant cessé de croître depuis un siècle. J'y reviendrai de manière détaillée (voir *infra*, chapitre 10), mais lisons dès à présent ce que rapporte l'historien français à propos de la poussée spectaculaire des tumeurs malignes à l'aube du XXe siècle: «Plusieurs auteurs incriminent l'allongement de l'espérance de vie, l'imperfection des anciennes statistiques et les progrès de la clinique qui permettent de mettre en évidence un nombre croissant de cancers.» C'est exactement ce qu'on pourra lire un siècle plus tard sous la plume d'éminents cancérologues – comme en France le professeur Maurice Tubiana –, qui n'ont de cesse de minimiser le facteur environnemental dans l'étiologie des cancers, alors qu'il faut bien admettre que l'«accroissement de l'espérance de vie» a le dos large: elle est passée d'une moyenne de quarante-cinq ans en 1900 à environ quatre-vingts ans en 2007… Comme nous le verrons, la seule donnée qui compte pour mesurer l'irrésistible progression du cancer, c'est l'évolution du taux de prévalence dans la population générale, mais aussi et surtout par tranche d'âge, ce que semblent vouloir ignorer certaines sommités de l'Académie française des sciences.

En attendant, comme le souligne aussi Pierre Darmon, ces pseudo arguments «s'effacent souvent derrière ce que plusieurs savants considèrent comme le facteur cancérigène par excellence: les progrès de la civilisation[20]». En effet, dès le milieu du XVIe siècle, des médecins commencent à établir un lien entre la maladie et certaines activités professionnelles. Ainsi, en 1556, le docteur et géologue allemand Georg Bauer (encore appelé Georgius Agricola) publie *De re metallica*, une œuvre monumentale où il décrit les techniques minières et métallurgiques,

---

a   Située au sud de la Suède, Follingsbro est connue pour ses activités de forge puis de sidérurgie dès le XVIIIe siècle.

mais aussi les nombreuses affections pulmonaires et tumeurs qu'il a constatées chez les mineurs[a].

Mais c'est au médecin italien Bernardino Ramazzini (1633-1714) que l'on doit la première étude systématique sur la relation entre le cancer et l'exposition à des polluants ou toxiques. En 1700, ce professeur de médecine de l'université de Padoue, considéré comme le père de la médecine du travail, publie *De morbis artificum diatriba* (Des maladies du travail), ouvrage dans lequel il présente une trentaine de corporations exposées au développement de maladies professionnelles, notamment de tumeurs du poumon. Sont concernés tous ceux qui travaillent en contact avec le charbon, le plomb, l'arsenic ou les métaux, comme les verriers, peintres, doreurs, miroitiers, potiers, charpentiers, tanneurs, tisserands, forgerons, apothicaires, chimistes, amidonniers, foulons, briquetiers, imprimeurs, blanchisseuses, «ceux qui sont exposés aux vapeurs de soufre» ou «ceux qui appliquent les frictions mercurielles», mais aussi «ceux qui préparent et vendent le tabac». Dans son œuvre fondatrice, qui constituera une référence pendant plus de deux siècles, Bernardino Ramazzini note que les... nonnes ont beaucoup moins de cancers de l'utérus que les femmes de l'époque, soulignant sans le savoir le rôle de certains virus transmissibles sexuellement dans cette affection maligne. *A contrario*, il constate que les femmes célibataires ont plus de cancers du sein que les femmes mariées, une observation qui sera confirmée quatre siècles plus tard par la découverte du rôle protecteur de l'allaitement contre cette maladie hormonodépendante.

Homme curieux et précis, à la fois sociologue, journaliste et médecin, n'hésitant pas à se déplacer pour visiter les ateliers, Ramazzini est aussi un humaniste capable d'une compassion rare pour ceux qu'il appelle les «malades du peuple». «Je conseille au médecin qui visite un malade du peuple de ne point lui tâter le pouls aussitôt qu'il est entré, comme on a coutume de faire sans même avoir égard à la condition du malade, écrit-il dans la préface de *De morbis artificum diatriba*, mais de s'asseoir quelque temps sur un simple banc comme s'il s'agissait d'un fauteuil doré, et là, d'un air affable, d'interroger le malade sur tout ce qu'exigent les préceptes de son art et les devoirs de son cœur. Il y a beaucoup de choses qu'un médecin doit savoir, soit du malade, soit des assistants; écoutons Hippocrate sur ce précepte: "Quand vous serez auprès du

---

a   Cette œuvre sera traduite en anglais en 1912 par un ingénieur des mines américain, Herbert Hoover (avec sa femme Lou), qui deviendra le 31e président des États-Unis (1929-1933).

malade, il faut lui demander ce qu'il sent, quelle en est la cause, depuis combien de jours, s'il a le ventre relâché, quels sont les aliments dont il a fait usage." Telles sont ses paroles ; mais, à ces questions, qu'il me soit permis d'ajouter la suivante : *quel est le métier du malade*[21] ? »

L'originalité de Ramazzini, c'est ainsi de montrer qu'un certain nombre de maladies graves sont causées par l'activité humaine, notamment celle qui est liée à l'industrie naissante. Karl Marx ne s'y trompera pas, qui citera l'œuvre révolutionnaire du médecin italien dans *Le Capital*, où il entrevoit que « la production de maladies pourrait représenter un coût caché de la manufacture industrielle », ainsi que l'écrit Paul Blanc[22]. « Un certain rabougrissement de corps et d'esprit est inséparable de la division du travail dans la société, constate ainsi le théoricien de la pensée communiste dans son Livre premier sur *Le Développement de la production capitaliste*. Mais, comme la période manufacturière pousse beaucoup plus loin cette division sociale en même temps que, par la division qui lui est propre, elle attaque l'individu à la racine même de sa vie, c'est elle qui la première fournit l'idée et la matière d'une pathologie industrielle[23]. » Suit une note faisant référence à *De morbis artificum diatriba*.

La révolution industrielle du XIXe siècle, source d'une épidémie de maladies inconnues

Curieusement, ainsi que le remarque Paul Blanc, la préoccupation pour les pathologies développées par les ouvriers travaillant dans les manufactures, qui fleurissent un peu partout en Europe et en Amérique au XIXe siècle, n'est pas unanimement partagée par ceux que l'on considère alors comme des « progressistes » ou, selon la terminologie anglophone, des « libéraux ». Tout indique au contraire que l'idéologie du progrès qui accompagne la révolution industrielle, censée procurer *in fine* un bien-être universel, relègue au second plan les dégâts sanitaires ou environnementaux de l'activité des usines. Paul Blanc cite ainsi l'exemple d'Harriet Martineau (1802-1876), une militante féministe et abolitionniste britannique, journaliste et sociologue – qui traduisit, détail intéressant, l'œuvre du positiviste Auguste Comte –, selon laquelle la réglementation de la sécurité au travail était superflue, car elle considérait que celle-ci relevait de la seule compétence des industriels, au nom de la doctrine libérale du « laisser-faire ». Celle que l'on compare souvent à Alexis de Tocqueville, pour l'étude qu'elle réalisa sur les États-Unis, se rendit célèbre pour ses passes d'armes avec Charles Dickens, lequel, au contraire, prônait l'intervention de l'État pour le renforcement de la sécurité au travail.

Écrivain engagé, pourfendeur invétéré de la misère et de l'exploitation industrielle, l'auteur de *David Copperfield* entretenait des relations étroites avec des médecins, dont les observations sur les pathologies caractérisant les ouvriers de l'Angleterre victorienne et industrielle ont nourri ses romans. Dans un article, publié en 2006 dans le *Journal of Clinical Neuroscience*[24], Kerrie Schoffer, une neurologue australienne, montre comment Charles Dickens décrit très justement les syndromes parkinsoniens de l'un de ses personnages, saisi de tremblements incontrôlés des membres, à un moment où la médecine n'avait «pas encore de nom pour cela, ni aucune explication biologique[25]».

Car, si la classe politique est globalement imperméable aux conséquences sanitaires de la révolution industrielle, les médecins n'ont alors de cesse de décrypter les maladies nouvelles qui affectent la classe laborieuse. Ils s'inspirent du travail pionnier réalisé par le chirurgien anglais Percivall Pott (1714-1788), qui publia en 1775 une étude sur un cancer alors méconnu, celui du scrotum. Après avoir examiné un certain nombre de ramoneurs dans un hôpital londonien, celui-ci constata en effet qu'ils développaient fréquemment une tumeur des bourses, due à la suie qui s'était déposée en cette partie délicate de leur anatomie. Percivall Pott nota que les ramoneurs allemands ou suédois, qui avaient la bonne idée de porter des pantalons de cuir, étaient moins atteints que leurs collègues britanniques[26]. Un siècle plus tard, en 1892, le docteur Henry Butlin fit sensation lors d'une conférence au Collège royal des chirurgiens, où il révéla que le «cancer des ramoneurs» affectait aussi les ouvriers des chantiers navals qui enduisaient la coque des bateaux avec du goudron de charbon[27].

Mais la longue litanie des méfaits des sous-produits de la houille ne faisait que commencer. Bientôt, divers rapports cliniques et études montreront que les ouvriers travaillant dans les usines de briquettes de charbon (comme dans le Pays de Galles) ou dans des ateliers utilisant la créosote[a] pour le traitement du bois développaient aussi des cancers de la peau, une pathologie alors si rare qu'elle déclenchera une demande d'enquête officielle de la part du puissant Syndicat des dockers. Publiée en 1912,

---

a   La créosote est une huile extraite du goudron de bois ou de charbon. En raison de ses pouvoirs cancérigènes, l'Union européenne a interdit la vente des bois traités à la créosote en... 2001.

cette «solide investigation épidémiologique», la première du genre, confirma l'excès de mélanomes chez les ouvriers des chantiers navals[28]; de plus, elle «était doublée d'une expérience remarquable conduite sur des animaux, qui montrait le lien avec le cancer et constituait l'un des tout premiers travaux de laboratoire dans le domaine de la carcino-genèse chimique», pour reprendre les termes de Paul Blanc[29].

À dire vrai, la lecture de la littérature médicale du début du xxe siècle fait froid dans le dos. On y découvre par exemple le martyre des ouvriers et ouvrières travaillant dans des usines d'allumettes, en Allemagne, en Autriche ou aux États-Unis, où l'industrie du phosphore était florissante. Dix ans après le lancement de cette activité très fructueuse, en 1830, les premiers rapports médicaux signalent l'apparition d'une maladie aussi nouvelle que terrible : l'ostéonécrose de la mâchoire, provoquée par les vapeurs de phosphore jaune, qui se traduit par des lésions gra-vissimes de la muqueuse buccale, un effritement des os de la mandi-bule et la disparition progressive des dents. Ainsi que le souligne Paul Blanc, l'histoire de la «nécrose phosphorée» illustre parfaitement les dégâts du «laisser-faire» dans le domaine de la sécurité du travail, car il faudra attendre 1913 pour que soit interdit le phosphore jaune pour la production d'allumettes, après que l'industrie aura mis au point des substituts moins dangereux (comme celui à base de phosphore rouge).

Un poison qui rend fou

Dans le même temps, les maladies neurologiques sont aussi l'objet de toutes les attentions. À ce titre – et ce n'est qu'un cas parmi d'autres –, l'histoire du sulfure de carbone est particulièrement terrifiante. Paul Blanc y consacre un chapitre entier de son livre, intitulé «Going crazy at work[30]» (Un travail qui rend fou), qui en dit long sur l'aveugle-ment cynique et criminel sous-tendant l'industrialisation des pays dits «civilisés». Utilisé en chimie pour dissoudre de nombreux composants organiques, le sulfure de carbone est un solvant très toxique qui intervient comme intermédiaire de synthèse dans la fabrication de produits vul-canisés en caoutchouc, mais aussi de médicaments ou de pesticides (au xixe siècle, il fut appliqué pour lutter contre le phylloxéra de la vigne[a]).

---

a   Un pesticide à base de sulfure de carbone, le metam sodium, est toujours lar-gement utilisé aujourd'hui pour la désinfection des sols (avant les cultures de fraises), comme antigerminatif ou pour le traitement des grains.

En 1856, Auguste Delpech, un jeune médecin parisien, fait une brève communication devant l'Académie de médecine, où il présente une maladie nouvelle qu'il attribue au travail dans les usines de caoutchouc. Il y décrit le cas de Victor Delacroix, un ouvrier de vingt-sept ans dont les symptômes ressemblent, dit-il, à un empoisonnement au plomb : maux de tête, faiblesse et rigidité musculaires, insomnie, troubles de la mémoire, confusion mentale et impuissance sexuelle[31]. Au moment où Claude Bernard prépare ses leçons sur les effets des substances toxiques et médicamenteuses, le docteur Delpech teste la toxicité du sulfure de carbone sur deux pigeons, qui meurent immédiatement, et un lapin, qui finit paralysé[32]. Ainsi que le souligne Paul Blanc, « les études de Delpech sur l'empoisonnement au sulfure de carbone, qui alliaient la description clinique de la pathologie humaine et un modèle expérimental de la maladie reproduite dans un laboratoire, correspondaient particulièrement bien aux préoccupations scientifiques et à la vision du monde qu'avaient ses collègues médicaux de l'époque ».

Certes, mais à part quelques « illuminés », comme les Américains Alice Hamilton et Wilhelm Hueper, rares sont les médecins qui sortiront alors du milieu confiné de la science pour descendre dans l'arène publique et dénoncer les pathologies professionnelles qu'ils diagnostiquent dans leurs cabinets ou laboratoires. Tout indique au contraire que les horreurs constatées étaient généralement acceptées comme les inévitables dégâts collatéraux du nécessaire processus d'industrialisation – un avis partagé par la plupart des journaux de l'époque. Ainsi, en 1863, le même Auguste Delpech publie un long article où il détaille vingt-quatre cas d'empoisonnement au sulfure de carbone frappant des ouvriers qui fabriquent des ballons gonflables et des… préservatifs dans une usine de caoutchouc soufflé. On y découvre que la plupart d'entre eux souffrent de crises d'hystérie, de périodes d'excitation sexuelle suivies d'impuissance, et qu'une ouvrière a fini par se suicider en inhalant des vapeurs du poison[33]. Impressionnants, ses travaux sont commentés dans le *London Times* : « Le sulfure de carbone est l'une des substances chimiques les plus dangereuses que l'on connaisse, mais malheureusement c'est aussi l'une des plus utiles[34]. »

Vingt-cinq ans plus tard, le 6 novembre 1888, le célèbre professeur Jean-Martin Charcot (1825-1893), lors de l'une de ses non moins célèbres « leçons » organisées chaque mardi à l'hôpital de La Salpêtrière, présentait un patient victime d'une intoxication aiguë au sulfure de carbone, devant un aréopage de médecins en blouse blanche. Travaillant depuis dix-sept ans dans une usine de caoutchouc, le jeune homme était tombé dans le coma après avoir nettoyé des cuves de vulcanisation. «Ce pauvre diable représente un cas exceptionnel d'hystérie masculine», a expliqué en substance le neurologue, qui rappela que l'hystérie était généralement considérée comme une pathologie féminine. Soulignant le rôle du sulfure de carbone dans l'étiologie de la maladie, il expliqua avec la froideur de l'expert qui examine une curiosité: «Les hygiénistes et cliniciens sont concernés par les activités industrielles, en raison des accidents, principalement neurologiques, dont sont victimes les ouvriers[35].» La «leçon» restera dans l'histoire, puisque dans les années 1940 un dictionnaire médical britannique qualifiera de *Charcot's carbon disulfide hysteria* les troubles neurologiques provoqués par le «gazage» au sulfure de carbone[a].

Car, contrairement à ce que l'on pourrait penser, l'accumulation des données médicales n'entraînera pas l'interdiction ou, au moins, la réglementation de l'utilisation du sulfure de carbone. En 1902, le docteur Thomas Oliver, un médecin britannique disciple de Charcot, tente bien de tirer la sonnette d'alarme en dénonçant les limites du laisser-faire, qui veut que la sécurité au travail soit l'affaire exclusive des industriels. Dans une étude très documentée, il décrit le phénomène d'addiction qui accompagne les troubles hystériques et sexuels dont souffrent les ouvrières d'une usine de caoutchouc: «Le matin, elles se traînent à l'usine avec des maux de tête et des malaises et, comme ceux qui s'adonnent à l'usage immodéré de l'alcool, elles ne sont soulagées et ne retrouvent leur équilibre nerveux qu'après avoir inhalé de nouveau les vapeurs du sulfure de carbone[36].»

Mais cette nouvelle publication ne changera rien aux conditions de travail dans les usines où l'on utilise le poison. Car, entre-temps, son usage s'est encore diversifié avec l'apparition d'un nouveau produit miracle: la viscose, encore appelée «soie artificielle» ou «rayonne» et promise à un avenir radieux[b]. Cette fibre synthétique était fabriquée à partir de la cellulose extraite de la pulpe d'arbre, grâce un processus chimique où le sulfure de carbone était l'élément principal. «Une fois

---

a   Le terme «gazé» (*gassed* en anglais) a été inventé par l'industrie britannique du caoutchouc, ainsi que l'explique le *Dictionnaire d'Oxford*, qui cite un article du *Liverpool Daily* de 1889.

b   Paul Blanc rapporte qu'en Belgique, dans les années 1930, les ouvrières travaillant dans les ateliers de «rayonne» étaient transportées dans un train spécial, pour éviter le contact avec les autres employés, en raison de leur «comportement licencieux» (Paul BLANC, *How Everyday Products Make People Sick, op. cit.*, p. 159).

de plus, note Paul Blanc, des rapports médicaux ont rapidement identifié le danger, mais ils ne furent suivis d'aucune réponse. L'absence de contrôle effectif dans les usines pendant plusieurs décennies montre le pouvoir que les forces économiques et politiques peuvent exercer pour retarder toute intervention en faveur de la santé publique dans le secteur industriel[37]. »

Bruxelles, 1936 : le congrès de l'évidence sur les causes du cancer

«Ce fut le congrès sur le cancer le plus important de l'histoire», dira plus tard le biochimiste et oncologue israélien Isaac Berenblum (1903-2000[38]). «Un véritable projet Manhattan sur le cancer», a écrit en 2007 l'épidémiologiste américaine Devra Davis dans son livre déjà cité *The Secret History of the War on Cancer*[39]. L'événement était si important que le magazine *Nature* décida de l'annoncer dès mars 1936, six mois avant l'ouverture du congrès à Bruxelles, le 20 septembre[40]. Ce jour-là, les deux cents meilleurs cancérologues du monde ont afflué dans la capitale belge. Venus d'Amérique du Nord et du Sud, du Japon et de toute l'Europe, souvent après de longues semaines de voyage en bateau, les éminents spécialistes ont échangé leurs connaissances sur une maladie qui ne cessait de progresser.

«J'ai été impressionnée de constater tout ce que l'on savait déjà sur les causes sociales et environnementales du cancer avant la Seconde Guerre mondiale, il y a soixante-dix ans, commente Devra Davis, qui a créé le premier centre de cancérologie environnementale à l'université de Pittsburgh. À ma grande surprise, les trois volumes du congrès comprenaient des rapports cliniques et expérimentaux très détaillés, montrant que la plupart des agents chimiques largement utilisés à l'époque, comme l'arsenic, le benzène, l'amiante, les colorants synthétiques ou les hormones, étaient considérés comme cancérigènes pour les humains[41]. »

Parmi les conférenciers figurait le Britannique William Cramer (1878-1945) qui, après avoir comparé l'histoire médicale de jumeaux monozygotes (c'est-à-dire issus d'un même ovule et présentant donc un patrimoine génétique strictement identique) concluait (déjà!) que «le cancer n'est pas une maladie héréditaire[42]». De plus, après avoir étudié les registres de décès du Royaume-Uni, le chercheur de l'Imperial Cancer Research Fund constatait que le taux d'incidence de la maladie avait augmenté de 30 % depuis le début du siècle. Et (déjà !) il précisait qu'il avait obtenu ce chiffre après déduction du facteur d'augmentation de la population et de l'espérance de vie. De ce fait, considérant que le développement des tumeurs était le résultat d'expositions survenues vingt ans plus tôt, il recommandait de limiter les agents cancérigènes sur le lieu de travail, tout en multipliant la recherche expérimentale, car, notait-il (déjà !), « le cancer se développe souvent dans les mêmes tissus chez les rongeurs que chez les humains ».

À Bruxelles était également présent l'Argentin Angel Honorio Roffo (1882-1947), qui montra des photos de souris ayant développé des tumeurs après une exposition régulière aux rayons X ou ultraviolets (déjà !), le risque étant accru en cas d'exposition simultanée à des hydrocarbures. Il y avait encore les Britanniques James Cook et Ernest Kennaway (1881-1958), du London's Royal Cancer Hospital, qui réalisèrent une méta-analyse d'une trentaine d'études montrant (déjà !) que l'exposition régulière à l'hormone œstrogène induisait des cancers mammaires chez les rongeurs mâles.

« Comment ces scientifiques ont-ils pu décider qu'un agent causait le cancer en 1936 ? demande Devra Davis. Ils ont combiné les autopsies avec les rapports médicaux et les parcours professionnels des personnes atteintes de cancer. Ils ont considéré raisonnablement que, s'ils trouvaient du goudron ou de la suie dans les poumons de ceux qui avaient travaillé dans les mines et montraient que ces mêmes substances placées sur la peau ou dans les poumons d'animaux causaient aussi des tumeurs, c'était suffisant pour estimer que ces résidus étaient la cause du cancer et que, de ce fait, on devait en contrôler la source[43]. »

Sur le papier, tout cela semble clair comme de l'eau de roche et, comme on dirait familièrement, « frappé au coin du bon sens ». Mais, en lisant les actes du congrès de 1936, une question surgit très logiquement : si tous ces chercheurs avaient *déjà* compris que la cause principale de l'explosion des cancers était l'exposition à des agents chimiques et si, de surcroît, ils savaient *déjà* comment il fallait procéder pour limiter les dégâts causés par les poisons, pourquoi ne les a-t-on pas écoutés ? La réponse est aussi simple que la question : si les travaux et recommandations de tous ces chercheurs ont été ignorés, c'est parce qu'à partir des années 1930 l'industrie a commencé à s'organiser pour contrôler et manipuler la recherche sur la toxicité de ses produits, en menant une guerre sans merci à tous les scientifiques qui voulaient maintenir leur indépendance au nom de la défense de la santé publique. La première victime de ce combat du pot de fer contre le pot de terre fut Wilhelm

Hueper, un toxicologue américain d'origine allemande réputé, considéré comme le successeur de Bernardino Ramazzini, qui participa au congrès de Bruxelles quelques mois avant d'être licencié par son employeur, le chimiste américain DuPont de Nemours.

Le combat solitaire de Wilhelm Hueper

L'histoire de Wilhelm Hueper est exemplaire, parce qu'elle constitue un raccourci saisissant de tout ce que j'ai découvert au cours de ma longue enquête. Né en Allemagne à la fin du xıxᵉ siècle, le jeune homme est envoyé sur le front de Verdun pendant la Première Guerre mondiale, où il observe les dégâts des gaz de combat inventés par son compatriote Fritz Haber. De cette expérience, il tire une indéfectible conviction pacifiste, qui l'habitera toute sa vie. Après avoir terminé ses études de médecine, il émigre aux États-Unis en 1923. Il travaille dans une école médicale de Chicago, avant de rejoindre le laboratoire de recherche sur le cancer de l'université de Pennsylvanie, à Philadelphie, largement financé par DuPont, l'une des plus grandes entreprises chimiques de l'époque. En 1932, apprenant que l'usine de Deepwater (New Jersey) fabrique de la benzidine et de la bétanaphtylamine (BNA), utilisées dans la production de colorants synthétiques, il écrit une lettre pleine de candeur à Irénée du Pont (1876-1963), le patron de la firme, pour l'informer des risques de cancer de la vessie que courent ses ouvriers. Son courrier reste sans réponse...

Wilhelm Hueper connaît bien le sujet des colorants synthétiques: spécialisé en santé du travail, il a suivi de très près les rapports médicaux qui ont émaillé le développement de cette activité florissante, née fortuitement dans un laboratoire britannique. En 1856, en effet, William Henry Perkin, un étudiant en chimie, découvre qu'il peut transformer du goudron de houille – un sous-produit alors sans valeur obtenu lors de la distillation du charbon pour produire du gaz d'éclairage – en une solution mauve, qu'il appelle «mauvéine». C'est le premier colorant synthétique de l'histoire. La découverte du jeune Perkin est capitale: la production de colorants synthétiques servira de base au développement de l'industrie chimique organique, qui révolutionnera la fabrication des médicaments (aspirine, traitement contre la syphilis), des explosifs, des colles et résines, des pesticides et, bien sûr, des textiles, grâce à l'usage d'amines aromatiques, comme la benzidine et la béta-naphtylamine. Très vite, l'Allemagne s'impose sur le marché des colorants synthétiques en déposant des centaines de brevets. Mais, en 1895, le chirurgien allemand Ludwig Rehn rapporte que, dans une usine de Griesheim où l'on fabrique de la fuchsine (un colorant rouge violacé), trois ouvriers sur quarante-cinq ont développé un cancer de la vessie. Onze ans plus tard, ils sont trente-cinq. Au cours de la décennie suivante, des dizaines de cas sont recensés un peu partout en Allemagne, mais aussi en Suisse[a]. En 1921, s'appuyant sur de nombreux rapports cliniques, le Bureau international du travail publie une monographie sur les amines aromatiques, dont la benzidine et la BNA, en recommandant l'« application la plus rigoureuse des précautions d'hygiène[44] »...

Mais, une fois de plus, ces rapports ne serviront pas à grand-chose. Après la fin de la Grande Guerre, les États-Unis confisquent les brevets détenus par l'Allemagne vaincue, pour les distribuer à bas prix aux entreprises américaines, American Cyanamid, Allied Chemical, Dye Corporation et DuPont. Cette dernière construit aussitôt sa première usine de chimie organique à Deepwater, baptisée « Chambers Works », où la production de benzidine et de BNA commence en 1919. D'après des documents internes que David Michaels a pu consulter, les médecins de la firme ont détecté les premiers cancers de la vessie en 1931, peu de temps avant que Wilhelm Hueper écrive son courrier à Irénée du Pont. « Dans les années qui suivent, ces médecins ont documenté l'épidémie, aussi bien dans des conférences nationales que dans la littérature scientifique : au moins quatre-vingt-trois cas avaient été identifiés en 1936 », écrit David Michaels dans un article qu'il a consacré au cancer de la vessie d'origine professionnelle[45].

De fait, une étude publiée en 1936 – l'année du congrès de Bruxelles – par le docteur Edgar Evans, le médecin chef de DuPont, atteste de la volonté de la firme de jouer la transparence[46]. Deux ans plus tôt, faisant tardivement suite à son courrier, celle-ci avait même demandé à Wilhelm Hueper de rejoindre le nouveau laboratoire de toxicologie industrielle qu'elle avait créé à Wilmington, pour étudier précisément les cancers de la vessie. Le chercheur avait mis au point un protocole expérimental pour tester les effets de la BNA sur des chiens. Les résultats étaient sans appel : l'exposition régulière à l'amine aromatique induisait des tumeurs de la vessie, de la même manière que chez les hommes. Profondément troublé par les implications humaines de son

a   En 1925, la Suisse et l'Allemagne ont inscrit le cancer de la vessie dans les tableaux des maladies professionnelles liées à la benzidine et à la béta-naphtylamine. En France, le tableau 15 *ter* concernant les « lésions prolifératives de la vessie provoquées par les amines aromatiques et leurs sels » date de... 1995 !

étude et persuadé de la bonne foi de son employeur, le toxicologue demande à visiter Chambers Works, pour voir comment on pourrait améliorer la sécurité des travailleurs.

La suite, il l'a racontée dans ses mémoires : « Le directeur et ses associés m'ont d'abord amené dans l'atelier où se déroulait la fabrication, qui était localisée dans un bâtiment plus grand. Il était séparé des autres opérations par une large porte coulissante censée bloquer la dissémination des vapeurs, fumées et poussières de béta-naphtylamine. Comme j'étais très impressionné par la surprenante propreté de l'atelier de production, qui au moment de ma visite n'était pas en activité, j'ai cherché le contremaître dans le groupe de visiteurs. Quand je lui ai fait remarquer que l'endroit était incroyablement propre, il m'a regardé et m'a dit : "Docteur, vous auriez dû venir hier soir, nous avons travaillé toute la nuit pour nettoyer l'atelier pour vous." L'objectif de ma visite se trouvait d'un coup complètement anéanti. Ce que l'on m'avait montré n'était qu'une mise en scène parfaite. J'ai donc décidé de m'adresser au directeur pour lui demander de me montrer l'atelier de benzidine. Après lui avoir raconté ce que l'on venait de me dire, sa réticence initiale à accéder à ma demande s'est évanouie, et nous avons parcouru une courte distance pour rejoindre l'atelier de benzidine qui était installé dans un petit bâtiment adjacent. D'un seul coup d'œil, on comprenait tout de suite comment les ouvriers étaient exposés : il y avait de la poudre blanche de benzidine partout sur le sol, sur la plate-forme de chargement, le montant des fenêtres, etc. Cette révélation a mis fin à ma visite. De retour à Wilmington, j'ai écrit un bref rapport à M. Irénée du Pont pour lui faire part de mon expérience et de ma déception suite à cette tentative de tromperie. Je n'ai jamais eu de réponse à mon courrier et je n'ai plus jamais été autorisé à visiter les deux ateliers[47]. »

Pour Wilhelm Hueper, c'est le commencement de la fin. Peu après, il entre en conflit avec la firme, qui lui interdit de publier son étude sur les chiens. Finalement, il sera licencié en 1937, après le congrès de Bruxelles. Bravant les foudres de DuPont, qui l'a menacé de poursuites judiciaires, il publiera finalement son étude dans une revue scientifique en 1938[48] et, quatre ans plus tard, dans un livre aussi important que le fut en son temps celui de Bernardino Ramazzini. Intitulé *Occupational Tumors and Allied Diseases* (Les Tumeurs professionnelles et maladies associées), celui-ci fait le point sur l'importante recherche conduite depuis plus d'un demi-siècle sur le lien entre le cancer et l'exposition à des produits chimiques. Dans son autobiographie, Wilhelm Hueper

151

raconte qu'il avait d'abord prévu de dédier son ouvrage à «toutes les victimes du cancer qui fabriquent des choses pour une vie meilleure grâce à la chimie». C'était une allusion ironique au slogan de DuPont que la firme avait lancé en 1935, *Better living through chemistry*[a]. Craignant les représailles, il optera finalement pour une dédicace moins frontale: «À la mémoire de tous nos compagnons qui sont morts d'une maladie professionnelle contractée lorsqu'ils fabriquaient des choses meilleures pour que les autres puissent vivre mieux[49].»

Malgré la campagne de diffamation de Du Pont, qui l'a accusé «d'être un nazi, puis un sympathisant communiste[50]», le scientifique est recruté en 1948 par le prestigieux National Cancer Institute, où il fonde le premier département de recherche sur le cancer environnemental. C'est là qu'il rencontrera Rachel Carson, à qui il ouvrira ses archives pour la préparation de son livre *Le Printemps silencieux*. Quant à la firme chimique, elle continuera de produire la BNA jusqu'en 1955 et la benzidine jusqu'en 1967, sans avoir véritablement modifié son processus de fabrication. Dans un courrier de juin 1947 adressé au docteur Arthur Mangelsdorff, responsable médical d'American Cyanamid, le docteur Evans – le médecin-chef de Chambers Works, auteur de l'étude de 1936 – reconnaît sans ambages: «La question du contrôle sanitaire des employés qui travaillent dans la production de béta-naphtylamine est très sérieuse. [...] Du groupe d'origine, qui a commencé la production dans notre usine, quasiment 100% ont développé un cancer de la vessie[51].»

Impossible de savoir aujourd'hui combien de victimes a fait et continue de faire l'épidémie de cancers de la vessie dus à l'usage des amines aromatiques, dont la benzidine et la BNA bien sûr, mais aussi l'ortho-toluidine, un antioxydant largement utilisé pour la fabrication de produits en caoutchouc, comme les pneus. C'est ainsi qu'au début des années 1990, alertées par les syndicats, les autorités sanitaires américaines ont identifié un «cluster», c'est-à-dire une concentration anormale, de cancers de la vessie dans une usine de Goodyear située à Buffalo qui s'approvisionnait en ortho-toluidine auprès de... Du Pont[52]. Inutile de préciser que le fabricant américain est loin de constituer une exception. Car d'un produit à l'autre, mais aussi d'un pays à l'autre, c'est toujours la même histoire qui se répète, suivant un schéma où invariablement l'industrie dicte sa loi, avec la complicité

---

a   En 1982, DuPont a retiré «*through chemistry*» de son slogan, qui deviendra finalement, en 1999, *Better living through the miracles of science*.

tacite des pouvoirs publics, qui se contentent de compter les morts et n'agissent que quand « le coût humain est si évident qu'il n'est plus acceptable[53] », pour reprendre les mots de David Michaels, le nouveau ministre adjoint du Travail des États-Unis depuis 2009.

8

L'industrie dicte sa loi

« Il n'y a point de plus cruelle tyrannie que celle que l'on exerce
à l'ombre des lois et avec les couleurs de la justice. »

MONTESQUIEU

Au moment où Wilhelm Hueper tombait en disgrâce chez DuPont, pour devenir la bête noire des industriels de la chimie, un autre toxicologue, Robert Kehoe, était consacré comme le chef de file de ce que Devra Davis appelle la «recherche défensive[1]», à savoir la science conçue dans le seul but de défendre les produits des mêmes industriels. Il est fascinant de comparer le parcours de ces deux grandes figures contemporaines de la médecine du travail, qui, telles les deux faces de Janus, incarnent deux courants diamétralement opposés de la toxicologie : l'un au service de la santé publique, l'autre au service des intérêts privés.

1924 : l'affaire fondatrice
de l'essence au plomb aux États-Unis

Celui qui deviendra le président de l'Académie américaine de la santé du travail ainsi que de l'Association américaine de l'hygiène industrielle doit sa brillante carrière à une hécatombe survenue en 1923 et 1924 dans plusieurs raffineries fabriquant de l'essence au plomb. En effet, en 1921, un chimiste de General Motors, alors leader sur le marché de l'automobile, découvre que le plomb tétraéthyle peut servir d'additif antidétonant pour les carburants. Alors que des substituts existent, l'usage du plomb est encouragé par Charles Kettering, le directeur de la recherche de General Motors, en raison de son faible coût. La nouvelle déclenche une salve de réactions hostiles un peu partout dans le monde, car, comme l'écrivent Gerald Markowitz et David Rosner dans leur livre *Deceit and Denial. The Deadly Politics of Industrial Pollution* (Tromperie et Déni. La politique meurtrière de la pollution industrielle), «à l'époque personne ne contestait le fait que le plomb était un poison[2]». Il suffit de lire les quelque deux cents pages que les deux historiens américains consacrent à la «mère de tous les poisons industriels[3]», qui s'accumule dans les organismes vivants et affecte particulièrement les enfants, pour comprendre que ses propriétés neurotoxiques et reprotoxiques sont connues depuis l'Empire romain.

La suite de l'histoire en constitue une preuve supplémentaire, s'il en était besoin. Malgré les avertissements du ministère de la Santé, qui s'inquiète d'une «sérieuse menace pour la santé publique[4]», l'essence au plomb est lancée sur le marché le 2 février 1923. La production est assurée par General Motors, Standard Oil (aujourd'hui Exxon) et… DuPont, qui créent dans ce but une coentreprise baptisée Ethyl Corporation. Chez DuPont, l'activité est confiée à Chambers Works, où, nous l'avons vu, on fabrique déjà de la benzidine et de la béta-naphtylamine. Très vite, la funeste usine, où douze ans plus tard Wilhelm Hueper sera déclaré *persona non grata*, est affublée d'un surnom, «*The house of butterflies*» (La maison des papillons), en raison des hallucinations dont souffrent les ouvriers, empoisonnés par les vapeurs de plomb qui rendent «dingue» (en anglais *loony gas[5]*). Sur une caricature publiée dans le *New York Journal* du 31 octobre 1924, on voit un ouvrier hospitalisé qui, les yeux exorbités, a l'air de se battre contre une nuée d'insectes imaginaires.

Il faut dire que, cette semaine-là, la presse était particulièrement déchaînée contre l'essence au plomb. Le 27 octobre, en effet, le *New York Times* avait révélé qu'en quelques mois 300 ouvriers de Chambers Works avaient été gravement empoisonnés et que dix d'entre eux étaient morts. Dans la même période, deux forçats du «progrès» étaient décédés et quarante avaient été hospitalisés à la suite d'un accident survenu dans l'usine de General Motors à Dayton (Ohio). Même constat macabre dans la raffinerie de Standard Bayway, près de New York, où sept ouvriers avaient trouvé la mort et trente-trois étaient devenus fous[6]. Plus tard, on apprendra que Joseph Leslie, un jeune ouvrier qui fabriquait du plomb liquide dans cette usine, avait été discrètement interné dans un hôpital psychiatrique (où il mourra en 1964), tandis que sa mort était annoncée à la famille. Ce n'est qu'en 2005 que les descendants du malheureux découvriront le pot aux roses, grâce à un article publié par William Kovarik dans l'*International Journal of Occupational and Environmental Health* où celui-ci écrit : « L'histoire de la famille de Leslie reflète une image plus large, faite de désinformation et de tromperie, caractéristique de l'histoire de la santé publique et environnementale[7]. »

Au moment où Leslie disparaît du monde des vivants, l'essence au plomb est l'objet d'un débat intense et plusieurs villes américaines, dont New York et Philadelphie, décident d'en interdire la vente sur leur territoire, ainsi que le *New York Times* le rapporte le 31 octobre 1924[8]. Mais ces interdictions feront long feu, car l'essence au plomb a de beaux jours (empoisonnés) devant elle[a]. William Kovarik rappelle d'ailleurs que, lorsque la ville de Chicago interdira l'essence au plomb en 1984, le même *New York Times* se fendra d'un article soulignant que « cette décision est la première du genre[9] » ! Cette anecdote est plus qu'un détail : elle illustre l'« amnésie historique qui est typique dans le domaine de la politique de la santé publique et environnementale », ainsi que le résume fort justement l'historien américain.

Or, cette « amnésie » ne tombe pas du ciel. Elle est le fruit d'un patient travail d'effacement, conduit avec méthode par l'industrie en suivant un scénario que les producteurs d'essence au plomb furent les premiers à écrire. Nous le verrons bientôt, ce n'était toutefois qu'un brouillon encore imparfait, qui sera perfectionné notamment par les fabricants de tabac, mais ce qui se joue en ce mois d'octobre 1924 est capital : c'est la première fois que des industriels qui représentent trois secteurs clés de l'économie – la chimie, le pétrole et la mécanique – unissent leurs efforts pour mener un programme de désinformation systématique, destiné à « embrouiller » les politiciens, la presse et les consommateurs, et à museler la recherche indépendante. Le modèle qu'ils vont élaborer servira bientôt à tous les vendeurs de poisons, avec en tête les fabricants de pesticides, d'additifs et de plastiques alimentaires, tous membres *in fine* de la même famille.

---

a   L'essence au plomb n'a été définitivement interdite qu'en 1986 aux États-Unis et en… 2000 en Europe.

La chape de plomb au nom de la science

Le 30 octobre 1924, devant l'émoi que suscite le calvaire des ouvriers empoisonnés, General Motors organise une conférence de presse. Les journalistes ont droit au grand jeu: Thomas Midgely, le directeur de la recherche de la firme, exhibe un tube contenant du plomb liquide dont il s'asperge la main, puis il se met à l'inhaler pendant une minute. Avec un incroyable cynisme, il explique que si les ouvriers sont tombés malades ou sont morts, c'est parce que, «dans leur insouciance, ils n'ont pas respecté les consignes de sécurité[10]». Et puis, ajoute-t-il, «cela fait plus d'un an que ce produit extrêmement dilué est servi au public dans plus de 10 000 stations-service et garages et aucun effet sanitaire n'a été rapporté[11]». Manifestement, la leçon a porté ses fruits, car, un mois plus tard, le leader d'opinion qu'est le *New York Times* soutient mordicus l'essence au plomb: «Les morts à la raffinerie de Standard Oil ne sont pas une raison suffisante pour abandonner l'usage d'une substance qui permet de réaliser des gains économiques importants. [...] Comme il n'y a pas de risque mesurable pour le public, les chimistes ne voient pas pourquoi on devrait arrêter sa production. C'est le point de vue scientifique du sujet opposé au point de vue émotionnel et, même si ce jugement paraît inhumain, il est tout à fait raisonnable[12].»

Nous y voilà! Nous avons là, écrits noir sur blanc dans un article de 1924, les deux arguments principaux qui seront assenés systématiquement, tout au long du XXe siècle, dès que sera questionnée la sécurité des produits chimiques qui contaminent notre environnement et notre assiette. En substance: «Ne vous laissez pas emporter par l'*émotion*, car le sujet est très *compliqué*, mais soyez rassurés, car les *scientifiques*, qui sont des gens *raisonnables*, savent très bien ce qu'ils font.» Certes, nous pourrions être «rassurés» si les «scientifiques» étaient des gens indépendants, qui travaillent dans le seul objectif de chercher la vérité pour mieux nous protéger. Mais malheureusement c'est rarement le cas, comme le montre l'histoire de Robert Kehoe, qui constitue le prototype de la fameuse «recherche défensive», pour reprendre les termes de Devra Davis.

Dès 1925, en effet, le toxicologue est recruté par General Motors et DuPont pour prendre la tête du département médical d'Ethyl Corporation et diriger le laboratoire de toxicologie industrielle Charles Kettering (du nom du directeur de la recherche de General Motors), que les firmes viennent d'ouvrir à l'université de Cincinnati, où Kehoe est déjà professeur de physiologie. Preuve que la fonction est importante:

son salaire annuel est fixé à 100 000 dollars, une somme colossale pour l'époque, largement suffisante pour étouffer toute velléité d'indépendance. Ainsi que le prouvent les archives du laboratoire que Devra Davis a pu consulter, sa mission est de conduire des études expérimentales sur les animaux pour le compte de grandes entreprises comme DuPont, General Motors, US Steel, Mobil Oil, Ethyl Corporation et... Monsanto.

Robert Kehoe s'est bien gardé ensuite de communiquer les vrais résultats de ses études. Et pour cause. Ainsi que l'a révélé Devra Davis, les contrats passés entre le laboratoire et ses commanditaires stipulaient : « [Le] travail d'investigation sera planifié et développé par l'université [de Cincinnati] qui doit avoir le droit de disséminer pour le bien commun toute information obtenue. Cependant, avant la divulgation au public des publications et rapports scientifiques, les manuscrits seront soumis au donateur pour qu'il puisse faire des critiques ou des suggestions[13]. » Notons au passage le mot « donateur » : donateur de quoi ? D'ordres ou de dollars ? Ou peut-être les deux à la fois ? Tout indique, en tout cas, que Robert Kehoe a respecté scrupuleusement les règles fixées à la fin des années 1920, car au moment de sa retraite, en 1965, il a commis un mémorandum très significatif destiné à ses collaborateurs : « Il est déconseillé, et c'est même une règle, de citer les rapports réalisés dans le laboratoire à la demande de commanditaires dans les articles que vous voulez publier, car, si vous y faites référence, on vous demandera à voir ces rapports. Or, ces rapports contiennent des informations confidentielles et, de ce fait, ils ne peuvent pas être communiqués aux personnes intéressées ; et, tant qu'on ne vous a pas autorisés à le faire, vous ne pouvez pas les mentionner publiquement. » La forme est quelque peu alambiquée mais, sur le fond, le message est d'une grande limpidité. Comme le résume bien Devra Davis, « la même entreprise qui fournissait le matériel testé par le laboratoire Kettering décidait aussi des résultats qui pouvaient ou non être rendus publics[14] ».

En attendant, « scientifique » zélé, Robert Kehoe s'acquitte minutieusement de sa mission. Dès 1926, il conduit des « dizaines d'autopsies » sur des bébés morts d'un empoisonnement au plomb. Les comptes rendus médicaux que Devra Davis a pu consulter font froid dans le dos. « Ils sont l'œuvre d'un homme méticuleux, qui note précisément les quantités de plomb qu'il a mesurées dans les cerveaux, les foies, les cœurs et les reins de jeunes enfants pauvres, noirs et blancs », écrit l'épidémiologiste américaine[15]. On découvre ainsi qu'une mère de vingt-quatre ans de Waynesboro (Mississippi) a perdu ses trois enfants et que l'autopsie du dernier a révélé une concentration très élevée de plomb dans son sang, son foie et ses os. On n'en saura pas plus, car les rapports n'indiquent rien sur le métier de la mère ou du père, ni sur les conditions de vie de la famille. Kehoe se contente d'accumuler les données funèbres pour ensuite – et c'est un comble – publier des articles très savants où il assène sa théorie : le plomb est un «contaminant naturel» fondamentalement inoffensif, car, selon le bon vieux principe de Paracelse, «seule la dose fait le poison» (*sola dosis facit venenum*).

L'utilisation perverse du principe de Paracelse «*Seule la dose fait le poison*»

Né Philippus Theophrastus Aureolus Bombastus von Hohenheim (1493-1541), celui qui est entré dans l'histoire sous le nom de Paracelse était un alchimiste, astrologue et médecin suisse, à la fois rebelle et mystique, qui a dû maintes fois se retourner dans sa tombe en voyant comment les toxicologues du xxᵉ siècle ont abusé de son nom pour justifier la vente massive de poisons. Parmi les coups de gueule légendaires du «médecin maudit[16]», l'un mérite d'être médité par tous ceux qui sont chargés de la protection de notre santé : «Qui donc ignore que la plupart des médecins de notre temps ont failli à leur mission de la manière la plus honteuse, en faisant courir les plus grands risques à leurs malades[17]?» s'emporte en 1527 le professeur de médecine alors qu'il vient de brûler les manuels classiques de sa discipline devant l'université de Bâle, ce qui, on s'en doute, lui valut quelques solides inimitiés.

«Allergique à tout argument d'autorité[18]» – ce que semblent aussi avoir oublié ceux qui appliquent les yeux fermés le principe qui porte son nom –, Paracelse est considéré comme le père à la fois de l'homéopathie et de la toxicologie, deux disciplines qui, aujourd'hui, ne s'apprécient guère. La première revendique l'une de ses maximes les plus célèbres, dont s'est aussi inspiré Pasteur lorsqu'il inventa le premier vaccin : «Ce qui guérit l'homme peut également le blesser et ce qui l'a blessé peut le guérir.» La seconde en préfère une autre, somme toute complémentaire : «Rien n'est poison, tout est poison : seule la dose fait le poison[a].»

---

a   Rebelle invétéré, Paracelse n'écrivait pas en latin, mais en allemand. Pour les germanistes, la phrase originale est : «*Alle Ding sind Gift, und nichts ohne Gift; allein die Dosis macht, das ein Ding kein Gift ist.*» Mot à mot : «Tout est poison et rien n'est sans poison. Seule la dose fait qu'une chose n'est pas un poison.»

L'idée que « seule la dose fait le poison » remonte en fait à l'Antiquité. Dans leur livre *Environnement et santé publique*, Michel Gérin et ses coauteurs rappellent que « le roi Mithridate consommait régulièrement des décoctions contenant plusieurs dizaines de poisons afin de se protéger d'un attentat de ses ennemis. Il aurait si bien réussi que, fait prisonnier, il échoua dans sa tentative de se suicider à l'aide de poison[19] ». C'est au roi grec que l'on doit donc le mot « mithridatisation », qui désigne « l'accoutumance ou l'immunité acquise à l'égard de poisons par exposition à des doses croissantes ». S'appuyant sur ses propres observations, Paracelse considère que des substances toxiques peuvent être bénéfiques à petites doses et que, inversement, une substance *a priori* inoffensive comme l'eau peut se révéler mortelle si elle est ingérée en trop grande quantité. Nous verrons ultérieurement que le principe « seule la dose fait le poison » – dogme intangible de l'évaluation toxicologique des poisons modernes – n'est pas valide pour de nombreuses substances, mais nous n'en sommes pas encore là...

Tout indique en tout cas que Robert Kehoe a lu Paracelse, car, s'il s'évertue à dépecer les cadavres de nouveau-nés, c'est parce qu'il cherche à déterminer une dose d'exposition au plomb qui lui *paraisse* sans danger, afin de contrer les attaques de ceux qui demandent l'interdiction de l'essence au plomb. En bref, les autopsies des petits cadavres ne serviront pas à prendre des mesures pour arrêter la contamination, mais au contraire à justifier sa prolongation avec de pseudo-arguments scientifiques – c'est-à-dire avec des rapports, des chiffres et des graphiques, toutes choses dont raffolent les gestionnaires du risque. La rassurante théorie que Kehoe livra ainsi « clé en main » à ces gestionnaires repose sur quatre principes qui ont permis de vendre de l'essence empoisonnée pendant plus de cinquante ans : « 1) L'absorption du plomb est naturelle ; 2) le corps dispose de mécanismes permettant de l'assimiler ; 3) au-dessous d'un certain seuil, le plomb est inoffensif ; 4) l'exposition du public est bien inférieure à ce seuil et n'est donc pas préoccupante[20]. » Nous verrons bientôt (voir *infra*, chapitre 10) que ce raisonnement servira de base à l'établissement de ce que les toxicologues appellent la « dose journalière acceptable » d'un poison – pesticide, additif alimentaire, etc. –, c'est-à-dire la dose qu'un être humain est censé pouvoir ingérer quotidiennement sans tomber malade. La « DJA », comme on dit dans le jargon, constitue même la valeur de référence absolue pour les experts chargés de réglementer les produits chimiques qui contaminent notre chaîne alimentaire.

En 1966, lors de son audition par le Sénat américain dans le cadre d'une enquête sur la pollution de l'air, Robert Kehoe a défendu mordicus sa belle conception théorique : « Pendant toute son histoire sur la terre, l'homme a eu du plomb dans le corps. Il a eu du plomb dans ses aliments, il a eu du plomb dans l'eau qu'il buvait. La question n'est pas de savoir si le plomb en soi est dangereux, mais si le fait d'avoir une certaine concentration de plomb dans le corps est dangereux[21]. » Et, pour déterminer quelle était la « concentration » que l'on pouvait considérer comme « inoffensive », le toxicologue a employé les grands moyens : il n'hésita pas à enfermer des « volontaires » dans une pièce, en leur faisant inhaler des vapeurs de plomb pendant une durée de trois à vingt-quatre heures. Une expérience qu'il répéta inlassablement pendant trois décennies, avec le soutien d'Ethyl Corporation, de DuPont et même du ministère de la Santé...

« Alors que les expériences sur les humains ont une longue histoire infâme en Amérique et dans d'autres nations, ces études étaient particulièrement perverses, écrivent les historiens Gerald Markowitz et David Rosner, parce que leur objectif n'était pas la découverte d'une thérapie pour ceux qui avaient été empoisonnés par le plomb, mais de récolter des données qui pouvaient être utilisées par l'industrie pour prouver qu'il était normal d'avoir du plomb dans le sang et que cela n'indiquait en rien un empoisonnement par un produit industriel[22]. » C'est ainsi que, jusqu'au début des années 1980, la norme d'exposition au plomb dans les fonderies était de 200 mg par m^3 d'air, tandis que le niveau de plomb dans le sang censé être « sans danger » était de 80 microgrammes par décilitre pour les adultes et de 60 microgrammes pour les enfants. Des chiffres complètement arbitraires, élaborés dans le plus grand secret par Kehoe, qui se sont révélés erronés, mais qui ont été pris pour argent comptant par toutes les agences de réglementation du monde. « Des années 1920 à 1960, Kehoe a aidé l'industrie du plomb à utiliser son pouvoir économique pour définir la base scientifique d'un empoisonnement au plomb », écrit l'historien William Kovarik, qui cite son collègue William Graber : « La domination de l'industrie sur la recherche et le savoir sur les dangers du plomb était si totale que le paradigme central pour la compréhension du plomb et de ses effets est resté celui conçu par Kehoe et ses associés[23]. »

Mais l'histoire n'est pas sans ironie : le hasard a voulu que les deux grandes figures américaines adverses de la santé du travail finissent par se croiser. En effet, dans les années 1960, trois ouvriers atteints d'un cancer de la peau portent plainte contre leur entreprise qui fabrique de la paraffine, à base d'hydrocarbures. Wilhelm Hueper est cité comme expert par les plaignants, tandis que Robert Kehoe assiste la défense. À cette occasion, le premier découvre que le second a continué secrètement les travaux sur les amines aromatiques qui lui avaient valu d'être licencié par DuPont. De fait, les archives du laboratoire Kettering révèlent de nombreux rapports, jamais publiés, montrant que des animaux exposés à la benzidine, à la béta-naphtylamine, aux huiles de paraffine ou à des hydrocarbures ont développé des cancers.

Dans ses mémoires, Wilhelm Hueper rapporte en ces termes la confrontation avec le toxicologue de l'industrie qui, lors du procès, a nié les effets cancérigènes des hydrocarbures : « Le directeur du laboratoire de Cincinnati, qui a témoigné comme consultant de la compagnie pétrolière, a dû reconnaître qu'aucune des études qu'il avait conduites sur les huiles de paraffine n'avait été publiée, ni mise à la disposition de la profession médicale ou des organisations syndicales, parce que les données étaient considérées comme "confidentielles" et la "propriété exclusive" de la firme. Quand, après plus d'un an, ces données furent enfin communiquées au tribunal et aux plaignants, il fut alors évident que les membres du laboratoire Kettering savaient pertinemment que les huiles incriminées étaient cancérigènes, bien que son directeur ait cru bon, lors de la première audience, de faire quelques remarques acerbes sur ma fiabilité scientifique[24]. »

Tabac et cancer du poumon : le rideau de fumée

« L'histoire du tabac n'est pas qu'une histoire de cigarettes, a affirmé Devra Davis, lors d'une conférence au Musée Carnegie d'histoire naturelle de Pittsburgh, le 15 octobre 2009. C'est aussi celle d'un modèle de duplicité et de tromperie[a] qui a servi à tous les industriels de la chimie. » Il n'est pas facile de rencontrer l'épidémiologiste américaine, qui a dirigé à Pittsburgh le premier centre de cancérologie expérimentale et vit aujourd'hui à Washington. Quand je l'ai contactée à l'automne 2009, elle parcourait les États-Unis, d'amphithéâtres en réunions publiques, pour présenter son livre *L'Histoire secrète de la guerre contre le cancer*, tout en préparant un nouvel ouvrage sur les dangers du téléphone portable[25].

---

[a] « *A model of deception* », a dit Devra Devis. Le terme anglais *deception*, difficile à traduire en français, signifie à la fois « tromperie », « fraude », « dissimulation » et « duplicité ».

Douée d'un réel talent oratoire, mêlant anecdotes privées et informations scientifiques, la chercheuse de soixante-quatre ans sait conquérir son public. Lors de la conférence de Pittsburgh, elle a raconté, diapositives à l'appui, qu'elle a grandi à Denora (Pennsylvanie), un haut lieu de l'industrie sidérurgique, où « les gens venaient s'installer parce qu'il y avait de la fumée, et la fumée signifiait qu'il y avait du travail. La ville était recouverte de suie, car les hauts fourneaux étaient alimentés avec du charbon[26] ». Elle a rapporté aussi qu'en 1986, alors qu'elle travaillait à l'Académie nationale des sciences, elle a informé son patron, Frank Press, de son intention d'écrire un livre sur les causes environnementales du cancer, mais que celui-ci lui a vivement conseillé de n'en rien faire, car « cela ruinerait [sa] carrière ». « Pourtant, a-t-elle expliqué, depuis qu'en 1971 le président Nixon a déclaré la guerre contre le cancer, la maladie n'a cessé de progresser. Pourquoi ? Parce que, depuis le début, nous nous battons avec les mauvaises armes, en privilégiant la recherche de traitements plutôt que la prévention. Je ne dis pas que les traitements ne sont pas importants, et je suis bien placée pour le savoir, car mon père est mort d'un myélome multiple et ma mère d'un cancer de l'estomac. Mais je dis que tant qu'on ne s'attaquera pas aux polluants chimiques, aux hormones de synthèse, aux pesticides et aux ondes, on ne pourra pas gagner la guerre contre le cancer. Pour cela, il faut avoir le courage d'affronter de puissants intérêts et les mensonges des industriels qui cachent la dangerosité de leurs produits, comme l'ont fait pendant si longtemps les fabricants de tabac. »

« Pourquoi dites-vous que l'histoire du tabac n'est pas qu'une histoire de cigarettes ? ai-je demandé à Devra Davis après la conférence.

— Parce que ce sont les fabricants de tabac qui ont écrit le scénario qui sert depuis à toute l'industrie chimique pour nier la toxicité de ses produits. Ils ont perfectionné le système mis en place par les industriels du plomb pour entretenir en permanence le doute sur le danger du tabac en ayant recours à des scientifiques grassement payés pour publier des études truquées. Ce fut une incroyable manipulation qui a permis de retarder pendant plus de cinquante ans les mesures de prévention[27] ! »

Il est impossible de reprendre ici toutes les pièces de ce volumineux dossier, qui a déjà fait l'objet de plusieurs ouvrages[28]. Je me contenterai donc d'en retracer les grandes lignes, pour me concentrer sur le « scénario » évoqué par Devra Davis, car il éclaire les méthodes utilisées par l'industrie chimique pour manipuler les agences de réglementation et l'opinion publique : s'il y a une chose que j'ai comprise au cours de ma longue enquête, c'est en effet que seul un système bien rodé et récurrent permet d'expliquer le délire chimique dans lequel l'humanité est plongée depuis un demi-siècle.

Victime précoce du tabagisme, comme beaucoup d'adolescents de ma génération, je dois reconnaître que l'histoire du tabac est à cet égard particulièrement édifiante. Son lien avec le cancer des voies respiratoires a été établi dès 1761 par le médecin britannique John Hill[29]. Un siècle plus tard, le Français Étienne Frédéric Bouisson constatait que sur soixante-huit patients atteints d'un cancer de la bouche, soixante-trois étaient des fumeurs de pipe[30]. Mais c'est surtout à partir des années 1930 que des études ont montré que le tabac est un puissant cancérigène. L'une d'entre elles a été réalisée par l'Argentin Angel Honorio Roffo, que j'ai déjà évoqué à propos du congrès de Bruxelles de 1936 : elle a montré les effets cancérigènes des rayons solaires, mais aussi des hydrocarbures, dont fait partie le goudron de cigarette[31a]. C'est ce qu'avait expliqué à Bruxelles l'épidémiologiste allemand Franz Hermann Müller, alors qu'il préparait la première étude de cas-témoins sur les effets du tabagisme. Publiée en 1939, celle-ci montra que les « très gros fumeurs » avaient seize fois plus de risques de mourir d'un cancer du poumon que les non-fumeurs[32]. Elle révéla aussi que, parmi les quatre-vingt-six victimes dont l'histoire avait été reconstituée, une sur trois n'avait jamais fumé mais avait été exposée à des substances toxiques, comme les poussières de plomb (dix-sept cas), le chrome, le mercure ou les amines aromatiques.

Au moment où Müller publiait son étude, l'Allemagne nazie se lançait dans la plus grande campagne antitabac de tous les temps. Ainsi que le raconte l'historien des sciences américain Robert Proctor dans son livre passionnant *The Nazi War on Cancer* (La Guerre nazie contre le cancer), celle-ci s'inscrivait dans l'idéologie hitlérienne « de l'hygiène raciale et de la pureté aryenne du corps », pour laquelle le tabac était « un poison génétique, une cause d'infertilité, de cancer et de crises cardiaques, un gouffre pour les ressources nationales et la santé publique[33] ». Au grand dam de Joseph Goebbels, le ministre de la Propagande, qui était un grand amateur de cigares, des mesures draconiennes furent prises avec l'efficacité redoutable de l'appareil national-socialiste, comme l'interdiction de fumer dans les trains et les lieux publics ou

a   Le chercheur de Buenos Aires publiait dans des revues éditées en Allemagne, le seul pays qui s'intéressait alors au tabac car la prévalence du cancer y était la plus élevée du monde (dont 59 % pour le cancer de l'estomac et 23 % pour celui du poumon).

de vendre des cigarettes aux femmes enceintes. En avril 1941 était inauguré en grande pompe à Iéna le premier institut de recherche sur les dangers du tabac (Wissenschaftliches Institut zur Erforschung der Tabakgefahren), qui pendant sa courte existence – il fut fermé à la fin de la guerre – produisit sept études sur les conséquences de l'addiction à la nicotine. La plus importante a été publiée en 1943 par Eberhard Schairer et Erich Schöniger, qui s'inspirèrent de l'étude de cas-témoins de Franz Müller pour comparer les habitudes de vie de 195 victimes d'un cancer du poumon à celles de 700 hommes non malades. Avec des résultats sans appel : sur les 109 victimes d'un cancer du poumon pour lesquelles les familles fournirent des données satisfaisantes, seules trois étaient des non-fumeurs (certains des fumeurs avaient *aussi* été exposés à l'amiante ou à des agents toxiques industriels[34]).

Mais, pour des raisons probablement liées au passé criminel du IIIe Reich, ce ne sont pas les études allemandes qui resteront dans les annales de la lutte contre le tabac. Cet honneur revient à celle de l'épidémiologiste britannique Richard Doll (1912-2005), dont tout indique pourtant qu'il s'est largement inspiré des travaux pionniers de ses prédécesseurs d'outre-Rhin. Robert Proctor raconte ainsi que le jeune étudiant en médecine, alors socialiste convaincu, avait assisté en 1936 à une conférence sur la radiothérapie à Francfort ; le radiologue SS Hans Holfelder y avait fait un exposé, diapositives à l'appui, montrant comment les rayons X, comparés à des «troupes d'assaut nazies», détruisaient les «cellules cancéreuses» incarnées par des Juifs[35]. En 1950, Richard Doll publie une étude dans laquelle il montre que le risque d'avoir un cancer du poumon «augmente avec la quantité de tabac fumé» et qu'«il peut être cinquante fois plus élevé pour ceux qui fument plus de vingt-cinq cigarettes par jour[36]». Conduite dans vingt hôpitaux londoniens, auprès de 649 hommes et 60 femmes souffrant d'un cancer du poumon, cette enquête de cas-témoins fit de Doll l'«une des autorités prééminentes dans le domaine de la santé publique[37]», et lui valut d'être anobli par la reine en 1971 – nous verrons plus loin qu'il n'hésitera pas à mettre sa notoriété au service de l'industrie chimique, à laquelle il rendra de précieux services contre monnaie sonnante et trébuchante (voir *infra*, chapitre 11).

En attendant, pour les fabricants de cigarettes, rien ne va plus : entre 1950 et 1953, six études (dont celle de Richard Doll) font la une des journaux d'Amérique et d'Europe. Et puis, en 1954, c'est le coup de grâce : Cuyler Hammond et Daniel Horn, deux épidémiologistes de l'American Cancer Society (ACS), publient la première enquête prospective, fondée sur une cohorte exceptionnelle de 187 776 hommes blancs de cinquante à soixante-neuf ans; 22 000 volontaires de l'ACS – essentiellement des femmes formées à la conduite d'entretien – ont été envoyés dans tout le pays pour interroger chaque témoin au moins deux fois, à cinq ans d'intervalle. Au terme de la période étudiée, les fumeurs présentaient une surmortalité de 52%[38].

« *Notre produit, c'est le doute* »

Constatant que leurs ventes commencent à fléchir, les industriels du tabac s'organisent. En 1953, ils créent le Tobacco Industry Research Committee (TIRC, Comité de la recherche de l'industrie du tabac), en plaçant à sa tête... le docteur Clarence Cook Little, l'ancien directeur de l'American Cancer Society, qui avait fait la couverture de *Times Magazine* en 1937 avec un large sourire et une pipe à la bouche[39]. Celui-ci s'empresse de minimiser les résultats de l'étude de ses collègues de l'ACS, en brandissant l'argument qui sera désormais le leitmotiv du TIRC: «L'origine, la nature et le développement du cancer et des maladies cardiovasculaires sont des problèmes complexes, déclare-t-il dans une interview à l'*US News and World Report*, c'est pourquoi il faut plus de recherche, bien conçue, patiemment exécutée et interprétée avec courage et de manière impartiale dans notre quête de la vérité[40]. » «La stratégie du TIRC fut de créer le doute, m'a expliqué Devra Davis. Dorénavant, dès qu'une étude confirmera les dangers du tabac, l'institut proposera des millions de dollars aux universités pour qu'une nouvelle étude soit réalisée, évidemment sous son contrôle. L'afflux d'argent maintiendra artificiellement une illusion de débat scientifique, permettant à l'industrie de dire que la question de la dangerosité du tabac n'est toujours pas réglée, alors qu'elle l'est depuis longtemps! »

Ce qu'affirme l'épidémiologiste américaine est confirmé par un document secret qui faisait partie d'un carton anonyme reçu par Stanton Glantz, un chercheur de l'université de Californie, en 1994. L'incroyable colis contenait des milliers de pages provenant de Brown & Williamson Tobacco Corporation. Surnommées les *cigarettes papers*, elles serviront de pièces à conviction dans les grands procès américains contre les fabricants de tabac. Au milieu de cette mine d'informations, il y avait une perle rédigée par l'un des dirigeants de la firme: «Notre produit, c'est le doute, dans la mesure où c'est le meilleur moyen de contrer les "faits" que le public a dans la tête. C'est aussi le moyen de créer une controverse. [...] Si, dans nos efforts en faveur de la cigarette, nous nous cantonnons à des *faits bien documentés,* nous pouvons dominer la controverse. C'est pourquoi nous recommandons d'encourager la recherche[41]. »

Tout est dit noir sur blanc et, de fait, l'industrie a financé de nombreuses études truquées sur le tabagisme actif et passif, tout en déployant des ressources considérables pour entretenir le doute des consommateurs. Pour cela, elle s'est appuyée sur les journaux, qui ont relayé ses messages sous formes d'encarts publicitaires chèrement payés. La première initiative d'envergure date du 4 janvier 1954, lorsque 448 supports de presse, dont *The New York Times*, publient un pamphlet intitulé « The Frank Statement » : « La recherche médicale récente indique que le cancer du poumon peut être dû à de nombreuses causes, proclament les cigarettiers, mais il n'y a pas de consensus parmi les autorités au sujet de la cause principale. Il n'y a pas de preuve que le fait de fumer des cigarettes soit l'une des causes. Les statistiques évoquant le lien entre la cigarette et la maladie pourraient tout aussi bien s'appliquer à d'autres aspects de la vie moderne. D'ailleurs, la validité de ces statistiques est questionnée par de nombreux scientifiques. Nous sommes convaincus que les produits que nous fabriquons ne sont pas dangereux pour la santé. Nous avons toujours et continuerons de collaborer étroitement avec ceux dont la mission est de protéger la santé publique. »

Dans le dossier qu'il a constitué pour l'un des procès contre la firme Philip Morris, où il était cité comme expert, Robert Proctor (l'auteur du livre *La Guerre des nazis contre le cancer*) explique pourquoi le « Frank Statement » constitue un texte fondateur : « D'un point de vue historique, il représente le début de l'une des plus grandes campagnes de distorsion délibéré et de tromperie que le monde ait jamais connue, écrit-il. L'industrie du tabac devint une double industrie : l'une fabriquait et vendait des cigarettes et l'autre fabriquait et distribuait le doute sur les dangers du tabac[42]. » Pendant plusieurs décennies, en effet, les cigarettiers répéteront à l'envi que les effets cancérigènes du tabac « ne sont pas un fait établi, mais une simple hypothèse », selon les mots d'un représentant de Brown & Williamson en 1971[43], ou que « la relation entre l'abus du tabac et un certain nombre de maladies cardiovasculaires ou le cancer n'a jamais été scientifiquement établie », pour reprendre ceux de Pierre Millet, le directeur de la firme française Seita, en 1975[44]. Car, bien sûr, bien qu'elle dépende de l'État, la Société d'exploitation industrielle des tabacs et des allumettes a activement participé à ce que d'aucuns appellent la « conspiration[45] » en réclamant toujours plus de

« preuves », sans qu'on sache jamais quelle « preuve » serait suffisante pour fermer, enfin, le dossier.

Exaspéré par leur déni perpétuel et leur mauvaise foi, Evarts Graham, l'auteur de l'une des études publiées en 1950, a pris les fabricants de tabac au pied de la lettre, en suggérant en 1954 de réaliser des expériences sur des cobayes humains : « Il faut trouver des volontaires qui acceptent qu'on leur enduise les bronches de goudron de tabac avec une fistule pulmonaire, a-t-il expliqué ironiquement dans le journal scientifique *The Lancet*. L'expérience doit être conduite pendant au moins vingt ou vingt-cinq ans ; les sujets doivent passer toute la période dans des salles à air conditionné, en ne sortant jamais à l'extérieur, même pas une heure, de manière à éviter qu'ils soient contaminés par la pollution atmosphérique ; à l'expiration du délai, ils devront subir une opération ou une autopsie pour qu'on puisse déterminer quels sont les résultats de l'expérience[46]. » La proposition provocatrice du chirurgien américain a le mérite de souligner une difficulté que j'ai déjà abordée à propos des pesticides : dans le domaine de la santé environnementale, il est impossible d'obtenir la *preuve absolue* qu'un produit chimique est bien la *seule et unique* cause d'une maladie donnée. Cependant, comme l'a dit très justement Christie Todd Whitman, l'ancien administrateur de l'Agence de protection de l'environnement des États-Unis : « L'absence de certitude n'est pas une raison pour ne rien faire[47]. » C'est ce qu'on appelle le « principe de précaution », qui s'est affirmé comme une exigence lors de la conférence des Nations unies à Rio de Janeiro en 1992. Au moment précis où l'étau se resserrait sur les fabricants de tabac, qui, pour parer au danger, ont décidé d'appeler à la rescousse les industriels de la chimie.

La junk science, *ou l'alliance sacrée des empoisonneurs*

Tout a commencé par une « menace » insupportable pour Philip Morris et consorts. Une fois n'est pas coutume, celle-ci venait de l'Agence de protection de l'environnement (EPA), qui a rédigé en 1992 un rapport proposant de classer le tabagisme passif comme « cancérigène pour les humains ». Pour « Big Tobacco », l'heure est grave, comme le souligne un mémorandum adressé le 17 janvier 1993 par Ellen Merlo, le vice-président de Philip Morris, à William Campbell, son président, et proposant un plan de bataille : « Notre objectif numéro un est de discréditer le rapport de l'EPA et d'obtenir de l'agence qu'elle adopte une norme pour l'*évaluation toxicologique de tous les produits*. Parallèlement, notre but est d'empêcher les États, les villes et les entreprises d'interdire le tabac dans les lieux publics[48]. » Pour parvenir à ces fins, Campbell suggère de « former des coalitions locales pour nous aider à éduquer les médias et plus généralement le public sur les dangers de la *junk science* en les mettant en garde contre des mesures réglementaires prises sans estimer au préalable leurs coûts économiques et humains ».

Aussitôt dit, aussitôt fait ! Le 20 mai, le numéro un du tabac et APCO Associates, sa firme de communication, lancent une organisation, baptisée The Advancement for Sound Science Coalition (TASSC), la Coalition pour le progrès de la science « saine », en opposition à ce qu'elle appelle la *junk science* (comme on parle de *junk food* pour désigner la nourriture industrielle). On croit rêver ! Dans son acte de création, la TASSC, qui n'a vraiment pas peur du ridicule, se présente comme une « coalition à but non lucratif qui promeut l'usage de la science saine dans la prise de décision publique ». Quelque 320 000 dollars sont immédiatement débloqués pour faire connaître la coalition, par l'envoi de 20 000 lettres auprès d'hommes et femmes d'influence, politiciens, journalistes ou scientifiques. Présidée officiellement par Garrey Carruthers, le gouverneur républicain de l'État du Nouveau-Mexique, la TASSC prend bien garde de cacher le rôle de Philip Morris, ce qui conduit à des situations ubuesques : ainsi, lorsque Gary Huber, un professeur de médecine de l'université du Texas qui fut consultant pour le cigarettier, a reçu la « lettre », il s'est empressé d'en informer son ancien employeur, pensant que « cela pourrait lui être utile » !

Ce que ne dit pas non plus le courrier de présentation, c'est que, pour cette nouvelle opération d'intoxication, Philip Morris s'est alliée avec la Chemical Manufacturers Association (CMA), l'Association américaine des industriels de la chimie, qui travaillait déjà depuis deux ans sur un projet visant à promouvoir les « bonnes pratiques épidémiologiques » (dans le jargon « GEP », pour *good epidemiological practices*). Quand on sait de quelles manipulations sont capables tous ces fabricants de poisons, il faut vraiment se pincer pour le croire ! Mais l'affaire est plus sérieuse qu'il n'y paraît, car elle aura des répercussions importantes sur les pratiques scientifiques et renforcera la frilosité légendaire des agences de réglementation, qui seront littéralement harcelées par les représentants de la TASSC. Dans une lettre adressée à Philip Morris en 1994 par l'avocat Charles Lister (du cabinet Covington & Burling, qui défendit les cigarettiers lors des grands procès), on apprend ainsi que « les GEP sont promues en Europe par de nombreuses firmes, et particulièrement Monsanto et ICI[a] ».

Dans l'article très documenté qu'il a consacré à cette incroyable machination, Stanton Glantz (l'heureux destinataire du carton anonyme de Brown & Williamson) met en garde les « professionnels de la santé publique » : « Le mouvement pour la *sound science* n'est pas un effort spontané de la profession pour améliorer la qualité du travail scientifique, mais est le fruit de campagnes sophistiquées de relations publiques organisées par les responsables et juristes industriels, qui ont pour but de manipuler les références standards de la preuve scientifique pour servir les intérêts de leurs clients[49]. »

Se cachant derrière une « prétendue orthodoxie scientifique », selon les mots du toxicologue français André Cicolella, aujourd'hui porte-parole du Réseau environnement santé, et de la journaliste scientifique Dorothée Benoît Browaeys, les membres de la TASSC cherchent à faire éliminer toute étude qui les dérange, en imposant de nouveaux critères d'évaluation toxicologique des produits chimiques[50]. Parmi les « quinze points » censés caractériser les « bonnes pratiques épidémiologiques », il y en a un auquel ils tiennent particulièrement : ils voudraient que toutes les études présentant des résultats avec un *odds ratio* (OR) inférieur à 2 ne soient pas considérées comme « statistiquement significatives ». Comme nous l'avons vu, cela reviendrait à écarter *de facto* la plupart des études de cas-témoins conduites sur les pesticides, mais aussi celles sur le tabagisme passif (où l'OR est de 1,2 pour le cancer du poumon et de 1,3 pour les maladies cardiovasculaires). D'ailleurs, dans un document interne, la TASSC cite les études sur le « tabagisme passif » comme un exemple de « science malsaine (*unsound*), incomplète et infondée ».

De plus, les lobbyistes industriels demandent qu'aucune mesure restrictive visant un produit, voire son retrait du marché, ne puisse être prise si les résultats des expériences menées sur les animaux ne remplissent pas une condition à leurs yeux essentielle : il faut que le mécanisme d'action de la substance incriminée ait été « clairement identifié et compris et que soit validée l'extrapolation de l'animal à l'homme[51] ». Pour qu'on comprenne bien les graves conséquences qu'induirait la mise en place d'une telle revendication, imaginons qu'une étude montre qu'un produit X induit des cancers du foie chez des rats. Avant de décider d'agir, il sera exigé des scientifiques qu'ils décrivent très précisément

---

a   Imperial Chemical Industries a été racheté par AkzoNobel en 2008.

quel est le mécanisme biologique qui a conduit à ce processus de can-cérisation, puis qu'ils démontrent que ledit mécanisme fonctionnera de la même manière chez les humains. Autant dire que le produit a de beaux jours devant lui...

Mais ce n'est pas tout ! Alors que ses représentants bataillent pour dicter leur loi auprès des agences de réglementation, la TASSC orga-nise des campagnes de diffamation contre tous les scientifiques qui, malgré les pressions, continuent de faire leur travail. Leurs noms sont jetés en pâture sur un site web, www.junkscience.com, dirigé par Steven Milloy, une vedette (très controversée) de la chaîne Fox News, qui est aujourd'hui l'un des leaders du climato-scepticisme. Dès 1997, la liste des prétendus *junk scientists* comprenait plus de deux cent cinquante noms, dont plusieurs scientifiques que j'ai rencontrés pour mon enquête, comme Devra Davis.

Le mouvement contre la prétendue *junk science* a bien sûr des relais européens, comme l'European Science and Environmental Movement de Londres, ou, en France, le blog des « imposteurs » (http://imposteurs. overblog.com), qui prétend agir depuis 2007 « en défense de la science et du matérialisme scientifique contre tous les charlatanismes et les impostures intellectuelles ». Dirigé par un certain « Anton Suwalki », il semble plutôt œuvrer à « dénigrer les scientifiques et les études dont les résultats ne servent pas la cause des multinationales, indépendam-ment de la qualité des travaux », pour reprendre les mots de David Michaels[52]. Et le nouveau directeur de l'OSHA d'ajouter : « Big Tobacco a montré la voie et aujourd'hui la production de l'incertitude est pra-tiquée par des secteurs entiers de l'industrie, car celle-ci a compris que le public n'est pas en mesure de distinguer entre la bonne science et la mauvaise. Créer le doute, l'incertitude et la confusion est bon pour les affaires, car cela permet de gagner du temps, beaucoup de temps. »

9

Les mercenaires de la science

« Franchement, après plus de quarante ans de carrière, je peux vous dire qu'il y a des études bien faites et des études très mal faites... Généralement, les études subventionnées par l'industrie ont été conçues de telle manière qu'il est quasiment impossible de trouver des effets nocifs [aux produits chimiques]. La conséquence, c'est que la littérature scientifique est polluée régulièrement par des études qui ne valent rien. C'est lamentable... » Décidément, Peter Infante, l'ancien épidémiologiste de l'OSHA, en a gros sur le cœur quand je le rencontre à Washington en octobre 2009. Et il est intarissable dès qu'il s'agit d'énumérer tous les petits arrangements avec l'éthique scientifique qu'il a pu constater chez ses confrères travaillant pour l'industrie. En transcrivant ses propos, qui seront confirmés, nous le verrons, par d'autres interlocuteurs, je me dis que la *junk science* existe bel et bien, mais qu'elle est promue et pratiquée par ceux-là mêmes qui ont inventé ce terme peu reluisant.

La « *science prostituée* »

«Comment peut-on concevoir une étude pour éviter les résultats qui dérangent? ai-je demandé à Peter Infante.

— Il y a malheureusement de nombreuses manières. Prenons un exemple : vous voulez examiner l'effet cancérigène potentiel d'un produit chimique auquel sont exposés des ouvriers. Dans ce genre d'étude, il est très important de bien choisir le groupe expérimental, c'est-à-dire le groupe des ouvriers exposés, et le groupe contrôle, c'est-à-dire le groupe de personnes non exposées, qui servira à la comparaison et donc à mesurer l'effet éventuel. Si vous incluez dans le groupe expérimental des ouvriers qui n'ont pas été exposés ou, à l'inverse, si vous mettez dans le groupe contrôle des personnes qui ont été exposées à la substance, vous faussez les résultats, car, dans les deux cas, vous trouverez qu'il n'y a pas ou très peu de différences et vous conclurez que le produit n'induit pas un risque plus élevé de cancer. C'est ce qu'on appelle l'"effet dilution", un biais très connu des épidémiologistes. L'autre manière de ruser, c'est de sous-estimer les niveaux d'exposition à la substance ou encore de mélanger les ouvriers qui ont eu différents niveaux d'exposition. Si vous mélangez des ouvriers qui ont été très exposés, et sont donc susceptibles d'avoir plus de cancers, à des ouvriers qui ont été moins exposés, encore une fois vous diluez l'effet ou vous le faites carrément disparaître. Ce biais est souvent utilisé pour conclure qu'il n'y a pas de relation dose-effet et donc que, s'il y a un excès de cancers dans une usine, c'est que cela doit être dû à autre chose que le produit suspecté[1]. »

En écoutant Peter Infante, je me suis souvenue de mon enquête sur Monsanto. Dans mon livre, je racontais comment le docteur Raymond Suskind – qui travaillait dans le laboratoire Kettering, fondé par Robert Kehoe (voir *supra*, chapitre 8) – avait publié au début des années 1980 trois études truquées pour nier les effets cancérigènes de la dioxine contenue dans l'herbicide 2,4,5-T (l'un des composants de l'agent orange[2]). Son « astuce » avait effectivement consisté à mélanger des ouvriers exposés à des ouvriers non exposés à la fois dans le groupe expérimental et dans le groupe contrôle! Voilà comment il avait conclu qu'il y avait autant de cancers dans les deux groupes et que la dioxine était donc hors de cause. La suite est beaucoup moins réjouissante : pendant dix ans, les agences de réglementation américaines et européennes se fonderont sur ces études truquées pour considérer que la dioxine n'est pas cancérigène. Quant aux vétérans de la guerre du

Viêt-nam exposés au poison, ils devront attendre de longues années pour obtenir une prise en charge et des indemnisations.

Tout indique que l'«effet dilution» est un «truc de l'industrie» largement répandu, comme l'a confirmé David Michaels dans son livre *Doubt is Their Product*[3]. Sous l'administration de Bill Clinton, celui-ci était vice-ministre de l'Énergie, chargé de l'environnement, de la sécurité et de la santé. Il s'est occupé à ce titre du dossier des usines d'armes nucléaires, où un certain nombre d'ouvriers souffraient d'une maladie pulmonaire souvent fatale due à l'exposition au béryllium (la bérylliose). Pour obtenir l'indemnisation des victimes, il a dû se battre contre l'industrie, qui a fourni des études biaisées où le niveau d'exposition des ouvriers était mal estimé. Dans son chapitre «Les trucs de l'industrie. Comment des mercenaires scientifiques vous trompent», il explique que l'une des astuces récurrentes pour nier les dangers d'un toxique consiste à choisir une cohorte *restreinte* de personnes exposées et à l'étudier sur une période *courte*. Pour éclairer notre chandelle, l'épidémiologiste américain donne un exemple : «Nous soupçonnons que l'exposition à un produit chimique donné triple le risque de leucémie : si nous avons trois cas de leucémie dans une cohorte de cent ouvriers dans laquelle on s'attend à n'avoir qu'un seul cas, alors on peut considérer que le résultat n'est pas statistiquement significatif, car ce peut être le hasard qui explique les deux cas supplémentaires. Si la cohorte n'est pas de cent ouvriers, mais de mille, et que nous trouvons trente cas de leucémie au lieu des dix attendus, alors il est très improbable que l'excès soit attribuable au hasard. Nous pourrions conclure que la différence entre ce qui a été observé et ce qui était attendu est "statistiquement significative" et que l'une des hypothèses possibles est que le produit étudié est la cause des leucémies[4].» Et David Michaels de conclure : «Le diable est dans les détails. Il est facile de voir comment les mercenaires scientifiques conduisent leurs évaluations toxicologiques. Il suffit de changer quelques paramètres qui sont bien enfouis dans un modèle mathématique pour qu'un produit chimique dangereux se métamorphose miraculeusement en un produit inoffensif. [...] La recherche scientifique conduite ou financée par l'industrie est manipulée pour *cacher* et non pas *trouver* une relation entre l'exposition et la maladie, dans le but de protéger les multinationales et non pas les ouvriers[5].»

«Comment l'industrie trouve-t-elle des scientifiques prêts à conduire des études biaisées?» Cette question n'a cessé de me tarauder tout au long de mon enquête. Un jour avant de rencontrer Peter Infante, je l'avais déjà posée à Devra Davis, qui m'avait répondu avec un sourire entendu : « Imaginons que vous dirigiez un laboratoire et qu'on vienne vous proposer plusieurs millions de dollars pour conduire une étude, en vous disant, en plus, que vous êtes le meilleur et le plus beau ! Qu'est-ce que vous faites ?

« Beaucoup sont flattés et trop contents de récupérer un tel pactole en ces temps difficiles pour la recherche. Après, c'est l'engrenage[6]... » La réponse de Peter Infante est plus directe encore : « Comment l'industrie trouve-t-elle des scientifiques pour faire ce genre de besogne ? Elle les achète, c'est tout ! C'est ce que j'appelle la "science prostituée", il faut être clair... Le problème, c'est que ces études biaisées sont ensuite communiquées aux agences de réglementation, qui les prennent pour argent comptant ! Voilà comment des substances hautement toxiques contaminent notre environnement, nos aliments, nos champs ou nos usines, pendant des décennies. C'est ce qui s'est passé avec le benzène, un dossier que j'ai personnellement suivi à l'OSHA. Et, au bout du compte, cela fait beaucoup de morts et de malades qu'on aurait pu éviter... »

Benzène : Dow Chemical cache ses données

« L'évaluation toxicologique est comme l'espion qui a été capturé : si vous le torturez suffisamment longtemps, il vous dira tout ce que vous voulez[7]. » Pour brutale qu'elle soit, la phrase de William Ruckelshaus, qui fut le premier administrateur de l'Agence de protection de l'environnement des États-Unis, résume bien l'histoire de la réglementation du benzène, que connaît effectivement très bien Peter Infante. J'ai déjà évoqué cette molécule omniprésente – utilisée comme solvant pour la synthèse chimique de plastiques, caoutchoucs, peintures ou pesticides, ou comme additif dans l'essence – lors de l'affaire de Dominique Marchal, cet agriculteur lorrain atteint d'un syndrome myéloprolifératif qui a finalement été reconnu en maladie professionnelle (voir *supra*, chapitre 4). J'expliquais alors que les liens entre ce « nouveau poison domestique », pour reprendre les termes du *Lancet* en 1862, et la leucémie avaient déjà fait en 1939 l'objet de cinquante-quatre études scientifiques, alors recensées dans un article du *Journal of Industrial Hygiene and Toxicology*[8]. Comme l'explique Paul Blanc, « après cette publication, il était difficile d'argumenter que l'absence de contrôle du benzène était due à un manque de données scientifiques solides[9] ». Et, pourtant, cela n'a rien changé ! Le benzène a continué à être utilisé massivement dans les usines d'Amérique et d'Europe avec, tout au plus, quelques recommandations faisant porter aux ouvriers le poids de leur protection. Dans son livre, Paul Blanc rapporte ainsi qu'en 1941 le ministère américain de la Santé a diffusé un petit fascicule de prévention destiné aux ouvriers et artisans travaillant en contact avec le benzène. Il y conte l'histoire de « Clara », une jeune femme qui travaille dans une usine de chaussures où elle colle les semelles avec un adhésif à base de benzol[a]. « Un peu de prudence permettra de garder le benzol à sa place et vous à votre travail, écrivent les auteurs, qui ne disent pas un mot sur les risques que fait courir une exposition au benzène. Clara est l'une des 30 000 personnes dont le travail nécessite l'usage de benzol sous une forme ou une autre. Des milliers d'autres sont employées à la fabrication de ce solvant d'une grande valeur. Nombreux sont ceux qui perdraient leur emploi s'il n'y avait pas de benzol[10]. »

Je dois avouer qu'au cours de cette enquête j'ai éprouvé plusieurs fois un sentiment de révolte, tant le cynisme des industriels et des politiciens me semblait scandaleux, mais l'affaire du benzène dépasse les bornes du tolérable. En 1948, en effet, l'American Petroleum Institute – l'homologue du Tobacco Industry Research Committee dans le domaine des hydrocarbures – commande une synthèse des « meilleures études disponibles sur le développement de la leucémie résultant d'une exposition au benzène » au professeur Philip Drinker, de l'École de santé publique de Harvard. Après avoir énuméré tous les maux irréversibles provoqués par une intoxication aiguë ou chronique au benzène, le scientifique conclut : « Dans la mesure où l'organisme ne développe aucune tolérance au benzène et où la susceptibilité varie énormément d'un individu à l'autre, on considère généralement que *la seule dose d'exposition absolument sûre est zéro*[11]. » En d'autres termes : le seul moyen de se protéger contre l'hydrocarbure, c'est de l'interdire.

Mais ce rapport ne changera rien au comportement des industriels qui, arbitrairement, ont décidé que la norme d'exposition dans les usines, pour huit heures de travail, était un taux de benzène dans l'air inférieur à 10 ppm (partie par million). Et il faudra attendre la création de l'OSHA, au début des années 1970, pour que les pouvoirs publics américains décident enfin de se pencher sur le dossier. Au même moment en Europe, et bien sûr en France, l'inertie est la règle, car,

---

a Le benzol est un mélange de trois hydrocarbures : le benzène, le toluène et le xylène.

comme je l'ai déjà expliqué, à l'époque c'est l'Amérique qui montre la voie. « Quand ma directrice Eula Bingham m'a demandé de m'occuper de la réglementation du benzène, j'étais très enthousiaste, m'a expliqué Peter Infante. Nous étions convaincus qu'il fallait considérablement baisser la norme d'exposition fixée par l'industrie, mais je ne savais pas à quel point cela allait être difficile... »

Dans un article paru en 2006 dans *The International Journal of Occupational and Environmental Health*, l'épidémiologiste a rapporté toutes les embûches tendues par les industriels pour faire capoter le projet de réglementation. Ceux-ci n'hésitant pas à « cacher des données sur la toxicité du benzène obtenues lors de recherches conduites dans leurs propres laboratoires[12] », en violation totale de la loi. On découvre ainsi que Dow Chemical[a] avait dissimulé une étude montrant que l'exposition à un niveau inférieur à 10 ppm provoquait des dommages dans les chromosomes de ses ouvriers. Pire : la firme avait interdit à son chercheur, Dante Picciano, de publier ses données ou de les communiquer à l'OSHA. « Il était tellement écœuré qu'il m'a contacté, m'a raconté Peter Infante. Finalement, il a démissionné et a bravé les menaces en publiant son étude en 1979[13]. »

Mais l'épidémiologiste de l'OSHA n'est pas au bout de ses peines. Au moment où il bataille avec Dow Chemical, il est en train de boucler une étude qui est censée couper court à toutes les tergiversations de l'industrie. Celle-ci a été réalisée dans deux usines de Goodyear Tire and Rubber, où on fabrique du caoutchouc synthétique (Piofilm). Elle a porté sur 1 200 ouvriers, qui ont été exposés au benzène de 1940 à 1949 et suivis jusqu'en 1975. Les résultats sont d'autant plus impressionnants qu'ils montrent une relation dose-effet sans équivoque : les ouvriers qui ont été exposés pendant un à quatre ans présentent un risque de leucémie deux fois supérieur à celui du groupe contrôle ; le risque est multiplié par quatorze quand l'exposition a duré de cinq à neuf ans, et par trente-trois au-delà de dix ans.

« En raison du contrôle déficient du benzène par le passé, des millions de personnes qui n'étaient pas informées du risque cancérigène ont été continuellement exposées sur leur lieu de travail, écrivent Peter Infante et ses collègues. Nous espérons que nos résultats, qui montrent de manière évidente un risque accru de leucémie chez les ouvriers

---

a   Je reviendrai ultérieurement sur Dow Chemical, qui est aujourd'hui l'un des leaders sur le marché des pesticides. La firme fut, avec Monsanto, l'un des principaux producteurs de l'agent orange.

exposés, stimuleront les efforts pour contrôler [...] cet agent connu pour être un poison puissant pour la moelle osseuse depuis un siècle[14]. » Le ton de ces conclusions tranche avec celui généralement plus feutré qui caractérise les publications scientifiques, mais il reflète l'émotion des chercheurs devant ce qu'il faut bien appeler un « désastre sanitaire » de grande ampleur. Convaincue de l'urgence d'agir, l'OSHA décide en 1977 de promulguer une nouvelle norme d'exposition au benzène, fixée à 1 ppm, donc dix fois inférieure à celle que pratiquent (théoriquement) les industriels.

Las ! L'American Petroleum Institute saisit la Cour suprême, qui annule la décision le 2 juillet 1980. Dans son arrêt de soixante-quinze pages, la vénérable institution explique qu'elle a « refusé d'entériner la norme de 1 ppm, parce que celle-ci n'est pas basée sur des données suffisantes » et que l'OSHA « n'a pas démontré que cette nouvelle limite d'exposition était raisonnablement nécessaire ou appropriée pour que la sécurité et la santé des employés soient assurées[15] ». Selon la Cour, les chercheurs de l'OSHA n'auraient pas démontré en quoi la nouvelle norme préconisée était susceptible de mieux protéger les ouvriers que la « norme consensuelle de 10 ppm ». On a bien lu : les éminents juges osent parler de « norme consensuelle » ! Un comble, quand on sait que ladite « norme » a été imposée de manière complètement arbitraire par les industriels, qui n'ont pas eu à présenter une seule étude pour la justifier !

Entrée dans l'histoire comme l'« arrêt sur le benzène », la décision de la Cour suprême fera couler beaucoup d'encre. En effet, celle-ci couronne une pratique qui caractérise la gestion des risques chimiques tout au long du xxᵉ siècle, à savoir que, dans le domaine de la santé environnementale, la charge de la preuve incombe aux pouvoirs publics et non à l'industrie. Il appartient donc aux « plaignants » – c'est-à-dire aux agences de réglementation ou aux victimes présumées   de démontrer la toxicité d'un produit et non aux fabricants de prouver qu'il est inoffensif[a]. Dans le cas du benzène, « la Cour exigeait de l'OSHA qu'elle fournisse un nombre suffisamment élevé de morts et de malades, prouvant les dégâts du passé, avant de l'autoriser à prendre des mesures pour prévenir les dégâts du futur », comme le souligne Devra Davis dans son livre *The Secret History of the War on Cancer*[16].

---

a   Nous verrons à la fin de ce livre que le règlement européen Reach vise précisément à inverser le fardeau de la preuve, ce qui est évidemment une bonne chose.

Les mercenaires de l'industrie

Pour Peter Infante, l'arrêt sur le benzène signifie qu'il doit remettre son ouvrage sur le métier, en retournant dans les deux usines de Goodyear. «Avec mon collègue Robert Rinsky, nous avons dû établir ce qu'on appelle une "matrice d'exposition" poste par poste, m'a-t-il expliqué. Comme les ouvriers que nous avions étudiés avaient travaillé il y a plus de trente ans, il nous a fallu extrapoler les niveaux d'exposition à partir de ce que l'on savait des procédés de fabrication de l'époque, car bien sûr les usines n'avaient pas enregistré ces données! Ce fut un énorme travail, qui a permis à l'industrie de gagner sept ans.» On comprend que ce soit enrageant, surtout quand on sait que l'OSHA a des moyens limités: d'après David Michaels, son nouveau patron, ses effectifs permettent d'inspecter chaque entreprise des États-Unis une fois tous les... cent trente-trois ans! Finalement, la nouvelle étude confirme que plus le niveau quotidien d'exposition est proche de zéro, moins il y a de leucémies, et que le risque peut être multiplié par soixante quand le niveau dépasse 10 ppm[17]. S'appuyant sur ces résultats, l'OSHA promulgue la nouvelle norme en...1987, au moment où le Centre international de recherche sur le cancer de l'OMS déclare le benzène «cancérigène pour les humains[18]».

Mais l'histoire ne s'arrête pas là, car les industriels préparent déjà la prochaine bataille: celle des très faibles doses, inférieures à 1 ppm, que l'on peut trouver dans l'environnement, par exemple lors d'épandages de pesticides ou aux abords des stations-service, où des relevés ont montré que l'air contenait entre 0,17 et 6,59 ppm de benzène[19] – après tout, l'industrie est bien placée pour le savoir: le scientifique de Harvard qu'elle avait discrètement consulté en 1948 n'avait-il pas conclu que «la seule dose d'exposition absolument sûre est zéro»? C'est là que l'American Petroleum Institute contacte Dennis Paustenbach, un toxicologue qui travaille pour Exponent, un cabinet conseil spécialisé dans ce que David Michaels appelle la «science à louer[20]». «La plupart de nos contrats sont initiés par des avocats ou des compagnies d'assurance, dont les clients anticipent ou sont déjà engagés dans un litige concernant un défaut allégué de leurs produits, équipements ou services», explique sans ambages le rapport d'activité de la firme pour 2003, qui énumère tous ses secteurs d'intervention: «L'automobile, l'aviation, la chimie, la construction, l'énergie, le gouvernement, la santé, l'assurance et la technologie[21].»

Avant de présenter plus en détail le fameux Dennis Paustenbach, considéré comme l'un des «mercenaires scientifiques» les plus «talentueux», il faut préciser qu'Exponent et ses concurrents américains Hill & Knowlton ou Weinberg Group – tous sont également implantés en Europe – sont des excroissances engendrées par les manœuvres délictueuses et mensongères des fabricants de poisons. En effet, ces firmes doivent leur existence à ce que certains chercheurs américains, dans un article intitulé «La maximisation du profit et ses dangers pour la santé», ont appelé un «processus de criminalisation» de l'activité industrielle, laquelle a dû développer des stratégies de plus en plus sophistiquées pour «éviter les litiges judiciaires et la réglementation[22]». Comme le souligne le docteur David Egilman et ses coauteurs, ces «stratégies» ne sont pas une élucubration paranoïaque issue d'une nouvelle «théorie du complot», mais bel et bien une réalité mise au jour grâce à la «dissémination de documents secrets de l'industrie lors de procédures judiciaires concernant la toxicité de ses produits», qui ont révélé que «ses actions étaient à la fois délibérées et nuisibles». Or, insistent ces chercheurs, il s'agit bien d'un système et non de comportements isolés caractérisant des brebis galeuses (en anglais *bad apples*) : «Au cours des dernières décennies, les multinationales ont développé des tactiques dans le domaine de la science, du droit et des relations publiques, afin de maintenir leur capacité à faire du profit en dépit des dangers de leurs produits. Quand on les examine toutes ensemble, ces tactiques dessinent une stratégie qui peut s'exprimer de manière différente d'une entreprise à l'autre, mais qui présente suffisamment de points communs pour pouvoir être considérée comme faisant partie d'un *modus operandi* caractérisant la grande majorité des firmes américaines.» Et j'ajouterais : européennes, car, si le modèle a été élaboré aux États-Unis, le Vieux Continent n'est pas en reste, tant du fait de la mondialisation des structures du capitalisme moderne que de son idéologie. Et les auteurs de préciser : «Cette stratégie vise deux objectifs : assurer un environnement réglementaire le moins restrictif possible et éviter toute responsabilité légale pour les morts et maladies des travailleurs et consommateurs.»

Pour parvenir à leurs fins, les multinationales collaborent étroitement avec des entreprises spécialisées dans ce genre de besogne, comme Exponent, qui ont pour mission de développer une panoplie de tactiques récurrentes : «1) Recruter et diriger des scientifiques extérieurs pour conduire des recherches conçues dans le but de montrer la "sécurité" de processus ou produits particuliers; susciter des controverses et conduire des attaques contre tout scientifique ou travail scientifique qui montrent les dangers des processus et produits. 2) Organiser des groupes de scientifiques "tiers" et amis de l'industrie pour soutenir ses positions scientifiques auprès des organismes de réglementation et de fixation des normes, des tribunaux et de l'opinion publique. Ces groupes sont généralement appelés "conseils d'avis scientifique". 3) Créer et/ ou utiliser des groupes de pression, des organisations industrielles et des *think tanks* pour fournir une apparence de légitimité. 4) Utiliser et influencer les médias pour dominer les opinions populaires[23]. »

Dans ce dispositif implacable, qui, nous le verrons bientôt, est parvenu à noyauter les agences chargées de notre sécurité comme la Food and Drug Administration (FDA) ou l'Autorité européenne de sécurité des aliments (EFSA), la science joue un rôle primordial. Et, malheureusement, ils ne sont pas rares les scientifiques qui acceptent de mettre leurs talents et savoirs au service de cette « conspiration illégale », pour reprendre les termes des historiens américains Gerald Markowitz et David Rosner[24]. C'est le cas de Dennis Paustenbach, dont la carrière « illustre les problèmes qui surgissent quand la recherche est conduite dans le but d'objectifs prédéterminés[25] ».

Réputé pour ne reculer devant rien (pour dire les choses sobrement), ce toxicologue s'est illustré par sa défense invétérée de la dioxine, lors des grands scandales environnementaux de Times Beach et de Love Canal[a]. Mais son nom restera définitivement associé à l'affaire de Hinkley, une petite ville californienne contaminée par le chrome hexavalent[b], dont les malheurs inspirèrent le film *Erin Brockovich* (2000), de Steven Soderbergh. En 1996, l'héroïne de cette histoire – incarnée dans le film par Julia Roberts –, qui travaillait dans un cabinet d'avocats, parvint à faire condamner la firme Pacific Gas & Electric Company, responsable de la pollution des eaux potables. Pour préparer ce mégaprocès, où quelque 660 victimes obtinrent un dédommagement de 330 millions de dollars, l'entreprise d'énergie avait fait appel aux services de Dennis Paustenbach, qui dirigeait alors le cabinet ChemRisk. Sa mission était de trouver une solution pour neutraliser une étude chinoise de 1987 montrant que la pollution des eaux et du sol par le chrome VI induisait des

---

a   Voir Marie-Monique Robin, *Le Monde selon Monsanto*, op. cit., p. 41-46, où je racontais l'histoire de Times Beach, petite ville du Missouri qui a été évacuée puis rasée en 1983, en raison de sa contamination par les BPC et les dioxines produits notamment par Monsanto. Quant à Love Canal, située non loin des chutes du Niagara, dans l'État de New York, elle fut évacuée en 1978 après la découverte de 21 000 tonnes de produits toxiques enfouies près de l'usine de Hooker Chemicals.

b   Le chrome hexavalent, ou « chrome VI », est produit par l'oxydation du chrome. L'exposition à cette substance très toxique peut provoquer des cancers de l'estomac et des poumons, mais aussi du foie et des reins.

cancers[26]. L'affaire était d'autant plus urgente que cette étude avait aussi été brandie par l'Agence de protection de l'environnement pour exiger la décontamination d'un site de déchets situé dans le New Jersey. Qu'à cela ne tienne ! Dennis Paustenbach décida de contacter le docteur Jian Dong Zhang, l'auteur de l'étude, qui contre 2 000 dollars accepta de réinterpréter ses données et de publier ses nouveaux « résultats » dans la revue américaine *The Journal of Occupational and Environmental Medicine*[27] ! Considérée comme une référence pendant près de dix ans, cette étude truquée a été utilisée par l'industrie dans de nombreux procès impliquant le chrome hexavalent. Jusqu'à ce que le *Wall Street Journal* découvre le pot aux roses[28], ce qui entraîna le retrait officiel de l'article par la revue qui l'avait publié[29].

Alors que l'exposition à de faibles doses de benzène est l'objet de toutes les attentions, l'ineffable Dennis Paustenbach est donc contacté par l'American Petroleum Institute. En 1997, en effet, une étude conduite dans les usines chinoises par l'Institut du cancer des États-Unis et l'Académie chinoise de médecine préventive a montré que les risques de leucémie y sont deux fois plus élevés que ceux qui ont été constatés par l'équipe de Peter Infante[30]. Et difficile d'attaquer cette recherche car, pour les épidémiologistes, la Chine représente le terrain idéal : les niveaux d'exposition, à chaque poste de travail, sont minutieusement enregistrés et les ouvriers peuvent être suivis sur une longue période, car leur mobilité professionnelle est quasiment nulle.

Pour entretenir le doute, l'American Petroleum Institute demande à Dennis Paustenbach de réexaminer les valeurs d'exposition qui avaient été estimées par Peter Infante et ses collègues dans les deux usines de Goodyear. Je rappelle que, pour faire leur évaluation, les épidémiologistes de l'OSHA avaient dû extrapoler à partir d'une reconstitution des processus de production en cours dans les années 1940-1950. L'astuce de Paustenbach consista à réévaluer systématiquement à la hausse les niveaux d'exposition sur les différents postes de travail, de manière à conclure que seuls les niveaux supérieurs à 10 ppm causaient des leucémies[31]. Comme le souligne David Michaels, « dans l'arène réglementaire, les études [de ce type] sont utiles [pour l'industrie] non pas parce qu'elles représentent un travail de qualité que les agences doivent prendre au sérieux, mais parce qu'elles grippent la machine et ralentissent le processus de décision[32] ».

Il est absolument fascinant de constater l'énergie ainsi déployée par les industriels pour défendre leurs produits bec et ongles, sans jamais tenir compte, un tant soit peu, des répercussions terribles que peut provoquer leur acharnement. Et, si j'ai tenu à décortiquer l'histoire du benzène, c'est parce qu'elle est exemplaire de cette implacable machine qui place les profits à court terme au-dessus de toute autre considération, y compris la mort ou la maladie de milliers d'innocents. Qu'elles s'appellent Monsanto, Dow Chemical, DuPont de Nemours, BASF ou Saint-Gobain, les firmes ne lâchent jamais prise, quitte à dépenser des fortunes pour «entretenir le doute». C'est fascinant, mais aussi très inquiétant : qui peut, en effet, imaginer une telle débauche de moyens «délibérés et nuisibles[33]»? Celui qui parvient à reconstituer toutes les pièces du puzzle court le risque d'être accusé de paranoïa aiguë, voire de véhiculer une nouvelle théorie du complot, argument que les représentants des industriels ne manquent pas d'utiliser dès qu'un petit malin parvient à démasquer leurs multiples combines. Et c'est bien là la force des firmes : pratiquant sans cesse le double langage, elles sont parvenues à tirer toutes les ficelles du jeu réglementaire grâce à des techniques «de tromperie et de déni[34]» systématiques qu'il est difficile de détecter car elles sont littéralement impensables.

La fin (provisoire) de l'affaire du benzène en est une preuve, s'il en était besoin. Après la pseudo-étude de Dennis Paustenbach publiée en 2003, une nouvelle publication relance la machine à manipuler. En effet, en 2004, *Science* publie les résultats complémentaires de la vaste investigation conduite dans les usines chinoises. «Un petit peu est encore de trop», titre le magazine, qui rapporte que les examens des ouvriers exposés au benzène ont montré des altérations des globules blancs et des plaquettes sanguines à des niveaux inférieurs à 1 ppm[35]. Cette fois-ci, l'American Petroleum Institute sort l'artillerie lourde, en mettant la bagatelle de 22 millions de dollars sur la table, répartis entre les différentes sociétés pétrolières en fonction du nombre de barils produits[36]! L'objectif est de financer une nouvelle étude en Chine qui invalide les résultats désastreux de la première. C'est écrit noir sur blanc dans un document secret rédigé par Craig Parker, un cadre de Marathon Oil, que David Michaels a pu se procurer : «Si les effets toxiques d'une exposition à de faibles niveaux de benzène rapportés dans l'étude chinoise originale sont acceptés par les agences de réglementation, s'ensuivra une demande de reformulation de l'essence, mais aussi de contrôle des émissions provenant des raffineries et des points de vente, ainsi que du nettoyage des sites contaminés, écrit-il sans détour. Ce sera un cauchemar pour l'industrie et le début des litiges judiciaires[37].» Dans son mémorandum, Parker annonce clairement le but de la «recherche» (!): «Apporter des données scientifiques solides confirmant l'absence de risque de leucémie ou de toute autre maladie hématologique pour la population générale exposée aux niveaux de benzène que l'on trouve dans l'environnement et affirmer que le respect des normes actuelles (de 1 à 5 ppm) n'entraîne pas de risque significatif pour les travailleurs exposés au benzène. »

Haro sur les conflits d'intérêts

Pour l'heure, les résultats de cette « étude » n'ont pas encore été publiés, mais il y a fort à parier qu'ils seront conformes aux objectifs affichés. Il sera alors intéressant de vérifier si les commanditaires apparaissent dans la publication, car c'est loin d'être toujours le cas. En effet, comme le soulignent Susanna Rankin Bohme et ses coauteurs, jusqu'au début des années 2000, les conflits d'intérêts des mercenaires de la science n'étaient jamais signalés et « leurs travaux étaient publiés dans la littérature scientifique sans que soit révélé que la recherche avait été conduite avec une conclusion prédéterminée et qu'elle avait été soumise à la relecture de représentants de l'industrie[38] ».

Le premier à avoir dénoncé cette anomalie très courante, qui jette le doute sur la qualité des articles publiés par les revues scientifiques, fut Arnold Relman, l'éditeur du très respecté *New England Journal of Medicine*. En 1985, il publia un éditorial – qui fit l'effet d'une bombe, tant le sujet était alors tabou – où il dénonçait la « fièvre entrepreneuriale » qui avait « commencé à affecter la profession » médicale : « Ce qui autrefois n'était qu'une pratique marginale est devenu la règle, écrivait-il. De plus en plus, de médecins cherchent à faire de l'argent en passant des arrangements avec des hôpitaux, des fournisseurs d'équipement et, plus récemment, des laboratoires pharmaceutiques[39]. » Pour pallier cette dérive, il suggérait d'exiger que les auteurs qui proposent un article scientifique communiquent leurs éventuels conflits d'intérêts et liens avec l'industrie concernée par le contenu de leurs études. Sa proposition, qui visait initialement les études sur les essais cliniques de nouveaux médicaments, avant d'être étendue à tous les secteurs de la recherche biomédicale, a été adoptée par *The New England Journal of Medicine* et reprise, en 2001, par treize grandes revues scientifiques. Dans une déclaration commune, leurs responsables éditoriaux soulignaient que « les liens financiers (comme un emploi, des consultations privées, la détention d'actions boursières, des honoraires ou des expertises rémunérées) sont les conflits d'intérêts les plus facilement repérables et aussi les plus susceptibles de miner la crédibilité des journaux, des auteurs et de la science elle-même. Cependant, certains conflits d'intérêts peuvent se produire pour d'autres raisons, comme des relations personnelles, la compétition académique ou la passion intellectuelle[40] ». Depuis cette profession de foi très remarquée, les auteurs sont tenus de remplir un formulaire de déclaration de conflit d'intérêts, qu'ils doivent joindre au moment où ils soumettent un article pour une publication éventuelle dans l'une des treize revues du pacte.

On ne peut bien sûr que se féliciter de cette initiative, même si elle ne concerne qu'une minorité de revues scientifiques. Mais, comme le souligne le Center for Science in the Public Interest (CSPI[a]), « une politique de déclaration des conflits d'intérêts n'est efficace que si elle est bien exécutée ». Car rien ne sert d'exiger que les auteurs déclarent leurs liens avec l'industrie si aucun mécanisme de contrôle n'est mis en place pour vérifier que cette exigence est bien respectée. En 2004, en effet, le CSPI a mené une enquête auprès de quatre des revues signataires du « pacte » et réputées pour être particulièrement vigilantes sur les conflits d'intérêts (*The New England Journal of Medicine*, *The Journal of the American Medical Association*, *Environmental Health Perspectives* et *Toxicology and Applied Pharmacology*). Pour cela, le centre a examiné les 176 articles publiés entre décembre 2003 et février 2004, dont 21,6 % concernaient des études financées par l'industrie (40,8 % pour *The New England Journal of Medicine* et 5,4 % pour *Environmental Health Perspectives*). Dans 163 articles, les auteurs déclaraient qu'ils n'avaient pas de conflits d'intérêts ; mais, en s'intéressant de plus près au profil du premier et du dernier auteur cité, dans les références de ces derniers, le CSPI a constaté que, dans treize articles (8 %), les chercheurs avaient « omis » de déclarer leurs liens avec l'industrie[b]. Parmi les exemples que cite le rapport, il y a celui de William Owens, un scientifique de Procter & Gamble, qui s'était contenté de se présenter comme un représentant

---

a   Créé en 1971, le Centre pour la science dans l'intérêt public est une organisation non gouvernementale américaine, spécialisée dans la défense et l'assistance des consommateurs et qui conduit des études scientifiques indépendantes dans le domaine de la santé et de l'alimentation.

b   Les articles scientifiques comprennent souvent plusieurs noms d'auteurs, qui font partie de l'équipe ayant réalisé l'étude. La convention veut que les deux auteurs principaux soient le premier et le dernier cités. Les « omissions » concernaient six articles publiés dans *The Journal of the American Medical Association* (sur cinquante-trois), trois dans *Environmental Health Perspectives* (sur trente-cinq), deux dans *Toxicology and Applied Pharmacology* (sur trente-trois) et deux dans *The New England Journal of Medicine* (sur quarante-deux).

de l'OCDE (Organisation de développement et de coopération économiques), alors qu'il vantait les mérites d'un test de toxicité promu par son employeur ! En conclusion, le CSPI recommande que les éditeurs « adoptent des sanctions sévères, comme une interdiction de publier pendant trois ans dans les pages de la revue lorsqu'un conflit d'intérêts non déclaré a été révélé. La menace de sanction permettra d'augmenter le respect des règles dans ce domaine où prévaut l'autorégulation[41] ».

Mais, si les observateurs s'accordent à reconnaître que la déclaration des conflits d'intérêts est un « premier pas minimum[42] », ils soulignent aussi que ce n'est pas la panacée, car le fait de savoir qu'un auteur est lié financièrement avec l'industrie qui a chapeauté son étude ne résout en rien le problème des « biais » que ce lien peut impliquer. « La déclaration permet d'attirer l'attention sur de possibles biais, mais elle n'élimine pas le problème du conflit en soi », note ainsi Catherine DeAngelis, la responsable éditoriale du *Journal of the American Medical Association*, qui reçoit chaque année quelque 6 000 articles[43]. Et d'ajouter : « Je ne suis pas le FBI [police fédérale américaine] et je n'ai pas le pouvoir de regarder dans le cœur, l'esprit et l'âme des auteurs[44]. » En effet, comme nous l'avons vu, les biais que l'on retrouve fréquemment dans les études commanditées par l'industrie peuvent être multiples : construction du protocole de manière à éviter les résultats qui gênent, sélection truquée des groupes expérimentaux et des groupes contrôle, ou interprétation sélective des résultats. Pour détecter les possibles biais, le *Journal of the American Medical Association* (JAMA) a franchi un nouveau pas en 2005, en exigeant que le scientifique qui collecte les données des études et celui qui les analyse soient deux personnes distinctes ; et, surtout, que le second « ne soit pas un employé de l'entité commerciale qui finance les travaux[45] ».

Dans un article publié un an après la mise en place de cette nouvelle exigence, Catherine DeAngelis, la responsable éditoriale du *JAMA*, a rapporté un certain nombre d'« irrégularités impliquant des firmes à but commercial, comme le refus de fournir toutes les données d'une étude, en ne communiquant que les résultats préliminaires des six premiers mois d'un essai prévu sur douze mois, le rapport incomplet d'effets néfastes sévères ou la dissimulation de données cliniques montrant des effets nocifs ». Et de préciser : « Les entreprises industrielles peuvent exercer une influence inappropriée sur la recherche à travers le contrôle des données de l'étude et de leur analyse statistique, voire en réécrivant les résultats, ou en supervisant toutes les phases de préparation du manuscrit et en dictant aux chercheurs le choix des revues auxquelles ils devraient soumettre leurs travaux. Récemment, j'ai appris que, à la suite de la décision de *JAMA* d'exiger que les données des études soient analysées par un chercheur universitaire et non par un employé du commanditaire, certaines firmes ont insisté pour que leurs chercheurs n'envoient pas leurs manuscrits à *JAMA*. Cette tactique non seulement peut induire le soupçon que l'entreprise a quelque chose à cacher, mais aussi ternir la réputation des chercheurs qui accèdent à ce genre de demande[46]. »

L'emprise de l'industrie sur l'Université

De plus, les conflits d'intérêts potentiels ne concernent pas uniquement les auteurs des publications, mais aussi ceux qu'on appelle les *reviewers*, c'est-à-dire les relecteurs des manuscrits proposés. En effet, dans les grandes revues scientifiques dites « à comité de lecture » – ce qui est unanimement considéré comme un gage de sérieux de la publication –, les manuscrits sont soumis à l'évaluation de pairs (les *reviewers*), dont l'identité est maintenue secrète pour éviter (théoriquement) les pressions en tout genre. Ceux-ci, qui sont généralement au nombre de trois, sont choisis en fonction de leur compétence et proviennent le plus souvent du milieu universitaire. Or, comme le note très justement David Michaels, « avec l'implication croissante des universités dans des entreprises commerciales et leur collaboration avec l'industrie, les conflits d'intérêts des institutions académiques sont aussi devenus un sujet de préoccupation[47] ». C'est ainsi qu'une revue systématique des études mises en ligne par Medline entre janvier 1980 et octobre 2002 a montré qu'« environ un quart des chercheurs ont un lien avec l'industrie et les deux tiers des institutions universitaires détiennent des parts dans les *start-up* qui financent la recherche dans les mêmes institutions ». Et les auteurs de conclure : « Les relations financières entre l'industrie, les scientifiques et les institutions universitaires sont largement répandues. Les conflits d'intérêts qui découlent de ces liens peuvent influencer la recherche biomédicale de manière importante[48]. »

Conscient que l'appartenance à une université ou à une institution académique n'est plus une garantie d'indépendance, la revue britannique *The Lancet* a décidé, en 2003, qu'elle ne confierait plus ses précieuses relectures à des universitaires révélant de « substantiels intérêts financiers ». « Les universitaires ont le choix : soit ils développent leurs capacités entrepreneuriales, soit ils maintiennent leur engagement pour une science tournée vers l'intérêt public. Et nous ne pensons pas que ces deux options soient compatibles », tranche la vénérable revue, avec une franchise rare dans le domaine très consensuel de l'édition scientifique[49].

Enfin – et c'est un « détail » lourd de conséquences pour les consommateurs que nous sommes –, les conflits d'intérêts ne sont pas pris en compte par les agences de réglementation, comme la Food and Drug Administration ou l'Autorité européenne de sécurité des aliments, pour « évaluer la fiabilité de la recherche dont leurs décisions dépendent ». De fait, ainsi que nous le verrons bientôt, si celles-ci exigent depuis une date récente que leurs experts remplissent une déclaration de conflit d'intérêts, rien de semblable n'est demandé aux auteurs des études, « bien que cela non seulement relève de leur autorité, mais soit aussi crucial pour leur mission », ainsi que le notent les juristes américains Wendy Wagner et Thomas McGarity, qui précisent : « Les agences de réglementation devraient aussi exiger que les auteurs des recherches servant aux évaluations communiquent les données brutes des études[50]. » Or, c'est très rarement le cas, les agences se contentant bien souvent de fonder leurs décisions sur un résumé de données fourni par les laboratoires de l'industrie. Plus grave encore : « La qualité de la recherche privée utilisée pour la réglementation des produits est sujette à un contrôle considérablement moins élevé que ne l'est la recherche financée par des fonds publics, déplore David Michaels dans un article publié par *Science* en 2003. La plupart des études du privé qui sont soumises aux agences de réglementation échappent à tout examen externe, car généralement les firmes ont déclaré que le produit examiné relève du secret commercial[51]. » C'est le cas, nous le verrons, pour les pesticides (voir *infra*, chapitre 10), mais aussi pour les organismes génétiquement modifiés[52].

Pour que cette aberration soit bien claire : les firmes refusent de communiquer les données brutes de leurs études toxicologiques à tout organisme indépendant – que ce soit une association ou un laboratoire de recherche universitaire –, alors que celles-ci engagent la santé de millions de consommateurs, en arguant qu'elles sont protégées par le « secret commercial » ! Si elles n'ont rien à cacher et sont sûres de l'innocuité de leurs produits, on est en droit de se demander pourquoi et de suspecter que lesdites données soulèvent quelques problèmes…

Pour conclure cette partie essentielle, car elle éclaire le contexte dans lequel sont réglementés les poisons contaminant notre chaîne alimentaire (voir *infra*, chapitre 11), je donnerai la parole, une fois de plus, à David Michaels: «Je suis convaincu que l'on ne peut pas gérer le problème des conflits d'intérêts, mais qu'on doit tout simplement l'éliminer, car l'enjeu est trop important, affirme le nouveau patron de l'OSHA. Les pressions sur les scientifiques qui reçoivent de l'argent sont trop fortes. Même quand les contrats interdisent formellement le contrôle du commanditaire sur les publications, la peur de perdre un nouveau contrat limitera l'indépendance scientifique. Je préfère un système où la recherche et l'évaluation sont réalisées de manière véritablement indépendante. Toute étude commandée par l'industrie ou exigée d'elle devrait être payée par l'industrie mais conduite par des chercheurs indépendants sous le contrôle des autorités publiques. Les publications subséquentes devraient être totalement indépendantes des firmes qui financent les travaux. [...] Ceux qui s'opposent à la réglementation considéreront sans aucun doute que ce système est un cauchemar. Mais une réglementation qui protège véritablement la santé publique et l'environnement doit être fondée sur la meilleure science disponible, et celle-ci ne peut être conduite que par des chercheurs indépendants[53].»

En attendant, une chose est sûre: les multiples tactiques utilisées par les industriels pour masquer la toxicité de leurs produits portent leurs fruits. Car, nous allons le voir, les mensonges des fabricants de poisons sont régulièrement relayés par de puissantes institutions académiques ou gouvernementales qui se laissent facilement aveugler, pour dire les choses très sobrement...

10

Mensonges institutionnels

« Ceux qui veulent que le futur soit différent du passé
doivent étudier le passé. »

SPINOZA

« Monsieur le président, en 2009, environ 1,5 million d'hommes, de femmes et d'enfants américains ont reçu un diagnostic de cancer, et 562 000 sont morts de la maladie. [...] Notre panel a constaté avec inquiétude que le poids réel des cancers dus à des facteurs environnementaux a été grossièrement sous-estimé. Avec quelque 80 000 produits chimiques actuellement sur le marché, dont un grand nombre sont utilisés quotidiennement par les Américains alors qu'ils ont été partiellement ou pas du tout testés et qu'ils sont mal réglementés, l'exposition à des substances cancérigènes est très répandue. [...] La population américaine, avant même d'être née, est bombardée en permanence par une myriade de combinaisons de ces expositions dangereuses. C'est pourquoi le Panel vous demande instamment d'utiliser tout le pouvoir que vous confère votre fonction pour retirer de notre nourriture, de notre eau et de notre air toutes les substances cancérigènes et autres toxines qui augmentent inutilement la facture des frais de santé, affaiblissent la productivité de la nation et dévastent la vie des Américains. » Adressée au « président des États-Unis », en l'occurrence Barack Obama, cette lettre n'a pas été écrite par un militant de Greenpeace ou d'une obscure organisation écologiste, mais par les docteurs LaSalle Lefall et Margaret Kripke, qui dirigeaient le « President's Cancer Panel »(PCP) de l'année 2008-2009.

Depuis son lancement en 1971 par Richard Nixon, au moment où celui-ci déclarait la « guerre contre le cancer », le PCP est une véritable institution, qui dresse chaque année le bilan de la fameuse « guerre » (de quarante ans!) dans un volumineux rapport rédigé sous les auspices du Secrétariat à la Santé et de l'Institut national du cancer. Et force est de reconnaître que la mouture de 2010, intitulée *Réduire le cancer environnemental : ce que nous pouvons faire aujourd'hui* [1], a le mérite de mettre résolument les pieds dans le plat, envers et contre tous les professionnels de la désinformation organisée. C'est en effet la première fois que le PCP rompt avec les discours bien rodés qui immanquablement attribuent au tabagisme, à l'alcoolisme, à l'absence d'activité physique et aux autres mauvaises habitudes de vie la responsabilité principale de l'explosion des cancers, pour s'intéresser exclusivement aux facteurs environnementaux. Pour cela, le Panel a réuni quarante-cinq experts, issus « de l'Université, du gouvernement, de l'industrie, des organisations environnementales et de malades, ainsi que du public », qui ont planché sur quatre sujets : « Les expositions industrielles et professionnelles », « Les expositions agricoles », « La pollution de l'air intérieur et extérieur et la pollution de l'eau » et « Les effets du nucléaire et des ondes électromagnétiques ». Et les conclusions du rapport de 240 pages sont sans appel : si on veut réduire la « charge du cancer », c'est en priorité à ces causes-là qu'il faut s'attaquer, sous peine de transformer la « guerre contre le cancer » en une arlésienne aussi ridicule qu'inefficace.

Les Causes du cancer en France *(2007) : un rapport qui « ne devrait pas être pris au sérieux »*

La lecture de ce rapport sur le cancer m'a profondément soulagée. Lire sous la plume de rapporteurs officiels que « les preuves scientifiques des effets des multiples expositions environnementales sur l'initiation et le développement de la maladie [...] n'ont pas été intégrées de manière adéquate dans les stratégies nationales de prévention » ne pouvait en effet que rassurer, d'autant que, trois ans plus tôt, un autre rapport tout aussi « officiel », français celui-là, disait exactement le contraire !

Intitulé *Les Causes du cancer en France*, ce texte a été rédigé par les prestigieuses Académies nationales de médecine et des sciences, en collaboration avec le Centre international de recherche sur le cancer (CIRC), qui dépend de l'Organisation mondiale de la santé[2].

Je n'oublierai jamais ce matin de septembre 2007 où toutes les radios de France et de Navarre ont claironné la « bonne nouvelle » en citant abondamment ce qu'il convient de considérer comme l'une des plus graves escroqueries de l'histoire scientifique récente : « Ce rapport confirme qu'en France (comme dans tous les pays industriels et la majorité des pays en voie de développement) le tabac reste, à l'orée du XXIe siècle, la principale cause de cancer (29 000 décès, soit 33,5 % des décès par cancer chez l'homme, 5 500 décès, soit 10 % des décès par cancer chez la femme). [...] *Contrairement à certaines allégations, la proportion des cancers liés à la pollution de l'eau, de l'air et de l'alimentation est faible en France, de l'ordre de 0,5 %, elle pourrait atteindre 0,85 % si les effets de la pollution de l'air atmosphérique étaient confirmés[3].* » Diantre ! D'après les « vénérables experts », seuls 0,5 % des cancers seraient dus à la pollution chimique, ce qui constituerait en quelque sorte une « exception française » que le monde entier devrait nous envier mais qui est pourtant passée totalement inaperçue ! Dans ce rapport, tout est du même tonneau, avec des morceaux d'anthologie qui laissent dubitatif : « L'occidentalisation du mode de vie s'accompagne d'autres changements qui semblent être d'origine hormonale : un accroissement considérable de la taille (en France de 10 à 15 cm depuis 1938) et de la pointure des chaussures, la baisse de l'âge aux premières règles (en France, celles-ci surviennent environ deux ans plus tôt qu'en 1950). Il est plausible d'évoquer la stimulation du rythme de prolifération cellulaire par les hormones ou des nutriments contenus dans l'alimentation de type occidental, ou la plus grande richesse en calories de l'alimentation des enfants et des femmes enceintes, ce qui expliquerait la corrélation qui a été rapportée entre la taille des nouveau-nés et le risque de cancer du sein à l'âge adulte[4]... »

Évidemment, le rapport aborde la question des pesticides en tranchant de manière si péremptoire que l'Union des industries de la protection des plantes s'est empressée de mettre la prose des académiciens sur son site web, comme une preuve qu'« aucun résultat scientifique étayé ne permet aujourd'hui de conclure à l'existence d'un lien avéré et significatif entre cancers et produits phytopharmaceutiques[5] ». « Plusieurs pesticides ont été accusés de causer des cancers chez l'homme, mais *aucun des pesticides utilisés actuellement n'est cancérogène chez l'animal ou chez l'homme*, écrivent en effet les auteurs du rapport. Quelques études cas-témoins montrant une association entre l'exposition et des cancers ont été publiées, mais ces résultats sont sans doute dus à plusieurs facteurs: i) en raison du grand nombre d'études effectuées, il est normal que certaines études soient positives, à cause des fluctuations statistiques; ii) à des biais de mémoire, les sujets atteints de cancer ayant davantage tendance à se rappeler des expositions que les sujets bien portants ont oubliées. [...] En conclusion, *le lien putatif entre pesticides et cancer ne repose sur aucune donnée solide*[6]. »

Si l'«exception française» est passée inaperçue outre-Atlantique, en revanche le rapport académique de 2007 y a suscité quelques ricanements et remarques acerbes: «Je pense que ce rapport était vicié et ne devrait pas être pris au sérieux, m'a affirmé ainsi le professeur Richard Clapp, un épidémiologiste américain spécialiste de santé publique que j'ai rencontré dans son bureau de l'université de Boston. Il semble que les auteurs n'aient pas eu accès à toute la littérature scientifique disponible ou qu'ils l'aient mal interprétée.

— Mais comment expliquez-vous que des institutions aussi prestigieuses que les Académies françaises de médecine et des sciences continuent de nier à ce point le lien entre l'exposition aux produits chimiques et le cancer? lui ai-je demandé.

— Il faudrait s'intéresser de plus près aux relations qu'entretiennent certains représentants de ces institutions avec l'industrie, m'a répondu tout de go le scientifique américain, qui a collaboré aux travaux du President's Cancer Panel. Aux États-Unis, nous avons une formule pour désigner cela: il faut suivre l'argent[7]... »

Des académies sous influence: les cas des dioxines et de l'amiante

J'en conviens: l'accusation est grave et il faudrait sans doute un livre entier pour vérifier l'origine des finances des deux célèbres maisons. Ce qu'on peut dire, en revanche, c'est qu'elles ont toujours entretenu des relations très étroites avec les industriels de leurs secteurs respectifs, au point d'être régulièrement aveuglées par les intérêts et, il faut bien le dire, les mensonges de ces derniers. J'en veux pour preuve le chapitre peu glorieux de la dioxine qu'ont raconté André Cicolella et Dorothée Benoît Browaeys dans leur livre *Alertes santé*. En 1994, en effet, l'Académie des sciences et son comité des applications (CADAS) ont

« commis un rapport, dont plus aucun exemplaire ne circule : il n'est plus disponible chez l'éditeur et n'est plus archivé, ni même mentionné, sur le site de l'Académie, lequel se limite curieusement aux rapports publiés après 1996[8] ». De fait, j'ai vainement cherché à consulter en ligne ce document, intitulé *La Dioxine et ses analogues*. Et je comprends l'embarras postérieur de ses auteurs, qui affirmaient en 1994 avec un incroyable aplomb : « En l'état actuel des connaissances et compte tenu des faibles quantités en jeu, on a les moyens d'identifier et de contrôler les risques liés aux dioxines, [qui] ne posent pas un problème majeur pour la santé publique[9]. »

André Cicolella et Dorothée Benoît Browaeys rapportent aussi qu'André Picot, le toxicologue qui a participé à la réunion de Ruffec (voir *supra*, chapitre 1), avait été sollicité pour participer au groupe de travail du CADAS, ce qu'il m'a confirmé lors de l'une de nos rencontres à Paris. Avec sa collègue Anne-Christine Macherey, il avait remis une contribution dans laquelle il écrivait : « Il existe un ensemble de données qui établissent sans ambiguïté le caractère immunotoxique des dioxines. Le fait que ces composés exercent leur effet néfaste à très faibles doses conduit bien évidemment à considérer que la prise en compte de cet aspect de la toxicité est tout à fait primordiale dans l'évaluation du risque qu'ils peuvent poser pour la santé publique. » « Le CADAS a refusé d'intégrer ma contribution au rapport de l'Académie, m'a expliqué André Picot quand je l'ai rencontré à Paris en juin 2009. Et ce n'est pas surprenant, car la plupart des membres du groupe de travail émargeaient chez les industriels de la chimie, comme Rhône-Poulenc ou Atochem[10]. »

En attendant, ainsi que le soulignent les auteurs d'*Alertes santé*, le rapport a servi à justifier l'absence de mesures et à endormir les inquiets, comme en témoigne une circulaire rassurante du ministère de l'Environnement sur « les émissions de dioxines dans l'atmosphère et la présence de ces polluants dans l'environnement », adressée aux préfets en mai 1997[11]. Et c'est bien là la « vertu » essentielle de ce genre de rapports qui font le bonheur des industriels : auréolés du sceau des académies, ils sont régulièrement cités dans des documents officiels, des articles de presse et des procédures judiciaires, même si leur contenu se révèle complètement erroné. Trois ans après la publication du rapport de l'Académie des sciences, le Centre international de la recherche sur le cancer (CIRC) déclarait la dioxine « cancérigène pour les humains[12] » ; et, sept ans plus tard, la convention de Stockholm du 22 mai 2001 inscrivait ce poison des temps modernes dans la liste des polluants organiques persistants, les POP, à éliminer en toute urgence.

Quant à l'Académie de médecine, elle a notamment brillé par un rapport sur l'amiante publié en 1996, où ses valeureux experts s'employaient à minimiser les dangers de l'«exposition passive» à ce matériau, pourtant classé «cancérigène pour les humains» par le CIRC dès...1987. Je ne reviendrai pas en détail sur l'histoire bien connue de l'«or blanc», dont on a usé et abusé et qui continue de faire des dégâts dans les pays du Sud, alors que son lien avec le mésothéliome, une forme très rare de cancer de la plèvre, était connu depuis le début du xxᵉ siècle et dûment documenté depuis les années 1930[13]. Je rappellerai simplement qu'en 1982 le français Saint-Gobain et le suisse Éternit ont mis en place le Comité permanent amiante (CPA), dont le modèle s'inspirait directement du Tobacco Industry Research Committee, créé en 1953, comme on l'a vu, par les cigarettiers américains. Réunissant des industriels, des hauts fonctionnaires de nombreux ministères (Santé, Environnement, Industrie, Travail, Logement, Transports), des syndicalistes, des médecins et des représentants de la recherche publique, le CPA a incarné une «supercherie scientifique absolue», selon les termes du journaliste et écrivain Frédéric Denhez, qui précise: «Seul interlocuteur de l'État sur le problème de l'amiante, le CPA a pu noyer pendant des années décideurs et journalistes dans un déluge de documents fort bien faits présentant de façon très habile l'interdiction de l'amiante comme impensable, au profit d'une "utilisation contrôlée[14]".»

Il se trouve que j'ai modestement contribué, bien malgré moi, à cette vaste opération de manipulation. Journaliste fraîche émoulue, j'ai travaillé en effet de manière ponctuelle pour une agence spécialisée dans la presse d'entreprise. C'est ainsi qu'à la fin des années 1980 j'ai été amenée à réaliser des reportages pour l'organe de communication interne d'Everit, la filiale de Saint-Gobain qui fabriquait notamment des ardoises et des tôles en fibrociment. À plusieurs reprises, je me suis rendue dans ses usines, à Dammarie-les-Lys et à Descartes[a], mais aussi à Manizales en Colombie, où j'étais censée témoigner des mesures de sécurité mises en place par l'entreprise pour protéger ses ouvriers des méfaits (mortels) de l'amiante. Je me souviens d'une interview que j'avais réalisée d'un responsable scientifique du Comité permanent amiante, lequel m'avait doctement expliqué que si la concentration en fibres d'amiante par mètre cube d'air ne dépassait pas un certain

---

a   L'activité de Dammarie-les-Lys a fermé en 1993 et celle de Descartes, en 1996. Peu après, d'anciens ouvriers de ces usines, atteints de mésothéliomes, ont porté plainte contre Saint-Gobain, aux côtés de l'Association nationale de défense des victimes de l'amiante (Andeva).

seuil, alors l'exposition était sans risque. Il en donnait pour preuve des études scientifiques «au-dessus de tout soupçon» que, bien sûr, j'avais citées dans mon article... Comment imaginer alors, en effet, les mensonges et manipulations des sommités recrutées par le CPA pour lui «fournir une caution scientifique incontestable», selon les termes d'un rapport cinglant que rédigera en 2005 une mission d'information du Sénat français[15] ?

Toujours est-il que, quelques mois avant l'interdiction de la «fibre miraculeuse» par la France, le 1er janvier 1997 (vingt ans après les États-Unis !), l'Académie de médecine se fend d'un rapport sous l'égide du professeur Étienne Fournier, alors président du Conseil supérieur de la prévention des risques professionnels[a]. Alors que le mésothéliome est si rare en dehors des cas clairement provoqués par l'exposition à l'amiante – au point qu'il est communément désigné comme le «cancer de l'amiante» –, le rapport affirme, sans citer ses sources, que «25 % à 30 % des mésothéliomes actuels ne se rattachent à aucune cause identifiable et sont sans rapport scientifiquement démontré avec l'amiante. [...] Le tabagisme demeure la cause essentielle, sinon exclusive, de cancer du poumon d'origine exogène, même chez les professionnels actuels de l'amiante, et les responsables de santé publique ne doivent pas se tromper de cible dans leurs recommandations[16]». Puis l'auteur s'embarque dans une démonstration chaotique, strictement conforme aux thèses du lobby de l'amiante : «Des publications médiatiques indiquent des chiffres de plusieurs dizaines de milliers [de morts] en additionnant les cas probables accumulés sur trente ans. Dans le même laps de temps, 18 millions de Français auront trouvé la mort pour d'autres raisons (300 000 sur la voie publique, 1 million par cancer du poumon d'origine tabagique) et le nombre de mésothéliomes non expliqués par une exposition professionnelle, ancienne, massive et prolongée, est et restera trop faible pour départager mésothéliomes spontanés et mésothéliomes dus à de faibles taux d'amiante dans l'air.»

Comme on dit généralement dans les cas de mauvaise foi avérée : «*No comment.*» À noter simplement qu'un *nota bene*, placé dans la publication du rapport sous la liste des experts ayant participé au groupe de travail, signale que «MM. J. Bignon, P. Brochard et J.-C. Laforest, participant à une commission Inserm sur le sujet, ne souhaitent pas être cosignataires du rapport après son adoption par l'Académie nationale

---

a   Étienne Fournier, qui dirigea le centre antipoison Fernand-Widal à Paris, avait été l'un des parrains de la création du Comité permanent amiante.

de médecine». Et pour cause : le 2 juillet 1996, ladite commission avait remis ses premières conclusions au premier ministre Alain Juppé, où elle révélait l'ampleur de la catastrophe sanitaire provoquée par l'amiante, estimant qu'elle pourrait faire 100 000 morts en France d'ici à 2025[17a]...

Embarras au Centre international de recherche sur le cancer

« L'épidémie mondiale des cancers dus à l'amiante est le résultat d'un échec monumental des politiques de protection de la santé publique », a écrit en 2004 le médecin américain Joseph LaDou, l'un des fondateurs de l'*International Journal of Occupational and Environmental Health*, qui estimait alors que l'« or blanc » pourrait faire 10 millions de victimes dans le monde avant son interdiction définitive dans les pays en développement, où les fibres mortelles étaient encore largement utilisées[18]. Quant à l'Académie française de médecine, elle a à l'évidence revu son jugement : dix ans après la publication de son pamphlet controversé sur l'amiante, elle a placé ce produit en tête des substances responsables des « cancers attribuables aux expositions professionnelles en France » dans le rapport *Les Causes du cancer en France*, qu'elle a cosigné avec l'Académie des sciences et le Centre international de recherche sur le cancer (CIRC). Dans un tableau très sommaire, ne comportant que quatorze produits chimiques, ce rapport signale certains des poisons que j'ai déjà évoqués, comme le benzène, le chrome VI et les amines aromatiques[19]. Mais pas un seul pesticide...

Intriguée par cet « oubli », j'ai décidé de frapper à la porte du CIRC, un organisme créé en 1965 à l'initiative du président Charles de Gaulle et installé à Lyon. Dépendant de l'Organisation mondiale de la santé, l'institution est devenue depuis une référence internationale dans le domaine de la cancérologie, car elle est chargée de rédiger les fameuses « monographies », ces documents officiels classant les produits chimiques en fonction de leur potentiel cancérigène. Pour cela, ses experts examinent la littérature scientifique concernant ces substances, à savoir toutes les études publiées dans les revues scientifiques. La classification comprend trois niveaux. Le groupe 1 est celui des molécules

---

a   Ce rapport a ensuite été vivement critiqué par un académicien du nom de... Claude Allègre, qui a déclaré : « C'est nul. Ce rapport n'est pas bon scientifiquement » (*Le Point*, 16 octobre 1997).

« cancérigènes pour les humains » : il s'agit d'une catégorie exceptionnelle car, pour qu'une molécule y soit inscrite, il faut disposer de données épidémiologiques, ce qui, on l'a vu, est très difficile à obtenir. En
2010, seules 107 molécules étaient classées dans ce groupe 1[a], comme
l'amiante, le benzène, la benzidine, la béta-naphtylamine, la dioxine,
le formaldéhyde, le tabac, la cyclosporine et le gaz moutarde, pour ne
citer que des substances déjà évoquées – la pilule contraceptive en fait
aussi partie, j'y reviendrai (voir *infra*, chapitre 19).

Viennent ensuite celles du groupe 2A, « cancérigènes probables
pour les humains » (on en comptait 58 en 2010), et celles du groupe 2B,
« cancérigènes possibles pour les humains » (249), qui caractérisent des
substances pour lesquelles il existe quelques données épidémiologiques
et des données expérimentales chez l'animal plus ou moins significatives. Le groupe 3 (512 molécules) désigne des substances « inclassa-
bles », pour lesquelles il n'est pas possible de se prononcer au regard
des données disponibles, éparses et insuffisantes. Enfin, le groupe 4,
« probablement non cancérigène pour les humains », ne comptait en
2010 qu'une seule substance : le caprolactame (composé organique utilisé dans la synthèse du nylon).

Sur les quelque 100 000 produits chimiques qui ont envahi notre
environnement depuis la Seconde Guerre mondiale, seuls 935 ont été
évalués par le CIRC, qui a lancé son « programme des monographies » en
1971. C'est très peu. Et c'est bien sûr la première question que j'ai posée
à Vincent Cogliano, un épidémiologiste américain nommé à la tête du
programme en 2002, quand je l'ai rencontré à Lyon en février 2010.

« En trente ans d'exercice, le CIRC n'a établi que 935 monographies ; pourquoi si peu ? lui ai-je demandé.

— La réponse est très simple, car il faut savoir que, sur les 100 000 produits que vous mentionnez, seuls quelque 2 000 ou 3 000 ont été testés
du point de vue de leur potentiel cancérigène. Notre programme en a
donc couvert un tiers...

— Est-ce que le fait qu'un produit chimique n'a pas été classé par
le CIRC signifie qu'il n'est pas dangereux ?

— Non, en aucune façon ! En général, cela signifie que personne
n'a étudié ses effets cancérigènes potentiels. Parfois, il a été testé, mais
nous n'avons pas encore programmé son évaluation.

---

a   Toutes ces informations proviennent d'un document consultable sur le site
du CIRC : « Sécurité et prévention. Risques liés à la prévention des produits
cancérogènes. Liste réactualisée des produits génotoxiques classés par le CIRC »
(dernières mises à jour : août 2010).

— Quelles sont les conséquences d'une classification dans le groupe 1 ? Est-ce que cela entraîne une interdiction du produit ?

— Pas du tout ! Cela veut tout simplement dire que le CIRC a réuni un groupe d'experts qui, au vu de la littérature scientifique publiée, a décidé que la substance étudiée était cancérigène pour les humains. Cette information est mise à la disposition des agences de réglementation nationales, qui prennent alors les mesures qui leur semblent les plus appropriées. En général, elles font une évaluation en comparant les bénéfices apportés par le produit et les risques qu'il induit. Cela entraîne souvent une restriction de l'usage du produit, avec, par exemple, des normes d'exposition plus strictes ou une baisse des niveaux de résidus autorisés dans les aliments. Mais, dans tous les cas, le CIRC n'a pas le pouvoir d'interdire des produits chimiques : il se contente de faire une synthèse des études toxicologiques ou épidémiologiques disponibles, pour que les autorités gouvernementales puissent éventuellement agir.

— Connaissez-vous des produits chimiques qui ont été classés dans le groupe 1 et qui sont toujours présents dans notre environnement ?

— Pour être franc, toutes les substances que le CIRC a déclarées "cancérigènes pour les humains" sont encore utilisées, parfois avec des restrictions d'usage très strictes…

— Est-ce que cette classification est importante pour l'industrie ?

— Bien sûr, car la classification a des répercussions, à plus ou moins longue échéance, sur la manière dont sont utilisés les produits.

— En d'autres termes : les industriels font tout pour éviter que leurs produits soient classés dans le groupe 1 ?

— Oui… Ou dans le groupe 2, car cela signifie que le produit est placé sous haute surveillance…

— Combien de pesticides ont été évalués par le CIRC ?

— Je ne les ai pas vraiment comptés, mais je pense que nous avons dû évaluer une vingtaine ou une trentaine de pesticides dans toute l'histoire de notre programme, a admis Vincent Cogliano avec un sourire gêné.

— Mais ce n'est rien !

— C'est vrai que ce n'est pas beaucoup, si on compare avec le nombre de pesticides qui sont utilisés… En fait, c'est très difficile pour nous de faire une évaluation sérieuse des pesticides, parce que la majorité des études expérimentales qui les concernent ne sont pas publiques. Certes, les firmes qui produisent les pesticides sont censées fournir des données toxicologiques aux agences sanitaires nationales et elles font des tests. Les études sont transmises aux agences gouvernementales, mais elles ne sont jamais publiées. C'est très difficile pour nous d'y avoir accès, car elles sont protégées par le secret commercial... Les seuls pesticides que nous avons pu évaluer sont des substances très anciennes et si controversées qu'elles ont fait l'objet de nombreuses études indépendantes. Comme le DDT ou le lindane, aujourd'hui interdits en agriculture[20]. »

À ce stade de l'entretien, il faut souligner la portée de la « bombe » que m'a lâchée le chef des monographies du CIRC : il affirme en effet que le CIRC est incapable d'évaluer le potentiel cancérigène des pesticides parce que l'immense majorité a été mise sur le marché sur la base de données toxicologiques qui ne sont pas publiques, c'est-à-dire dont personne ne peut vérifier la qualité. C'est tout simplement incroyable ! D'où ma question suivante : « Comment expliquez-vous que les études conduites par l'industrie des pesticides ne soient pas publiées dans des revues scientifiques à comité de lecture ?

— Euh... Il n'est peut-être pas dans l'intérêt des firmes de publier des résultats qui suggèrent que leurs produits peuvent être nocifs, m'a répondu Vincent Cogliano, cherchant visiblement ses mots. De toute façon, elles ne sont pas obligées de rendre publiques leurs études... » Désormais, c'est clair : les fabricants de pesticides font des tests, car ceux-ci sont exigés par les agences de réglementation, mais ils se gardent bien de les publier dans des revues scientifiques, où ils seraient soumis à un examen critique. Cela empêche le CIRC de les évaluer, ce qui permet aux industriels de proclamer haut et fort que « les pesticides ne sont pas cancérigènes » ! Beau tour de passe-passe... Mais la suite de l'entretien est encore plus surprenante.

« Vous savez qu'en 2007 les Académies françaises de médecine et des sciences ont publié avec le CIRC un rapport intitulé *Les Causes du cancer en France*, ai-je poursuivi. Les auteurs écrivent qu'"aucun des pesticides utilisés actuellement n'est cancérogène chez l'animal ou chez l'homme". J'ai consulté vos monographies et j'ai trouvé au moins deux pesticides actuellement utilisés, classés dans le groupe 2B, le dichlorvos, un insecticide, et le chlorothalonil, un fongicide. S'ils ont été classés 2B, cela veut dire que des études ont montré qu'ils sont cancérigènes au moins chez les animaux ?

— Oui, ils sont toujours utilisés et je suis sûr qu'ils sont cancérigènes pour les animaux, a murmuré Vincent Cogliano tandis qu'il examinait une photocopie des deux monographies que je lui avais tendue.

— Cela veut dire que l'affirmation de ce rapport est inexacte ?

— Oui, je pense qu'elle l'est... finit par reconnaître le chef du programme des monographies avec un rictus nerveux.

— J'ai interviewé le professeur Richard Clapp, à Boston, qui m'a dit que ce rapport "est vicié et ne devrait pas être pris au sérieux". Êtes-vous d'accord avec lui ? ai-je poursuivi, bien décidée à vider l'abcès du fameux rapport.

— Euh... En fait, pour comprendre les conclusions de ce rapport, il faut analyser la méthodologie que ses auteurs ont cru bon d'utiliser : ils ne se sont intéressés qu'aux produits chimiques que le CIRC a classés dans le groupe 1. Or, cette catégorie comprend très peu de substances, en raison des difficultés à obtenir des données épidémiologiques solides. C'est particulièrement vrai pour les pesticides, car, comme vous le savez, il est très difficile de démontrer qu'un pesticide particulier provoque des cancers chez les humains. C'est pourquoi il n'y a aucun pesticide classé dans le groupe 1... En revanche, il y en a plusieurs dans le groupe 2, comme le DDT, ou ceux que vous avez cités – le dichlorvos et la chlorothalonil –, ce qui est très peu, car, comme je vous l'ai expliqué, le CIRC n'a pas pu évaluer l'immense majorité d'entre eux, en raison de l'absence d'études publiées... Voilà comment les auteurs du rapport ont pu affirmer qu'il n'y a aucun pesticide utilisé cancérigène pour les humains ou les animaux[21]... » En bref, le rapport *Les Causes du cancer en France* est biaisé, pour dire les choses sobrement. Et ce n'est pas un militant écologiste qui le dit, mais l'un des représentants du CIRC, qui, je le rappelle, a cosigné le fameux « rapport » !

Conflits d'intérêts au CIRC

J'ai été impressionnée par la franchise de Vincent Cogliano, dont je tiens à préciser qu'il ne fait pas partie des signataires du rapport, même s'il travaillait au CIRC au moment où il a été publié. Ceux qui l'ont signé au nom de l'agence onusienne sont Paolo Bofetta, un Italien qui travailla au CIRC de 1990 à 2009[a], et Peter Boyle, un Britannique qui en fut le directeur de 2003 à 2008. Ces deux épidémiologistes, dont l'action est très controversée – y compris au sein de l'institution –, ont publié en 2009 un article dans les *Annals of Oncology* avec Maurice Tubiana, un cancérologue français réputé pour son déni systématique du rôle de la pollution dans l'explosion des cancers et qui cosigna ledit rapport au nom de l'Académie des sciences. Ensemble, ils y réaffirmaient

---

a   Paolo Bofetta a dirigé la Section épidémiologie environnementale du cancer de 1995 à 2003, puis le Groupe génétique et épidémiologie.

que « les polluants chimiques [étaient] responsables de moins de 1 % des morts par cancer en France[22] ».

Mais, avant de m'intéresser de plus près à l'histoire du CIRC et, notamment, à ce que d'aucuns appellent sa « période noire », j'ai voulu savoir ce que Christopher Wild, le nouveau directeur de la maison depuis janvier 2009, pensait du rapport qu'a signé son prédécesseur. « À dire vrai, il y a deux choses qui m'ont surpris dans ce document, m'a avoué l'épidémiologiste britannique quand je l'ai rencontré à Lyon en février 2010, en choisissant ses mots avec une précaution évidente. D'abord, les auteurs écrivent que 50 % des cancers ont une raison inconnue et, pour moi, le véritable défi est d'essayer de comprendre quels sont les facteurs qui sont précisément à l'origine d'un cancer sur deux[23]. » Très juste ! Dans le rapport, on peut, en effet, lire cette phrase sibylline : « On ne trouve en France que pour la moitié des cancers une cause spéci-fique. On escompte en trouver d'autres dans l'avenir, mais tout doit être fait pour accélérer ce processus[24]. » Il est curieux que cet étonnant aveu n'ait pas été relevé par les nombreux journalistes qui ont commenté la « bonne nouvelle ». Mais, à leur décharge, il faut admettre que celui-ci est placé en page 47 et bien souvent, dans l'urgence de la préparation des journaux, la presse se contente de lire les résumés ou conclusions des rapports longs et fastidieux. « La seconde chose qui m'a frappé, a poursuivi le nouveau directeur du CIRC, c'est que les auteurs du rapport ont exclu de leur étude tous les produits classés dans les groupes 2A et 2B, ce qui réduit considérablement l'impact de leurs conclusions... »

Christopher Wild n'en dira pas plus, mais c'est déjà beaucoup, sur-tout quand on connaît l'opacité légendaire de l'agence de l'OMS – orga-nisme onusien dont le manque de transparence a lui-même défrayé la chronique lors de l'épisode lamentable de la pandémie fictive de grippe H1N1 en 2010. Au moment de sa nomination en mai 2008, le docteur Wild avait sans doute lu l'éditorial paru dans *The Lancet*, qui, comme on l'a vu, est à la tête du combat contre les conflits d'intérêts. « L'agence internationale de recherche sur le cancer est sur le point de nommer un nouveau directeur, écrivait le magazine britannique. Traditionnellement, les noms des candidats officiels ne sont pas rendus publics. Lors de la dernière nomination en 2003, nous avions critiqué le processus de désignation pour son manque de transparence et appelé à un changement de politique permettant de lever les préoccupations au sujet des influences politiques et commerciales qui peuvent biaiser la sélection. Cinq ans plus tard, rien n'a changé, [...] le choix du nouveau directeur du CIRC reste entouré d'un mystère digne du Moyen Âge[25]. »

Ainsi que le rappelle le journal scientifique, cinq ans plus tôt, en effet, celui-ci avait profité de la nomination du prédécesseur de Christopher Wild pour rapporter des «accusations au sujet de l'influence exercée par l'industrie sur le CIRC, notamment quand des produits sont déclassés à une catégorie de risque inférieur ou lorsque des observateurs qui ne sont pas de l'industrie rencontrent des difficultés pour assister aux réunions de travail de l'agence». Et le journal de préciser: «Paul Kleihues et Gro Harlem Brundtland, respectivement directeur et directrice sortants du CIRC et de l'OMS, ont nié cette influence[26].»

Il faut dire que les deux «directeurs sortants» avaient terminé leur mandat sous un feu de critiques virulentes et plutôt rares dans le milieu souvent très feutré des organisations onusiennes. La «guerre» avait été ouverte par le docteur Lorenzo Tomatis, qui n'était pas n'importe qui, puisqu'il supervisa le programme des monographies de 1972 à 1982 puis dirigea l'agence jusqu'à sa retraite en 1993. En 2002, il publia dans *The International Journal of Occupational and Environmental Health* un article intitulé «Le programme des monographies du CIRC: un changement d'attitude envers la santé publique», dans lequel il écrivait: «Dès son origine, le programme du CIRC [...] a dû résister à des pressions directes et indirectes très fortes provenant de différentes sources pour protéger son indépendance. Les experts extérieurs participant aux groupes de travail chargés d'élaborer les monographies étaient sélectionnés sur la base de leurs compétences et l'absence de conflits d'intérêts. Le CIRC n'utilisait pas de données non publiées ou considérées comme confidentielles, ce qui permettait aux lecteurs d'avoir accès aux études originales et donc de comprendre quel avait été le raisonnement du groupe de travail. La force du programme original résidait dans son intégrité scientifique et sa transparence. Cependant, depuis 1994, il semble que le CIRC ait décidé d'accorder moins d'importance à la recherche orientée vers la protection de la santé publique et la prévention primaire, et que le programme des monographies ait perdu en partie son indépendance[27].»

Cet article, dont il faut souligner le ton à la fois très mesuré sur la forme mais très ferme sur le contenu, faisait suite à une lettre adressée par vingt-neuf scientifiques internationaux, dont Lorenzo Tomatis, mais aussi James Huff, qui dirigea le programme des monographies de 1977 à 1979, à Gro Harlem Brundtland, la directrice de l'OMS. «Nous sommes très préoccupés, écrivaient-ils le 25 février 2002, par les problèmes de l'influence des multinationales et des conflits d'intérêts non déclarés qui caractérisent l'élaboration des documents émis par les agences de l'OMS, et particulièrement ceux concernant les propriétés cancérigènes des principaux produits et polluants industriels. Nous sommes aussi préoccupés par le rôle des "observateurs" lors des réunions des groupes d'experts scientifiques des agences de l'OMS. Lors de la réunion du groupe de travail du CIRC, en 1998, qui procéda à l'évaluation cancérigène du 1,3-butadiène[a], un second vote tout à fait inhabituel a été organisé, le lendemain du jour où les experts avaient décidé à dix-sept voix contre treize de classer le butadiène comme un cancérigène pour les humains. L'un des scientifiques qui avait voté avec la majorité avait dû quitter la réunion juste après et n'avait pu revenir le lendemain. Dans la soirée, des observateurs et des membres du groupe de travail liés à l'industrie du pétrole et du caoutchouc parvinrent à convaincre deux experts de changer leur vote et, sans qu'aucune discussion ait eu lieu sur la légitimité d'un second tour, celui-ci fut organisé le jour suivant, où le butadiène fut finalement déclassé comme cancérigène probable pour les humains à quinze voix contre quatorze. [...] Dans le but de protéger l'intégrité des institutions de l'OMS, il est nécessaire que de vrais efforts soient faits afin de garantir que les conflits d'intérêts financiers soient complètement rendus publics et analysés. Si un individu présente un conflit d'intérêts, il devrait être estimé qu'il ne peut pas être totalement objectif et donc ne peut pas être membre des panels scientifiques[28]. »

Cette lettre fit tellement de remous qu'elle fut publiée dans *The International Journal of Occupational and Environmental Health*, lequel consacra un dossier entier au problème des conflits d'intérêts au CIRC. Parmi les auteurs sollicités, il y avait notamment le docteur James Huff, qui, après avoir dirigé le programme des monographies de 1977 à 1979, avait été nommé directeur adjoint du département de la cancérogenèse chimique au National Institute of Environmental Health Sciences (NIEHS) – l'Institut national des sciences de la santé environnementale des États-Unis.

Le combat de James Huff pour une recherche indépendante

Pas l'ombre d'un doute : James Huff est un scientifique hors du commun. Ce 27 octobre 2009, il nous reçoit avec un large sourire, en jean et T-shirt

---

a   Le 1,3-butadiène est un hydrocarbure utilisé dans la fabrication de caoutchouc synthétique (pneus), de polymères (nylon), de vernis et peintures. Il a été reclassé « cancérigène pour l'homme » en janvier 2009.

à l'effigie de... Che Guevara! Après nous avoir aidés à remplir les formalités exigées par la sécurité – «guerre contre le terrorisme» oblige –, il entreprend de nous faire visiter le NIEHS, un énorme complexe posé en pleine forêt dans le Research Triangle Park (RTP), en Caroline du Nord. Créé en 1959 et s'étendant sur 2 200 hectares, le RTP est «le plus grand parc de recherche de la nation», ainsi que l'affirme son site web, avec quelque 50 000 salariés travaillant dans 170 centres de recherche, publics ou privés, dont l'un des plus importants est le NIEHS.

Connu dans le monde entier grâce à son magazine *Environmental Health Perspectives*, l'Institut est une référence incontournable dans le domaine de la santé environnementale. C'est lui qui supervise le National Toxicology Program, dont la mission est d'évaluer la toxicité des agents chimiques en développant des outils mis à la disposition des agences gouvernementales comme la Food and Drug Administration (FDA), chargée de la sécurité des aliments et des médicaments, ou l'Agence de protection de l'environnement (EPA), qui s'occupe notamment de la réglementation des pesticides.

Après la visite de l'imposante institution où travaillent des centaines de scientifiques, James Huff nous introduit à grand-peine dans son bureau, qui s'est transformé au fil des années en un indescriptible capharnaüm où sont entassés pêle-mêle des milliers de documents, journaux et revues en tout genre. «Je suis très fier de mon passage au CIRC, me dit-il sur un ton énigmatique, alors que j'essaie de trouver un espace pour m'asseoir. Ma fierté, c'est d'avoir obtenu que l'on change l'expression "cancérigène pour l'homme" en "cancérigène pour les humains". D'un point de vue professionnel, mon expérience au CIRC m'a conduit à changer de spécialité: je suis passé de la pharmacologie et toxicologie à la recherche sur la cancérogenèse chimique. Depuis trente ans, malgré les difficultés, je ne fais que cela, car j'estime que c'est une urgence sanitaire absolue.»

Associé à la création du National Toxicology Program, James Huff fut en effet l'un des premiers à mettre au point un protocole de recherche pour ce qu'on appelle les «bioessais», c'est-à-dire des études expérimentales destinées à tester les effets cancérigènes des produits chimiques sur les rongeurs, suivis jusqu'à leur mort naturelle. C'est ainsi qu'il montra, en 1979, alors que la bataille sur le benzène était à son paroxysme, que cette molécule induisait des cancers dits «multisites», c'est-à-dire sur plusieurs organes des souris et rats exposés[29].

«Pourquoi dites-vous "malgré les difficultés"? demandé-je après avoir noté l'émotion qui avait accompagné ces mots.

— Les deux administrations de George W. Bush furent terribles pour les défenseurs de la santé publique. Comme en son temps mon ami Peter Infante, j'ai failli perdre mon travail... » me répond James Huff, dont la voix se noue subitement pour finir dans un sanglot qu'il ne parvient pas à réprimer[30]. À dire vrai, c'était très émouvant de voir cet homme de soixante et onze ans, auteur de plus de trois cents publications dans les revues scientifiques les plus prestigieuses, littéralement craquer devant ma caméra. Avant de le rencontrer, j'avais découvert en consultant le Web qu'il était devenu une « cause célèbre », pour reprendre les termes du magazine *Science*.

En 2001, en effet, il s'était publiquement exprimé contre les modalités d'un accord financier que le NIEHS avait passé avec l'American Chemical Council, qui prévoyait un budget de 4 millions de dollars (dont un quart à la charge de l'industrie chimique) pour tester les effets des produits chimiques sur la reproduction et le développement fœtal. Et, en juillet 2002, comme l'expliquait *Science*, Huff avait reçu un *gag order* (littéralement : injonction de silence), à savoir l'interdiction d'« envoyer des lettres, des courriels ou des commentaires critiques sur le NIEHS en tant qu'institution ou sur son travail scientifique, à des médias, des organisations scientifiques, des chercheurs, des administrations ou à tout groupe ou individu extérieurs au NIEHS[31] », sous peine d'être licencié dans les cinq jours. L'affaire avait suscité pas mal de remous dans la communauté scientifique internationale, avec en tête Lorenzo Tomatis, l'ancien directeur du CIRC, qui avait déclaré que « le ton de la semonce était similaire à celui utilisé dans des régimes dictatoriaux[32] ». Elle était parvenue jusqu'au Congrès, grâce à l'intervention de Dennis Kucinich, le représentant démocrate de l'Ohio, qui avait recommandé au NIEHS de « travailler sur l'incidence des maladies humaines causées par les produits chimiques et polluants, plutôt que de museler l'un de ses meilleurs scientifiques[33] ».

« Cela reste pour vous une affaire très douloureuse, même plusieurs années plus tard ? ai-je demandé à James Huff.

— Oui, car elle a constitué un énorme choc, m'a-t-il répondu après un long soupir. Je me suis toujours battu pour que notre institut garde son indépendance par rapport à l'industrie, mais là j'ai compris qu'elle pouvait avoir ma tête. Cela faisait longtemps qu'elle m'avait dans le collimateur, car c'est vrai que je n'ai jamais fait de concessions : si j'estimais qu'un produit était très dangereux, par exemple le benzène, je le disais, estimant que ma mission est de protéger la santé publique. Se battre contre l'industrie fait partie de notre travail, mais quand on doit se battre contre sa propre hiérarchie qui utilise les mêmes arguments que l'industrie, alors là c'est très déprimant... Le résultat : je devais partir à la retraite en janvier 2003, mais six ans plus tard je suis toujours là à conduire des études pour la santé publique malgré ceux qui ont essayé de me détruire au terme d'une carrière dont je n'ai pas à rougir[a]... » Et d'ajouter : « D'une manière générale, le problème, c'est que pendant les administrations républicaines, surtout celles de Bush, les directeurs des agences gouvernementales n'ont pas été choisis en raison de leurs compétences, mais en raison de leurs accointances politiques et surtout de leur sympathie pour l'industrie. Et ça, c'est terrible, car c'est la santé publique qui en fait les frais. C'est aussi ce qui s'est passé pendant la période noire du CIRC[34]. »

La « période noire » du CIRC : des « monographies biaisées »

« Le rôle du CIRC et du National Toxicology Program est simple : protéger la santé humaine. Rien n'est plus important. En conséquence, leur rôle n'est pas de faire des supputations sur les mécanismes biologiques ni d'imaginer comment tel ou tel produit cancérigène peut être utilisé de manière "sûre", ni d'anticiper sur les conséquences économiques, réglementaires et politiques d'une évaluation toxicologique particulière, mais d'estimer l'information disponible du seul point de vue de la santé et de la sécurité publiques. Un point c'est tout[35]. » Telle est la conclusion d'un article que James Huff a publié, en septembre 2002, dans un dossier spécial de l'*International Journal of Occupational and Environmental Health* consacré aux conflits d'intérêts du CIRC que j'ai évoqués précédemment. C'était très exactement un mois après son conflit avec le NIEHS et on comprend mieux pourquoi le chercheur arbore avec autant de plaisir le portrait du rebelle argentin au béret étoilé...

« L'influence de l'industrie sur les monographies du CIRC a atteint des sommets sans précédent », écrivait-il dans cette étude très détaillée, où il montrait comment à partir de 1995 (après le départ de Lorenzo

---

a   En 2002, l'Association américaine de la santé publique, qui compte 55 000 membres, a remis à James Huff le prix David Rall, qui récompense ceux qui « ont apporté une contribution exceptionnelle à la santé publique grâce à leur travail scientifique ».

Tomatis) l'agence de l'OMS s'était employée à déclasser (*downgrade*) douze produits chimiques – c'est-à-dire à revoir à la baisse leur classification –, en revenant sur ses décisions antérieures : l'un est passé du groupe 2A au groupe 2B, et onze du groupe 2B au groupe 3, dont l'atrazine, cet herbicide particulièrement nocif que j'ai déjà évoqué et sur lequel je reviendrai (voir *infra*, chapitre 19). «C'était du jamais vu ! m'a expliqué James Huff. Il faut bien comprendre que généralement les agents chimiques sont plutôt sous-classés, en raison de l'extrême prudence des experts ; il est donc logique que régulièrement le CIRC revoie à la hausse leur classification, au fur et à mesure qu'arrivent de nouvelles études qui ne font que confirmer, d'ailleurs, ce qu'on supputait depuis longtemps. C'est ainsi que, de 1972 à 2002, quarante-six agents ont été finalement surclassés, par exemple la dioxine, qui est passée du groupe 2A au groupe 1 en 1994. Puis, subitement, après l'arrivée de Paul Kleihues à la tête de l'agence, la tendance s'est inversée. J'estime qu'un certain nombre de monographies réalisées à cette époque sont tout simplement biaisées.

— Comment l'expliquez-vous ? ai-je demandé, en connaissant déjà la réponse du scientifique du NIEHS, car j'avais évidemment lu son article avant de le rencontrer.

— J'ai examiné la composition des groupes d'experts qui ont rédigé les monographies de 1995 à 2002, sous la direction de mes successeurs Douglas McGregor et Jerry Rice, et j'ai réparti les participants en trois catégories selon leur origine : "Santé publique", "Industrie" et "Inconnue". La catégorie "Inconnue" était très prudente, car elle signifiait que je n'avais pas assez d'éléments biographiques pour trancher en faveur de la catégorie "Industrie". Le résultat fut que l'influence de l'industrie était largement prédominante. »

Dans son article, James Huff note que 29 % des membres des comités d'experts venaient du secteur de la « santé publique », 32 % étaient des représentants de l'industrie, et 38 % d'origine « inconnue ». Puis, le chercheur s'est penché sur l'origine des fameux « observateurs » qui sont autorisés à assister et à prendre part aux débats des groupes d'experts, mais ne participent pas au vote final : 69 % venaient du secteur industriel, 12 % de celui de la « santé publique » et 20 % appartenaient à la catégorie « inconnue ». Si on additionne les origines des experts attitrés avec celles des observateurs, on obtient effectivement une surreprésentation écrasante de l'industrie : 118 personnes (38 %), contre 99 représentants des institutions publiques (26 %) et 119 « inconnus » (35 %).

«Comment évaluez-vous le travail fait aujourd'hui par le CIRC? ai-je demandé à James Huff.

— On est très nettement sorti de la période noire, m'a-t-il répondu sans hésiter. Je connais suffisamment Vincent Cogliano pour savoir qu'il fait tout ce qu'il peut pour protéger la santé publique.»

À Lyon, l'intéressé reconnaît volontiers qu'il connaît très bien l'article de James Huff, mais s'empresse d'ajouter que «les temps ont changé». «Qu'est-ce qui a changé? ai-je insisté.

— Eh bien, le CIRC a évolué dans sa compréhension des conflits d'intérêts, m'a répondu le chef du programme des monographies. Maintenant, quand nous programmons l'évaluation d'une substance, nous organisons un "appel à experts" un an avant la réunion. Les candidats sont sélectionnés en fonction de leur expertise sur le produit concerné et nous leur demandons de remplir une déclaration de conflit d'intérêts. Le fait d'avoir un conflit d'intérêts n'entraîne pas l'exclusion du candidat, mais il est porté à la connaissance des autres participants du groupe d'experts.

— Est-ce que ces déclarations sont publiques?

— Non… Mais nous en faisons un résumé que nous publions en annexe des monographies. Ensuite, une synthèse des monographies est publiée dans *The Lancet Oncology*, qui est très pointilleux sur la question des conflits d'intérêts et vérifie nos informations. Sincèrement, je pense que les choses bougent dans le bon sens…

— Et quel est aujourd'hui le rôle des observateurs?

— Il a été considérablement clarifié. Ils ne peuvent plus prendre part aux débats des groupes d'experts sans qu'ils soient invités à le faire, généralement en fin de session. Je regrette simplement que les organisations syndicales ou de défense des consommateurs ne viennent pas plus souvent aux réunions. C'est malheureusement une question de moyens. Récemment, j'ai invité une association de soutien aux femmes qui souffrent d'un cancer des ovaires à participer comme observatrice à l'une de nos réunions. Elle m'a répondu qu'elle ne pouvait pas se permettre d'envoyer quelqu'un une semaine en France. Évidemment, les firmes n'ont pas ce genre de problèmes…

— Dernière question: allez-vous réévaluer l'atrazine, qui est passée comme par enchantement du groupe 2B au groupe 3?

— Je confirme que l'atrazine figure sur la liste prioritaire des produits à réévaluer», conclut Vincent Cogliano, qui n'en dira pas plus[36]…

L'argument fallacieux du « mécanisme d'action »
des cancers non transposables des rongeurs aux humains

« Comment le CIRC a-t-il pu justifier le déclassement des produits chimiques ? » La question fait sourire James Huff, dont le ton se fait subitement plus dur : « Alors là, ce fut vraiment le comble ! J'ai assisté en 1999 à une réunion largement dominée par les représentants de l'industrie, où ceux-ci ont expliqué que certains cancers – comme ceux du rein, de la thyroïde et de la vessie – obtenus chez des rongeurs après une exposition aux agents chimiques étaient strictement spécifiques de cette espèce de mammifères, car ils suivaient un mécanisme biologique qui était inopérant chez les humains ! Avec mon collègue Ronald Melnick, j'ai vivement protesté, en soulignant que cette assertion était une spéculation sans aucun fondement scientifique, mais en vain. Le CIRC a repris cet argument et a ignoré pendant plusieurs années certaines études toxicologiques conduites sur les rats et les souris, au motif qu'il n'avait pas été prouvé que le mécanisme cancérigène fût bien transposable aux humains ! »

Il ne s'agit pas là de simples détails techniques. Car, comme le rappelait David Michaels, « le diable est dans les détails », ce que les industriels ont fort bien compris, au point de ne rien laisser au hasard. L'argument développé par leurs représentants est en effet gravissime : s'il était suivi à la lettre, il entraînerait le maintien sur le marché des molécules les plus dangereuses, puisque le CIRC et les agences de réglementation ne disposeraient plus d'aucun outil pour les évaluer. D'un côté, les industriels répètent à l'envi que les études épidémiologiques ne sont pas fiables, puisqu'elles reposent généralement sur la mémoire des témoins et que leurs résultats peuvent être dus au hasard – telle fut, on l'a vu, la thèse invoquée en 2007 par les auteurs du rapport *Les Causes du cancer en France*. Exit, donc, les études épidémiologiques. Et si, d'un autre côté, les études expérimentales conduites sur des animaux ne servent à rien, car il est impossible d'extrapoler leurs résultats aux humains, alors longue vie aux poisons...

Cet argument n'est pas que théorique, car il a conduit à des décisions qui nous concernent tous. C'est ainsi, par exemple, que le caractère cancérigène du formaldéhyde a longtemps été ignoré – alors que ce produit est omniprésent, notamment dans les meubles en contreplaqué présents dans nombre de foyers. Or, plusieurs études expérimentales ont montré que son inhalation provoque des cancers des sinus et du nasopharynx (ainsi que des leucémies et des tumeurs au cerveau). Mais, comme le rapportent André Cicolella et Dorothée Benoît Browaeys, ces résultats ont été balayés au motif qu'ils «avaient été obtenus chez le rat et que la surface du museau du rat est proportionnellement plus importante que celle [du nez] de l'homme[37]»! Finalement, le formaldéhyde a été classé «cancérigène pour les humains» en 2004, mais c'était trop tard pour les menuisiers atteints d'un cancer des sinus, d'ailleurs surnommé «cancer des menuisiers[a]».

L'argument fallacieux a aussi été utilisé par le CIRC en 2000 pour déclasser du groupe 2B au groupe 3 l'adipate de di-2-éthylhexyle (DEHP), un toxique redoutable qui fait partie de la famille des phtalates. Servant de plastifiant, ces substances sont ajoutées au PVC (polychlorure de vinyle) pour conférer de la souplesse aux «matières plastiques». On les retrouve dans tous les plastiques souples ou semi-rigides, comme les ballons, les nappes, les bottes de pluie, les rideaux de douche, les imperméables, le matériel médical (sacs de sang, cathéters), les emballages alimentaires (films étirables) et, jusqu'en 2005 en Europe, dans les cosmétiques et les jouets. Classé en 2006 par l'Union européenne comme «toxique pour la reproduction et le développement» (catégorie 2), le DEHP est le phtalate le plus couramment utilisé: on le retrouve comme contaminant dans l'air, dans les poussières des maisons, dans l'eau et même dans le lait maternel. Je reviendrai sur les propriétés reprotoxiques des phtalates, qui, comme le bisphénol A, sont considérés comme des perturbateurs endocriniens. Mais, à ce stade, il suffit de savoir que de nombreuses études expérimentales ont montré que l'exposition au DEHP induit des cancers, notamment du foie et du pancréas. Certaines d'entre elles ont été publiées dès 1982 par James Huff, à la suite d'un bioessai réalisé pour le National Toxicology Program, ainsi qu'il l'a rappelé en 2003 dans un article intitulé «Le CIRC et le bourbier du DEHP[38]».

Au moment même où le groupe d'experts du CIRC décidait de déclasser le DEHP, une nouvelle étude confirmait que le phtalate produit des cancers du pancréas chez les rats[39]. Pourtant admis comme observateur lors des discussions, son auteur, Raymond David, a dû se résoudre à voir ses travaux purement et simplement écartés de l'évaluation finale! L'affaire déclenchera une salve de réactions outrées dans *The International Journal of Occupational and Environmental Health*,

---

a   Les poussières de bois sont également susceptibles de provoquer des cancers des fosses nasales et des sinus, reconnus en France comme maladies professionnelles (tableau 47).

dénonçant l'«exclusion» ou la «suppression d'études clés[40]». Et dans une lettre du 8 avril 2003 adressée à Charlotte Brody, l'une des signataires des papiers contestataires, Paul Kleihues, le directeur du CIRC, fera une étonnante confession : «Les monographies ne citent pas nécessairement toute la littérature qui existe sur le sujet d'évaluation, mais uniquement les études que le groupe de travail juge pertinentes.» Et il admettra que les mécanismes d'induction des cancers chez les rats et les souris avaient été considérés «comme non valides pour les humains[41]»…

Le «double langage» des industriels

«Avec David Rall, qui a dirigé le NIEHS pendant vingt ans et a créé le National Toxicology Program, nous avons constaté que, sur la centaine de produits classés comme cancérigènes pour les humains, plus d'un tiers avaient fait l'objet d'études expérimentales où ils s'étaient révélés d'abord cancérigènes pour les animaux, m'a expliqué James Huff. De même, tous les produits qu'on soupçonnait d'être cancérigènes pour les humains ont montré qu'ils étaient également cancérigènes pour les animaux. Contrairement à ce que voudrait nous faire croire l'industrie, il y a plus de similarités entre les hommes et les animaux qu'il n'y a de différences.»

L'avis du scientifique du NIEHS est entièrement partagé par Vincent Cogliano, le directeur du programme des monographies du CIRC. Quand je lui cite les propos de son prédécesseur, il répond sans hésiter : «Je suis tout à fait d'accord avec ce que dit Jim. Les mammifères ont en commun de nombreux mécanismes physiologiques, biochimiques et toxicologiques. C'est pourquoi, sauf exception dûment prouvée, nous devons considérer que les signaux que l'on constate chez les animaux sont transposables chez les humains – c'est d'ailleurs ce que fait en permanence l'industrie pharmaceutique.»

Ce dernier point a été régulièrement soulevé par mes interlocuteurs comme une preuve du «double langage» des industriels. «Quand l'industrie développe de nouveaux médicaments, elle les teste d'abord sur les animaux, note ainsi Devra Davis. Si elle le fait, c'est précisément parce qu'elle estime que les résultats obtenus sur les rongeurs ou d'autres mammifères sont en mesure de prédire les effets que les molécules induiront chez les humains. Il est intéressant de noter que, quand il n'y a pas d'effets observés, l'industrie s'empresse de demander une autorisation de mise sur le marché, en arguant que le nouveau produit n'a pas d'effets secondaires. En revanche, quand des effets négatifs sont constatés, la même industrie évoque alors l'argument du "mécanisme spécifique aux rongeurs", qui ne serait pas transposable aux humains. Il est surprenant de voir que cette incohérence est rarement relevée par les agences chargées de réglementer les polluants chimiques[42]. »

« Cela fait des décennies que la médecine expérimentale moderne repose sur les études réalisées sur les animaux, renchérit l'épidémiologiste Peter Infante. Pourquoi devrait-on s'écarter de ce principe, dont la validité a été largement prouvée, lorsqu'on teste la toxicité de produits chimiques qui peuvent se retrouver dans nos aliments ou notre environnement ? Il faut en finir avec ces arguties dont le seul objectif est de paralyser le processus réglementaire[43]! » De son côté, David Michaels rappelle, s'il en était besoin, que « les scientifiques ne peuvent pas nourrir des humains avec des produits chimiques toxiques pour voir si ceux-ci causent des cancers. [...] Nos programmes réglementaires ne pourront pas être efficaces s'ils exigent la preuve absolue avant d'agir : la meilleure preuve disponible doit suffire[44]. »

Et, pour tous, la « meilleure preuve disponible » est celle qu'on obtient lors des études expérimentales *in vivo*, c'est-à-dire sur des cobayes, ou *in vitro*, sur des cellules en cultures. « L'épidémiologie arrive toujours trop tard, souligne Richard Clapp, qui est lui-même épidémiologiste. Quand on en arrive à compter les malades et les morts dans la morgue, c'est qu'en aval le processus réglementaire a failli. » « Je suis tout à fait d'accord avec ce qu'a dit le professeur Clapp, m'a confirmé Vincent Cogliano lorsque je lui ai lu mot à mot les propos de son collègue de Boston. Chaque fois que nous classons un produit cancérigène dans le groupe 1, c'est la preuve de notre échec pour anticiper et agir de manière préventive. Car, quand un produit arrive dans cette catégorie, c'est qu'il a déjà provoqué des cancers chez les humains. L'idéal serait évidemment que nous soyons capables de déterminer les mauvais produits avant que les humains en subissent l'exposition pendant de longues périodes, avec le risque de souffrir de dégâts irréversibles[45]... »

Or, nous allons le voir, les « dégâts irréversibles » sont déjà à l'œuvre, car, contrairement à ce qu'affirment les dirigeants de l'industrie chimique et leurs relais institutionnels, les maladies chroniques n'ont cessé de progresser au cours des cinquante dernières années, au point que l'on peut parler d'une véritable épidémie.

11

Une épidémie de maladies chroniques

Ce mercredi 13 janvier 2010, dans son bureau de l'université d'Oxford où je suis venue l'interviewer, sir Richard Peto a l'air particulièrement agité. Au cours de ma longue enquête, je n'ai jamais rencontré un scientifique qui manifeste autant de nervosité. Pourtant, l'épidémiologiste britannique n'est pas n'importe qui : il dirige la chaire de statistiques médicales et d'épidémiologie de la prestigieuse université d'Oxford, il est membre de la Société royale de Londres et a été anobli par la reine en 1999 pour sa « contribution à la prévention du cancer ». Cette distinction très prisée au pays de Sa Majesté était notamment due à une étude qu'il a publiée en 1981 avec son mentor, sir Richard Doll, qui devint la « bible de l'épidémiologie du cancer », pour reprendre les termes de Devra Davis[1]. On se souvient que Richard Doll avait lui-même été anobli pour ses travaux confirmant le lien entre le tabagisme et le cancer du poumon, qui avaient fait de lui « l'une des autorités prééminentes dans le domaine de la santé publique[2] » (voir *supra*, chapitre 8).

L'étude de Doll et Peto en 1981 sur les causes du cancer: une «référence fondamentale»

En 1978, Joseph Califano, le secrétaire à la Santé de Jimmy Carter, lequel menait alors une campagne musclée contre le tabagisme, qu'il avait déclaré «ennemi public numéro un», fit une allocution devant le Congrès où il annonça que, dans un futur proche, 20% des cancers seraient dus à l'exposition professionnelle à des agents toxiques. «Ce pourcentage choquant mit aussitôt les services de relations publiques de l'industrie en ordre de bataille», raconte Devra Davis, qui s'était alors réjouie de voir un haut responsable gouvernemental tenir cet inhabituel langage de vérité[3]. C'est ainsi que la commission d'évaluation des choix technologiques du Congrès demanda à Richard Doll, réputé pour son opposition sans concessions au lobby des fabricants de tabac, de conduire une étude sur l'origine des cancers professionnels.

Assisté d'un «jeune épidémiologiste brillant» du nom de Richard Peto, Doll remit en 1981 un document d'une centaine de pages, intitulé «Les causes du cancer: estimations quantitatives des risques de cancer évitables aujourd'hui aux États-Unis[4]», qui n'avait en réalité pas grand-chose à voir avec la commande d'origine. Pour rédiger leur étude, en effet, les deux épidémiologistes ont épluché les registres des morts par cancer des hommes blancs, âgés de moins de soixante-cinq ans, survenues entre 1950 et 1977. Ils en ont conclu que 70% des cancers étaient dus à des conduites individuelles, au premier rang desquelles les habitudes alimentaires, auxquelles ils attribuaient 35% des décès, suivies du tabagisme (22%) et de l'alcool (12%). Dans leur tableau des causes de la maladie, les expositions professionnelles à des agents chimiques ne représentaient que 4% des décès et la pollution, 2%, beaucoup moins que les infections (virus ou parasites), estimées, elles, à 10%.

Ainsi que le soulignent la docteure Geneviève Barbier et Armand Farrachi dans leur livre *La Société cancérigène*, «depuis plus de trente ans, la messe est dite. Les travaux de Doll et Peto reviennent dans tous les ouvrages sur le sujet comme *la* référence et leur tableau fait jurisprudence: il continue à orienter les jugements[5]». De fait, aucun texte officiel ne manque d'invoquer l'«étude de Doll et Peto» comme preuve que la cause principale du cancer est le tabac et que le rôle de la pollution chimique n'est qu'extrêmement marginal. C'est ainsi que, en France, le rapport de la Commission d'orientation sur le cancer de 2003, qui présida au «plan de mobilisation nationale contre le cancer» largement promu par le président Jacques Chirac, ne cite pas moins de sept fois l'étude des deux Britanniques[6]. Plus de vingt ans après la publication originale, comme si la recherche sur le cancer s'était arrêtée cette année-là… De son côté, le rapport *Les Causes du cancer en France* s'appuie, bien sûr, sur cette « référence fondamentale[7] », tandis que l'Union des industries de la protection végétale, la fameuse UIPP, qui, on l'a vu, regroupe dix-neuf fabricants de pesticides, affiche sur son site ses incontournables résultats. Et la France ne fait pas figure d'exception, car il en est de même dans la plupart des pays occidentaux, par exemple au Royaume-Uni, où le Health and Safety Executive, un organisme gouvernemental chargé de la santé et de la sécurité, ne manquait pas de citer en 2007 l'étude de ses deux concitoyens anoblis comme la « meilleure estimation disponible » concernant les cancers d'origine chimique[8].

Une rencontre surprenante avec Richard Peto

Avant de voir pourquoi la célèbre étude de 1981 a été sévèrement critiquée, en raison de ses biais méthodologiques mais aussi des conflits d'intérêts dans lesquels était plongé Richard Doll, il convient de donner la parole à son collègue Richard Peto. Je l'ai donc rencontré en janvier 2010 dans son bureau de l'université d'Oxford, situé dans un bâtiment baptisé « Richard Doll » en hommage au grand homme décédé en 2005. Âgé de soixante-sept ans, l'épidémiologiste britannique avait incontestablement de l'allure sous sa chevelure grisonnante qu'il ne cessait de rejeter en arrière à grands coups de tête qui ponctuaient ses longs monologues, où il répétait en boucle les mêmes arguments. À plusieurs reprises, alors que manifestement mes questions le gênaient, il s'est carrément levé de son bureau pour faire les cent pas dans la pièce, sous l'œil abasourdi de mon cameraman, qui ne savait plus comment le filmer. En revoyant les images de l'entrevue, je me suis demandé si cette agitation physique et mentale était habituelle ou si elle était l'expression d'un embarras face aux critiques circonstanciées qui ont fait tomber Richard Doll de son piédestal et du même coup la fameuse étude, alors que celle-ci a longtemps été considérée comme parole d'Évangile, comme l'écrit André Cicolella dans *Le Défi des épidémies modernes*[9].

« Il existe une croyance largement répandue qu'il y a plus de cancers aujourd'hui qu'autrefois et que cela est dû aux nombreux produits chimiques présents dans le monde, a commencé Richard Peto. À entendre certains, nous aurions même de la chance de sortir vivants de cet univers chimique, mais tout cela est faux. C'est vrai que nous sommes exposés quotidiennement à de nombreuses molécules chimiques. Les plantes, par exemple, produisent des toxines très nocives, comme le font les pommes de terre dans leur peau, ou le céleri, car c'est le seul moyen qu'elles ont de se protéger contre les insectes. Comme les plantes ne peuvent pas s'enfuir, elles fabriquent des toxines défensives, en permanence. C'est ce que fait aussi le kiwi, un fruit que nous ne connaissions pas il y a quelques décennies. Aujourd'hui, nous mangeons beaucoup de kiwis, or ceux-ci contiennent beaucoup de substances chimiques qui se sont révélées toxiques lors de tests réalisés en laboratoire. Les plantes font cela en permanence et, pourtant, on a observé que les gens qui consomment beaucoup de végétaux ont moins de cancers que les autres. Vous voyez donc qu'il est très difficile de prédire quel sera l'effet des produits chimiques. Mais, de toute façon, les principales sources chimiques auxquelles nous sommes exposés sont les substances naturelles contenues dans les plantes que nous mangeons.»

Après cette première tirade, où il regardait fixement son bureau, Richard Peto a marqué une pause et relevé la tête, comme pour s'assurer que j'avais bien compris ce qu'il venait de dire. J'étais tellement sidérée par ses arguments que je suis restée silencieuse, préférant le laisser poursuivre son incroyable démonstration. «Évidemment, a-t-il enchaîné après avoir de nouveau incliné la tête vers son bureau, il y a quelques grandes exceptions et la première d'entre elles, c'est bien sûr le tabac, qui entraîne d'énormes risques. Dès qu'il y a quelque part une forte augmentation du tabagisme, il y a aussitôt une forte augmentation du taux de mortalité. En revanche, dès qu'il y a une forte diminution du tabagisme, il y a aussitôt une forte diminution du taux de mortalité. Donc, à part les effets considérables du tabac, qui véritablement irriguent toute la problématique, est-ce qu'on peut dire qu'il y a une hausse des causes du cancer? Si on examine bien les données, la réponse est non.

— J'imagine que vous connaissez les documents du CIRC de Lyon, où vous êtes allé souvent, dis-je prudemment. D'après une étude publiée par l'agence, en Europe le taux d'incidence du cancer infantile a augmenté de 1% à 3% par an au cours des trois dernières décennies, et cela concerne principalement les leucémies et les tumeurs au cerveau[10]. Est-ce que c'est aussi le tabagisme qui est à l'origine de cette hausse spectaculaire?

— Je ne suis pas forcément d'accord avec tout ce que dit le CIRC, m'a répondu Richard Peto en s'agitant sur son siège, cela dépend de la qualité des données qu'il fournit... Mais le tabac a très peu de lien, ou même pas de lien du tout, avec le cancer des enfants ou avec les cancers qui se déclarent au tout début de l'âge adulte. Ces cancers sont plutôt dus à des dysfonctionnements du développement pendant la vie fœtale.

— Et comment expliquez-vous ces dysfonctionnements?» lui ai-je demandé, persuadée que l'épidémiologiste allait enfin sortir de sa langue de bois.

Eh bien non! Il a botté en touche pour se raccrocher à son discours tout prêt, en ressortant les bons vieux arguments qui, nous le verrons bientôt, ne résistent pas un instant à un examen sérieux. «Je pense que les changements apparents sont dus à une meilleure capacité de détection et d'enregistrement des cancers, m'a-t-il répondu tout en griffonnant des mots sur une feuille et en "oubliant" au passage que ma question concernait les causes des "dysfonctionnements du développement pendant la vie fœtale" qu'il venait d'évoquer. Par exemple, dans les années 1950 et 1960, on ne savait pas bien diagnostiquer les leucémies, alors quand les gens mouraient, on disait que c'était d'une infection, mais pas d'une leucémie. Aujourd'hui, on sait mieux diagnostiquer les cancers, alors on a l'impression qu'il y en a plus. Et puis, il y a des artefacts qui font qu'on détecte des choses dans la petite enfance qui ressemblent à un cancer, puis qui disparaissent.»

À ce stade de l'entretien, je me suis vraiment demandé si Richard Peto savait véritablement de quoi il parlait, tant ses propos étaient inconsistants et décousus. J'ai même failli jeter l'éponge, car j'avais l'impression de perdre mon temps. Mais, relevant la tête, l'épidémiologiste a poursuivi son monologue: «D'une manière générale, le taux des décès par cancer a tendance à baisser, a-t-il dit, bien que le taux des décès liés à certains cancers augmente. Certains taux baissent, d'autres augmentent, donc il est difficile de conclure définitivement.

— C'est vrai que, dans les pays développés, la mortalité globale due au cancer a tendance à baisser, ai-je rétorqué. C'est attribuable à une plus grande efficacité des traitements. En revanche, le taux d'incidence, lui, ne cesse d'augmenter. Comment l'expliquez-vous?

— L'incidence est très difficile à mesurer, m'a répondu Richard Peto, qui subitement s'est levé de son siège, pour me tendre la feuille où il avait griffonné le mot "diagnostic". Nous vivons dans une époque où l'intérêt pour le cancer ne cesse de croître et, du coup, les journaux et les télévisions en parlent davantage. De plus, les gens vivent de plus en plus vieux et il est donc normal qu'il y ait plus de cancers et que la maladie attire davantage l'attention. Quand on rassemble tous ces éléments, on se rend compte que l'image d'une mer de produits cancérigènes qui entraînerait une augmentation du taux de cancers est complètement fausse et qu'elle ne sert qu'à détourner l'attention du sujet principal, qui est la mortalité due au tabac.

— Vous pensez donc que votre étude de 1981 est toujours valide, trente ans plus tard ?

— Tout à fait ! Ce que nous avons dit au moment où notre étude est sortie est encore vrai aujourd'hui[11]. »

L'« *argument à l'emporte-pièce* » *de sir Richard Doll*

« Comment peut-on prétendre qu'une étude réalisée il y a trois décennies puisse nous aider à prendre les bonnes décisions aujourd'hui ? » s'était pourtant étonnée l'épidémiologiste américaine Devra Davis, avec qui je m'étais longuement entretenue des travaux de Doll et Peto quand je l'avais rencontrée trois mois plus tôt, en octobre 2009. « D'autant plus, m'avait-elle précisé, que la méthodologie qu'ils ont utilisée est biaisée, car elle est tellement restrictive qu'elle réduit considérablement la portée de leurs résultats. En effet, ils ont épluché les registres des décès survenus entre 1950 et 1977 et concernant les seuls hommes blancs âgés de moins de soixante-cinq ans au moment de leur mort. Ils ont donc exclu les hommes afro-américains, qui en général sont les plus exposés aux agents chimiques, par leur travail ou par leur lieu d'habitation. Ils ont exclu les hommes ayant un cancer mais toujours vivants. Ils ont ignoré le taux d'incidence et ne se sont intéressés qu'à la mortalité. Or, vu le temps de latence de la maladie, les hommes qui sont morts d'un cancer entre 1950 et 1977 sont des personnes qui ont été exposées à des produits cancérigènes dans les années 1930 et 1940, c'est-à-dire à une époque où l'invasion massive des produits chimiques dans notre environnement quotidien n'avait pas encore commencé. C'est pourquoi il eût mieux valu examiner l'évolution du taux d'incidence, si l'on voulait vraiment mesurer la progression de la maladie et déterminer ses causes possibles[12]. »

Alors qu'elle travaillait à l'université Johns-Hopkins, Devra Davis s'est penchée précisément sur l'évolution de l'incidence des cancers, notamment des myélomes multiples et des tumeurs cérébrales chez les hommes âgés de quarante-cinq à quatre-vingt-quatre ans. Avec son collègue Joel Schwartz, un statisticien qui deviendra un épidémiologiste réputé de l'université Harvard, elle a constaté que le taux d'incidence de ces deux cancers mortels a augmenté de 30 % au cours des années 1960-1980. Publiés en 1988 dans *The Lancet*[13], puis deux ans plus tard dans un volume entier des *Annals of the New York Academy of Sciences*[14], ces travaux ont attiré l'attention de sir Richard Doll. Dans son livre *The Secret History of the War on Cancer*, Devra Davis raconte son émotion lorsque, dans les années 1980, elle eut l'insigne privilège de « boire un pot » avec l'illustre scientifique, à l'issue d'un symposium organisé par le CIRC. « Sa fiche dans le *Who's Who* rapporte que la conversation était l'un de ses hobbies préférés, écrit-elle, et il est un fait que c'était un plaisir d'échanger avec cet homme captivant, avenant et brillant[15]. »

Ce soir-là, Richard Doll joue les grands seigneurs en expliquant à son admiratrice « subjuguée » que, pour son étude, elle s'est laissée abuser par une « erreur fondamentale » : l'augmentation du taux d'incidence des cancers qu'elle pense avoir constatée est due à un simple effet d'optique, lié à la meilleure capacité des médecins à diagnostiquer les cancers. Avant, lui explique-t-il, quand une personne âgée décédait, les praticiens signaient l'acte de décès en portant la mention « sénilité » quand ils ignoraient la cause exacte de la mort ; et, parfois, ils indiquaient comme cause du décès : « Cancer d'un organe non identifié. » L'épidémiologiste suggère donc à sa jeune collègue de vérifier l'évolution des morts classées « sénilité » ou « cancer d'un organe non identifié », en assurant que ces mentions ont fortement diminué. C'est ce que fit Devra Davis, mais elle constata que cette allégation était fausse ! Pendant quatre ans, en effet, elle éplucha notamment les registres de l'Institut national du cancer, qui a commencé à recenser systématiquement les cancers depuis le 1er janvier 1973. Avec l'aide de son mentor Abe Lilienfeld, professeur à l'université Johns-Hopkins et doyen de l'épidémiologie américaine, et d'Allen Gittelsohn, un biostatisticien, elle démontra qu'il n'y avait pas de baisse des certificats de décès pour « sénilité » ni pour « cancer d'un organe non identifié » chez les hommes blancs âgés. C'était même le contraire ! Dans le même temps, en revanche, elle nota une forte augmentation du taux d'incidence des cancers ainsi que de la mortalité due à des cancers spécifiques[16].

« Que pensez-vous de l'argument selon lequel l'augmentation des cancers serait en fait un artefact dû à l'amélioration des méthodes de diagnostic ? ai-je donc demandé à Devra Davis.

— Cet argument ne résiste pas à l'analyse, m'a-t-elle répondu. J'ai même montré dans mon livre qu'il est utilisé systématiquement depuis plus d'un siècle ! Si l'on prend l'exemple des leucémies ou des tumeurs cérébrales infantiles, leur augmentation constante ne peut en aucun cas être expliquée par l'amélioration des méthodes de détection, car il n'y a pas, comme pour les cancers du côlon, du sein ou de la prostate, de programmes de dépistage systématique : quand on détecte un cancer chez un enfant, c'est qu'il est malade et qu'on cherche à comprendre pourquoi, et cette pratique n'a pas changé au cours des trente dernières années ! »

Cet avis est aussi celui des auteurs américains du rapport du President's Cancer Panel (voir *supra*, chapitre 10), qui ont soigneusement examiné la validité de ce que d'aucuns appellent un « argument à l'emporte-pièce ». Leur démonstration fait bien la distinction entre les taux de mortalité et d'incidence, deux notions très différentes comme on l'a vu, bien que certains experts, comme sir Richard Peto, aient souvent tendance à l'oublier. « Le taux de la mortalité liée aux cancers infantiles a considérément baissé depuis 1975, écrivent-ils en effet. C'est principalement dû à l'amélioration des traitements qu'a permise la forte participation des enfants aux essais cliniques de nouveaux traitements. Cependant, au cours de la même période (1975-2006), l'incidence du cancer chez les jeunes Américains de moins de vingt ans n'a cessé d'augmenter. Les causes de cette augmentation ne sont pas connues, mais les changements sont trop rapides pour qu'ils soient d'origine génétique. On ne peut pas non plus expliquer cette augmentation par l'avènement de techniques de diagnostic plus performantes comme la tomographie ou l'imagerie par résonance magnétique nucléaire (IRM). En effet, l'arrivée de ces techniques a pu, au mieux, entraîner un pic ponctuel et unique dans l'incidence des cancers, mais pas cette progression stable que l'on peut observer sur un laps de trente ans[17]. »

L'argument du « meilleur diagnostic » a été aussi réduit à néant en 2007 dans un article de la revue *Biomedicine & Pharmacotherapy* publié dans le cadre d'un dossier de cent pages intitulé « Cancer : l'influence de l'environnement[18] ». Les auteurs, dont Richard Clapp et les Français Dominique Belpomme et Luc Montagnier, prennent l'exemple du cancer du sein, pour lequel des programmes de dépistage ont été mis en place dans seize pays européens[19]. Or, notent-ils, la détection précoce d'un cancer du sein peut avoir une influence sur la mortalité, mais pas sur l'incidence, car le même cancer aurait été détecté il y a trente ans, fût-ce à un stade plus avancé. Ils citent l'expérience de la Norvège, qui possède l'un des plus anciens registres des cancers d'Europe (1955[a]) et qui a introduit les mesures de dépistage du cancer du

---

[a]   En France, le premier registre des cancers a été créé en... 1975. En 2010, il existait treize registres mesurant l'incidence de tous les cancers dans onze départements (sur quatre-vingt-seize !), soit une couverture de 13 % de la population...

sein (mammographie) et de la prostate (dosage de la PSA, l'antigène prostatique spécifique) dès 1992. Un examen de l'évolution du taux d'incidence des cancers du sein et de la prostate montre que ceux-ci n'ont cessé de progresser entre 1955 et 2006, avec un léger pic en 1993, au moment de l'introduction des techniques de dépistage. Le même constat peut être fait pour le cancer de la thyroïde, dont l'incidence a été multipliée par six sur la même période, un phénomène qui a commencé bien avant l'introduction de l'imagerie par ultrason.

« *Le vieillissement de la population n'est pas une explication* »

« Un autre argument régulièrement avancé pour expliquer l'augmentation des maladies chroniques est le vieillissement de la population. Qu'en pensez-vous ? ai-je demandé à Devra Davis, qui a esquissé un sourire entendu dès que j'ai eu terminé ma question.

— Malheureusement, cet argument se révèle également fallacieux, m'a répondu l'épidémiologiste américaine. L'allongement de l'espérance de vie fait qu'il y a bien sûr plus de personnes âgées susceptibles d'avoir un cancer. Mais ce qu'il faut examiner, c'est l'évolution du taux d'incidence des cancers ou des maladies neurodégénératives dans les différentes tranches d'âge. Et là nous constatons que le taux d'incidence de certains cancers a doublé chez les personnes de plus de soixante-cinq ans. C'est le cas, par exemple, pour le lymphome non hodgkinien, qui a doublé chez les femmes âgées. Le vieillissement de la population n'explique pas pourquoi il y a aux États-Unis cinq fois plus de femmes et d'hommes qui souffrent d'une tumeur au cerveau qu'au Japon ou pourquoi de plus en plus de jeunes gens des pays occidentaux ont un cancer des testicules ou de la thyroïde. Sans parler des cancers infantiles, dont l'augmentation ne peut pas être due à l'allongement de l'espérance de vie ! »

De fait, ainsi que le soulignaient en 2007 le cancérologue français Dominique Belpomme et ses coauteurs dans *The International Journal of Oncology*, « le facteur âge ne peut être déterminant, puisque l'augmentation de l'incidence des cancers est constatée dans toutes les tranches d'âge, y compris chez les enfants[20] ». De même, une étude réalisée en Angleterre et au Pays de Galles a montré que l'âge moyen de l'apparition des cancers de la prostate et du sein, mais aussi de la leucémie, n'a cessé de baisser entre 1971 et 1999, ce qui signifie que les victimes sont de plus en plus jeunes. Sur la même période, les auteurs notent que le taux d'incidence du cancer de la prostate a doublé, en soulignant que c'était *avant* l'introduction du dosage de la PSA[21].

«Si le vieillissement était seul en cause, les évolutions seraient plus ou moins comparables pour tous les types de cancer et pour les deux sexes, ce qui est très loin d'être le cas», note de son côté André Cicolella dans son livre *Le Défi des épidémies modernes*. Le chimiste et toxicologue français souligne qu'«entre une femme née en 1953 et une femme née en 1913, le risque de cancer du sein a été multiplié par près de trois, alors que le risque de cancer du poumon a été multiplié par cinq. [...] Entre un homme né en 1953 et un homme né en 1913, le risque de cancer de la prostate a été multiplié par douze, alors que le risque de cancer du poumon est resté le même[22]».

L'alibi du tabac pour «habiller l'hécatombe»

«Et qu'en est-il du tabagisme, qui continue d'être présenté comme la cause numéro un de l'augmentation des cancers?» Évidemment, la question s'imposait car, après tout ce que nous venons de découvrir, nous sommes en droit de nous interroger sur les fondements de cette subite obsession collective qui a réduit la prévention du cancer à la lutte contre le tabac. «Il est clair que le tabagisme induit des cancers de la bouche, du larynx, du poumon ou de la vessie, m'a répondu Devra Davis, qui est une militante antitabac convaincue. Mais soyons sérieux: il n'a rien à voir avec de nombreux cancers, dont ceux de la prostate et du sein ou des testicules, qui sont actuellement en pleine expansion!»

De fait, nombreux sont les observateurs qui soulignent que «l'incidence et la mortalité des cancers dus au tabac ou à l'alcool ont baissé au cours des deux dernières décennies, tandis que l'incidence des cancers qui ne sont pas liés au tabac ou à l'alcool n'a cessé d'augmenter. Cette inversion de la tendance caractérise les pays occidentaux industrialisés d'Europe ou des États-Unis[23]». En France, d'après une étude réalisée par Catherine Hill et Agnès Laplanche[24], entre 1953 et 2001 le nombre de fumeurs réguliers a diminué chez les hommes, passant de 72% à 32%, ce qui aurait dû entraîner une «baisse des cancers broncho-pulmonaires dès les années 1980». Pourtant, ainsi que le notent Geneviève Barbier et Armand Farrachi, «entre 1980 et 2000, les cancers du poumon n'ont pas cessé d'augmenter. Comment le comprendre? Et comment expliquer que les cancers qui augmentent le plus (mélanome, thyroïde, lymphome, cerveau) n'ont pas grand-chose à voir avec le tabac[25] ? ».

Déclaré « mal du siècle précédent et du siècle à venir », le tabac se taille la part du lion dans toutes les campagnes visant à prévenir le cancer. C'est ainsi qu'en France le rapport de la Commission d'orientation sur le cancer de 2003[26], qui inspira le « plan de mobilisation nationale contre le cancer » de Jacques Chirac, consacre « trente-cinq pages au tabac, onze à l'alcool, six à la nutrition, sept aux cancers professionnels, trois à l'environnement et deux aux médicaments ». Et les auteurs de *La Société cancérigène* de s'interroger : « Le tabac serait-il responsable de plus de la moitié de nos cancers nationaux ? Sur les 150 000 décès annuels dus au cancer, le dossier de presse annonce 40 000 décès "attribuables à des cancers liés au tabac", formule qui autorise, pour qui veut bien la lire, quelques remarques. Tout d'abord, *lié* au tabac ne signifie pas *causé* par le tabac. Mais le lecteur n'est pas éclairé sur cette nuance. Ce nombre est partout repris et comme inscrit dans les Tables de la loi. Pourquoi 40 000 décès ? Si l'on additionne *tous* les décès par cancers des lèvres, de la bouche, du pharynx, du larynx, des poumons et de la vessie en 2000, le total n'atteint pas 39 000 morts. Tous fumeurs ? Aucun au contact de solvants, de benzène, d'amiante ? Il faut rappeler ici que les cancers du nasopharynx ou des glandes salivaires, empilés dans les statistiques des cancers des voies aérodigestives supérieures, n'ont quasiment rien à voir avec l'alcool ou le tabac, mais beaucoup avec les poussières de bois et les radiations ionisantes. [...] Il existe aussi de nombreuses causes professionnelles de cancers des voies aérodigestives supérieures : l'exposition à l'acide sulfurique, au formaldéhyde, au nickel ou aux teintures, pour ne citer que celles-là, concerne plus de 700 000 personnes. Et, si 40 % des cancers de la vessie sont causés par le tabac, les industries des colorants, du caoutchouc, des métaux ou des solvants font le reste. Enfin, et surtout, le cancer bronchopulmonaire est le plus fréquent des cancers professionnels. Mais, comme rien ne le distingue, le plus souvent, du cancer du fumeur et que la reconnaissance des cancers professionnels est particulièrement sous-développée en France, le tabac arrive à point nommé pour monopoliser l'attention, habiller l'hécatombe et... financer le plan cancer[27]. »

Et j'ajouterais : le tabac est un alibi fort pratique pour masquer le rôle des polluants chimiques et dédouaner la responsabilité des industriels dans l'inquiétante progression des maladies chroniques, ainsi que l'ont fait Richard Doll et Richard Peto avec leur étude biaisée.

Richard Doll travaillait pour Monsanto

«Quand vous prépariez votre étude sur les causes du cancer, saviez-vous que Richard Doll travaillait secrètement comme consultant pour Monsanto?» La question a fait littéralement bondir de son siège sir Richard Peto, qui s'est mis à arpenter son bureau avant de se rasseoir pour déclarer sur un ton presque inaudible: «Ce n'était pas un secret... Ce n'était pas un secret... Il a accepté de conseiller Monsanto et, les jours où il travaillait pour la firme, il gagnait initialement 1 000 dollars par jour, puis cette somme fut portée à 1 600 dollars. En fait, il aidait l'entreprise à organiser et évaluer ses données toxicologiques pour qu'elle puisse plus facilement identifier les produits qui présentaient quelque danger... Quand nous avons fait notre étude, le gouvernement américain nous a proposé de l'argent, mais nous n'avons pas voulu le prendre. J'ai suggéré de faire une donation à Amnesty International, mais le gouvernement a refusé en disant que c'était une association communiste. Alors, Richard Doll a décidé de donner tout l'argent qu'il gagnait au Green College d'Oxford[a]. Il n'a jamais rien gardé pour lui...

— Les enquêtes montrent que les rémunérations que sir Richard Doll a touchées de Monsanto, mais aussi de Dow Chemical et des industries du chlorure de vinyle ou de l'amiante, n'ont jamais été rendues publiques. Quelles preuves avez-vous de ces donations?

— À cette époque, ce n'était pas courant de déclarer ce genre de rémunérations, mais par exemple, dans le cas du tabac, il a déclaré sous serment qu'il n'avait rien touché de l'industrie du tabac.»

Et pour cause: on imagine mal en effet que les fabricants de cigarettes aient payé Richard Doll pour confirmer le lien entre le tabagisme et le cancer du poumon... Dans un article de 2007 intitulé «Héros ou scélérat?», l'historien américain Geoffrey Tweedale note à juste titre: «Il est évidemment inconcevable que Doll ait perçu de l'argent de l'industrie du tabac, mais pourquoi a-t-il adopté une double morale en acceptant de l'argent non déclaré d'autres fabricants de produits cancérigènes[28]?»

«Le fait qu'il ait été rémunéré pour ses services a été utilisé pour salir sa légitimité, a déploré Richard Peto, qui n'avait pas l'air de mesurer l'énormité de ses propos.

---

a   Ouvert en 1979, le Green College est l'une des facultés les plus récentes de l'université d'Oxford. Fondé par Richard Doll, qui voulait développer les liens entre la médecine et le monde des affaires, il doit son nom à Cecil Green, un industriel américain, patron de Texas Instruments, qui finança sa création. En 2008, le Green College a fusionné avec le Templeton College.

— Cela se comprend, rétorquai-je, d'autant plus qu'il a été payé par Monsanto pour affirmer que la dioxine n'était pas cancérigène, ce qui s'est révélé une erreur grossière...

— Ce n'était pas une erreur. Je pense qu'il n'y a pas de preuves convaincantes que la dioxine induise des cancers chez les humains», m'a répondu sir Richard Peto, avec un tel aplomb que je me suis demandé s'il croyait vraiment ce qu'il disait ou si tout simplement il avait préféré mentir pour défendre l'honneur perdu de son mentor...

On se souvient en effet que la dioxine a été classée «cancérigène pour les humains» en 1994 par le CIRC. Une décision très tardive, qui s'explique précisément par l'intervention de Richard Doll dans ce dossier. Cette incroyable histoire, que j'ai déjà partiellement évoquée dans *Le Monde selon Monsanto*, en dit long sur l'influence que peuvent exercer quelques sommités scientifiques quand elles décident de servir les intérêts de grandes firmes, fût-ce au détriment de l'intérêt général. Tout commence en 1973, lorsqu'un jeune chercheur suédois du nom de Lennart Hardell découvre que l'exposition aux herbicides 2,4-D et 2,4,5-T, les deux composants de l'agent orange fabriqués notamment par Monsanto, provoque des cancers. En effet, il a reçu en consultation un homme de soixante-trois ans, atteint d'un cancer du foie et du pancréas, qui lui raconte que, pendant vingt ans, son travail a consisté à pulvériser un mélange des deux désherbants sur les forêts du nord de la Suède. En collaboration avec trois autres scientifiques, Lennart Hardell conduit alors une longue recherche, qui sera publiée en 1979 dans *The British Journal of Cancer*, montrant le lien entre plusieurs cancers, dont le sarcome des tissus mous et les lymphomes hodgkinien et non hodgkinien, et l'exposition à la dioxine, un polluant du 2,4,5-T[29].

En 1984, Lennart Hardell est invité à témoigner dans le cadre d'une commission d'enquête mise en place par le gouvernement australien dans le but de statuer sur les demandes de réparations revendiquées par les vétérans de la guerre du Viêt-nam. Un an plus tard, la commission royale sur «l'usage et les effets des produits chimiques sur le personnel australien au Viêt-nam» rend son rapport, lequel provoque une vive polémique[30]. Dans un article publié en 1986 dans la revue *Australian Society*, le professeur Brian Martin, qui enseigne au Département de science et technologie à l'université de Wollongong, dénonce les manipulations qui ont conduit à ce qu'il appelle l'«acquittement de l'agent orange[31]».

«Aucun vétéran n'a souffert de l'exposition aux produits chimiques utilisés au Viêt-nam, conclut en effet le rapport avec un optimisme surprenant. C'est une bonne nouvelle et la commission émet le vœu fervent qu'elle soit criée sur tous les toits!» Dans son article, le professeur Martin raconte comment les experts cités par l'association des vétérans du Viêt-nam ont été «vivement attaqués» par l'avocat de la filiale de Monsanto en Australie. Plus grave encore: les auteurs du rapport recopièrent presque *in extenso* deux cents pages fournies par Monsanto pour invalider les études publiées par Lennart Hardell et son collègue Olav Axelson[32]. «L'effet de ce plagiat [a été] de présenter le point de vue de Monsanto comme étant celui de la Commission», a commenté Brian Martin. Par exemple, dans le volume capital concernant les effets cancérigènes du 2,4-D et du 2,4,5-T, «quand le texte de Monsanto dit "il est suggéré", le rapport écrit "la Commission a conclu"; mais, pour le reste, tout a été tout simplement copié».

Très durement mis en cause par le rapport, qui insinue qu'il a manipulé les données de ses études, Lennart Hardell épluche à son tour le fameux opus. Et il découvre «avec surprise que le point de vue de la commission est soutenu par le professeur Richard Doll dans une lettre qu'il a adressée le 4 décembre 1985 à Justice Phillip Evatt, le président de la commission», ainsi qu'il l'a révélé dans un article paru au printemps 1994. «Les conclusions du docteur Hardell ne peuvent pas être soutenues et, à mon avis, son travail ne devrait plus être cité comme une preuve scientifique, tranchait l'éminent épidémiologiste britannique. Il est clair [...] qu'il n'y a aucune raison de penser que le 2,4-D et le 2,4,5-T sont cancérigènes pour les animaux de laboratoire et que même la TCDD (dioxine) qui a été présentée comme un polluant dangereux contenu dans les herbicides est, au plus, faiblement cancérigène pour les animaux[33].»

Jusqu'à ce jour de 2006 où Lennart Hardell fait une incroyable découverte. Informé que son célèbre détracteur (décédé en 2005) a déposé ses archives personnelles à la bibliothèque de la fondation Wellcome Trust de Londres, qui se présente comme une «fondation de bienfaisance dédiée à l'accomplissement d'améliorations extraordinaires pour la santé des hommes et des animaux», il décide de les consulter. En effet, ainsi que l'annonçait en 2002 un article de Chris Beckett, le responsable de la bibliothèque, «les papiers personnels de sir Richard Doll ont été classés et sont disponibles. Illustrant l'engagement de toute une vie au service de la recherche épidémiologique, ils mettent en évidence un sens profond de la continuité historique et de la responsabilité publique et montrent parfaitement les liens sociaux et éthiques dans lesquels s'enracine l'épidémiologie[34]». Dans son éloge, le bibliothécaire de Wellcome Trust ne souffle mot de la présence dans ces archives de plusieurs documents compromettants attestant des liens financiers qui unissaient le «distingué épidémiologiste» et les fabricants de poisons, et que Hardell a découverts. Parmi eux : une lettre à en-tête de Monsanto, datée du 29 avril 1986. Rédigée par un certain William Gaffey, l'un des scientifiques de la firme qui avait signé avec le docteur Raymond Suskind plusieurs études biaisées sur la dioxine (voir *supra*, chapitres 8 et 9), elle confirmait le renouvellement d'un contrat financier prévoyant une rémunération de 1 500 dollars par jour. «J'apprécie grandement votre offre de prolonger mon contrat de consultant et d'en augmenter le montant», répondit Richard Doll, qui garda une copie de son courrier dans ses archives.

Ainsi, au moment où ce dernier publiait sa célèbre étude sur les «causes du cancer», qui minimisait le rôle des polluants chimiques dans l'étiologie de la maladie, il était grassement payé par l'«un des plus grands pollueurs de l'histoire industrielle[35]» !

L'embarras de l'establishment scientifique face aux compromissions de Doll avec l'industrie

Révélée en décembre 2006 par le quotidien britannique *The Guardian*, qui montra que la collaboration entre Doll et la firme de Saint Louis avait duré vingt ans, de 1970 à 1990[36], l'affaire fit grand bruit au pays de Sa Majesté, où elle opposa les défenseurs du scientifique anobli par la reine et ceux qui considéraient que ses conflits d'intérêts entamaient sérieusement la crédibilité de son travail. L'historien américain Geoffrey Tweedale a analysé tous les journaux qui ont alors fait leurs choux gras de l'encombrante révélation. C'est ainsi que *The Observer* écrivit que «Doll était un héros, pas un scélérat», qui «vivait dans une maison modeste au nord d'Oxford», en précisant «que chaque époque a ses mœurs et qu'on ne peut pas demander aux géants du passé de vivre selon les nôtres[37]». «En fait, souligne Geoffrey Tweedale, Doll vivait à l'une des meilleures adresses de la ville[38]. »

L'historien américain rapporte que l'épidémiologiste reçut le soutien de tout l'establishment scientifique, qui invoqua cinq arguments : «1) Sir Richard Doll a sauvé des millions de vies grâce à sa recherche sur le tabagisme et le cancer du poumon ; 2) à son époque, on ne déclarait pas les conflits d'intérêts ; 3) il a fait don de ses rémunérations à des œuvres de bienfaisance ; 4) il est indécent d'attaquer quelqu'un qui ne peut pas se défendre; 5) les attaques contre sa réputation sont lancées par des "défenseurs de l'environnement" ou des personnes qui servent une cause.»

Dans une lettre adressée au *Times*, Richard Peto souligna avec emphase «que, mondialement, le travail de Doll a probablement évité des millions de morts et qu'il va encore permettre d'en éviter des dizaines de millions[39]». «Personne ne le nie, rétorque Geoffrey Tweedale, mais cela n'a aucun rapport avec le débat sur les conflits d'intérêts de Doll.» Cet avis est partagé par *The Sunday Mirror*, qui estime que «[son] image strictement neutre et objective est discréditée à jamais[40]». D'autant plus que l'épidémiologiste britannique n'hésitait pas à donner des leçons d'éthique professionnelle: «Les scientifiques qui sont tentés d'accepter un quelconque soutien de l'industrie devraient en conséquence reconnaître que leurs résultats peuvent être utilisés par l'industrie pour servir ses intérêts», déclarait-il en 1986, un an après avoir dénigré secrètement les travaux de Lennart Hardell[41].

Bien des années plus tard, les compromissions de sir Richard Doll avec l'industrie chimique continuent d'embarrasser tous ceux qui se réclament de son héritage, en se référant à sa fameuse étude de 1981 sur les causes du cancer. C'est le cas par exemple des responsables de l'American Cancer Society (ACS), une institution qui constitue une référence dans le domaine de la cancérologie et dont les liens avec l'industrie pharmaceutique ont souvent été dénoncés. En octobre 2009, j'ai pu rencontrer le docteur Michael Thun, qui fut vice-président de l'ACS de 1998 à 2008, en charge de la recherche épidémiologique sur le cancer, et qui y garde un poste honorifique. Peu de temps avant ma visite dans le luxueux bâtiment de la vénérable société à Atlanta, l'épidémiologiste avait cosigné un article dans le *Cancer Journal for Clinicians*, où les auteurs dissertaient de manière quelque peu contradictoire sur «les facteurs environnementaux et le cancer[42]»: «Les données expérimentales de cancérogénicité ne sont pas disponibles pour de nombreux produits industriels et commerciaux, déploraient-ils d'un côté; et, idéalement, ces études devraient être réalisées avant que les produits soient mis sur le marché, plutôt qu'après que les humains ont été largement exposés»; tandis que, de l'autre, ils reservaient la sempiternelle étude: «Bien que la contribution des polluants environnementaux et professionnels aux causes du cancer soit significative, celle-ci est beaucoup moins importante que l'impact du tabagisme. [...] En 1981, on a estimé en effet qu'environ 4% des morts par cancer étaient dues à des expositions professionnelles.»

« Comment pouvez-vous continuer à citer l'étude de Doll et Peto, alors qu'on sait aujourd'hui que Richard Doll était payé comme consultant par Monsanto ? ai-je demandé à Michael Thun, qui ne s'attendait manifestement pas à cette question.

— Je ne pense pas que Doll ait eu besoin de cet argent pour vivre, m'a-t-il répondu, visiblement embarrassé, car il était un homme très fortuné, grâce à sa femme, qui possédait une entreprise. De plus, il a toujours dit que l'argent que lui versaient les firmes chimiques servait à financer le Green College d'Oxford.

— Comment le savez-vous ?

— C'est toujours ce que j'ai entendu dire, a concédé l'épidémiologiste de l'American Cancer Society.

— Est-il courant que d'éminents scientifiques impliqués dans la santé publique travaillent aussi pour l'industrie ?

— Malheureusement, c'est très courant en médecine et cela ne devrait pas se produire, a lâché Michael Thun. Ce serait une bonne idée que les chercheurs qui étudient les médicaments ne reçoivent pas d'argent des firmes pharmaceutiques ou que ceux qui émettent leur avis sur les effets des polluants chimiques ne soient pas payés par l'industrie qui les fabrique.

— C'est pourtant ce qu'a fait Richard Doll ?

— Certes, et c'est fort regrettable[43]. »

Un « regret » que partage Devra Davis, mais sur un mode autrement tranchant : « J'ai été vraiment très déçue d'apprendre que le grand Richard Doll, qui avait été un modèle pour toute une génération d'épidémiologistes, avait œuvré secrètement pour l'industrie chimique, m'a-t-elle affirmé. Certes, il n'était pas le seul : il y eut aussi Hans-Olav Adami[a], de l'Institut Karolinska à Stockholm, ou Dimitri Trichopoulos, de l'université Harvard, mais le cas de Doll est particulièrement grave, car sa renommée était telle que tout le monde prenait ce qu'il disait pour parole d'Évangile. Ses expertises contribuèrent à retarder l'intérêt des politiciens pour les causes environnementales des maladies chroniques, ainsi que pour la réglementation de produits toxiques très dangereux comme la dioxine et, surtout, le chlorure de vinyle. »

---

a   Hans-Olav Adami a été recruté par le fameux Dennis Paustenbach d'Exponent (voir *supra*, chapitre 9) pour minimiser la toxicité de la dioxine, au moment où l'Agence de protection de l'environnement revoyait sa réglementation (voir Lennart HARDELL, Martin WALKER *et alii*, « Secret ties to industry and conflicting interests in cancer research », *American Journal of Industrial Medicine*, 13 novembre 2006).

Les méfaits du chlorure de vinyle

L'affaire du chlorure de vinyle est en effet exemplaire. Comme l'écrivent les historiens Gerald Markowitz et David Rosner, elle constitue la « preuve d'une conspiration illégale de l'industrie[44] » pour maintenir sur le marché un produit hautement toxique, avec la complicité active d'un grand nom de la science, en l'occurrence Richard Doll. On atteint là un sommet rarement égalé dans l'art de la manipulation et du mensonge prémédités, au point que cette histoire m'a fait perdre mes dernières illusions quant au comportement des fabricants, vraiment prêts à tout quand il s'agit de défendre leurs poisons, aussi dangereux fussent-ils. Encore une illustration de l'atroce idéologie résumée en 1970 par un cadre supérieur de Monsanto à propos des funestes BPC, dont il fallait à tout prix préserver la vente, et que je ne citerai jamais assez : « Nous ne pouvons pas nous permettre de perdre un dollar[45]. »

Synthétisé pour la première fois en 1835 par le Français Henri Victor Regnault (1810-1878), le directeur de la Manufacture royale de porcelaine de Sèvres, le chlorure de vinyle est un gaz toxique qui, lorsqu'il est comprimé, sert de propulseur pour divers aérosols (laques, cosmétiques, insecticides ou déodorants d'intérieur). Ce composé chimique est aussi efficace que dangereux. Dans son livre *The Secret History of the War on Cancer*, Devra Davis raconte ainsi l'histoire de Judy Braiman, qui fut hospitalisée d'urgence en 1965 après un diagnostic de cancer du poumon. La jeune femme avait les poumons recouverts de plaques de chlorure de vinyle, dues à la laque qu'elle utilisait quotidiennement pour ressembler aux stars de l'époque, affublées de mises en plis impeccables. Devenue une figure du mouvement américain pour la défense des consommateurs, Judy Braiman survivra, mais il faudra attendre le milieu des années 1970 pour que l'usage du chlorure de vinyle soit interdit dans les produits cosmétiques. Mais pas dans la fabrication des plastiques et, notamment, de l'incontournable PVC[a].

En effet, lorsqu'il est assemblé en chaînes (ou polymères), le chlorure de vinyle devient du polychlorure de vinyle (en anglais *polyvinyl chloride*, d'où l'abréviation « PVC »), l'un des produits phares de l'industrie moderne que l'on retrouve dans nombre d'objets de la vie courante, notamment emballages, récipients et films alimentaires. Mise au point au milieu des années 1920 par Waldo Lonsbury Semon (1898-1999), un

---

a   Le code d'identification du PVC est un triangle dans lequel est inscrit le nombre « 03 ».

chimiste de Goodyear, la polymérisation du chlorure de vinyle est un procédé éminemment dangereux qui s'accompagne d'émanations très toxiques et comprend des opérations à haut risque, comme le «décroûtage» des autoclaves servant à la fabrication de la résine. En 1954, la Manufacturing Chemists' Association (MCA), l'association des industriels américains de la chimie, décide arbitrairement de fixer la norme d'exposition dans les usines à 500 ppm. Ainsi que l'a reconnu Henry Smyth, un cadre d'Union Carbide, dans un mémorandum que Gerald Markowitz et David Rosner ont retrouvé dans les archives de la MCA, «la norme a été fixée par le Bureau des mines lors d'études conduites sur des animaux uniquement par inhalation[46]».

Au début des années 1960, un mal étrange fait son apparition dans des usines fabriquant du PVC, en Italie, en France puis aux États-Unis : l'acro-ostéolyse, qui se traduit par la destruction progressive de l'os des phalanges, entraînant un horrible et très douloureux rabougrissement des doigts. En 1964, le docteur John Creech, le médecin d'une usine de la firme Goodrich (fabriquant notamment des pneumatiques), située près de Louisville (Kentucky), découvre un premier cas, suivi bientôt de trois autres. Tous concernent des ouvriers chargés du nettoyage manuel des cuves de polymérisation.

«Si quatre personnes qui font le même travail au même endroit sont affectées par un mal aussi bizarre, il ne faut pas être un scientifique de choc pour comprendre que cette situation est liée à l'usine et au poste de travail», rapportera plus tard le docteur Creech[47].

Le médecin informe aussitôt la direction de Goodrich, qui s'empresse de mettre le couvercle sur l'affaire, ainsi que le feront tous les fabricants de PVC, dont Monsanto, Dow Chemical, ainsi que leurs homologues européens. Discrètement, les industriels consultent... Robert Kehoe, le directeur des laboratoires Kettering (voir *supra*, chapitre 8), lequel, après avoir étudié plusieurs cas, conclut doctement qu'il s'agit d'une «maladie professionnelle entièrement nouvelle» dans un courrier adressé à R. Emmet Kelly, le directeur médical de Monsanto[48]. Tout aussi discrètement, reproduisant les méthodes qu'elle avait déjà utilisées pour les BPC, la firme de Saint Louis accumule les données dans l'une de ses usines : elle demande à l'un de ses médecins, le docteur Nessel, d'organiser une radiographie des mains pour tous ses ouvriers, sans que ceux-ci soient informés des motifs de cette opération médicale exceptionnelle. «Je suis sûr que le docteur Nessel peut trouver une histoire qui permette de préparer ces gens sans éveiller leur attention», écrit ainsi R. Emmet Kelly à l'un des responsables de l'usine[49].

Même comportement du côté de Goodrich : le 12 novembre 1964, Rex Wilson, le chef du département médical de la firme, demande au docteur Newman, le médecin de l'usine d'Avon Lake (Ohio), d'« examiner les mains de nos employés », en précisant : « J'apprécierais que vous satisfassiez à cette demande aussi vite que possible, mais de manière incidente en la joignant à d'autres examens de routine de notre personnel. Nous ne désirons pas communiquer là-dessus et je vous demande de maintenir cette information confidentielle[50]. » Finalement, le docteur Newman dénombrera trente et un cas de l'étrange mal sur un total de 3 000 ouvriers[51].

Petit à petit, d'abord avec l'acro-ostéolyse, puis avec le cancer, se met en place une véritable conspiration des industriels d'Amérique et d'Europe pour cacher l'extrême toxicité du processus de fabrication du PVC et du produit lui-même et empêcher toute tentative de réglementation.

Conspiration autour du PVC

« Nous sommes tout à fait convaincus qu'une exposition à 500 ppm par inhalation pendant sept heures par jour, cinq jours par semaine et sur une période prolongée, provoquera des dégâts plutôt conséquents. Comme vous devez le comprendre, il est préférable de ne pas disséminer cette information et je vous serais reconnaissant de bien vouloir la considérer comme confidentielle, même si vous pouvez l'utiliser comme vous le souhaitez pour le travail dans vos usines[52]. » Voilà ce qu'écrivait Verald Rowe, le toxicologue de Dow Chemical, à William McCormick, son homologue de Goodrich, le 12 mai 1959. Ce courrier faisait suite à une étude menée secrètement sous la direction de Rowe, qui montrait que des lapins exposés à 200 ppm de chlorure de vinyle développaient des microlésions au foie. Au même moment, la norme fixée par les industriels était de 500 ppm et elle le restera pendant encore quinze longues années.

En mai 1970, l'Italien Pierluigi Viola provoque quelques remous lors du Xᵉ Congrès international sur le cancer qui se tient à Houston. Il y présente une étude montrant que des rats exposés à des vapeurs de chlorure de vinyle (quatre heures par jour, cinq jours par semaine, pendant douze mois, à une concentration de 30 000 ppm) ont développé des cancers de la peau (65 %), des poumons (26 %) et des os. « Le chlorure de vinyle est un agent cancérigène effectif pour le rat, conclut-il, même si aucune implication pour les humains ne peut être extrapolée

du modèle présenté dans cet article[53]. » Aussitôt, les fabricants européens, avec en tête l'italien Montedison, demandent à Cesare Maltoni
– un éminent cancérologue de Bologne qui fondera, en 1987, l'Institut
Ramazzini, en hommage à Bernardino Ramazzini (voir *supra*, chapitre 7)
– de conduire une étude sur les effets des émanations de chlorure de
vinyle. Utilisant un protocole qui fera la réputation de l'Institut Ramazzini, le scientifique italien expose un groupe de 500 rats à différentes
concentrations, bien inférieures à celles qui ont été utilisées par son
collègue Pierluigi Viola, puisqu'elles allaient de 10 000 à 250 ppm. Les
résultats de ce méga-bioessai, poursuivi jusqu'à la mort naturelle des
cobayes, sont sans appel : 10 % des rats exposés à la dose la plus faible
ont développé un angiosarcome, une forme très rare du cancer du foie,
mais aussi des tumeurs des reins, après seulement quatre-vingt-une
semaines d'exposition. Pour l'industrie, l'affaire est grave, car 250 ppm,
c'est la moitié de la norme appliquée dans les usines et c'est aussi la
concentration de gaz que l'on trouve à l'époque dans les salons de coif-
fure, ainsi que le souligne un mémorandum secret de Goodrich[54]. Plus
inquiétant encore : Maltoni explique qu'il n'exclut pas que des doses
bien inférieures provoquent des effets similaires.

Devant l'urgence de la situation, les industriels européens – dont
l'italien Montedison, le britannique Imperial Chemical Industries
Limited, le français Rhône Progil (filiale de Rhône-Poulenc) et le belge
Solvay et Cie – organisent une rencontre avec leurs homologues américains, avec qui ils passent un « pacte secret[55] », dès octobre 1972. Ainsi
que le révèlent plusieurs documents de la Manufacturing Chemists'
Association (MCA) aujourd'hui déclassifiés, les Européens se disent
disposés à communiquer les données de l'étude de Cesare Maltoni à
condition que les Américains s'engagent à ne jamais les rendre publiques sans leur accord préalable[56].

Et les Américains tiendront leur promesse, quitte à fomenter un véritable complot contre... l'OSHA. En janvier 1973, en effet, le National
Institute for Occupational Safety and Health (NIOSH), l'institut de
recherche de la toute nouvelle agence chargée de la sécurité et de la
santé au travail, contacte la MCA dans le but de faire le point sur les
dangers du chlorure de vinyle et sur la « norme volontaire » de 500 ppm
que l'OSHA a reprise au moment de sa création en 1971. Une rencontre est fixée avec Markus Key, le directeur du NIOSH, le 11 juillet
1973, au siège de l'institut à Rockville. Afin de respecter le pacte qui
les lie aux Européens, les industriels échafaudent un véritable plan de
bataille, au cours de réunions secrètes dont les comptes rendus sont

classés «Confidentiel»: ils décident qu'ils ne parleront pas de l'étude de Cesare Maltoni au directeur du NIOSH si celui-ci n'aborde pas de lui-même le sujet[57]. Si, en revanche, il évoque l'étude européenne, ils conviennent d'expliquer que les données en leur possession sont préliminaires, mais qu'ils s'engagent à «communiquer les résultats définitifs dès qu'ils seront connus[58]».

Les préoccupations de l'industrie ne concernent pas uniquement les normes d'exposition dans les usines, qui pourraient être revues à la baisse, mais aussi la contamination des récipients alimentaires en PVC, comme les bouteilles en plastique: «L'une des questions que l'on pourrait nous poser, c'est si le chlorure de vinyle reste dans les aliments, s'il interagit avec la nourriture et de quelle manière[59]», note ainsi Theodore Torkelson, le toxicologue de Dow Chemical, qui reconnaît du même coup qu'aucun test n'a été conduit pour vérifier cette hypothèse... Finalement, la réunion se passe à merveille, puisque Markus Key, le directeur du NIOSH, n'a posé aucune des questions qui fâchent: «Le risque que le NIOSH prenne des mesures précipitées contre le chlorure de vinyle a été concrètement réduit», résume le compte rendu rédigé par le représentant d'Union Carbide[60]. Mais, comme nous allons le voir, l'accalmie sera de très courte durée pour les industriels...

Branle-bas de combat chez les industriels du PVC

«Entre septembre 1967 et décembre 1973, quatre cas d'angiosarcome du foie ont été diagnostiqués chez des ouvriers qui travaillaient dans l'atelier de polymérisation du polychlorure de vinyle d'une usine de Goodrich située près de Louisville, dans le Kentucky. [...] L'angiosarcome du foie est une tumeur extrêmement rare. On estime qu'environ vingt-cinq cas sont diagnostiqués chaque année aux États-Unis. C'est pourquoi le fait de rencontrer quatre cas parmi un petit nombre d'ouvriers d'une même usine constitue un événement hautement exceptionnel faisant penser à la présence d'un produit cancérigène professionnel, probablement le chlorure de vinyle lui-même[61].» Publié en 1974 dans le *Morbidity and Mortality Weekly Report*, le bulletin hebdomadaire du Center for Disease Control d'Atlanta, cet article a été rédigé par John Creech, le médecin de Goodrich qui, dix ans plus tôt, avait tiré la sonnette d'alarme après avoir identifié quatre cas d'un autre mal «extrêmement rare», l'acro-ostéolyse. Peu avant la publication de l'article, le docteur Creech avait informé l'OSHA, qui aussitôt avait organisé en urgence une série d'auditions pour revoir la réglementation du chlorure de vinyle[62].

C'est ainsi que Markus Key, le directeur du NIOSH, l'institut de recherche de l'OSHA, découvre qu'il a été trompé par l'industrie lors de la fameuse réunion du 11 juillet 1973. Il racontera en détail sa «déception» lors de sa déposition dans le cadre d'un procès intenté par Holly Smith, la veuve de l'un des ouvriers décédé d'un angiosarcome du foie, contre Goodrich et Dow Chemical. Filmé le 19 septembre 1995, ce témoignage est très intéressant, car il révèle les mécanismes professionnels et personnels qui permettent aux industriels de tromper les représentants des agences de réglementation. On découvre en effet que le docteur Markus Key connaissait de longue date Verald Rowe, le toxicologue de Dow Chemical qui avait fait office de porte-parole des industriels lors de la réunion de juillet 1973. S'il s'est fait piéger, c'est tout simplement parce qu'il n'a pas pu *imaginer* que Verald Rowe puisse trahir sa confiance, en lui mentant de manière *intentionnelle*.

L'interrogatoire est conduit par Steven Vodka, l'avocat de la famille du défunt, en présence de Maureen Donelson, huissier du tribunal du district de Columbia, et des avocats de Goodrich et de Dow Chemical. Dans la première partie, Markus Key explique que les représentants de la Manufacturing Chemists' Association (MCA) se sont contentés de lui présenter l'étude de Pierluigi Viola, qui avait observé les effets cancérigènes du chlorure de vinyle à une concentration extrêmement élevée (30 000 ppm), et qu'ils lui ont annoncé qu'une deuxième étude européenne était en cours à des niveaux d'exposition «plus raisonnables», dont les résultats n'étaient pas encore connus.

«Pendant la réunion avec le groupe de la MCA, dont M. Rowe, avez-vous été informé que cette nouvelle étude européenne avait montré des tumeurs à une exposition de 250 ppm? demande Steven Vodka.

— Non, répond Markus Key.

— Vous nous avez dit que vous connaissiez le docteur Rowe pour des raisons professionnelles depuis de nombreuses années?

— Oui...

— Au moment de la réunion, est-ce que vous faisiez confiance au docteur Rowe en tant que collègue?

— Oui...

— Et, au moment de la réunion, est-ce que vous pensiez que si le docteur Rowe savait qu'une exposition à 250 ppm provoquait des angiosarcomes du foie chez des animaux de laboratoire, il vous en aurait tenu informé?

— Objection, interrompt l'un des avocats des firmes.

— Vous pouvez répondre, tranche Steven Vodka.

— Oui[63]... » répond le directeur du NIOSH.

En lisant la fin de l'interrogatoire, on comprend l'énorme « déception » de Markus Key : pour couvrir le mensonge des industriels, Verald Rowe ira jusqu'à prétendre que ceux-ci l'avaient informé des résultats de l'étude de Cesare Maltoni, en n'hésitant pas à modifier le compte rendu de la réunion !

En février 1974, en tout cas, au terme d'une première série d'auditions, l'OSHA propose de fixer la nouvelle norme d'exposition au chlorure de vinyle à... 1 ppm, l'« équivalent d'une once de vermouth dans 80 000 gallons de gin », note David Michaels[64]. Pour statuer définitivement, l'agence annonce une nouvelle série d'auditions pour juin 1974. Chez les industriels, c'est de nouveau le branle-bas de combat. Pour se préparer à cette nouvelle bataille, ils font appel aux services de la firme Hill & Knowlton, experte dans l'art de « créer le doute », qui a déjà vendu ses talents aux producteurs de plomb, d'amiante et de tabac[65]. Celle-ci échafaude un véritable programme de guerre, réservant une suite dans un hôtel situé en face du siège de l'OSHA, où elle installe son QG de campagne. Des séances d'entraînement sont organisées, où les industriels affûtent leurs arguments préparés par les « spécialistes » de l'agence de « relations publiques ». Dans un document intitulé « Préparation pour les auditions de l'OHSA », aujourd'hui déclassifié, on peut lire les quatre points principaux de l'argumentaire, qui ont été largement distribués à la presse : « 1) Les produits en PVC jouent un rôle important dans notre société ; des normes trop strictes et inutiles priveraient la nation de nombreux produits bénéfiques et de haute valeur ; 2) si le PVC était éliminé, l'impact économique et social en termes de perte de production et d'emplois serait très sévère ; 3) il est techniquement impossible de réduire le niveau d'exposition à celui qui est recommandé par l'OSHA ; 4) il n'a pas été démontré qu'il existe un danger au niveau d'exposition recommandé par la Société des industriels du plastique[66]. »

Ce document est fort intéressant, car, comme nous le verrons ultérieurement, on pourrait remplacer « PVC » par « bisphénol A » ou « aspartame » pour constater que la défense des poisons passe toujours par la même rengaine concoctée par des spécialistes de la « communication », ou plutôt de la désinformation, bien éloignés des préoccupations scientifiques ou sanitaires. Fort instructive aussi est la conclusion du document, qui souligne le véritable enjeu de cette incroyable bataille : « Un souci potentiellement aussi grave serait le développement d'une réaction de crise chez les consommateurs concernant le danger des produits en PVC utilisés à la maison, dont tous les produits en plastique. » À noter, enfin, qu'il se trouve toujours des journaux de prestige prêts à relayer le message des industriels, comme on l'a déjà vu avec le *New York Times* pour l'essence au plomb (voir *supra*, chapitre 8) : « Si le gouvernement autorise que les ouvriers soient exposés au gaz, certains mourront, écrit ainsi froidement le magazine *Fortune* en octobre 1974. S'il élimine toute exposition, une industrie de valeur disparaîtra. [...] Les préoccupations médicales et économiques entrent en opposition frontale[67]. »

« *La légitimité de Richard Doll est définitivement entachée* »

Mais tous les efforts de l'industrie seront vains : au terme des auditions de juin 1974, l'OSHA confirme la nouvelle norme de 1 ppm, qui entre en vigueur le 1er avril 1975. Et, contrairement aux prévisions des Cassandre professionnels, le PVC a largement survécu à la décision. La « catastrophe économique » annoncée n'a pas eu lieu, bien au contraire, ainsi que le soulignera triomphalement *Chemical Week*, le magazine des industriels de la chimie, dans un article du 5 septembre 1977 intitulé « Le PVC est sorti du danger pour entrer dans la jubilation » : « Les producteurs américains de vinyle ont résolu le "problème de l'OSHA" qui menaçait leur viabilité il y a deux ans, écrit l'auteur, qui rapporte que la demande et le prix du PVC n'ont jamais été aussi élevés. Ils ont installé les équipements nécessaires pour se conformer aux exigences d'exposition des ouvriers imposées par l'OSHA sans que cela n'entraîne une augmentation des coûts de production telle qu'elle aurait paralysé la croissance du PVC[68]. »

Après ce bel aveu, on aurait pu espérer que les fabricants de polychlorure de vinyle auraient définitivement enterré la hache de guerre, en cessant leurs manœuvres d'obstruction systématique dès que de nouvelles données scientifiques ou médicales mettent en cause la sécurité de ce poison des temps modernes, mais il n'en est rien ! En 1979, en effet, le CIRC réalise une première évaluation du produit et conclut provisoirement qu'il est « cancérigène pour les humains » : « Les organes cibles sont le foie, le cerveau, les poumons et les systèmes hémopathique et lymphatique. » Huit ans plus tard, une deuxième évaluation confirme la première et le «chlorure de polyvinyle (PVC)» rejoint définitivement le groupe 1 dans la classification du CIRC[69].

Et la machine de guerre se remet en marche! L'Association des industriels de la chimie (Chemical Manufacturers Association) demande à... Richard Doll de conduire une méta-analyse des études qui ont examiné les effets cancérigènes du PVC. Publiée en 1988 dans le *Scandinavian Journal of Work and Environment Health*, celle-ci conclut que seul l'angiosarcome du foie peut être éventuellement associé à l'exposition au PVC, mais aucun autre type de cancer[70]. Comme le révéleront plusieurs observateurs, tels David Michaels, Paul Blanc, Devra Davis ou Jennifer Sass, qui y a consacré en 2005 un article entier[71], la nouvelle «étude» de l'éminent épidémiologiste est biaisée: pour parvenir à ses conclusions, il a écarté plusieurs publications montrant que le chlorure de vinyle induit notamment des cancers du cerveau, qu'il a arbitrairement considérées comme «statistiquement non significatives».

Ainsi que le souligne Jennifer Sass, «Doll n'a pas indiqué s'il avait eu des sources de financement pour son article». Et, pourtant, il aurait dû: en 2000, alors qu'il était cité comme expert par l'industrie dans un procès intenté par un ouvrier souffrant d'une tumeur au cerveau, il a finalement reconnu qu'il avait été payé «12 000 livres britanniques» (environ 25 000 dollars canadiens) par la Chemical Manufacturers Association pour réaliser sa méta-analyse de 1988[72]. Ce qu'il n'a pas dit, c'est qu'à l'époque il était aussi payé par Monsanto...

«L'affaire du chlorure de vinyle constitue le coup de grâce pour la réputation de Richard Doll, m'a dit Richard Clapp, l'épidémiologiste de Boston. Elle entache définitivement sa légitimité à représenter une référence dans le domaine de la santé environnementale. Il est temps d'ouvrir les yeux sur le rôle fondamental que joue la pollution chimique dans l'augmentation sans précédent des cancers, mais aussi des maladies neurodégénératives ou des dysfonctionnements de la reproduction, qui caractérise le monde industrialisé.»

Une épidémie dans les pays industrialisés

«Nous scientifiques, médecins, juristes, humanistes, citoyens, convaincus de l'urgence et de la gravité de la situation, déclarons que: le développement de nombreuses maladies actuelles est consécutif à la dégradation de l'environnement; la pollution chimique constitue une menace grave pour l'enfant et pour la survie de l'homme; notre santé, celle de nos enfants et celle des générations futures étant en péril, c'est l'espèce humaine qui est elle-même en danger.» Entrée dans l'histoire comme l'«Appel de Paris», cette «déclaration internationale sur les dangers sanitaires de la pollution chimique» a été lancée le 7 mai 2004 à l'Unesco, lors du colloque «Cancer, environnement et santé» organisé par l'association ARTAC du professeur Dominique Belpomme[a]. Parmi les signataires, on trouvait plusieurs personnalités que nous avons déjà croisées dans ce livre: Richard Clapp, André Picot, Jean-François Narbonne, André Cicolella, Luc Montagnier et, bien sûr, Dominique Belpomme, qui fut le premier cancérologue français à déclarer publiquement que le cancer est avant tout une «maladie environnementale créée par l'homme[73]».

De fait, il suffit de consulter le site web du Centre international de la recherche sur le cancer (CIRC) pour se rendre compte que le «crabe aux pinces d'or[74]» a surtout prospéré dans les pays dits «développés», c'est-à-dire en Europe, en Amérique du Nord et en Australie. Ainsi, d'après les données de Globocan 2008, qui présentent, à l'aide de cartes et de graphiques, les taux «d'incidence et de mortalité du cancer dans le monde», la France est en tête du peloton international avec une incidence annuelle de 360,6 nouveaux cas de cancer pour 100 000 personnes, juste devant l'Australie (360,5) mais loin devant le Canada (335), l'Argentine (232), la Chine (211), le Brésil (190,4), la Bolivie (101), l'Inde (92,9) et le Niger (68,6). On retrouve la même «excellence» française pour le cancer du sein (99,7), qui mondialement est aussi celui qui progresse le plus chaque année, même si les différences du Nord au Sud sont énormes: l'incidence est de 21,4 au Burkina Faso, 21,6 en Chine et 27,2 au Mexique. Même chose pour le cancer de la prostate, où le taux d'incidence est de 118,3 en France, 83,8 aux États-Unis, 82,7 en Allemagne et… 3,7 en Inde. Ou pour le cancer du côlon: France (36), Allemagne (45,2), Inde (4,3), Bolivie (6,2), Cameroun (4,7). Et il en est ainsi pour les cancers de la thyroïde, des testicules, des poumons, du cerveau et de la peau et pour les leucémies, dont l'incidence est de dix à vingt fois plus élevée dans les pays industrialisés que dans les pays du Sud.

D'après une étude publiée par le CIRC, 3 191 600 cancers ont été diagnostiqués en 2006 dans l'Europe des vingt-cinq (53% chez les hommes

---

a   L'Association pour la recherche thérapeutique anticancéreuse (ARTAC) a été créée en 1984 par le cancérologue Dominique Belpomme «avec un groupe de chercheurs, de malades et de leurs familles». Ses travaux sont orientés «vers la détermination des causes de l'origine des cancers et la prévention» (voir Dominique BELPOMME, *Avant qu'il ne soit trop tard*, Fayard, Paris, 2007, p. 21-25).

et 47 % chez les femmes), soit une augmentation de 300 000 nouveaux cas par rapport à l'année 2004[75]. Et, preuve que le phénomène n'est pas seulement un effet du vieillissement de la population, ainsi que le prétend sir Richard Peto, les cancers de l'enfant ne cessent de progresser. C'est ce que montre une autre étude du CIRC, qui a analysé soixante-trois registres européens du cancer. Au cours des trois dernières décennies, la croissance annuelle de l'incidence a été de 1 % pour les enfants de 0 à 14 ans et de 1,5 % pour les adolescents (15-19 ans). Inexorable, le phénomène s'aggrave d'une décennie à l'autre : pour les enfants, le taux augmente de 0,9 % entre les années 1970 et 1980, mais de 1,3 % entre les années 1980 et 1990. Pour les adolescents, la hausse est de 1,3 % entre 1970 et 1980 et de 1,8 % entre 1980 et 1990[76]. Cette situation est tellement préoccupante qu'en septembre 2006 l'OMS a lancé un cri d'alarme, en demandant de mettre en œuvre une « stratégie pour maîtriser » ce qu'elle appelle « une *épidémie* de maladies chroniques *évitables*[77] ». L'emploi du terme « épidémie » pour désigner l'irrésistible propagation du cancer, qui n'est pourtant pas une « maladie infectieuse transmissible », selon la définition du *Petit Robert*, marque un tournant dans le langage généralement très consensuel de l'organisation onusienne. En choisissant ce mot, qui a dû faire grincer quelques dents, l'OMS souligne le caractère exceptionnel et anormal de la diffusion de la maladie.

En France, l'« épidémie » a fait l'objet en 2008 d'une expertise collective de l'Inserm – à la demande de l'Afsset –, qui a courageusement pris le contre-pied du rapport publié un an plus tôt par les académies de médecine et des sciences. Il faut saluer au passage l'énorme travail accompli par les trente-trois experts mobilisés pour rédiger ce volumineux rapport de 889 pages intitulé *Cancers et Environnement* qui, dès l'introduction, met en pièces les pauvres arguments de sir Richard Peto, mais aussi des vénérables académiciens : « On constate une augmentation de l'incidence des cancers depuis une vingtaine d'années. Si l'on tient compte des changements démographiques (augmentation et vieillissement de la population française), l'augmentation du taux d'incidence depuis 1980 est estimée à + 35 % chez l'homme et + 43 % chez la femme[78]. » Et les auteurs précisent que « les modifications de l'environnement pourraient être partiellement responsables de l'augmentation constatée de l'incidence de certains cancers ». Le ton est certes prudent, mais il n'en reste pas moins que le rapport marque une rupture avec tous ceux qui l'ont précédé, où le rôle de la pollution chimique était systématiquement minimisé, voire carrément ignoré.

Pour mener leur expertise, les chercheurs de l'Inserm ont trouvé « neuf sites de cancer dont l'incidence n'a cessé d'augmenter au cours des vingt-cinq dernières années : les cancers du poumon, les mésothéliomes, les hémopathies malignes, les tumeurs cérébrales, les cancers du sein, de l'ovaire, des testicules, de la prostate et de la thyroïde[a] ». Puis, ils ont analysé les données de la littérature scientifique internationale en se concentrant exclusivement sur les « facteurs environnementaux » définis comme « les agents physiques, chimiques ou biologiques présents dans l'atmosphère, l'eau, les sols ou l'alimentation dont l'exposition est subie et non générée par des comportements individuels ». Les experts ont donc exclu le « tabagisme actif », dont le rôle dans l'étiologie de certains cancers n'est plus à démontrer, pour s'intéresser uniquement aux « facteurs de l'environnement général » (comme les pesticides, les dioxines, les BPC, certains métaux lourds, les particules issues du trafic automobile, etc.) et « ceux présents dans l'environnement professionnel ». Dans leurs conclusions, ils recommandent de « renforcer la recherche épidémiologique, toxicologique et moléculaire dans le domaine des risques environnementaux du cancer, [car] c'est une problématique importante en termes de santé publique, [qui] concerne une large part de la population ».

« Nous estimons que 80 % à 90 % des cancers sont liés à l'environnement et au mode de vie, m'a confirmé pour sa part Christopher Wild, le directeur du CIRC. C'est ce que prouvent les études sur les personnes qui migrent d'une région du monde à une autre, où l'exposition aux polluants chimiques et le mode de vie varient, elles adoptent pour ainsi dire le modèle des cancers des régions où elles s'installent. » Parmi les études citées par le docteur Wild, plusieurs concernent les migrants japonais qui se sont installés à Hawaii. Elles montrent, en effet, qu'en une ou deux générations les immigrés « adoptent » le profil des cancers des États-Unis, en présentant un « risque accru de cancer de la prostate, du côlon, de la thyroïde, du sein, des ovaires et des testicules[79] », dont l'incidence est nettement plus faible au Japon. Comme le soulignent André Cicolella et Dorothée Benoît Browaeys dans *Alertes santé*, « ce n'est pas leur patrimoine génétique qui change, mais leur environnement[80] ».

---

a   Le taux d'incidence du cancer de la prostate a augmenté, chaque année, de 6,3 % entre 1980 et 2005, et l'augmentation est encore plus marquée entre 2000 et 2005 (+ 8,5 %). Pour le cancer du sein, l'augmentation annuelle moyenne de 1980 à 2005 est de 2,4 % ; et + 6 % pour le cancer de la thyroïde, + 2,5 % pour celui des testicules et + 1 % pour celui du cerveau.

Une autre manière d'estimer l'impact des facteurs environnementaux sur l'étiologie des maladies chroniques consiste à comparer l'évolution sanitaire de ceux qu'on appelle des « jumeaux monozygotes », c'est-à-dire issus d'un même ovule fécondé et qui ont donc exactement le même patrimoine génétique. En effet, « si le cancer était une maladie purement génétique, les vrais jumeaux feraient les mêmes types de cancer », or « c'est loin d'être le cas[81] ». C'est ce qu'a clairement montré en 2000 une étude qui a examiné la situation médicale de 44 788 paires de jumeaux enregistrés en Suède, au Danemark et en Finlande, pour évaluer les risques concernant vingt-huit sites de cancer. La conclusion est sans appel : « Les facteurs génétiques héréditaires contribuent de façon minoritaire à la susceptibilité pour la plupart des néoplasmes. Ce résultat indique que l'environnement joue un rôle principal dans les causes de cancer[82]. »

Preuve que les choses sont en train de changer : cette conclusion est aussi celle d'une résolution du Parlement européen du 6 mai 2010. Intitulée « Agir contre le cancer », celle-ci souligne le rôle des facteurs environnementaux dans l'origine de la maladie, en précisant qu'il ne s'agit pas « uniquement de la fumée de cigarettes ou de l'exposition excessive aux radiations ou aux UV », mais aussi « des polluants chimiques que l'on trouve dans la nourriture, l'air, le sol et l'eau et qui proviennent de procédés industriels ou de pratiques agricoles ». C'est pourquoi elle demande à la Commission européenne d'encourager la « prévention du cancer par une réduction de l'exposition professionnelle et environnementale à des produits cancérigènes[83] ».

Pour cela, ainsi que nous allons le voir dans la troisième partie de ce livre, il faudrait revoir de fond en comble le processus de réglementation des substances chimiques qui, en l'état actuel, protège davantage les industriels que les consommateurs et les citoyens...

III

Une réglementation au service de l'industrie

12

La formidable imposture scientifique de la « dose journalière acceptable » de poisons

« Le système réglementaire qui est censé protéger la santé publique contre les effets des produits cancérigènes ne fonctionne pas. S'il était efficace, le taux d'incidence du cancer aurait dû diminuer, mais cela n'est pas le cas. Je pense que le principe de la dose journalière acceptable, qui représente l'outil principal de la réglementation des produits toxiques contaminant la chaîne alimentaire, protège davantage l'industrie que la santé des consommateurs. » Physicien reconverti dans la philosophie et l'histoire des sciences, le Britannique Erik Millstone est professeur de « politique scientifique » (*science policy*), une chaire qui n'a pas d'équivalent dans le reste de l'Europe. Concrètement, il s'intéresse à la manière dont les autorités publiques établissent leur politique dans le domaine de la santé et de l'environnement et, tout particulièrement, au rôle joué par la science dans le processus décisionnel. Il m'a reçue un jour enneigé de janvier 2010 dans son bureau de l'université du Sussex, à Brighton, dans le sud de l'Angleterre, au milieu de ses livres et documents soigneusement étiquetés d'après les recherches auxquelles il a consacré les trente dernières années de sa carrière : « Pollution au plomb », « Encéphalopathie spongiforme bovine », « Organismes génétiquement modifiés », « Pesticides », « Additifs alimentaires », « Aspartame », « Obésité », « Dose journalière acceptable ».

La « boîte noire » de l'invention de la « DJA »

Connu pour son franc-parler et son art de décortiquer les dossiers les plus complexes, Erik Millstone est l'un des meilleurs spécialistes européens du système de réglementation qui régit la sécurité des aliments, mais aussi l'un de ses critiques les plus redoutés. « Je vous mets au défi de trouver une quelconque étude scientifique qui justifie le principe de la dose journalière acceptable, car il n'y en a pas, m'a-t-il expliqué avec conviction. La sécurité des consommateurs repose sur l'utilisation d'un concept qui a été imaginé à la fin des années 1950 et est devenu un dogme intangible, alors qu'il est complètement dépassé et que personne ne peut en expliquer la légitimité scientifique[1]. »

De fait, j'ai passé des semaines à essayer de reconstituer la genèse de la « dose journalière acceptable » (ou « admissible ») – dans le jargon « DJA », traduction de l'anglais *acceptable daily intake* (ADI) –, notion utilisée pour fixer les normes d'exposition aux produits chimiques qui entrent en contact avec nos aliments : pesticides, additifs et plastiques alimentaires. Quand on fait une recherche sur le Web, on trouve certes une définition affirmant en substance : « La DJA est la quantité de substance chimique que l'on peut ingérer quotidiennement et pendant toute une vie sans qu'il y ait de risque pour la santé. » Mais cette définition ne s'accompagne d'aucune référence scientifique qui permette de comprendre comment le concept a été élaboré. Et, quand on interroge ceux qui, chaque jour, se servent de cet outil pour déterminer, par exemple, quelle quantité de pesticide peut être tolérée dans notre alimentation, on obtient en général des réponses évasives et quelque peu embarrassées, par exemple celle d'Herman Fontier, le chef de l'Unité des pesticides à l'Autorité européenne de sécurité des aliments, à qui j'ai posé la question quand je l'ai rencontré à Parme en janvier 2010 : « Cela fait vingt-trois ans que je m'occupe de l'autorisation des produits phytosanitaires et j'ai toujours connu le concept de la dose journalière acceptable, mais je dois avouer que je ne me suis jamais demandé comment avait été conçu cet instrument qui réglemente l'ingestion des substances chimiques. Ce qui est sûr, c'est qu'il y a un *consensus* dans le monde scientifique qu'il y a lieu de fixer une DJA pour protéger les consommateurs[2]. »

En écoutant la très courte explication de l'expert européen, j'ai repensé à mon enquête sur Monsanto, où j'avais de la même manière essayé de remonter à l'origine du « principe d'équivalence en substance », qui faisait lui aussi « consensus » pour la réglementation des OGM. J'avais découvert que ce concept – consacré en 1992 par la FDA –, qui affirme qu'une plante transgénique est « similaire en substance » à la plante conventionnelle dont elle est issue, ne repose sur aucune donnée scientifique : il découle d'une décision politique, fortement téléguidée par les intérêts commerciaux du leader mondial des biotechnologies. Pourtant, ce principe s'est imposé depuis auprès des agences de réglementation internationales, au point qu'elles continuent de l'invoquer pour justifier l'absence d'évaluation scientifique sérieuse des plantes transgéniques mises sur le marché.

Tout indique qu'il en est de même pour la « dose journalière acceptable », qui ressemble fort à ce que le sociologue et philosophe des sciences Bruno Latour appelle une « boîte noire » pour désigner l'oubli des modalités de reconnaissance des acquis scientifiques ou techniques admis ensuite comme des évidences, le plus souvent après de vives controverses. Dans son passionnant ouvrage *La Science en action*[3], celui-ci explique comment une découverte originale – comme la double hélice de l'ADN ou l'ordinateur Eclipse M V/8000 –, fruit d'un long processus de recherche expérimentale et théorique, devient un « objet stable froid » ou un « fait établi », dont plus personne – y compris les scientifiques qui s'en servent comme d'un outil – n'est en mesure de comprendre les « rouages internes » ni de « défaire les liens innombrables » qui ont présidé à sa création. De manière similaire, le principe de la dose journalière acceptable, auquel les toxicologues et les gestionnaires du risque chimique font sans cesse référence, est devenu une « connaissance tacite profondément encapsulée » dans la « pratique silencieuse de la science », qui « aurait pu être connue depuis des siècles ou donnée par Dieu dans les Dix Commandements », tant son histoire se perd dans la nuit des temps.

« Le problème, a souligné Erik Millstone, c'est que la DJA est une boîte noire très différente de celles que Bruno Latour prend pour exemples. En effet, si la double hélice de l'ADN est une réalité scientifique établie sur laquelle se sont appuyés d'autres chercheurs pour faire progresser la connaissance, par exemple sur le génome humain, il est

toujours possible, pour qui en a la capacité et le temps, de reconstituer les multiples étapes qui ont conduit James Watson et Francis
Crick à faire cette découverte. Mais, pour la DJA, il n'y a rien de semblable, car elle est le résultat d'une décision arbitraire érigée en concept
pseudo-scientifique pour couvrir les industriels et protéger les politiciens qui ont besoin de se cacher derrière des experts pour justifier
leur action. La dose journalière acceptable est un artefact indispensable pour ceux qui ont décidé qu'on a le droit d'utiliser des produits chimiques toxiques, y compris dans le processus de la production
agroalimentaire.

— Et on ne sait vraiment pas qui a inventé ce concept ? ai-je insisté.

— D'après l'Organisation mondiale de la santé, la paternité en
revient à un toxicologue français du nom de René Truhaut, m'a répondu
Erik Millstone, même si aux États-Unis on préfère l'attribuer à Arnold
Lehman et Garth Fitzhugh, deux toxicologues de la Food and Drug
Administration qui travaillèrent sur des questions similaires. »

Le précurseur René Truhaut, toxicologue français adepte de Paracelse

Têtue comme un mulet de mon Poitou natal, je me suis donc rendue
à Genève pour consulter les archives de l'OMS. Et, dans le répertoire
thématique de l'imposant centre de documentation, j'ai effectivement
trouvé plusieurs références à René Truhaut (1909-1994), qui fut titulaire
de la chaire de toxicologie de la faculté de Paris et est considéré comme
l'un des pionniers de la cancérologie française. Auteur d'une thèse de
doctorat en pharmacie, intitulée *Contribution à l'étude des cancérigènes
endogènes*, ce « travailleur infatigable et acharné » est devenu un spécialiste de la toxicologie alimentaire qui tenta « d'élucider le devenir d'un
grand nombre de substances chimiques dans l'organisme et d'en interpréter le mécanisme d'action », pour reprendre les termes de l'académicien belge Léopold Molle dans l'hommage qu'il lui rendit en 1984[4].
« Précurseur de la toxicocinétique[a] », le professeur Truhaut a dirigé le
laboratoire de toxicologie de la faculté de pharmacie de Paris, où il
s'est consacré à l'« évaluation des potentialités toxiques, y compris la

---

a   La toxicocinétique étudie le devenir des médicaments et des substances chimi-
    ques dans l'organisme en analysant les mécanismes de résorption, de distribution,
    de métabolisme et d'excrétion.

potentialité cancérigène, d'agents chimiques susceptibles d'être incorporés, volontairement ou involontairement, dans les aliments, comme les résidus de pesticides et d'anabolisants, les agents conservateurs et émulsifiants, les colorants naturels et synthétiques».

J'ai pu visionner l'une des rares interviews accordées par René Truhaut, dans le cadre d'un documentaire réalisé en 1964 par Jean Lallier (1928-2005). Intitulé *Le Pain et le Vin de l'an 2000*, ce film posait déjà toutes les (bonnes) questions auxquelles j'essaie de répondre dans ce livre, près de cinquante ans plus tard. Il s'interrogeait notamment sur l'efficacité de la réglementation alors balbutiante des produits chimiques qui contaminent la chaîne alimentaire et sur le rôle joué par les toxicologues dans ce processus. Sur les images, on voit René Truhaut en blouse blanche, installé dans son laboratoire de la faculté de pharmacie. «Si vous me permettez de faire une comparaison, expliquait-il avec un souci pédagogique évident, au siècle dernier, lorsque ce citoyen du monde que fut Pasteur a découvert le danger des bactéries, eh bien, dans le domaine alimentaire spécifiquement, on a accordé une très grande importance au contrôle microbiologique des aliments et on a fondé toute une série de laboratoires pour effectuer ce contrôle. Eh bien, il faudrait qu'il en soit de même dans le cadre du contrôle des agents chimiques ajoutés aux aliments, parce que leurs dangers, pour être plus insidieux, moins spectaculaires, si vous voulez, n'en sont à mon avis certainement pas moins graves[5].»

Membre des académies françaises de médecine et des sciences, René Truhaut avait son entrée dans toutes les grandes instances internationales, ainsi que le révèle son impressionnant *curriculum vitae*: il fut membre de la Commission internationale permanente des maladies professionnelles, du Bureau international du travail, de l'Union internationale contre le cancer, de l'Union internationale de chimie pure et appliquée, ainsi que de nombreux comités scientifiques des Communautés européennes, dont le Comité sur l'écotoxicité et la toxicité des produits chimiques, qu'il présida. Mais son nom est surtout associé à l'OMS, qu'il fréquenta assidûment pendant plus de trente ans. C'est dans le cadre de l'institution onusienne qu'il développa le principe de la DJA, ainsi qu'il l'a revendiqué dans un article publié en 1991: «Je crois avoir vraiment été l'initiateur du concept de la dose journalière acceptable (DJA), comme cela a d'ailleurs été reconnu dans plusieurs articles écrits par des experts qui ont vécu avec moi pendant la période des années 1950 à 1962, écrit-il alors avec une certaine retenue dont on ne sait si c'est de la prudence ou de la modestie.

Malheureusement et paradoxalement, je n'ai, à l'époque, rien publié dans des périodiques scientifiques[6]. »

C'est effectivement fort dommage, car on n'en saura pas plus sur la genèse scientifique du fameux principe qui, à lire le toxicologue français, ne semble pas découler d'un modèle expérimental dûment éprouvé, mais plutôt d'une idée théorique, certes lumineuse et généreuse, qu'il développa au fil de ses recherches : « Engagé depuis le début de ma carrière dans l'évaluation toxicologique des agents chimiques à l'absorption prolongée desquels l'homme est exposé dans différents domaines, j'ai toujours considéré comme une règle d'or le principe émis par Paracelse il y a maintenant cinq siècles : *"Sola dosis facit venenum"* (c'est seulement la dose qui fait le poison), explique-t-il. Cela m'a conduit à accorder une importance primordiale à l'établissement de doses-effets dans la méthodologie d'évaluation toxicologique, de manière à pouvoir fixer des limites admissibles. »

On se souvient du rôle qu'avait joué le « père de la toxicologie » dans les travaux conduits par Robert Kehoe sur la toxicité du plomb (voir *supra*, chapitre 8). Le directeur du laboratoire Kettering, qui travaillait à la solde des industriels, avait autopsié les cadavres de nouveau-nés victimes d'une intoxication au plomb, et mené des expériences sur des « volontaires » pour déterminer une dose d'exposition qui lui paraisse sans danger et ainsi contrer les attaques des opposants à l'essence au plomb. Kehoe avait réussi à imposer une théorie fondée sur quatre principes et qui ressemble étrangement au concept de la DJA : « 1) l'absorption du plomb est naturelle ; 2) le corps dispose de mécanismes permettant de l'assimiler ; 3) au-dessous d'un certain seuil, le plomb est inoffensif ; 4) l'exposition du public est bien inférieure à ce seuil et n'est donc pas préoccupante ».

1961 : l'officialisation « scientifique » du principe « un peu flou » de la DJA

Il y a fort à parier que René Truhaut connaissait les travaux du toxicologue attitré des fabricants de poisons, car, comme lui, il s'intéressait aux effets des polluants professionnels : c'est lui qui promut les « limites admissibles des toxiques dans les atmosphères de travail et/ou dans les milieux biologiques des sujets exposés » auprès de la Commission internationale permanente des maladies professionnelles qui se réunit à Helsinki en 1957. Ses recherches dans le domaine de la santé au travail lui valurent en 1980 le Yant Award de l'Association américaine de l'hygiène industrielle, dont Robert Kehoe fut le président.

Mais, dans les documents que j'ai retrouvés à l'OMS, l'«initiateur du concept de la DJA», comme il se présente lui-même, ne dit rien sur les travaux qui ont inspiré son invention ni sur les études qu'il aurait pu réaliser pour la nourrir. Il se contente de dresser une chronologie des événements qui ont conduit l'OMS et la Food and Agriculture Organization (FAO) à adopter sa proposition. On découvre ainsi, dans un texte qu'il a rédigé en 1981, qu'«en 1953 la sixième Assemblée mondiale de la santé [l'organe qui détermine la politique de l'OMS] a exprimé l'avis que l'utilisation croissante de multiples substances chimiques par l'industrie alimentaire au cours des dernières décennies avait créé un nouveau problème de santé publique qu'il était nécessaire d'étudier[7]». De son côté, la FAO notait le «manque sérieux de données concernant de nombreux additifs alimentaires tant sur leur pureté que sur les dangers sanitaires que peut impliquer leur usage».

C'est ainsi qu'en septembre 1955 les deux organisations de l'ONU décidèrent de créer un comité d'experts chargé d'«étudier les multiples facettes des problèmes liés à l'utilisation d'additifs alimentaires afin de fournir des lignes directives ou des recommandations aux autorités de santé publique et aux autres agences gouvernementales des différents pays du monde». La préoccupation première de cette conférence fondatrice ne concerne donc que les «additifs alimentaires», qu'elle définit alors comme des «substances non nutritives ajoutées intentionnellement à la nourriture dans de faibles quantités, pour améliorer son apparence, sa saveur, sa texture ou ses facultés de conservation». L'initiative conduira à la création du Joint FAO/WHO Expert Meeting Committee on Food Additives (JECFA), dont la première session s'est tenue à Rome en décembre 1956. Nommés par la FAO et l'OMS, les experts, dont faisait partie René Truhaut, adoptèrent le principe dit des «listes positives», selon lequel «l'emploi de toute substance non autorisée sur des bases toxicologiques adéquates est interdit[8]». Concrètement, cette recommandation signifie qu'aucun nouvel additif alimentaire ne peut être utilisé par l'industrie agroalimentaire sans avoir subi au préalable des tests toxicologiques qui doivent être soumis pour évaluation au JECFA (ou à une agence nationale). Sur le fond, c'était une avancée spectaculaire, allant clairement dans le sens de la protection des consommateurs. Mais nous verrons avec l'exemple de l'aspartame (voir *infra*, chapitres 14 et 15) comment ce système d'évaluation sera régulièrement détourné par l'industrie à son seul et unique profit.

Les experts soulignaient aussi la nécessité d'accorder une «importance primordiale à *l'utilité technologique* de l'additif soumis à l'évaluation toxicologique[9]». Cette remarque est intéressante, car elle permet de comprendre le contexte idéologique dans lequel s'inscrivait la démarche de René Truhaut et de ses collègues. À aucun moment ils ne questionnent la nécessité sociale d'utiliser des substances chimiques pour la production d'aliments, même si celles-ci sont *a priori* toxiques, ainsi qu'il l'a lui-même reconnu dans la deuxième interview télévisée que j'ai pu consulter: «Un consommateur qui absorbe par exemple une petite quantité de colorant pendant deux semaines, pendant deux mois, pendant un ou deux ans, peut n'avoir aucun effet nocif, déclarait-il ainsi de sa voix haut perchée. Mais il faut prévoir que ces petites doses longtemps répétées, jour après jour, pendant toute une vie, peuvent parfois comporter des risques extrêmement insidieux et même parfois des risques irréversibles, car il y a certains colorants, par exemple, qui au moins chez l'animal se sont avérés capables de provoquer des proliférations malignes, c'est-à-dire des cancers[10].»

À l'évidence sincèrement soucieux des risques pour la santé publique liés à la présence d'adjuvants chimiques dans les aliments, René Truhaut exprime ainsi une préoccupation, pas si fréquente à l'époque, sur les «risques du progrès». Pour autant, il n'entend aucunement remettre en cause l'idée que ces innovations auraient une «utilité technologique»: il ne s'agit pas pour lui de demander l'interdiction pure et simple de substances cancérigènes «ajoutées intentionnellement à la nourriture» dans le seul intérêt économique des fabricants, mais de gérer au mieux le risque qu'elles engendrent pour le consommateur, en essayant de le réduire au minimum. C'est ainsi que, lors de la deuxième session du JECFA, qui s'est tenue à Genève en juin 1957, les experts ont longuement disserté sur le type d'études toxicologiques qu'il fallait exiger des industriels pour déterminer la dose de poison qu'on pouvait tolérer dans les aliments. Je dis bien «poison», car, si la substance concernée n'était pas suspectée d'en être un, le JECFA n'aurait aucune raison d'exister, ni d'ailleurs la fameuse DJA.

Pour bien comprendre le caractère pour le moins approximatif de la démarche, il faut citer le récit qu'en a fait postérieurement René Truhaut, en 1991: «J'ai contribué à introduire dans le rapport final un nouveau chapitre "Évaluation des concentrations *probablement inoffensives* pour l'homme" avec les phrases suivantes: "En s'appuyant sur ces diverses études, on peut fixer dans chaque cas la dose maximale qui ne provoque, chez les animaux employés, *aucun effet décelable* (ci-après appelés pour plus de brièveté 'dose maximale sans effet décelable', en anglais, *maximum ineffective dose*). Lorsqu'on extrapole cette dose à l'homme, il est opportun de prévoir une certaine marge de sécurité". » Et d'ajouter, avec une étonnante franchise : « C'était un peu *flou*[11]. »

C'est effectivement le moins que l'on puisse dire, mais cela n'empêcha pas le JECFA d'adopter le principe de la dose journalière acceptable lors de sa sixième session de juin 1961, où les experts décidèrent d'exprimer la « dose ne provoquant, dans l'expérimentation, aucun effet ayant une signification toxicologique en mg/kg de poids corporel/jour ». Avant d'expliquer plus en détail ce que signifie précisément cette unité de mesure cabalistique, il convient de souligner, une fois de plus, la lucidité du « père de la DJA », qui avoue dans un même élan les limites de sa création : « Lorsqu'on parle de doses sans effet dans l'expérimentation toxicologique, il faut savoir que seule la dose zéro doit être ainsi considérée, *toute autre dose comportant un effet, si minime soit-il*[12]. » En d'autres termes : la DJA n'est pas la panacée, mais elle permet de limiter les dégâts que causeront immanquablement les substances chimiques ingérées, comme les additifs alimentaires, mais aussi les résidus de pesticides.

En effet, en 1959, alors qu'ont lieu les premières sessions du JECFA, la FAO propose la création d'un comité similaire, chargé d'étudier les « dangers posés aux consommateurs par les résidus de pesticides que l'on trouve sur et dans les aliments et fourrages[13] ». Cette nouvelle initiative est la preuve, s'il en était besoin, qu'avant cette date personne ne s'était sérieusement préoccupé des effets que pouvaient avoir les pesticides sur la santé humaine, alors que les poisons agricoles avaient déjà largement conquis les champs des paysans. Trois ans plus tard, au moment où *Le Printemps silencieux* de Rachel Carson défraye la chronique internationale, la FAO réunit une conférence pour « formuler et recommander un programme d'action future concernant les aspects scientifiques, législatifs et réglementaires de l'usage des pesticides dans l'agriculture[14] », ainsi que le rapportera en 1981 René Truhaut, qui fut l'un des principaux protagonistes de ces rencontres.

Il raconte notamment qu'il a participé à un groupe de travail « sur la lutte contre la mouche de l'olive, culture fort importante, comme chacun sait, dans le bassin méditerranéen ». Et de préciser : « J'ai été confronté au problème de la fixation, dans l'huile d'olive livrée à la consommation humaine, de limites maximales de résidus de divers insecticides organophosphorés et notamment du parathion[a]. La limite de concentration généralement adoptée dans les divers pays du monde était alors de 1 mg/kg d'huile. Mais, sur le plan toxicologique, tout dépend de la quantité d'huile consommée par jour. Le pâtre grec qui a des olives à sa disposition plonge son pain dans l'huile et peut en absorber jusqu'à 60 g par jour. Il absorbe donc beaucoup plus de parathion que des consommateurs qui n'ingèrent de l'huile d'olive qu'avec la salade. Et, raisonnant sur cet exemple, j'ai été conforté dans mon idée qu'il fallait inverser le problème et fixer une dose à partir de laquelle on pourrait calculer les tolérances à fixer pour tel ou tel aliment en fonction de la quantité moyenne consommée dans telle ou telle région[15]. » Ce que décrivait là le toxicologue français en 1991 correspond exactement à la tâche assignée au Joint FAO/ WHO Meeting on Pesticides Residues (JMPR), le comité d'experts institué par l'OMS et la FAO en octobre 1963 pour établir la DJA des pesticides, mais aussi ce que l'on appelle les « limites maximales de résidus » (LMR), à savoir la quantité de résidus de pesticides autorisée sur chaque produit agricole traité (voir chapitre suivant).

Le lobby des industriels, actif promoteur de la DJA

« L'application du concept ainsi défini a rendu de grands services aux autorités chargées de l'établissement des régulations dans le domaine agroalimentaire et a, d'autre part, grandement facilité le commerce international[16] », conclut sobrement René Truhaut dans son article rétrospectif – lequel était en fait la retranscription d'une allocution donnée dans le cadre d'un atelier intitulé « Le concept de la DJA, un instrument pour assurer la sécurité des aliments[17] », organisé en octobre 1990 en Belgique par l'International Life Sciences Institute (ILSI).

C'est intéressant, car l'ILSI est de longue date un actif partisan de la notion de dose journalière acceptable, la promouvant à grand renfort de colloques et de publications. Or, cet « institut » est loin d'être neutre, puisqu'il a été fondé à Washington en 1978 par de grandes firmes de l'agroalimentaire (Coca-Cola, Heinz, Kraft, General Foods, Procter & Gamble), auxquelles se sont jointes ensuite bien d'autres firmes leaders de ce secteur (Danone, Mars, McDonald, Kellog et Ajinomoto,

---

a   Le parathion a été interdit en Europe en 2003, en raison de sa haute toxicité. Il fait partie des insecticides qui ont rejoint la liste de la « sale douzaine » des polluants persistants, à bannir à tout prix. Jusqu'à son interdiction, il avait une DJA de 0,004 mg/kg de poids corporel…

le principal fabricant d'aspartame), mais aussi sur le marché des pesticides (comme Monsanto, Dow AgroSciences, DuPont de Nemours, BASF) ou sur celui des médicaments (Pfizer, Novartis[a]). À l'exception de l'industrie pharmaceutique, toutes ces entreprises ont prospéré grâce à l'avènement des révolutions verte et agroalimentaire : elles fabriquent ou utilisent des produits chimiques qui contaminent nos aliments.

Sur son site web[18], l'ILSI Europe, qui se présente comme une « organisation à but non lucratif », affirme que sa « mission » est de « faire avancer la compréhension des sujets scientifiques liés à la nutrition, la sécurité des aliments, la toxicologie, l'évaluation des risques et l'environnement » ; et qu'« en mettant en relation des scientifiques issus de l'Université, des gouvernements, de l'industrie et du secteur public », il « vise une approche équilibrée permettant de résoudre des préoccupations communes pour le bien-être du public général ». Mais derrière ces bonnes intentions affichées se cache une réalité beaucoup plus prosaïque.

Jusqu'en 2006, en effet, l'ILSI disposait d'un statut exceptionnel auprès de l'OMS, car ses représentants pouvaient participer directement aux groupes de travail visant à établir les normes sanitaires internationales. L'institution onusienne lui a retiré ce privilège après qu'ont été révélées les pratiques de lobbying de l'organisme industriel qui, sous couvert d'une pseudo-indépendance, promouvait les intérêts de ses membres[19]. C'est ainsi qu'on découvrit qu'il avait financé un rapport sur les hydrates de carbone (glucides), publié par l'OMS et la FAO, qui concluait à l'absence de lien direct entre la surconsommation de sucre et l'obésité ou toute autre maladie chronique[20]. De même, en 2001, un rapport interne de l'OMS dénonçait les « liens politiques et financiers » de l'ILSI avec l'industrie du tabac[21], pour laquelle l'institut avait financé un certain nombre d'études minimisant l'impact sanitaire du tabagisme passif, au moment où le CIRC envisageait de le classer comme cancérigène pour les humains. Ces révélations étaient fondées sur 700 documents déclassifiés issus des *cigarettes papers* (voir *supra*, chapitre 8), qui attestaient seize ans de collaboration intense entre 1983 et 1998[22].

Et, en 2006, l'Environmental Working Group de Washington a révélé que l'Agence américaine de protection de l'environnement (EPA) avait fondé ses normes d'exposition aux hydrocarbures perfluorés (PFC,

---

a   On peut consulter la liste complète des soixante-huit membres financeurs de la branche européenne de l'ILSI, créée en 1986, sur le site d'ILSI Europe, www.ilsi. org/Europe. Siégeant à Washington, l'ILSI est implanté sur tous les continents.

pour *per-fluoro-carbon*) – entrant notamment dans la composition du Téflon, que l'on retrouve par exemple dans les poêles antiadhésives – sur un rapport fourni par l'ILSI[23]. Ce dernier concluait que les cancers induits chez des rats par ces substances hautement toxiques n'étaient pas extrapolables aux humains et qu'on pouvait donc considérer le produit comme inoffensif. Finalement, l'EPA portera plainte en juillet 2004 contre DuPont, membre de l'ILSI et principal fabricant de Téflon, qui sera condamné en décembre 2006 à une amende de 16,6 millions de dollars pour avoir caché, pendant plus de vingt ans, des études expérimentales montrant que l'exposition aux PFC provoquait « des cancers du foie et des testicules, une réduction du poids à la naissance et une suppression du système immunitaire[24] ».

Comme le soulignait en 2005 le biologiste américain Michael Jacobson, cofondateur en 1971 du Center for Science in the Public Interest, l'ILSI se vante de vouloir « œuvrer pour un monde plus sûr et plus sain, mais la question est de savoir : à qui cela profite-t-il véritablement[25] ? ». Ce qui est sûr, c'est que l'institut dispose de moyens importants, lui permettant « de financer des conférences et d'envoyer des scientifiques aux réunions gouvernementales pour représenter les intérêts de l'industrie sur des sujets controversés ». Parmi eux : la dose journalière acceptable, à laquelle l'ILSI a consacré une « monographie » entière en 2000, preuve que la création de René Truhaut lui tient particulièrement à cœur.

Diane Benford :
« Pourquoi nous avons besoin de la DJA »

Intitulé « La dose journalière acceptable, un outil pour assurer la sécurité des aliments[26] » – ce qui était aussi le titre de l'atelier *(workshop)* auquel avait participé René Truhaut dix ans plus tôt –, le document constitue une pièce rare, car, on l'a vu, la DJA est une « boîte noire » créée *ex nihilo* pour laquelle on peine à trouver des études de référence. Le texte a été rédigé, à la demande de l'ILSI, par Diane Benford, qui dirige le département du risque chimique à la Food Standards Agency, l'agence chargée des normes alimentaires au Royaume-Uni. Il est instructif de noter que, pour vanter les mérites de l'outil favori des toxicologues et industriels, l'ILSI a fait appel à une représentante de l'autorité publique, dont la mission est de veiller à la santé des consommateurs. Et je dois avouer qu'il ne fut pas simple d'obtenir un rendez-vous avec la toxicologue britannique, dont je soupçonne qu'elle m'avait «googlée» et craignait sans doute quelques questions dérangeantes. Pourtant, j'avais été autorisée à me recommander d'Angelika Tritscher, la secrétaire du JECFA et du JMPR à l'OMS (que nous rencontrerons bientôt), qui m'avait indiqué l'existence de la monographie de l'ILSI, un organisme dont elle fréquente régulièrement les instances. Finalement, après moult échanges de courriels, Diane Benford a accepté de me rencontrer, à condition que je lui envoie au préalable les questions que j'entendais lui poser. En fait, ce n'était pas vraiment un problème, puisque j'avais justement l'intention de lui demander de m'expliquer comment est calculée concrètement la dose journalière acceptable, une activité dont elle est l'une des spécialistes patentées.

Pendant mon voyage dans l'Eurostar qui me conduisait à Londres, j'avais soigneusement épluché son texte, qui commence par cette introduction: «Le concept de la DJA est *accepté* internationalement comme la base de l'estimation de la sécurité des additifs alimentaires et des pesticides ainsi que de l'évaluation des polluants, et donc de la réglementation dans le domaine de la nourriture et de l'eau potable. Les préoccupations du public pour la sécurité des aliments ont conduit à une exigence de plus grande *transparence* concernant les évaluations des experts qui sont en lien avec la santé humaine. [...] La compréhension du concept de la DJA ne peut qu'améliorer la *transparence* et la *confiance* dans les évaluations réalisées[27].»

Dans ce genre de document, où chaque mot a été pesé, il faut savoir lire entre les lignes et, ici, tout indique que la commande de l'ILSI répond à un souci de ses membres de désamorcer les critiques récurrentes par rapport à l'opacité du système de réglementation des poisons dont la DJA est le pilier. Ces critiques ne sont pas nouvelles, ainsi que le prouve cet aveu surprenant de René Truhaut rédigé à la première personne du pluriel: «Nous sommes parfaitement conscients que, en raison de la multiplicité et de la complexité des problèmes, l'approche retenue est loin d'être parfaite, écrivait-il dans un document de 1973 que j'ai retrouvé dans les archives de l'OMS. C'est pourquoi nous comprenons et parfois nous partageons les critiques exprimées contre la *doctrine* appliquée jusqu'à présent par les comités d'experts de la FAO et de l'OMS. Le corollaire, c'est de savoir garder un esprit ouvert à toute nouvelle connaissance qui permette de corriger ou d'améliorer la méthodologie de l'évaluation toxicologique. La recherche dans ce domaine typiquement pluridisciplinaire doit être encouragée et financée[28].»

Pour être franche, cette «confession» du toxicologue français m'a définitivement réconciliée avec lui, car il m'est soudainement apparu comme un homme de bonne foi, désireux d'éviter le désastre sanitaire annoncé et incapable d'imaginer à quel point l'embryon de système qu'il avait contribué à mettre en place allait être détourné par les industriels, dont le seul objectif fut précisément d'empêcher que celui-ci soit «corrigé» ou «amélioré» au profit des consommateurs (ce qui était sans aucun doute le souhait de Truhaut). Donc, si l'ILSI a demandé à Diane Benford de rédiger une monographie sur la DJA, c'est parce que ses très généreux financeurs craignent que la valeureuse «doctrine», qui a si bien servi leurs intérêts, finisse par pâtir des critiques concernant le manque de transparence du système qu'elle incarne.

Après son introduction, la toxicologue britannique reprend les poncifs de l'industrie dans une première partie intitulée «Pourquoi nous avons besoin de la DJA», où le «nous» désigne les consommateurs, à qui la «monographie» est manifestement destinée : «Tout au long du xxe siècle, on a constaté une tendance croissante à utiliser des aliments transformés et stockés. Initialement, c'était la réponse à l'industrialisation et au besoin de fournir de la nourriture à la population nombreuse vivant dans les villes. [...] Les processus de production et de stockage des aliments exigent généralement l'addition de produits chimiques (naturels ou fabriqués par l'homme) pour améliorer la sécurité (microbiologique) ou pour préserver la qualité nutritionnelle. Un bénéfice supplémentaire est une saveur accrue et une meilleure apparence des aliments pour le consommateur. Il est évident que la sécurité de ces produits chimiques doit être garantie et leur usage contrôlé pour éviter des effets nocifs.» Après ce morceau d'anthologie, Diane Benford rappelle le rôle de René Truhaut, le «père de la DJA», puis cite l'incontournable Paracelse : «Rien n'est poison, tout est poison : seule la dose fait le poison.»

Études falsifiées et «bonnes pratiques de laboratoire»

«Le concept qui constitue la base de la DJA, c'est le principe de Paracelse : "Seule la dose fait le poison." Qu'est-ce que cela veut dire exactement ? ai-je demandé à la responsable de l'agence britannique des normes sanitaires.

— Cela signifie que la probabilité d'avoir des effets toxiques augmente avec la dose, m'a-t-elle répondu, avec un air crispé dont elle ne s'est pas départie tout au long de l'entretien. Mais, fondamentalement, c'est vrai pour tout, y compris pour l'eau ou l'oxygène, sans lesquels nous ne pouvons pas vivre : si nous en absorbons en trop grandes quantités, cela peut être aussi nocif.

— Certes, dis-je, un peu surprise par la comparaison. Mais, entre l'eau et un pesticide conçu pour tuer, il y a tout de même une différence, n'est-ce pas ?

— Oui... Mais, d'une manière générale, avec la plupart des éléments, plus la dose est faible, plus la probabilité d'avoir des effets négatifs diminue...

— C'est ce que les toxicologues appellent la "relation dose-effet" ?

— C'est cela... Non seulement la gravité de l'effet augmente avec la dose, mais aussi le nombre d'individus qui ont une réaction négative...

— Si je comprends bien, tout le processus d'évaluation part du principe que les substances chimiques sont toxiques et on essaie de trouver une dose qui est censée ne produire aucun effet ?

— Oui, a lâché la toxicologue britannique après un long silence. Les études toxicologiques recherchent toute une série d'effets qu'un produit chimique peut provoquer en essayant de trouver une dose qui ne cause aucun de ces effets...

— C'est un système très compliqué, n'est-ce pas ?

— Ah oui ! Il y a beaucoup de choses à évaluer et nous faisons du mieux que nous pouvons pour protéger les consommateurs...

— Et qui conduit les études toxicologiques ?

— C'est l'industrie. Ces études sont très chères et ce serait une charge considérable pour les contribuables si elles devaient être financées par des fonds publics. Bien sûr, comme c'est l'intérêt des industriels d'obtenir l'autorisation de mise sur le marché de leur produit, on peut se demander s'ils conduisent les tests de manière adéquate. C'est pourquoi on a développé des lignes directrices qui définissent les protocoles expérimentaux, avec des indications précises sur le profil des chercheurs, qui doivent être formés, ou sur la manière dont les données brutes doivent être enregistrées, pour pouvoir, au besoin, réaliser des contrôles sur la validité des résultats.

— C'est ce qu'on appelle les "bonnes pratiques de laboratoire" ?

— Oui...

— Le règlement des "bonnes pratiques de laboratoire" a été conçu par l'OCDE après plusieurs scandales qui ont révélé que de grands laboratoires américains travaillant pour l'industrie trichaient et manipulaient le résultat de leurs études, n'est-ce pas ?

— Oui, c'est pour cela qu'il y a maintenant ce règlement qui permet d'effectuer des inspections dans les laboratoires privés pour vérifier qu'ils travaillent correctement[29]... »

Dans mon livre *Le Monde selon Monsanto*, je racontais en effet qu'à la fin des années 1980 un procès avait défrayé la chronique : il concernait les Industrial Bio-Test Labs (IBT) de Northbrook, un laboratoire privé dont l'un des dirigeants était Paul Wright, un toxicologue venu de Monsanto, recruté au début des années 1970 pour superviser les études sur les effets sanitaires du BPC mais aussi d'un certain nombre de pesticides. En fouillant dans les archives du laboratoire, les inspecteurs de l'Agence de protection de l'environnement (EPA) avaient découvert que des dizaines d'études présentaient de « sérieuses déficiences et incorrections » et une « falsification routinière des données » destinée à cacher un « nombre infini de morts chez les rats et souris » testés[30]. Parmi les études incriminées se trouvaient trente tests conduits sur le glyphosate (la matière active du Roundup[31]). « Il est difficile de ne pas douter de l'intégrité scientifique de l'étude, notait ainsi un toxicologue de l'EPA, notamment quand les chercheurs d'IBT expliquent qu'ils ont conduit un examen histologique des utérus prélevés sur des... lapins mâles[32]. »

En 1991, les laboratoires Craven étaient à leur tour accusés d'avoir falsifié des études censées évaluer les effets de résidus de pesticides, dont le Roundup, présents sur des fruits et légumes ainsi que dans l'eau et les sols[33]. « L'EPA a expliqué que ces études étaient importantes pour déterminer les niveaux de pesticide autorisés dans les aliments frais ou transformés, écrivait le *New York Times*. Le résultat de la manipulation, c'est que l'EPA a déclaré sains des pesticides dont il n'a jamais été prouvé qu'ils l'étaient véritablement[34]. » La fraude généralisée a valu au propriétaire des laboratoires une condamnation à cinq ans de prison, alors que Monsanto et les autres compagnies chimiques, qui avaient profité des études complaisantes, ne furent jamais inquiétées...

Le concept clé de la NOAEL, « dose sans effet toxique observé »

Évidemment, tout cela n'est guère rassurant, surtout quand on sait, comme on l'a vu au cours des chapitres précédents, que l'industrie est prête à tout pour maintenir sur le marché ses produits, aussi toxiques soient-ils. Et, logiquement, on peut craindre qu'il en soit de même quand il s'agit d'obtenir l'homologation desdits produits. Concrètement, les «études toxicologiques» sont conduites sur des animaux de labo-ratoire, car, comme l'écrit Diane Benford, «il ne serait pas éthique de tester un produit chimique sur des volontaires humains, à moins qu'il y ait un degré raisonnable de confiance qu'ils ne souffriront pas de dom-mages[35]». Cette remarque n'est pas anodine, car elle souligne la pre-mière approximation – d'aucuns diront «absurdité» – qui caractérise le système d'évaluation des produits toxiques que l'on a délibérément décidé d'introduire dans notre assiette, au nom d'une certaine idée du «progrès». «Sans aucun doute, expliquait ainsi René Truhaut, des données provenant d'études humaines seraient plus satisfaisantes pour estimer le risque couru par les humains, [...] mais cette approche idéale se heurte à de nombreuses difficultés et limitations. [...] C'est pourquoi il a été postulé que, jusqu'à preuve du contraire, l'homme devrait se comporter comme l'espèce la plus sensible testée et, en conséquence, il est plus adéquat de sélectionner l'espèce animale la plus comparable à l'homme[36].» Voilà qui est pour le moins... «flou», pour reprendre le terme utilisé précédemment par le «père de la DJA», d'autant plus qu'aucun modèle expérimental n'a été développé pour déterminer quelle est l'espèce animale la plus susceptible de se comporter comme les humains en cas d'intoxication par des produits chimiques. Faute de quoi on utilise généralement des rongeurs (souris, rats, lapins) et, dans les cas plus délicats, des chiens et des singes.

Dans un premier temps, on expose les cobayes à une dose élevée de la substance testée, généralement par voie orale, pour déterminer ce que l'on appelle la «dose létale» ou, dans le jargon, la DL 50, c'est-à-dire la dose qui tue la moitié des animaux. On se souvient (voir *supra*, chapitre 2) que la fameuse DL 50 est une déclinaison de la «loi de Haber», du nom du chimiste allemand qui inventa les gaz de combat. Celle-ci exprimait une relation entre la concentration d'un gaz et le temps d'exposition nécessaire pour provoquer la mort d'un être vivant: plus le produit des deux facteurs était petit, plus le pouvoir létal du gaz était grand. Il en est de même pour la DL 50, qui est une valeur indi-cative du degré de toxicité, par exemple, d'un pesticide. Et le «père de la guerre chimique» avait constaté que l'exposition à une concentra-tion faible de gaz toxique pendant une longue période avait souvent le même effet mortel qu'une exposition à une dose élevée pendant une courte durée. Curieusement, les agences de réglementation, mais aussi le JECFA et le JMPR, semblent ignorer ces conclusions, car leurs experts s'évertuent à croire qu'il est possible de trouver une dose inoffensive à long terme, même quand la substance se révèle mortelle à forte dose.

En effet, la deuxième étape du processus d'évaluation toxicologique consiste à baisser la dose qui a servi à établir la DL 50 pour observer quels sont les effets sur les cobayes. «On recherche toute une série d'effets nocifs possibles, m'a ainsi expliqué Diane Benford. Par exemple, on essaie de savoir si le produit endommage les tissus ou les organes, s'il provoque des effets sur le système nerveux ou immunitaire, et on s'intéresse tout particulièrement à son potentiel cancérigène, parce que bien sûr c'est quelque chose qui préoccupe les gens.»

De fait, quand on lit la monographie qu'a rédigée la toxicologue pour l'ILSI, on est impressionné par la liste des études toxicologiques que les industriels sont censés fournir aux agences de réglementation. Les «effets» qu'ils sont tenus d'étudier concernent «les changements fonctionnels (comme la perte de poids), les changements morphologiques (taille accrue des organes ou anormalités pathologiques), la mutagénicité (modifications de l'ADN, des gènes et chromosomes transmissibles et ayant le potentiel de causer des cancers ou des malformations du fœtus), la cancérogénicité, l'immunotoxicité (hypersensibilité, allergie, dépression du système immunitaire conduisant à une susceptibilité accrue aux affections), la neurotoxicité (changements comportementaux, surdité, acouphènes), la reprotoxicité (baisse de la fertilité, avortement spontané, malformations congénitales)».

Selon le type d'effet recherché, la durée des études varie entre deux semaines (toxicité à court terme) et deux ans (cancérogénicité), pendant lesquels les cobayes ingèrent quotidiennement une certaine dose de poison, car l'objectif de ces tests est de mesurer la toxicité chronique et donc les effets provoqués par une exposition prolongée et répétée dans le temps. Les expériences sont conduites jusqu'à obtenir une dose qui *apparemment* ne provoque aucun effet sur les animaux: c'est la NOAEL (acronyme de *no observed adverse effect level*, «dose sans effet toxique observé»).

«Peut-on dire que la NOAEL est un seuil de sécurité? ai-je demandé à Diane Benford.

— Dans la vie, il n'y a aucun domaine où l'on puisse garantir une sécurité absolue, a-t-elle admis en regardant résolument ses mains. En fait, cela dépend de la qualité des études conduites sur les animaux. Si l'étude est médiocre, on risque d'être passé à côté d'effets qu'on aurait pu observer dans une étude de très bonne qualité... C'est pourquoi il a été décidé d'appliquer un facteur de sécurité qui consiste à diviser la NOAEL par cent pour obtenir la DJA.»

Les «facteurs de sécurité» :
un «bricolage absolument inacceptable»

«La NOAEL est une mesure floue, qui n'est pas extrêmement précise», m'a affirmé pour sa part Ned Groth, un biologiste qui fut expert pendant vingt-cinq ans de la Consumers Union, la principale organisation de consommateurs des États-Unis. À ce titre, il participa régulièrement aux forums organisés par la FAO et l'OMS sur la sécurité des aliments. «C'est pourquoi les gestionnaires du risque utilisent ce qu'ils appellent un facteur de "sécurité" ou d'"incertitude". L'approche standard utilisée depuis cinquante ans par les toxicologues consiste à diviser la NOAEL par un facteur de cent. En fait, ils appliquent un premier facteur de dix pour tenir compte des différences qui peuvent exister entre les animaux et les humains, car on n'est pas sûr que les hommes réagissent exactement de la même manière que les animaux au produit chimique; puis, ils appliquent un deuxième facteur de dix pour prendre en compte les différences de sensibilité entre les humains eux-mêmes, car, bien sûr, celle-ci varie selon qu'on est une femme enceinte, un enfant, une personne âgée ou une personne atteinte d'une maladie grave. La question est de savoir si c'est suffisant. Nombreux sont ceux qui soutiennent qu'un facteur de dix pour tenir compte de la variabilité humaine est beaucoup trop faible. Pour une même dose, l'effet pourra être nul pour certaines personnes, mais il pourra être énorme pour d'autres.

— Mais sait-on sur quelle base scientifique ce facteur de cent a été fixé? ai-je demandé.

— Ça s'est décidé à quatre autour d'une table[a]! m'a répondu l'expert en environnement. C'est ce qu'a rapporté Bob Shipman, un ancien de la Food and Drug Administration, dans une conférence à laquelle j'ai assisté. Il a dit: "C'était dans les années 1960, il fallait que nous trouvions une manière de déterminer quel niveau de produit toxique on pouvait autoriser sur les aliments. On s'est réunis et on l'a fait[37]"!»

Ce que raconte l'expert américain est confirmé par... René Truhaut en personne qui, dans son article de 1973, reconnaît que le fameux «facteur de sécurité», censé constituer l'ultime rempart contre la toxicité des poisons, relève de l'empirisme le plus pur: «Un facteur de sécurité quelque peu *arbitraire* de cent a été largement *accepté* et ce chiffre a été

---

a   L'expression employée par Ned Groth est idiomatique: «*The BOGSAT method*», pour *bunch of guys sitting around the table* (une bande de types assis autour de la table).

recommandé par le JECFA dans son deuxième rapport, écrit-il. Mais il ne serait pas raisonnable de l'appliquer d'une manière trop rigide[38]. » Dans sa monographie, Diane Benford fait exactement le même constat : « Par *convention*, un facteur d'incertitude de cent est normalement utilisé, par *défaut*, car, à l'origine, ce fut une décision *arbitraire*[39]. » Au passage, elle souligne que la principale source « de variation et d'incertitude » du processus d'évaluation réside dans la différence qui existe entre les animaux de laboratoire, élevés dans des conditions d'hygiène maximales et exposés à une seule molécule chimique, et la population humaine, qui présente une grande variabilité (génétique, maladies, facteurs de risque, âge, sexe, etc.) et est soumise à de multiples expositions.

Fidèle à son franc-parler, le Britannique Erik Millstone tranche d'une formule qui a le mérite de la clarté : « Le facteur de sécurité qui est censé être de cent est un chiffre tombé du ciel et griffonné sur un coin de nappe ! D'ailleurs, dans la pratique, les experts changent régulièrement la valeur du facteur au gré de leurs besoins : parfois, ils utilisent un facteur de mille, quand ils estiment qu'une substance présente des problèmes de sécurité très préoccupants ; parfois, ils le réduisent à dix, parce que, s'ils appliquaient un facteur de cent, cela rendrait impossible l'exploitation du produit par l'industrie. La réalité, c'est qu'ils utilisent toutes sortes de facteurs de sécurité qui sortent de leur chapeau d'une manière opportuniste et absolument pas scientifique. Ce bricolage est absolument inacceptable, quand on sait que c'est la santé des consommateurs qui est en jeu[40] ! »

Cet avis est partagé par l'avocat américain James Turner, qui est aussi le président de l'association Citizens for Health et un spécialiste reconnu des questions de sécurité alimentaire et environnementale : « L'application du fameux "facteur de sécurité" ne répond à aucune règle, m'a-t-il expliqué lors de notre rencontre à Washington. Par exemple, actuellement l'EPA (l'agence de protection de l'environnement) utilise un facteur de mille pour des pesticides qui causent des dégâts neurologiques ou des troubles de comportement chez l'enfant. En fait, la détermination du facteur de sécurité dépend totalement des experts qui réalisent l'évaluation : s'ils sont sensibles à la protection de la santé et de l'environnement, ils vont prôner un facteur de mille et pourquoi pas d'un million ! S'ils sont plutôt du côté de l'industrie, ils vont appliquer un facteur de cent, voire de dix. Le système est complètement arbitraire et n'a rien à voir avec la science, car, en fait, il est éminemment politique[41]. »

En résumé, pour qu'on comprenne bien l'incroyable amateurisme du système de réglementation censé nous protéger contre les méfaits des poisons chimiques qui entrent en contact avec nos aliments : pour établir des normes d'exposition prétendument «sûres», on réalise des expériences sur des animaux, en essayant de trouver une «dose sans effet» quelque peu aléatoire car elle dépend de l'espèce utilisée et de la compétence, pour dire les choses sobrement, des laboratoires privés de l'industrie ; puis, on divise la dose obtenue par un facteur de sécurité qui varie selon le profil des experts…

Au bout du compte, la DJA est une valeur exprimée en milligramme de produit par kilo de poids corporel. Prenons l'exemple d'un pesticide qui a une DJA de 0,2 mg. Si le consommateur pèse 60 kg, il est donc censé pouvoir ingérer 60 × 0,2 mg, soit 12 mg, de pesticide par jour et pendant toute sa vie, sans que sa santé en soit affectée. Mais cette jolie construction somme toute très bureaucratique ne tient pas compte du fait que nous sommes exposés, chaque jour, à des centaines de substances chimiques qui peuvent interagir, ou avoir un effet nocif à des doses extrêmement faibles, comme les perturbateurs endocriniens, que seuls des outils très performants peuvent détecter, mais nous n'en sommes pas encore là (voir *infra*, chapitre 16)…

Les ressorts de la «société du risque»

«Est-ce que vous considérez que la DJA est un concept scientifique?» Incontournable, la question semble pourtant surprendre Angelika Tritscher, la secrétaire du JECFA et du JMPR à l'Organisation mondiale de la santé. «Bien sûr que c'est un concept scientifique, me répond-elle sans hésiter, puisqu'elle est le résultat de l'évaluation de toutes les données scientifiques dont nous disposons sur un produit chimique. À partir de ces données, nous déterminons la dose qui ne provoque aucun effet et nous la divisons par un facteur d'incertitude, c'est un processus totalement scientifique[42].» J'ai obtenu le même type de réponse d'Herman Fontier, le chef de l'Unité des pesticides de l'Autorité européenne de sécurité des aliments (EFSA)» : «J'ose bien espérer que la DJA est un concept scientifique!» s'est-il exclamé avec un large sourire[43]. Ou de David Hattan, le toxicologue de la Food and Drug Administration en charge des additifs alimentaires : «Je pense vraiment que c'est un concept scientifique qui protège la santé des consommateurs», m'a-t-il assuré avec un calme imperturbable.

Il serait tentant de considérer que ces experts qui travaillent pour des agences nationales ou internationales sont tous des menteurs ou des imposteurs. Je dois avouer que cette pensée m'a plusieurs fois effleurée, au fur et à mesure que je découvrais l'indigence du système réglementaire censé nous protéger des méfaits des poisons chimiques. La vérité est bien sûr beaucoup plus complexe, à l'image de la situation inextricable dans laquelle nous sommes plongés depuis que, poussés par la soif de profit des industriels mais aussi par une certaine vision du «progrès», les hommes politiques ont accepté l'idée qu'il était légitime d'introduire un nombre incommensurable de poisons dans notre environnement. Mais nous avons tous notre part de responsabilité dans cette évolution, ainsi que le faisait remarquer Rachel Carson dès 1962: «Les agents chimiques du cancer sont imbriqués dans notre monde de deux manières, écrivait-elle dans *Le Printemps silencieux*. La première tient ironiquement au désir de l'homme d'avoir une vie meilleure et plus facile; la seconde à la production et à la vente des produits chimiques qui sont devenues une part communément acceptée de notre économie et de notre mode de vie[44].»

C'est en lisant *La Société du risque* d'Ulrich Beck que j'ai vraiment compris les répercussions politiques et sociales de ce que l'on appelle la «consommation de masse» et, du coup, l'insoutenable position dans laquelle sont enferrés les «experts» sollicités pour limiter les dégâts que ce modèle induit *sui generis*. Dans cet ouvrage capital, le sociologue allemand explique en effet comment, en cinquante ans, nous sommes passés de la «société de classes», qui était caractérisée par la «pénurie» et la question fondamentale de la répartition de la «richesse socialement induite», à la «société du risque», qui est la marque de la «modernité avancée» où «la production sociale de *richesses* est systématiquement corrélée à la production sociale de *risques*[45]».

«Les sociétés de classes restent attachées, dans la dynamique de leur évolution, à l'idéal de l'*égalité*, écrit-il dans une démonstration magistrale. La situation est différente dans le cas de la société du risque. Son contreprojet normatif, qui en est le fondement et le moteur, est la notion de *sécurité*. [...] Tandis que l'utopie de l'égalité est riche d'une quantité d'objectifs de transformations sociales à contenu positif, l'utopie de la sécurité reste singulièrement *négative* et *défensive*: au fond, il ne s'agit plus d'atteindre quelque chose de "bien", mais simplement d'*empêcher* que se produise le pire. Le rêve de la société de classes est le suivant: tous veulent et doivent avoir *leur part du gâteau*. L'objectif que poursuit la société du risque est différent: tous doivent être épargnés par ce qui est toxique[46]. » Certes, poursuit Ulrich Beck, les « risques » ont toujours existé, mais ceux qui caractérisent la « machinerie industrielle du progrès » sont d'un autre ordre que ceux que courait Christophe Colomb en s'embarquant dans un improbable voyage ou les paysans guettés par la peste, car ils « se dérobent à la perception des sens » : « Ce sont des "produits parasites" que l'on ingurgite, que l'on inhale en même temps que quelque chose d'autre. Ils sont les *"passagers clandestins" de la consommation normale*. Ils sont véhiculés par le vent et par l'eau. Ils peuvent être présents n'importe où et sont assimilés avec les denrées dont notre survie dépend – l'air que l'on respire, l'alimentation, l'habitat, etc[47]. »

C'est pourquoi, dans ce « nouveau paradigme de la société du risque », la question fondamentale que les politiciens ont à résoudre est : « comment les risques et les menaces qui sont systématiquement produits au cours du processus de modernisation avancée » et qui prennent la « forme d'effets induits latents » peuvent-ils être « endigués et évacués de sorte qu'ils ne gênent pas le processus de modernisation ni ne franchissent les limites de ce qui est "tolérable" (d'un point de vue écologique, médical, psychologique, social[48]) » ?

En lisant ces lignes, j'ai enfin compris pourquoi les textes réglementaires concernant la sécurité des aliments et environnementale font systématiquement référence à des notions qui ont fait leur apparition après la Seconde Guerre mondiale, à savoir celles d'« évaluation des risques » ou de « gestion des risques ». Ces nouveaux concepts de la politique publique sont même la seule raison d'être des multiples « agences » qui ont fleuri en France au cours des dernières décennies (mais aussi dans les autres pays dits « développés »), comme l'Agence française de sécurité sanitaire pour les produits de santé (AFSSAPS) ou l'Agence française de sécurité sanitaire des aliments (AFSSA) ou encore l'Agence française de sécurité sanitaire de l'environnement et du travail (AFSSET). De même, le docteur Jean-Luc Dupupet (voir *supra*, chapitre 3) se présente comme le « médecin en charge du risque chimique » à la Mutualité sociale agricole, une fonction similaire à celle de Diane Benford, qui dirige le « département du risque chimique » à la Food Standards Agency, l'agence chargée des normes alimentaires au Royaume-Uni.

Dans le texte qu'elle a rédigé pour l'ILSI, celle-ci consacre un long développement à la notion de « risque » (en anglais *risk*), qu'elle relie à celle de « danger » (*hazard*). C'est d'autant plus fascinant que, je le rappelle, sa monographie concerne les… aliments. « Les experts désignent par "danger" tout agent biologique, chimique ou physique qui a le potentiel de causer un effet nocif pour la santé, écrit-elle. La probabilité ou le risque que ce danger se manifeste chez les humains dépendent de la quantité de produit chimique qui entre dans le corps, c'est-à-dire de l'exposition. Le danger est une propriété inhérente à la substance chimique, mais *s'il n'y a pas d'exposition, alors il n'y a pas de risque* [*sic* !] que quelqu'un souffre des conséquences de ce danger. L'évaluation du risque est donc le processus qui permet de déterminer si un danger particulier va s'exprimer à un certain niveau d'exposition, de durée ou à un certain moment du cycle de la vie, et si c'est le cas l'étendue du risque est estimée. La gestion du risque consiste à essayer de réduire le risque en réduisant l'exposition[49]... »

Les bénéfices contre la santé

« La DJA a l'apparence d'un outil scientifique, parce qu'elle est exprimée en milligramme de produit par kilo de poids corporel, une unité qui a le mérite de rassurer les politiciens car elle a l'air très sérieuse, m'a dit Erik Millstone avec un petit sourire en coin, mais ce n'est pas un concept scientifique ! D'abord, parce que ce n'est pas une valeur qui caractérise l'étendue du risque mais son *acceptabilité*. Or l'"acceptabilité" est une notion essentiellement sociale, normative, politique ou commerciale. "Acceptable", mais pour qui ? Et derrière la notion d'acceptabilité il y a toujours la question : est-ce que le risque est acceptable au regard d'un bénéfice supposé ? Or, ceux qui profitent de l'utilisation des produits chimiques sont toujours les entreprises et pas les consommateurs. Donc ce sont les consommateurs qui prennent le risque et les entreprises qui reçoivent le bénéfice. »

De fait, si les politiciens s'évertuent à réclamer de leurs « experts » des montagnes de chiffres – et nous allons voir avec les « limites maximales de résidus » (voir *infra*, chapitre 13) que l'ampleur de la tâche dépasse tout ce que l'on peut imaginer –, c'est parce qu'ils jugent que les « bénéfices » technologiques ou économiques que sont censés apporter les poisons chimiques valent bien quelques risques humains. Cet « important concept des bénéfices par rapport aux risques » constitue même le fondement du système élaboré par René Truhaut, ainsi qu'il le reconnaît très crûment dans une phrase assez étonnante : « Il est évident que, dans le cas d'une population sous-alimentée où l'espérance de vie ne dépasse pas les quarante ans, il est justifié de prendre des risques plus élevés que pour une population qui dispose d'une alimentation surabondante[50]. »

Plus prosaïquement, il suffit de lire le préambule de la directive européenne du 15 juillet 1991 «concernant la mise sur le marché des produits phytosanitaires» pour mesurer l'idéologie économique qui sous-tend la politique sanitaire et à quel point les «bénéfices» précèdent les «risques» dans l'ordre des priorités de nos dirigeants: «Considérant que la production végétale tient une place très importante dans la Communauté; considérant que le rendement de cette production est constamment affecté par des organismes nuisibles et par des mauvaises herbes, et qu'il est absolument nécessaire de protéger les végétaux contre ces *risques* pour éviter une diminution du rendement et pour contribuer à assurer la sécurité des approvisionnements; considérant que l'utilisation de produits phytopharmaceutiques constitue l'un des moyens les plus importants pour protéger les végétaux et produits végétaux et pour améliorer la production de l'agriculture; considérant que ces produits phytopharmaceutiques n'ont pas que des répercussions favorables sur la production végétale; que leur utilisation peut entraîner des *risques* et dangers pour l'homme, les animaux et l'environnement, notamment s'ils sont mis sur le marché sans avoir été examinés et autorisés officiellement et s'ils sont utilisés d'une manière incorrecte[51]...»

La phraséologie de ce texte est tellement incroyable qu'il m'a fallu le relire plusieurs fois pour comprendre ce qui me choquait profondément. Le mot «risque» y est utilisé à deux reprises: la première pour désigner celui que courent les végétaux à cause des «organismes nuisibles»; la seconde pour évoquer celui qui menace la santé des hommes. Pour le législateur européen, il n'y a manifestement aucune différence de nature entre ces deux formes de «risque». Pire: il justifie le second par l'élimination du premier, en reprenant à son compte les arguments des adeptes de l'agriculture chimique et des fabricants de pesticides, qui sont les seuls et uniques bénéficiaires de l'usage des produits phytosanitaires.

L'argument des «bénéfices» est aussi au cœur d'un rapport parlementaire français présenté en avril 2010 par Claude Gatignol, député UMP de la Manche, et Jean-Claude Étienne, sénateur UMP de la Marne, intitulé *Pesticides et Santé*, dont «les deux cents pages pourraient faire rire tant elles sont tendancieuses», pour reprendre les mots de *Libération*[52]. Après avoir auditionné les auteurs du fameux rapport *Les Causes du cancer en France* (voir *supra*, chapitre 10), qui, la main sur le cœur, affirment que «les risques pour la santé des insecticides actuellement autorisés en France et plus généralement des produits phytosanitaires sont souvent très surestimés, alors que leurs avantages sont très sous-estimés », les deux représentants de la nation lancent un cri d'alarme absolument pathétique (pour dire les choses poliment) : « Vos rapporteurs souhaitent rappeler les bénéfices de l'usage des pesticides et invitent les pouvoirs publics à anticiper les conséquences d'une diminution trop brutale de l'utilisation des pesticides en France[53]. »

Plus sérieusement, car le rapport des deux parlementaires constitue une telle parodie qu'il ne mérite pas qu'on s'y intéresse davantage, on retrouve la même rhétorique « bénéfices/risques » dans le texte de l'Agence de protection de l'environnement des États-Unis (EPA) qui a fondé en 1972 l'homologation des pesticides et autorise la mise sur le marché de toute substance ne posant pas un « *risque déraisonnable* pour l'homme ou l'environnement, après avoir pris en compte tous les coûts et bénéfices économiques, sociaux et environnementaux du pesticide[54] ».

« Le point de vue des politiciens, c'est que le danger d'un polluant environnemental doit être mesuré à l'aune de sa valeur économique, m'a expliqué l'avocat James Turner. Sur le fond, je ne suis pas opposé à ce qu'on fasse une évaluation des bénéfices et des risques qu'induit l'usage d'un produit chimique, à condition que la santé soit le seul étalon de l'arbitrage. Or, l'arbitrage ne se fait jamais santé contre santé, mais santé contre bénéfice économique. D'ailleurs, il y a une règle communément admise qui veut qu'un produit soit considéré comme sûr s'il ne tue pas plus d'une personne sur un million chaque année. C'est pour vous dire à quel point le système est pervers… »

L'information que m'a communiquée l'avocat de Washington est confirmée par Michel Gérin et ses coauteurs dans leur manuel *Environnement et santé publique* : « Bien que la notion de risque et de niveau acceptables soit très controversée, écrivent-ils, on s'accorde à dire qu'un risque de l'ordre de 10^{-6} (un cancer par million de personnes exposées) est acceptable dans le cas des produits chimiques qualifiés de cancérogènes chez l'animal[55]. » Rapporté à la seule population française, ce quota signifie soixante morts annuelles pour *un seul* produit cancérigène. Quand on sait que des milliers de produits cancérigènes (mais aussi neurotoxiques ou reprotoxiques) sont actuellement en circulation, on mesure mieux l'étendue des dégâts et le malaise des « experts » dont la mission est de masquer l'hécatombe par des colonnes de « dose journalière acceptable » et autres « limites maximales de résidus », comme nous allons le voir.

13

L'insoluble casse-tête
des « limites maximales de résidus »

« Ce qu'on demande au public de considérer aujourd'hui comme inoffensif
peut se révéler extrêmement dangereux demain. »

RACHEL CARSON

« J'ai consulté la direction de l'OMS et vous êtes autorisée à filmer
le début de la session des experts du JMPR, mais sans enregistrer
le son. » N'étant pas vraiment sûre d'avoir compris ce que vient de
me dire Angelika Tritscher, la secrétaire du Joint FAO/WHO Expert
Meeting Committee on Food Additives (JECFA) et du Joint FAO/WHO
Meeting on Pesticide Residues (JMPR) à l'Organisation mondiale de la
santé, j'insiste, un rien amusée : « Mais je fais un documentaire pour la
télévision et pas un article de presse écrite, il me faut donc de l'image et
du son !

— Je sais, me répond la représentante de l'organisation onusienne,
mais vous savez que les séances de travail des comités de l'OMS et de
la FAO se tiennent à huis clos et qu'elles sont fermées à tout observateur extérieur. C'est déjà un immense privilège que de pouvoir filmer
quelques images, même si c'est sans le son. C'est à prendre ou à laisser,
car je ne pourrai rien obtenir de plus. Je vous demande aussi de ne pas
révéler l'identité des experts avant que nous ayons publié la synthèse

de leurs travaux, car, comme vous le savez, leurs noms ne doivent pas être communiqués tant qu'ils n'ont pas réalisé leur expertise.

— Mais mon film sera diffusé dans plus d'un an.

— Dans ce cas, pas de problème, vous pouvez filmer les cartons qui indiquent leurs noms», conclut Angelika Tritscher.

Genève, septembre 2009 : une visite exceptionnelle au JMPR

Je dois dire que j'ai eu beaucoup de chance de pouvoir entrer avec ma caméra dans l'enceinte de l'OMS en ce jour de septembre 2009 où les experts du JMPR tenaient leur session annuelle. L'autorisation est arrivée après trois mois de négociations intenses, ponctuées d'échanges de courriels et d'une longue conversation téléphonique avec Angelika Tritscher, une toxicologue allemande qui travailla longtemps aux États-Unis et sans qui mon tournage à Genève eût été impossible. J'ai compris, à demi-mot, qu'elle connaissait mon travail sur Monsanto, mais elle ne m'a jamais dit ce qu'elle en pensait ni si cela m'avait aidée à obtenir l'autorisation exceptionnelle d'assister aux travaux du JMPR ou, au contraire, si cela avait constitué un handicap...

On l'a vu dans le chapitre précédent, le JMPR a été créé en 1963 sur le modèle du JECFA. Ces deux organes sont chargés de fournir des évaluations toxicologiques au *Codex alimentarius*, un organisme créé en 1961 par l'OMS et la FAO pour émettre des recommandations et des lignes directrices en matière de sécurité des aliments. Les avis produits par le *Codex alimentarius* n'ont aucune force réglementaire, mais ils peuvent être repris par les gouvernements nationaux pour promulguer leurs propres normes sanitaires.

Comme son nom l'indique, la mission du Joint Meeting on Pesticide Residues est d'évaluer la toxicité des pesticides en établissant une dose journalière acceptable (DJA), mais aussi de définir les «limites maximales de résidus» (LMR) autorisées pour chaque produit agricole traité, qu'il soit à l'état brut ou transformé[a]. La fixation des DJA est confiée aux experts choisis par l'OMS, tandis que celle des LMR revient à ceux nommés par la FAO. Avant de voir comment sont sélectionnés les experts constituant les deux panels, il faut savoir exactement ce que sont les fameuses LMR, censées représenter l'ultime rempart contre

---

a   De 1963 à 2010, le JMPR a ainsi évalué 230 pesticides.

la nocivité des poisons agricoles. Pour cela, je prendrai l'exemple du chlorpyriphos-méthyl, qui fait partie de la famille du chlorpyriphos (*chlorpyrifos* en anglais), un insecticide organophosphoré connu pour ses propriétés neurotoxiques et suspecté d'être un perturbateur endocrinien. Fabriqué par Dow AgroSciences, il a fait l'objet de nombreuses études scientifiques, comme en atteste la base de données PubMed : le 29 janvier 2011, une requête avec le mot « chlorpyrifos » dans son moteur de recherche donnait 2 469 références, 1 032 avec « *chlorpyrifos toxicity* » et 139 avec « *chlorpyrifos neurotoxicity*[a] ».

Lors de la session du JMPR qui s'est tenue à l'OMS du 16 au 25 septembre 2009, le chlorpyriphos-méthyl faisait partie des cinq pesticides soumis à une réévaluation. La DL 50 de la substance, qui est vendue sous le nom de Reldan, est de 2 814 mg par kilo de poids corporel (pour les mammifères par voie orale) et sa DJA est de 0,01 mg/kg. D'après la fiche technique publiée sur le site de l'Union européenne[1], cette DJA a été obtenue après une étude de neurotoxicité effectuée pendant deux ans sur des rats et l'application d'un facteur de sécurité de cent[b].

Un processus dont la complexité n'est guère rassurante

Comme on l'a vu, la DJA d'un poison désigne la quantité maximale que les consommateurs sont censés pouvoir ingurgiter quotidiennement, pendant toute leur vie, sans tomber malades. Le problème, c'est que ledit poison peut être utilisé pour traiter une multitude de fruits, légumes ou céréales. C'est notamment le cas du chlorpyriphos-méthyl, insecticide utilisé dans le traitement des agrumes (citrons, mandarines, oranges, bergamotes), de toutes sortes de noix (pécan, pistaches, coco, etc.) et des fruits (pommes, poires, abricots, pêches, prunes, fruits rouges, raisins, etc[c].). La question qui se pose aux gestionnaires du risque est donc la suivante : comment empêcher qu'un consommateur atteigne sa dose journalière de chlorpyriphos-méthyl, tout simplement parce qu'il

---

a   D'après sa fiche technique, le chlorpyriphos-méthyl est considéré comme moins toxique que le chlorpyriphos, vendu sous le nom de Lorsban ou Durban.

b   Sa NOAEL (la dose sans effet nocif observé) était donc de 1 mg/kg/j.

c   Voir le site de l'Union européenne qui présente les normes de tous les pesticides utilisés en Europe : EU Pesticides Database, http://ec.europa.eu/sanco_pesticides/public/index.cfm#. On y trouvera la liste de tous les produits agricoles arrosés de chlorpyriphos-méthyl.

a l'habitude de manger de manière inconsidérée (!) quelques-uns des aliments traités par le pesticide ?

Pour éviter ce scénario catastrophe, les fondateurs du JMPR ont suivi les recommandations de René Truhaut (voir *supra*, chapitre 12) : ils ont décidé qu'il fallait calculer pour chaque produit agricole susceptible d'être arrosé par des pesticides ce qu'ils appellent des « limites maxi-males de résidus ». Les « LMR », qui sont exprimées en milligramme de pesticide par kilo de denrée alimentaire, sont fixées au terme d'un pro-cessus dont la complexité n'est guère rassurante. La première étape de l'expertise d'un pesticide donné consiste à mesurer la quantité de ses résidus (et éventuellement de ses métabolites, c'est-à-dire ses produits de dégradation) qui reste sur chaque produit agricole après la récolte. Ensuite, les experts estiment l'exposition potentielle des consomma-teurs, en se fondant sur des enquêtes visant à déterminer quels fruits, légumes et céréales, et en quelle quantité, ils mangent quotidienne-ment, en tenant compte des habitudes alimentaires, variant d'un pays ou d'un continent à l'autre. Le résultat : des milliers de chiffres permet-tant d'établir les LMR, aliment par aliment.

« Concrètement, comment procédez-vous ? ai-je demandé à la toxi-cologue hollandaise Bernadette Ossendorp, qui présidait le panel de la FAO lors de la session du JMPR de septembre 2009.

— Tout d'abord, nous examinons les données obtenues lors des essais en champs où le pesticide a été appliqué sur les cultures selon ce qu'on appelle les "bonnes pratiques agricoles", c'est-à-dire selon le mode d'emploi recommandé par le fabricant. Cela nous permet d'éta-blir quelle quantité de résidus de pesticide se trouve sur les aliments traités et de fixer une limite maximale.

— Qui conduit ces essais ?

— Les fabricants, m'a expliqué Bernadette Ossendorp. Et, pour cela, ils doivent respecter un cahier des charges très précis : les essais doi-vent être conduits sur différents types de produits agricoles et, si pos-sible, répétés sur au moins deux saisons, pour qu'il n'y ait pas de biais liés, par exemple, aux conditions climatiques.

— Comment pouvez-vous être sûrs de la qualité des données ? ai-je demandé ensuite, car l'histoire industrielle regorge d'études déficientes, voire truquées… » Contre toute attente, ma question n'a pas semblé étonner mon interlocutrice : « Nous exigeons des rapports très détaillés, qui présentent, par exemple, la méthode analytique utilisée, m'a-t-elle répondu. Nous vérifions aussi que la dose de pesticide qui a été appli-quée correspond bien à celle qui est recommandée aux agriculteurs ou que l'épandage a bien eu lieu au bon moment. Si le fabricant pulvérise deux mois avant la récolte, alors que la pratique agricole veut que ce soit quinze jours avant, il obtiendra un taux de résidus inférieur à celui que l'on trouve dans le monde réel... Il nous est arrivé de douter de la pertinence de certaines données, alors nous avons demandé des explications au fabricant. Si celles-ci ne nous convainquent pas, nous refusons les données et le produit ne peut pas être évalué, ce qui peut empêcher sa mise sur le marché.

— Sauf que, bien souvent, les produits que vous évaluez sont déjà sur le marché.

— C'est vrai, mais, à terme, ce n'est pas bon pour le fabricant d'avoir été "retoqué" par le JMPR...

— Mais si, dans la vie réelle, l'agriculteur ne respecte pas les dosages recommandés par le mode d'emploi, tout ce travail ne sert pas à grand-chose...

— Cela ne relève pas de notre compétence, a admis Bernadette Ossendorp, mais de celle des autorités publiques qui doivent vérifier que les agriculteurs respectent les normes d'utilisation des pesticides.

— Après avoir examiné les données sur les résidus, vous devez évaluer l'exposition potentielle des consommateurs. Comment procédez-vous?

— Nous estimons, pour chaque produit agricole, la consommation moyenne des habitants selon treize modèles de régimes alimentaires qui correspondent aux habitudes des cinq continents, avec des spécificités comme les régimes végétariens, etc. Prenons l'exemple des pommes: pour savoir combien de pommes un Français mange en moyenne chaque jour, nous prenons la production annuelle de la France, dont nous déduisons la quantité exportée, puis ajoutons la quantité importée. Ensuite, nous divisons le résultat par le nombre d'habitants. Nous procédons ainsi pour chaque produit agricole. Cela nous permet, à partir de menus types, d'évaluer la quantité d'un pesticide donné que chaque Français est susceptible d'ingurgiter chaque jour.

— C'est un énorme travail! Tout ça pour éviter que nous tombions malades en mangeant?

— Oui, m'a répondu la toxicologue. Mais, vous savez, nous aussi, nous sommes des consommateurs...

— Prenons l'exemple du chlorpyriphos-méthyl, qui est utilisé comme insecticide sur de nombreuses cultures. Que se passe-t-il si un consommateur atteint la DJA, parce qu'il a mangé un peu trop de fruits et légumes traités?

— Oui, je comprends votre question, mais il faut savoir que le niveau de LMR que nous évaluons est bien plus élevé que votre exposition réelle. D'après nos programmes de monitoring, nous savons que toutes les pommes que vous mangez n'ont pas été traitées avec du chlorpyriphos-méthyl. Il faut comprendre que notre évaluation de la consommation correspond en fait au pire cas théorique, c'est-à-dire à un jour où tout ce que vous mangez a été traité avec le même pesticide. Cela a très peu de chances de se produire dans le monde réel. Car, en général, vous aurez dans votre assiette un mélange de pommes de terre qui ont été traitées mais aussi de carottes ou de salades qui ne l'ont pas été. Donc la probabilité que vous receviez en un jour un niveau très élevé de résidus de chlorpyriphos-méthyl est extrêmement faible.

— Certes, dis-je, mais tout cela n'est pas vraiment rassurant…

— Mais non! N'oubliez pas que le danger potentiel d'un produit n'a rien à voir avec le risque que vous courez réellement. C'est comme pour le sel: si vous mangez cinq kilos de sel, vous tomberez malade, mais on ne peut pas dire pour autant que le sel est très toxique… Comme disait Paracelse, c'est la dose qui fait le poison… Mais, bon, si vous voulez vraiment un risque zéro, vous avez raison, il ne faut pas utiliser de pesticides. Mais c'est une décision politique. Tant que les politiciens diront qu'il faut les autoriser car les paysans en ont besoin pour avoir des récoltes abondantes, c'est le mieux que nous puissions faire[2]. »

Les « chimistes magiciens de l'ère postindustrielle »

Je suis sortie de ce long entretien passablement énervée. Non pas que j'aie trouvé Bernadette Ossendorp antipathique ou que j'aie eu le soupçon, pour dire les choses crûment, qu'elle me racontait des bobards. Non! J'ai eu l'impression, au contraire, qu'elle était d'une grande sincérité, y compris quand elle avançait des arguments d'une pauvreté désespérante: comment oser, en effet, comparer les pesticides qui sont conçus pour tuer au sel de table? Je souligne au passage que, si le suicide par ingestion de pesticide est malheureusement assez courant, en revanche, on n'a jamais entendu parler de suicide par intoxication volontaire au… sel de table! Manifestement, la comparaison avec le bon vieux chlorure de sodium fait partie de la panoplie argumentaire des spécialistes de l'évaluation du risque, car je l'ai aussi entendue de la bouche d'Angelika Tritscher, la secrétaire du JMPR et du JECFA à l'OMS: «Le fait que l'on trouve un produit chimique ou un résidu de pesticide dans un aliment ne signifie pas que votre santé est menacée, m'a-t-elle expliqué. Comme pour le sel, la question est de savoir à quel niveau d'exposition le danger peut s'exprimer. Le problème, c'est que la nourriture est une chose très émotionnelle. Si on y ajoute du sel, on peut en contrôler la quantité, ce qui n'est pas le cas avec les pesticides. C'est cette inconnue qui effraie les gens, car ils ont l'impression que le contenu de leur assiette leur échappe. »

Ce raisonnement a fait bondir James Huff, le spécialiste de la cancérogenèse chimique du National Institute of Environmental Health Sciences (NIEHS), qui dirigea le programme des monographies du CIRC et dénonça l'influence de l'industrie sur l'agence de l'OMS (voir *supra*, chapitre 10). « Je suis surpris qu'Angelika Tritscher, dont je connais les compétences scientifiques, ait pu utiliser l'argutie favorite des fabricants de produits chimiques, m'a-t-il déclaré sur un ton indigné quand je l'ai rencontré un mois plus tard. Le sel est une substance naturelle dont l'une des fonctions est d'influencer le goût; il est certes préférable d'en modérer l'usage, mais de là à le comparer aux pesticides, qui ont été spécialement conçus pour avoir des effets nocifs sur les organismes vivants et qui polluent notre assiette, à notre insu! Franchement, ce n'est pas sérieux! Mais c'est typique de la confusion mentale qui caractérise les experts chargés de l'évaluation des polluants alimentaires: on leur demande une mission impossible car, au fond d'eux-mêmes, ils savent très bien que la DJA et les LMR ne sont que des artefacts et que la seule manière de vraiment protéger les gens, c'est d'interdire purement et simplement un grand nombre de produits éminemment toxiques qu'ils s'évertuent à évaluer, tant bien que mal[3]... »

Ce point de vue fait directement écho aux analyses éclairantes du sociologue allemand Ulrich Beck dans son livre *La Société du risque*, où il dresse un réquisitoire implacable du rôle joué par les scientifiques dans le désastre sanitaire qui caractérise la « modernité avancée » : « Les sciences telles qu'elles ont été conçues – avec leur répartition du travail ultraspécialisée, leur appréhension des méthodes et de la théorie, leur absence totale de rapport avec la *praxis* – se révèlent totalement incapables de réagir de façon adéquate aux risques liés à la civilisation, pour la bonne raison qu'elles participent activement à leur naissance et à leur développement. Elles se muent bien plutôt – que ce soit avec la bonne conscience de la "scientificité pure" ou avec des scrupules croissants – en protecteurs et légitimateurs d'une pollution industrielle planétaire de l'air, de l'eau, de l'alimentation, etc., et du déclin et du dépérissement des plantes, des animaux et des hommes qui en résultent[4]. »

Ulrich Beck consacre ainsi de longues pages aux «scientifiques spécialistes du risque», qu'il appelle les «magiciens» ou les «acrobates des taux limites»: «Comme les scientifiques ne sont jamais totalement inconscients, ils ont inventé bien des mots, des méthodes et des chiffres pour masquer leur inconscience. Le mot "taux limite" est l'une des façons les plus répandues de dire que l'on ne sait rien. [...] Les taux limites de présence "acceptable" de substances polluantes et toxiques dans l'air, l'eau et l'alimentation réussissent le tour de force d'autoriser les émissions polluantes tout en légitimant leur existence, tant qu'elle se cantonne en deçà de valeurs établies. En limitant la pollution, on *fait le jeu* de la pollution. [...] Il est possible que les taux limites permettent d'éviter le pire, mais ils servent aussi à "blanchir" les responsables: ils peuvent se permettre d'empoisonner *un peu* la nature et les hommes. [...] Les taux limites sont les lignes de repli d'une civilisation qui s'entoure elle-même de substances polluantes et toxiques en surabondance. L'exigence de *non-intoxication*, qui paraît pourtant le fait du bon sens le plus élémentaire, est donc rejetée parce qu'utopique. [...] Les taux limites ouvrent la voie à une *ration durable d'intoxication collective normale*. [...] Ils assurent une fonction de désintoxication *symbolique*. Ils font office d'anxiolytiques symboliques contre l'accumulation d'informations catastrophiques sur la pollution. Ils indiquent qu'il y a des gens qui se donnent du mal et qui restent vigilants[5].» Et Ulrich Beck de conclure par un commentaire acerbe sur les «constructeurs de taux limites», qui sont à ses yeux des «chimistes magiciens de l'ère postindustrielle», doués de «talents de *voyance extralucide*» et d'un «troisième œil»: «En fin de compte, il s'agit de déterminer jusqu'où on peut aller sans que l'intoxication soit une intoxication, et à partir de quand une intoxication est une intoxication. [...] Il est difficile de voir dans tout cela autre chose qu'une façon très élégante et très chiffrée de déclarer: nous non plus, nous ne savons pas[6]»

Les données de l'industrie sont «confidentielles»

«J'ai pu examiner la liste des études que vous a fournies Dow AgroSciences, qui est le fabricant du chlorpyriphos-méthyl. C'est très intéressant, car elles sont toutes "non publiées" et couvertes par la "protection des données". Est-ce toujours le cas?» Ma question a fait sourciller le professeur Angelo Moretto, un neurotoxicologue italien qui présidait le JMPR lors de la session de septembre 2009. Pour l'aider à formuler sa réponse, je lui ai tendu un document de soixante-six pages, publié en 2005 par l'Union européenne, qui énumère les deux cents et quelques études conduites par le fabricant américain sur son insecticide[7]. On y trouve les expériences menées sur des animaux pour mesurer la toxicité du produit, mais aussi les essais en champs destinés à évaluer le taux de résidus sur les cultures. Par exemple, l'une a mesuré les « résidus sur les tomates au moment de la récolte ainsi que sur des fractions trans- formées (boîtes de tomates, jus et purée) après de multiples applica- tions de Reldan[8] ». Une autre a évalué les « résidus sur des raisins à vin au moment de la récolte après deux applications de Reldan[9] ». Toutes ces études sont citées avec la mention « *unpublished* », alors qu'un para- graphe introductif souligne que « le fabricant a demandé la protection des données ». Certaines de ces études concernent d'ailleurs le... chlor- pyriphos et pas le chlorpyriphos-méthyl !

Après avoir longuement examiné le document, Angelo Moretto finit par lâcher : « Oui, c'est fort possible... Les études fournies par l'in- dustrie au JMPR ou aux autorités nationales sont des données proté- gées par une clause de confidentialité. Mais, si vous consultez les docu- ments produits par le JMPR après les sessions d'évaluation ou par les autorités nationales, vous trouverez de larges résumés de ces données...

— Des résumés, mais pas les données brutes ?

— Non, pas les données brutes, car elles appartiennent au fabri- cant... Vous devez donc faire confiance à la vingtaine d'experts du JMPR, qui sont venus du monde entier et ont été choisis pour leur expertise, pour l'analyse et l'interprétation correcte des données.

— Et il n'y a aucune raison de ne pas vous faire confiance ?

— J'espère bien que non ! » a conclu le président du JMPR avec un sourire forcé[10].

Nous touchons là à l'une des critiques récurrentes formulées par les organisations non gouvernementales et les représentants de la société civile à l'égard du JMPR et du JECFA, mais aussi de l'EFSA ou de n'im- porte quelle agence publique chargée de l'évaluation ou de la gestion des risques chimiques. Car toutes acceptent sans broncher le diktat imposé par les industriels, qui exigent que les données de leurs études soient couvertes par le « secret commercial ».

« La pratique de maintenir les données secrètes ne sert que les inté- rêts commerciaux des entreprises chimiques, m'a dit Erik Millstone, le professeur britannique de politique scientifique (voir *supra*, chapitre 12). Elle est complètement contraire aux intérêts des consommateurs et de la santé publique. L'OMS et les agences de réglementation ne méritent aucunement la confiance du public, tant qu'elles ne changeront pas leurs pratiques. Seules les données qui concernent le processus de fabrication des produits peuvent justifier la clause de confidentialité, car, dans un contexte de concurrence, elles représentent des informations commerciales délicates. Mais toutes les données toxicologiques qui concernent la sécurité ou la toxicité des produits devraient être dans le domaine public[11]. »

J'ai également abordé cette délicate question avec Angelika Tritscher, la secrétaire du JMPR et du JECFA, qui joue à ce titre un rôle central dans l'organisation du processus d'évaluation. C'est elle qui, un an avant les sessions des comités, annonce publiquement quelles seront les substances soumises à une (ré)évaluation, en demandant aux « gouvernements, organisations intéressées, producteurs des produits chimiques et individus de fournir toutes les données disponibles, [...] qu'elles soient publiées ou non publiées ». Dans le texte qu'elle a mis en ligne en octobre 2008, en prévision de la session du JMPR de septembre 2009, elle précisait : « Les études confidentielles non publiées seront protégées et ne seront utilisées que pour les objectifs d'évaluation du JMPR[12]. »

« Pourquoi les données brutes ne sont-elles pas publiques ? lui ai-je demandé.

— Franchement, je ne vois pas vraiment ce que le public pourrait faire de toutes ces données : ce sont des milliers de pages... m'a-t-elle répondu.

— Je ne parle pas du public au sens large, mais, par exemple, d'une organisation de consommateurs ou environnementale qui voudrait vérifier les données toxicologiques d'un pesticide. Pourquoi celles-ci sont-elles couvertes par le secret commercial ?

— C'est à cause de la protection des droits de propriété intellectuelle... Ce sont des problèmes légaux. Les données sont privées et appartiennent à l'entreprise qui les transmet. Nous n'avons pas le droit de les communiquer à une tierce partie...

— Le fait que les données sont protégées alimente le doute quant à leur validité et sape la confiance qui est basée sur la transparence...

— Bien sûr ! Je comprends tout à fait votre remarque, car on a l'impression que nous avons quelque chose à cacher, a reconnu Angelika Tritscher avec une surprenante franchise.

— Si on prend l'exemple du tabac, les études fournies par les fabricants de cigarettes étaient défectueuses, et même manipulées ou falsifiées, et l'OMS a été trompée pendant des années par l'industrie...

— Je n'ai pas de commentaire à faire...

— Mais c'est vrai?

— Je n'ai pas de commentaire à faire, d'autant plus que cela s'est passé avant mon arrivée à l'organisation. Je ne connais pas tous les détails...

— Je sais que c'est une histoire douloureuse ici, qui a conduit à une sérieuse mise au point en 2000[13]...

— Oui, c'est clairement une histoire douloureuse. Mais je ne suis pas sûre que ce soit comparable avec la situation des pesticides. Reste que la protection des données est bien l'objet d'un intense débat ici et nous verrons bien où cela nous mènera... Vous devriez demander à l'industrie pourquoi elle tient tant à la confidentialité des données[14]...»

Quand les industriels se dérobent
aux questions gênantes

Je n'avais pas attendu le conseil d'Angelika Tritscher pour essayer d'obtenir une interview des représentants de l'industrie des pesticides. M'intéressant tout particulièrement au chlorpyriphos-méthyl et, plus largement, au chlorpyriphos, l'un des insecticides les plus controversés, je me suis tout naturellement adressée au siège de la firme Dow Agro-Sciences, à Midland (Michigan), qui en est un des principaux producteurs mondiaux. J'étais prête à m'y rendre lors de l'un des deux longs voyages que j'ai réalisés aux États-Unis pour mener mon enquête. Le 2 octobre 2009, Jan Zurvalec, le responsable des relations publiques de la multinationale, a transmis ma demande à Sue Breach, son homologue pour sa filiale européenne, basée à Londres. Le 13 octobre, celle-ci m'a adressé un courriel fort sympathique, me demandant de lui envoyer les questions que j'aimerais poser lors de l'interview filmée: «Je ne peux pas garantir notre participation directe dans le documentaire, mais nous allons examiner votre demande et vos questions avec beaucoup d'attention et nous ne manquerons pas de vous répondre[15].»

Pour être franche, je ne me faisais guère d'illusions, après le refus de dialogue que j'avais déjà essuyé de la part de Monsanto lors de ma précédente enquête relatée dans *Le Monde selon Monsanto*, car, si Dow et Monsanto ont toujours été concurrentes sur le marché des pesticides, plastiques et autres produits chimiques, elles ont toujours su se serrer les coudes quand il s'est agi de défendre les intérêts de l'industrie chimique. Le 16 octobre, j'ai effectivement reçu de Sue Breach une réponse négative: « En tant que firme, nous sommes toujours ouverts à une interaction avec les médias au sujet de nos produits et activités, tout particulièrement dans le domaine de la santé, de la sécurité et de l'environnement. Cependant, bien que nous appréciions votre offre de nous interviewer, nous sommes au regret de devoir décliner votre demande. En effet, nous avons effectué des recherches sur vos travaux antérieurs et nous avons des doutes légitimes quant à la manière dont nos perspectives seront représentées. » En conclusion, la représentante de Dow AgroSciences me proposait de m'envoyer une « réponse écrite » à mes questions.

Il s'est alors passé quelque chose de très amusant. J'avais décidé de contacter les organismes qui représentent l'industrie chimique en Europe et, très vite, j'ai constaté que leurs responsables se consultaient tous sur mon « cas » en s'échangeant moult courriels, auxquels participait activement un certain Thomas Lyall, du Bureau européen des affaires gouvernementales de Dow à Bruxelles. Je m'en suis rendu compte quand l'un d'entre eux m'a adressé un mail en oubliant d'effacer tous les échanges qui avaient précédé... Au bout du compte, le CEFIC (European Chemical Industry Council, l'association européenne des industriels de la chimie) a décliné mon offre d'interview. Puis ce fut au tour de l'European Crop Protection Association (ECPA), un lobby officiel des grandes firmes agricoles qui siège aussi dans la capitale belge. Le 28 janvier 2010, j'ai reçu un courriel de Phil Newton, son responsable des relations publiques, à qui j'avais envoyé mes questions qui concernaient, de manière très sommaire, le « rôle joué par l'industrie dans le processus d'évaluation des pesticides » et la « confidentialité des données ». « Chère Marie-Monique, m'écrivait-il, il est important de noter que tous les produits de protection végétale sont complètement évalués et testés selon les lois européennes en vigueur. Un examen indépendant de toutes les données est conduit par l'Autorité européenne de sécurité des aliments [EFSA], [...] qui, en tant que telle, est la source d'information la plus appropriée sur ce sujet. » Enfin, le 1er février 2010, Ana Riley, de Croplife International – qui se présente sur son site web comme une « fédération globale de l'industrie des sciences végétales » et est financée par les huit principaux fabricants de pesticides[a] –, m'envoyait gentiment promener en s'appuyant ouvertement sur le refus de l'ECPA, qu'elle avouait avoir contactée.

---

a   BASF, Bayer CropScience, Dow AgroSciences, DuPont, FMC, Monsanto, Sumitomo, Syngenta.

Restait la France, avec l'incontournable Union des industries de la protection des plantes (UIPP), qui, comme on l'a vu (voir *supra*, chapitre 2), regroupe les « dix-neuf entreprises qui mettent sur le marché et commercialisent des produits phytopharmaceutiques et services pour l'agriculture ». Le 28 janvier 2010, son service de presse m'envoyait une réponse lapidaire à ma demande d'interview de son directeur général : « Nous vous informons que nous ne souhaitons pas donner suite à votre demande d'interview de Jean-Charles Bocquet. » J'ai alors appelé directement le siège de l'UIPP, où je suis tombée sur une personne fort compréhensive, qui n'était manifestement pas celle qui avait rédigé le courriel, car elle m'a donné le numéro de portable de son directeur... S'est ensuivie une longue conversation téléphonique avec Jean-Charles Bocquet qui, d'emblée, a déclaré : « J'ai vu votre film *Le Monde selon Monsanto*, que je trouve très engagé... Je n'ai aucun problème avec ça, car on a le droit d'être engagé, mais votre engagement, globalement contre Monsanto, doit se traduire d'après moi par un engagement très fort contre l'ensemble des entreprises qui fabriquent les pesticides et, en l'occurrence, comme je les représente, je peux difficilement accéder à votre demande d'interview... De plus, il y a beaucoup d'erreurs dans votre film et je ne trouve pas correct que vous n'ayez pas essayé de rencontrer des représentants de Monsanto.

— Comment ? l'ai-je interrompu. À vous entendre, je ne suis pas sûre que vous ayez vraiment vu mon film, car, si c'était le cas, vous auriez remarqué que je me suis rendue à Saint Louis, qui n'est pas la porte à côté, mais que la firme a refusé de me recevoir, après trois mois de négociations... Je me suis toujours demandé pourquoi. Avait-elle peur des questions que j'allais lui poser ? Au passage, j'aimerais savoir quelles sont les erreurs que j'ai commises dans mon film ?

— Euh... Mais je vous assure que je l'ai vu... Il faut dire que Monsanto a une politique de communication qui est la sienne, mais moi je suis par habitude un peu plus ouvert...

— Avez-vous peur des questions que je pourrais vous poser ?

— Ah ! Pas du tout ! Je n'ai aucun souci avec les questions que l'on me pose, mais plutôt avec la manière dont sont exploitées mes réponses...

— Je travaille pour Arte, qui est une chaîne de qualité, et je ne peux pas vous faire dire le contraire de ce que vous avez dit. À vous de bien défendre votre point de vue ! Par exemple, comment justifiez-vous le fait que les données brutes envoyées par les fabricants de pesticides au JMPR ou à l'EFSA ne sont pas publiques ?

— Parce que le public n'est pas expert! Le jour où il le sera, il y aura accès... On ne va tout de même pas donner des informations à des organisations qui ne sont pas en charge de l'évaluation des produits phytos! Quand on sait ce que coûtent les multiples études que nous devons faire...

— Combien coûte une étude toxicologique sur les effets cancérigènes d'un pesticide?

— Plusieurs centaines de milliers d'euros[16] », m'a répondu le directeur de l'UIPP.

Dans sa « réponse écrite » qu'elle m'a finalement adressée, le 24 février 2010, la firme Dow AgroSciences avance que, « d'après une enquête de l'industrie, la recherche nécessaire pour identifier une nouvelle molécule active pour le contrôle des parasites et pour répondre aux exigences des agences gouvernementales avant sa mise sur le marché prend en moyenne huit ans et coûte généralement plus de 180 millions de dollars ». Concernant le chlorpyriphos, la multinationale précise que l'insecticide est « commercialisé depuis 1965, et autorisé dans une centaine de pays où il est utilisé sur une cinquantaine de cultures différentes. Le coût total des études réalisées depuis quarante-cinq ans afin d'obtenir l'homologation pour toutes ces productions agricoles est difficile à déterminer, mais dépasse très certainement les 200 millions de dollars[17] ».

Au JMPR, tout est secret

Grâce au soutien d'Angelika Tritscher, qui tenait à ce que je me rende compte de l'ampleur de la tâche réalisée par les experts du JMPR, j'ai obtenu l'autorisation exceptionnelle de filmer quelques images dans les... sous-sols de l'OMS. C'est là que sont entreposées toutes les données envoyées par les fabricants pour l'évaluation de leurs produits. « Mis bout à bout, cela fait plusieurs kilomètres de rayonnages, m'a expliqué Marie Villemin, la responsable des archives de l'organisation onusienne. Heureusement que le JMPR et le JECFA encouragent désormais les industriels à envoyer leurs données sur un support informatique, car sinon ce n'était plus gérable. » Sous mes yeux s'étendaient des rangées d'étagères soigneusement étiquetées, pesticide par pesticide : pour le seul « glyphosate », la molécule active du Roundup de Monsanto, il y avait sept énormes cartons! J'en ai ouvert plusieurs au hasard : ils contenaient les études « sur les effets transgénérationnels et reproductifs chez le rat » ou les essais en champs sur les pommes de terre et carottes. Chaque fois, c'était des centaines de pages, avec des milliers de chiffres, répartis sur des colonnes ou dans des tableaux.

« Est-ce que les experts examinent vraiment toutes ces données ? ai-je demandé à Angelika Tritscher.

— Oui... Mais, évidemment, cela ne se passe pas pendant la session, qui ne dure que neuf ou dix jours. Le travail de préparation commence un an avant. Les données brutes sont confiées à un groupe restreint d'experts, qui en font une synthèse remise à l'ensemble du panel lors de la session.

— Et qui envoie les données brutes au groupe restreint chargé de la préparation ?

— Les fabricants ou parfois le secrétariat du JMPR, cela dépend.

— Donc, il arrive que les fabricants connaissent à l'avance le nom de certains experts qui font partie du panel ?

— Oui...

— Pourtant, vous m'avez dit que le nom des experts était maintenu secret jusqu'à la publication du rapport du JMPR...

— Oui, c'est une règle de l'OMS, a admis la toxicologue allemande. C'est pour éviter que les experts subissent des pressions avant les réunions de travail, que ce soit de l'industrie, d'un État particulièrement intéressé par le sujet traité ou d'une organisation de consommateurs.

— Mais cette règle comporte des exceptions, puisque les fabricants peuvent connaître l'identité de certains experts avant les sessions ?

— Oui, c'est plus commode pour l'envoi des données.

— Et comment choisissez-vous les experts ?

— Régulièrement, nous publions ce que nous appelons un "appel à experts" pour constituer les panels du JMPR ou du JECFA. N'importe quel scientifique peut se présenter, en envoyant un *curriculum vitae* détaillé et la liste de toutes les publications qu'il a réalisées. Notre choix est fondé sur la compétence et l'expertise des candidats, mais nous devons aussi veiller à ce que tous les continents soient représentés. Il faut savoir que les experts sélectionnés ne sont pas rémunérés, seuls les frais de voyage et de séjour sont pris en charge par l'OMS et la FAO.

— J'ai consulté votre dernier appel à experts. Il précise que ceux-ci "sont tenus de déclarer tout conflit d'intérêts potentiel en remplissant un formulaire standard établi par l'OMS et la FAO". »

En réécoutant mon interview, j'ai mesuré à quel point cette question était délicate, quand se profilait à l'automne 2009 l'un des plus grands scandales qu'ait connus l'OMS, concernant précisément les conflits d'intérêts non déclarés des experts chargés de conseiller l'orga-nisation pour la «fausse pandémie» de grippe H1N1. Trois mois avant ma visite à Genève, le 11 juin, Margaret Chan, la directrice générale de l'OMS, avait déclaré avec le ton solennel de circonstance : «Le monde est aujourd'hui confronté à une pandémie grippale», déclenchant la folie que l'on sait. Un an plus tard, alors qu'on avait annoncé des centaines de milliers de morts, la «grippe porcine» avait fait dix fois moins de victimes que la banale épidémie annuelle. Mais l'affaire fut une aubaine pour les cinq principaux fabricants de vaccin – Novartis, GlaxoSmithKline, Sanofi-Pasteur, Baxter et Roche –, qui se sont par-tagé quelque 6 milliards de dollars. On découvrira que les «experts» qui avaient conseillé l'OMS étaient liés aux industriels qui ont profité de cette «lamentable mascarade[18]».

Je comprends mieux, aujourd'hui, pourquoi Angelika Tritscher s'est légèrement crispée quand j'ai abordé la question des conflits d'intérêts : «Pourquoi les conflits d'intérêts des experts du JMPR ou du JECFA ne sont-ils pas publiés? lui ai-je demandé.

— C'est la règle de l'OMS, m'a-t-elle répondu, visiblement gênée. Il faut comprendre que les panels d'experts qui interviennent chez nous ne sont pas permanents, leur composition change au gré des dos-siers traités. Ce serait un énorme travail que de publier sur notre site internet tous les conflits d'intérêts des experts que nous sollicitons…

— Mais l'EFSA, par exemple, le fait…

— C'est vrai, mais ses comités d'experts sont permanents… Je com-prends que ce soit une question importante et, pour tout vous dire, nous avons des discussions à ce sujet avec notre département juridique pour voir comment nous pouvons faire évoluer le dispositif. Cela ne concerne pas que la publication des conflits d'intérêts, mais aussi le pro-blème des biais scientifiques qui peuvent caractériser certaines études…

— Pour être franche, je trouve que le fonctionnement du JMPR et du JECFA manque cruellement de transparence, car ici tout est secret : les données des études, l'identité des experts, leurs conflits d'intérêts, sans oublier les sessions elles-mêmes, fermées à tout observateur exté-rieur. Pourtant, il me semble qu'à la veille de mon arrivée les fabricants de pesticides ont été entendus par le panel?

— Oui… Il nous arrive régulièrement de convoquer les industriels pour qu'ils répondent à des questions concernant leurs produits.

— Je peux concevoir qu'il soit important de clarifier certains points, mais pourquoi refuser un statut d'observateur à des organisations non gouvernementales ou à des universitaires qui en expriment le souhait?

— Les sessions de travail qui se tiennent à l'OMS sont privées par nature, m'a répondu Angelika Tritscher. Ce n'est pas qu'elles soient fermées, mais pour pouvoir y participer il faut être invité. Nous pensons aussi que le huis clos permet aux experts de s'exprimer plus librement, loin de toute influence. »

« *Tout le système d'évaluation des polluants alimentaires est à revoir* »

« Il est très difficile de faire évoluer le système », m'a dit avec un sourire Ned Groth, le biologiste qui travailla comme expert à Consumers International pendant plus de vingt ans. Pourtant, à soixante-cinq ans, ce scientifique très respecté, à l'allure et au phrasé impeccables, qui officia à l'Académie nationale des sciences des États-Unis, n'a rien d'un excité. Mais sa critique du « système » est implacable. « Il ne faut pas oublier, a-t-il poursuivi, que l'OMS et la FAO sont deux énormes bureaucraties qui dépendent de l'argent versé par les États membres de l'ONU, mais aussi de fonds privés, dont l'origine d'ailleurs est inconnue. Elles n'ont pas intérêt à se fâcher avec leurs donateurs, qui suivent leurs activités de très près... Et il est clair que le système d'évaluation des produits chimiques a été créé *par* et *pour* l'industrie...

— Croyez-vous vraiment que les experts examinent en détail les milliers de pages de données fournies par les fabricants ?

— Bien sûr que non ! m'a répondu sans hésiter Ned Groth. C'est d'ailleurs une stratégie bien connue des industriels : ils envoient des wagons de données que personne ne peut vérifier, à moins d'y passer des années ! C'est pourquoi il est rare que des experts qui n'ont aucun intérêt dans l'affaire se portent volontaires pour cette tâche ingrate qui de plus n'est pas rémunérée... Si, par un hasard très rare, un panel d'experts un peu plus vigilant estime que les données sont douteuses, c'est aussi une bonne chose pour l'industrie, car cela lui permet de gagner du temps. Le JMPR va lui demander de revoir sa copie, ce qui prendra deux ans et, pendant ce temps, les normes resteront les mêmes...

— Quel est le profil des experts ?

— Comme la tâche demandée est très compliquée, les candidats sont envoyés généralement par des gouvernements qui veulent que leur point de vue pèse dans les décisions des comités. Et ceux qui sont choisis sont souvent des retraités qui ont du temps, mais ne sont pas toujours au fait des dernières avancées de la science. Quel scientifique en pleine carrière est prêt à donner plusieurs semaines de son temps pour une activité où les intérêts politiques et commerciaux priment sur toute autre considération ? En général, les experts du JMPR et du JECFA sont des scientifiques plutôt médiocres, car les bons ont autre chose à faire…

— Est-ce que vous pensez que les décisions qu'ils prennent sont biaisées ?

— Le problème, a soupiré Ned Groth, c'est que les scientifiques qui s'y connaissent suffisamment en toxicologie des pesticides travaillent généralement ou ont travaillé pour l'industrie, comme universitaires ou comme consultants privés. Et, pour les avoir souvent côtoyés, je sais qu'ils viennent tous de la même famille de pensée. Ils vont aux mêmes colloques, parlent le même langage et sont tous convaincus qu'on ne pourrait pas vivre sans pesticides.

— Pensez-vous que les conflits d'intérêts des experts peuvent véritablement influencer les décisions du JMPR ou du JECFA ?

— Certainement ! L'un des exemples le plus caricatural est celui de l'hormone de croissance bovine, qui a été évaluée par le JECFA en 1992 et 1998. Les travaux du comité ont été complètement verrouillés par des experts – dont le rapporteur du panel, Margaret Miller – qui avaient travaillé pour Monsanto, le fabricant de l'hormone[19] ! »

Dans *Le Monde selon Monsanto*, j'ai consacré deux chapitres à cette histoire exemplaire de l'hormone de croissance bovine, ou « rBGH ». J'avais en effet découvert l'efficacité de la pratique dite des « portes tournantes » (*revolving door*), qui permet à des représentants de l'industrie d'investir de hautes fonctions dans les organismes gouvernementaux ou internationaux pour y défendre les intérêts de leur employeur préféré, chez qui ils retournent souvent, une fois leur mission accomplie. Les travaux du JECFA sur l'hormone transgénique, destinée à augmenter la production laitière des vaches, avaient été publiquement vilipendés lors d'une commission d'enquête du Sénat canadien, laquelle avait aussi révélé une tentative de corruption par Monsanto d'experts de Santé Canada, l'agence chargée de la sécurité des aliments. C'est en travaillant sur cette affaire que j'avais, pour la première fois, entendu parler d'Erik Millstone, le professeur de l'université du Sussex qui avait montré dans un article comment Monsanto avait triché sur l'interprétation de ses données concernant les effets de la rBGH sur la santé des vaches[20].

« Tout le système d'évaluation des polluants alimentaires est à revoir, m'a dit celui-ci lors de notre rencontre à Brighton. Il faut en finir avec l'opacité qui caractérise la nomination et le travail des experts. Il n'est pas normal que je ne puisse pas faire partie du panel du JMPR, parce que je n'ai pas de doctorat en toxicologie, alors que je travaille depuis trente-cinq ans sur la toxicologie chimique alimentaire! Le manque de transparence est tel qu'on m'a refusé d'assister à une session du JMPR alors que je préparais un rapport pour un organisme de recherche de l'Union européenne[21]! De plus, toute personne ayant travaillé pour une industrie directement concernée par les décisions des comités ne devrait pas pouvoir occuper des fonctions importantes dans leur organigramme. C'est malheureusement le cas d'Angelika Tritscher, qui a travaillé plusieurs années chez Nestlé. »

L'information n'était pas un scoop. Avant de rencontrer la toxicologue allemande, j'avais effectivement constaté qu'elle avait travaillé au centre de recherche scientifique de la firme suisse, grande utilisatrice d'additifs alimentaires, dont l'aspartame (voir *infra*, chapitres 14 et 15). J'avais vu aussi qu'elle avait participé à un congrès, en janvier 2009 à Tucson (Arizona), organisé par l'International Life Sciences Institute (ILSI), l'organisme « scientifique » financé par les multinationales de la chimie, de l'agroalimentaire et de la pharmacie.

« En quoi ma fonction précédente chez Nestlé devrait-elle m'empêcher de travailler à l'OMS? s'est indignée l'intéressée quand je l'ai questionnée sur ces points. D'ailleurs, mon *curriculum vitae* a été soigneusement épluché par le service juridique de la maison, qui a jugé que j'avais le profil de l'emploi. Je n'ai rien à cacher! Sachez qu'avant d'être embauchée par Nestlé, j'avais postulé à un emploi chez Greenpeace, à Hambourg, mais je n'ai pas été prise! Je vous demande de ne pas me faire de procès d'intention car, dans la vie, tout n'est pas blanc ou noir…

— Certes, dis-je, mais pouvez-vous imaginer qu'un ancien membre de Greenpeace occupe votre poste actuel?

— S'il a les compétences scientifiques requises, pourquoi pas? m'a répondu Angelika Tritscher. Quant à ma participation au congrès de l'ILSI, elle a été décidée avec la direction de l'OMS, qui a estimé que je devais représenter l'organisation à une table ronde consacrée à l'évaluation du risque. Où est le problème? »

Je dois dire que la toxicologue allemande m'a convaincue de sa bonne foi et de sa volonté de faire évoluer le système vers plus de transparence. Je rappelle que c'est grâce à elle que j'ai pu entrer dans l'enceinte très secrète du JMPR et c'est là un signe qui ne trompe pas. Cette impression a été confortée par ce que m'a dit Ned Groth à son sujet: « Je connais très bien Angelika et je l'admire. Je ne crois pas qu'on puisse la considérer comme une "taupe" de l'industrie à l'intérieur du JMPR ou du JECFA, car elle a vraiment un souci de la santé publique et elle fait tout ce qu'elle peut pour que les comités remplissent au mieux leur mission. Il y a beaucoup d'excellents scientifiques qui ont travaillé pour l'industrie, et beaucoup de mauvais scientifiques qui travaillent à l'extérieur de l'industrie. Au-delà des personnes, c'est le système qui ne va pas, car il ne protège pas les consommateurs... »

« Ce que fait le JMPR n'est pas de la science exacte »

Pour préparer mon voyage à Genève, j'avais épluché un document publié par la FAO et l'OMS, intitulé « Principes et méthodes de l'évaluation des produits chimiques dans les aliments ». Une phrase avait attiré mon attention : « Les DJA fixées par le JECFA et le JMPR se fondent sur tous les *faits connus au moment de l'évaluation*[22]. » Elle faisait écho à ce qu'avait écrit René Truhaut dans l'un de ses articles rétrospectifs : « Les DJA ne sont pas fixes et inchangeables. Toute information additionnelle peut conduire à leur révision[23]. » Et je m'étais interrogée : si les DJA et les LMR ne sont pas des valeurs définitives, puisqu'elles dépendent du niveau de connaissance des experts au moment où ils les fixent, comment peut-on prétendre qu'elles nous protègent ? Mon doute quant à l'efficacité des fameuses normes a été renforcé par un document de l'Autorité européenne de sécurité des aliments (EFSA) qui concerne le procymidone, un fongicide fabriqué par la firme japonaise Sumitomo. Il faisait partie de la liste des pesticides soumis à une « réévaluation » lors de la session du JMPR de septembre 2009, en raison de « soucis exprimés par l'Union européenne ». De fait, celle-ci a interdit son usage en 2008, car c'est un redoutable perturbateur endocrinien (voir *infra*, chapitre 19), ce qui a conduit l'EFSA à revoir à la baisse sa DJA et ses LMR. En effet, si le poison n'est plus utilisé dans les champs de l'Europe des vingt-sept, il l'est toujours dans de nombreux pays qui exportent des produits agricoles vers l'Union, d'où la nécessité de maintenir des normes qui servent aux (éventuels) contrôles.

Dans son document de 2009, l'EFSA explique qu'elle a décidé de baisser la DJA du procymidone de 0,025 à 0,0028 mg/kg et, en conséquence, « proposé de changer les LMR afin de réduire l'exposition du consommateur à un niveau où on estime qu'*il n'y aura pas d'effets négatifs sur sa santé*[24] ». Avant d'analyser cette phrase très troublante, il faut savoir que le procymidone est utilisé dans les cultures de quelque quarante fruits et légumes, dont les poires, abricots, pêches, prunes, raisins de table, vignes, fraises, kiwis, tomates, poivrons, aubergines, concombres, courgettes, melons, laitues, ail, oignons, etc. Et s'il a été interdit en Europe, après plus de vingt ans d'usage, c'est parce qu'une étude multigénérationnelle a montré que les descendants mâles de rates qui avaient été exposées à 12,5 mg/kg pendant la gestation présentaient une «réduction de la distance anogénitale, de l'hypospadias[a], une atrophie et nondescente des testicules». À une dose cinq fois moins élevée, on constatait «une augmentation du poids des testicules, une baisse du poids de la prostate, et des vésicules dans l'épididyme[b]». Toutes ces informations sont exposées dans le document de l'EFSA, lequel précise que, pour établir la nouvelle DJA, les experts ont appliqué un facteur de sécurité de mille par rapport à la dose sans effet observé (NOAEL).

J'ai donc soumis l'avis de l'EFSA à Angelo Moretto, le président du JMPR, quand je l'ai rencontré à Genève en septembre 2009 : «J'ai ici un avis de l'EFSA, publié le 21 janvier 2009, qui concerne le procymidone, un fongicide que vous devez réévaluer.

— Oui, l'Union européenne a exprimé des inquiétudes concernant les limites que nous avons fixées, m'a-t-il confirmé avant d'examiner attentivement le document que je lui tendais.

— Vous avez lu la phrase que j'ai soulignée? Elle dit : "L'EFSA propose de changer les LMR afin de réduire l'exposition du consommateur à un niveau où on estime qu'il n'y aura pas d'effets négatifs sur sa santé." Cela veut-il dire que la DJA ou les LMR fixées par l'EFSA ou le JMPR ne sont jamais définitives?

— Oui, dans la vie rien n'est jamais définitif, même la science, a fini par lâcher le professeur Moretto après un interminable silence embarrassé. Donc, s'il y a de nouvelles données qui nous obligent à changer nos décisions antérieures, nous le faisons[25]. »

J'ai réitéré le même questionnement avec Angelika Tritscher, qui a elle aussi observé un long temps d'arrêt avant de me répondre : «Je n'aime pas du tout la manière dont cette phrase est formulée, a-t-elle commenté, car elle donne l'impression que les valeurs précédentes ne protégeaient pas du tout et que les consommateurs étaient en danger. Ce qui n'est pas vrai! Il faut bien comprendre la différence entre le danger potentiel que représente un produit chimique et le risque que court réellement un consommateur, car tout dépend du niveau d'exposition. N'oubliez pas qu'il y a des facteurs de sécurité importants…

---

a   L'hypospadias est une malformation congénitale des garçons, qui se manifeste par l'ouverture de l'urètre dans la face inférieure du pénis.
b   L'épididyme est un petit organe accroché au testicule qui conserve et transporte les spermatozoïdes.

— Certes, je connais la différence entre le danger et le risque. Mais, prenons l'exemple du lindane, un insecticide organochloré commercialisé dès 1938. C'est un neurotoxique puissant, classé en 1987 comme cancérigène possible pour les humains par le CIRC et considéré comme un polluant organique persistant. Il a été définitivement interdit en Europe en 2006. En 1977, le JMPR avait fixé une DJA de 0,001 mg par kilo. Cette norme était donc complètement illusoire, d'autant plus que le lindane a la faculté de s'accumuler dans les organismes.

— Le problème, c'est qu'au moment où le JMPR a fait son évaluation, on ne parlait pas encore de polluants organiques persistants, m'a répondu Angelika Tritscher. Si vous voulez dire que ce que fait le JMPR n'est pas de la science exacte, alors je suis d'accord avec vous. Ses décisions sont fondées sur les connaissances scientifiques disponibles au moment où il réalise son évaluation.

— Excusez-moi d'être un peu triviale, mais je trouve que tout ce processus ressemble fort à du bricolage...

— Le mot que vous venez d'employer est très offensant pour les experts, qui font vraiment tout ce qu'ils peuvent pour émettre le meilleur jugement scientifique», a rétorqué la toxicologue allemande avec un regard désapprobateur.

Ma remarque était certes un peu brutale, même si elle traduisait exactement mon sentiment, que la lecture de *La Société du risque* a, une fois de plus, conforté. À une nuance près : contrairement à Ulrich Beck, qui vilipende les « magiciens des taux limites », je pense que la responsabilité principale du désastre sanitaire dans lequel nous vivons incombe aux politiciens, car ce sont eux les « gestionnaires du risque », censés voir plus loin que le bout de la lorgnette pour protéger notre santé à long terme. Pour le reste, je suis d'accord avec ce qu'écrit le sociologue allemand : « Il n'est pas vrai qu'il soit *impossible* de connaître les effets sur l'homme des doses de toxiques isolées ou combinées. C'est plutôt qu'*on ne veut pas les connaître* ! [...] Même les statistiques sur les maladies, le dépérissement des forêts, etc., ne semblent pas suffisamment convaincantes aux magiciens des taux limites. Il s'agit donc d'un grand test de longue durée, dans lequel l'homme, promu animal de laboratoire contre son gré, est tenu de communiquer ses propres symptômes d'intoxication et a, en outre, l'obligation de donner la preuve de ce qu'il avance, sachant que ses arguments ne seront pas pris en considération *puisqu'il existe des taux limites et qu'ils ont été respectés*[26] !

Janvier 2010: une édifiante visite à l'Autorité européenne de sécurité des aliments (EFSA)

«J'ai ici un avis de l'EFSA qui annonce une baisse de la DJA et des LMR du procymidone en raison d'inquiétudes pour la santé du consommateur. Cela veut-il dire que la DJA précédente, dont on pensait qu'elle nous protégeait, en fait ne nous protégeait pas?» J'ai évidemment posé ma sempiternelle question à Herman Fontier, le chef de l'Unité des pesticides de l'Autorité européenne de sécurité des aliments (EFSA). J'ai alors senti un ange passer dans le petit bureau du toxicologue belge, qui lança plusieurs regards désespérés vers les trois membres du service de presse assis dans mon dos. Au demeurant fort sympathiques, ceux-ci ont scrupuleusement enregistré les quatre interviews que j'ai réalisées à l'EFSA, ce 19 janvier 2010 à Parme. S'ils réécoutent leur bande, ils constateront aisément que je retranscris ici mot à mot la réponse très embrouillée de mon interlocuteur. Contraint à défendre l'indéfendable, celui-ci perdit pied: «Elle ne protégeait pas pour cette... Elle n'avait pas la même... Elle ne faisait pas la même protection. Encore une fois, il y a des valeurs de sécurité qui sont appliquées, une valeur de cent par rapport à la dose sans effet, donc il y a des sécurités qui sont un peu partout insérées dans le système. Il est donc très improbable que la DJA qui avait été fixée auparavant ait amené des effets pour la santé...»

Le malaise du fonctionnaire européen m'a d'abord fait sourire, puis remplie d'une infinie tristesse, car j'ai mesuré l'extrême fragilité des «magiciens des taux limites», contraints de danser sur un fil si ténu qu'il menace de se rompre au premier accroc: «Si je vous offre une pomme avec des résidus de procymidone et de chlorpyriphos, est-ce que vous la mangez? lui ai-je demandé.

— Cela dépend du niveau des résidus, s'il est conforme à la législation, avec une teneur en pesticides en dessous des LMR, oui je la consomme, a-t-il répondu, manifestement soulagé par cette nouvelle question.

— Même si vous savez que, dans trois ans, on va revoir à la baisse les LMR parce qu'il y aura de nouvelles données?

— Oui, on ne sait jamais ce que nous réserve l'avenir, mais j'ai confiance dans le travail que nous faisons. Absolument[27]!»

C'est précisément pour «restaurer et maintenir la *confiance* vis-à-vis de l'approvisionnement alimentaire de l'Union européenne[a]» que

---

a   C'est moi qui souligne.

l'EFSA a été créée en janvier 2002, «à la suite d'une série de crises liées à la sécurité des aliments survenues à la fin des années 1990», ainsi que l'explique la page d'accueil de son site web. Et il faut bien reconnaître que, dans ce domaine, la tâche de l'Autorité est immense. En effet, d'après un sondage «Eurobaromètre» publié en février 2006, «40% des personnes interrogées pensent que leur santé pourrait être endommagée par la nourriture qu'elles mangent ou par d'autres produits de consommation. Une association entre l'alimentation et la santé n'est faite que par une personne sur cinq[28]». Et, en tête des «facteurs externes» considérés comme particulièrement «dangereux» par les Européens se trouvent les «résidus de pesticides» (71%), suivis des «résidus dans la viande, comme les antibiotiques ou les hormones» (68%). Enfin, dernier enseignement du sondage : «Si 54% des citoyens pensent que leurs inquiétudes pour la santé sont prises au sérieux par l'Union européenne, 47% estiment qu'au moment de décider des priorités, les autorités favorisent généralement les intérêts des fabricants plutôt que la santé des consommateurs.»

Installée à Parme (Italie), l'Autorité européenne de sécurité des aliments a pour mission d'évaluer les risques liés à l'utilisation de produits chimiques dans la chaîne alimentaire. Sans pouvoirs réglementaires, elle se contente d'émettre des «avis et conseils scientifiques» pour «aider la Commission européenne, le Parlement européen et les États membres de l'Union européenne à arrêter des décisions efficaces et opportunes en matière de gestion des risques». Pour comprendre la fonction de l'EFSA, il faut la replacer dans le système de réglementation européen des produits phytosanitaires, régi par la directive 91/414 du 17 juillet 1991. Celle-ci prévoit que, pour pouvoir être utilisé légalement, tout pesticide doit au préalable être inscrit sur une «liste positive» de produits autorisés, la fameuse «Annexe 1». Afin d'obtenir cette inscription, le fabricant doit déposer une demande d'autorisation sur le marché auprès de l'un des États de l'Union, considéré comme l'«État rapporteur». C'est lui qui est chargé de rassembler et d'évaluer les études toxicologiques et écotoxicologiques sur la substance active fournie par le fabricant. Pour cela, il sollicite l'expertise de l'EFSA, laquelle intervient à deux niveaux.

En premier lieu, elle donne son avis sur la classification de la molécule quant à ses effets potentiellement cancérigènes, mutagènes et reprotoxiques. Pour ajouter à la confusion d'un dossier déjà éminemment complexe, la classification de l'Union européenne des substances cancérigènes n'est pas la même que celle du CIRC (voir *supra*, chapitre 10). Au groupe 1 de l'agence onusienne correspond la catégorie 1, qui désigne des substances «connues pour être cancérigènes chez les humains». Au groupe 2A («cancérigène probable pour les humains») correspond la catégorie 2; et, au groupe 2B («cancérigène possible»), la catégorie 3[29]. On retrouve le même principe pour les substances mutagènes et reprotoxiques. Et, en second lieu, depuis le 1er septembre 2008, l'EFSA est chargée de proposer les DJA et LMR pour chaque pesticide soumis à évaluation, lesquelles sont promulguées par l'Union européenne et sont désormais communes aux vingt-sept États membres de l'Union.

Au final, c'est l'«État rapporteur» qui accorde la première autorisation de mise sur le marché d'un pesticide. Valable pour une durée de dix ans et renouvelable, elle est généralement reprise par les autres États européens, selon le principe dit de la «reconnaissance mutuelle», même si chaque pays garde la faculté «de limiter ou d'interdire de manière provisoire la circulation d'un produit sur son territoire». En vertu du règlement 1107/2009, qui se substituera à la directive 91/414 à compter du 14 juin 2011, la Commission pourra désormais «adopter des *mesures d'urgence* pour restreindre ou interdire l'utilisation et/ou la vente d'un produit phytopharmaceutique lorsqu'il est susceptible de constituer un risque grave pour la santé humaine ou animale ou pour l'environnement et que ce risque est mal maîtrisé par l'État membre ou les États membres concernés».

«Combien de substances actives de pesticides[a] sont-elles actuellement autorisées en Europe? ai-je demandé en janvier 2010 au chef de l'Unité des pesticides de l'EFSA.

— Il faut savoir que dans les années 1990, il y en avait presque mille, m'a-t-il expliqué. Mais, aujourd'hui, il n'y en a plus que trois cents. L'Union européenne a conduit un vaste programme de révision et beaucoup de molécules n'ont pas survécu, notamment parce que les industriels ne les ont pas défendues, en renonçant à envoyer les données qui leur étaient réclamées. Dans certains cas, le dossier soumis n'était pas complet et l'inclusion des produits dans cette nouvelle liste positive a été refusée.

— Cela veut dire que sept cents molécules ont été récemment interdites?

— Oui, le programme de révision s'est terminé en 2008.

— Est-ce que l'EFSA tient compte des travaux du JMPR pour fixer les DJA et les LMR?

---

a   Une substance active peut donner lieu à de multiples formulations de pesticides différents.

— Bien sûr, nous suivons de très près les recommandations du JMPR. Nous n'arrivons pas toujours aux mêmes conclusions, parce que nous disposons parfois de nouvelles études que le JMPR n'avait pas au moment de son évaluation. Généralement, quand il y a une différence, c'est que notre DJA est plus basse.

— Dans ce cas-là, pour le consommateur, il vaut mieux avoir la DJA de l'EFSA que celle du JMPR?

— On trouve bien sûr que la DJA de l'EFSA est celle qu'il faut suivre!»

Les critiques de Greenpeace sur les nouvelles normes toxicologiques européennes

Depuis le 1er septembre 2008, les LMR sont fixées par la Commission européenne, qui a conduit un vaste programme d'harmonisation des normes existant dans les vingt-sept États membres de l'Union. En effet, jusqu'à cette date, chaque pays fixait ses propres taux limites sur chaque produit agricole (légumes, viandes, fruits, lait, œufs, céréales, épices, thés, cafés, etc.) et on compta jusqu'à 170 000 LMR différentes sur l'ensemble du territoire européen! Un vrai casse-tête qu'a voulu simplifier la Commission, en alignant tous les pays de l'Union sur les mêmes valeurs.

«C'était une très bonne idée, car cela permettait d'assurer à tous les consommateurs européens un même niveau de protection, a commenté le 5 octobre 2009 Manfred Krautter, un chimiste qui a travaillé dix-huit ans à la section allemande de Greenpeace, à Hambourg. Malheureusement, au lieu de choisir le plus petit facteur commun, la Commission a retenu, généralement, les LMR les plus élevées. Pour l'Allemagne et l'Autriche, par exemple, qui avaient les normes les plus ambitieuses, l'harmonisation a entraîné une augmentation du niveau de résidus autorisé jusqu'à mille fois supérieure pour 65 % des pesticides utilisés[30].»

Dans un rapport publié en mars 2008, Greenpeace et Les Amis de la Terre soulignaient pourtant que, «pour les pommes, les poires et le raisin de table, 10 % des taux limites fixés sont potentiellement dangereux pour les enfants», qui sont de grands consommateurs de ces fruits. En effet, comme on l'a vu (voir *supra*, chapitre 12), les normes toxicologiques sont exprimées en quantité de substance rapportée au poids corporel. Si un adulte consomme une quantité X de résidus de pesticides, celle-ci aura moins d'effets pour lui que pour un enfant. Dit autrement: un enfant de 12 kg qui mange deux pommes et une grappe de raisin court proportionnellement plus de risques qu'un adulte pesant 60 kg. Dans leur rapport, les organisations écologistes notent qu'«un enfant de 16,5 kg atteint les taux limites du procymidone en mangeant seulement 20 g de raisin et ceux du méthomyl (un insecticide) avec 40 g de pommes ou 50 g de prunes[31]».

«Comment expliquez-vous que l'harmonisation a conduit à l'augmentation de nombreuses LMR plutôt qu'à une baisse?» Je dois dire que la réponse d'Herman Fontier à cette question ne m'a pas vraiment convaincue: «D'abord, il faut souligner que l'EFSA a fait supprimer un certain nombre de LMR nationales qu'elle a considérées comme problématiques, a commencé le chef de l'Unité des pesticides de l'EFSA. Parfois, effectivement, il y avait des différences d'un pays à l'autre. Par exemple, dans l'État A, la LMR pour un produit agricole était, disons, de 1 mg/kg et, dans l'État B, de 2 mg/kg. Nous avons vérifié si les 2 mg/kg posaient un problème pour la santé et, si ce n'était pas le cas, nous avons décidé de prendre cette LMR comme référence, de manière à permettre au pays B de continuer à cultiver le produit avec la dose de pesticide nécessaire, car manifestement les conditions agronomiques et phytosanitaires n'étaient pas aussi favorables que dans le pays A. Mais il faut savoir que, dans l'État A, on a continué à utiliser la dose minimale efficace permettant de ne pas dépasser 1mg/kg. Cela peut paraître paradoxal, mais l'augmentation qui est le résultat de l'harmonisation n'entraîne pas une hausse de l'exposition des consommateurs; en revanche, le fait qu'on a éliminé certaines LMR a permis d'augmenter leur sécurité[32]...»

C'est ce qui s'appelle «dire tout et son contraire». Car, par le simple jeu du commerce, arrivent dans le pays A des produits du pays B qui contiennent deux fois plus de résidus que ceux qui sont cultivés sur place. Donc, prétendre qu'une augmentation des LMR n'entraîne pas de hausse du risque pour les consommateurs est au minimum une contrevérité, d'ailleurs tout à fait contraire au principe même des taux limites. «L'augmentation d'un certain nombre de LMR permet d'embellir le tableau général en Europe, m'a expliqué Manfred Krautter, le chimiste de Greenpeace, car plus les normes sont élevées, moins il y a de risques de les dépasser! C'est ce qu'on a vu lors de la publication du premier rapport annuel sur les résidus de pesticides de l'EFSA, où celle-ci s'est targuée de constater une baisse du pourcentage des dépassements des normes.»

Publié le 10 juin 2009, le rapport constituait une synthèse des observations réalisées dans les vingt-sept États membres de l'Union. Au total, 74 305 échantillons ont été prélevés sur 350 classes d'aliments : 354 pesticides différents ont été détectés dans les fruits et légumes et 72 dans les céréales. Les LMR étaient dépassées pour un ou plusieurs pesticides dans 3,99 % des échantillons ; et 26,2 % des échantillons contenaient des résidus d'au moins deux pesticides (et 1 % plus de huit pesticides différents). Ainsi que le soulignent les auteurs du rapport, « le pourcentage des fruits, légumes et céréales qui présentent des résidus multiples est passé de 15,4 % en 1997 à 27,7 % en 2006, avec une légère baisse en 2007[33] ».

Sur le papier, ces résultats semblent *grosso modo* rassurants, mais il faut noter qu'il s'agit d'une *moyenne* européenne qui cache de grandes disparités d'un pays à l'autre[a]. En effet, le nombre de pesticides *recherchés* varie de 709 en Allemagne, qui est de loin le meilleur élève de la classe, à... 14 en Bulgarie (265 en France et 322 en Italie). Le nombre de pesticides *détectés* varie donc aussi considérablement : 287 en Allemagne et 5 pour la Hongrie (122 en France et en Espagne)... Enfin, le nombre d'échantillons analysés est de plus de 16 000 en Allemagne, mais de seulement quelques centaines pour Malte ou le Luxembourg (4 000 pour la France). « Le problème, m'a expliqué Manfred Krautter, c'est que la détection de résidus de pesticides coûte très cher et de nombreux pays européens ne sont pas équipés pour mener correctement cette tâche. Si elle avait été honnête, l'EFSA aurait donc dû préciser que les chiffres qu'elle avançait étaient bien en deçà de la réalité. »

De fait, j'ai pu visiter en octobre 2009, à Stuttgart, le meilleur laboratoire allemand d'analyse de résidus de pesticides et de produits vétérinaires. Grâce à un équipement ultramoderne, utilisant la chromatographie et la spectrométrie de masse, ce centre public peut déceler plus de mille molécules (pesticides et leurs métabolites). « Nous sommes l'un des rares laboratoires européens à disposer de ce matériel, m'a expliqué Eberhard Schüle, le directeur. Et, en moyenne, 5 % des aliments que nous analysons régulièrement à la demande des autorités allemandes dépassent les normes en vigueur.

— Est-ce que vous mangez bio ? ai-je demandé, provoquant la surprise de mon interlocuteur.

---

a   Par exemple, le pourcentage de petits pots pour bébés qui dépassaient les LMR variait de 0 % à 9,09 % selon les pays.

— Je pourrais donner une réponse personnelle à cette question, mais, en tant que représentant d'un établissement public, je préfère m'abstenir », m'a-t-il répondu[34].

En attendant, si plusieurs indices positifs (j'y reviendrai dans le dernier chapitre de ce livre) indiquent que l'Europe avance dans la bonne voie, on était toujours loin du compte en 2010. En épluchant le rapport de l'EFSA, j'ai découvert que, parmi les douze pesticides qui étaient le plus souvent détectés sur les échantillons, deux étaient classés ou suspectés d'être reprotoxiques, un neurotoxique (le chlorpyriphos), cinq cancérigènes et deux perturbateurs endocriniens (dont le procymidone).

« On peut encore trouver des pesticides cancérigènes sur le marché ? ai-je demandé à Herman Fontier.

— Oui, il y en a encore quelques-uns, a concédé le directeur de l'Unité des pesticides de l'EFSA. Mais cela va changer avec le nouveau règlement européen 1107/2009, qui remplacera bientôt la directive 91/414. Car, désormais, toutes les substances classées mutagènes, cancérogènes ou toxiques pour la reproduction de catégorie 1 ou suspectées de perturber le système endocrinien devront être retirées du marché[35]. »

C'est en effet une bonne nouvelle. Mais encore faut-il que les études sur lesquelles l'EFSA se fonde pour évaluer les produits chimiques soient de bonne qualité et que les pressions exercées par les industriels ne biaisent pas complètement le processus, ce qui malheureusement est trop souvent le cas... Comme l'a montré de façon tristement exemplaire, dans un tout autre domaine que celui des pesticides, l'invraisemblable affaire d'un fameux édulcorant de synthèse, l'aspartame.

14

L'aspartame, ou comment l'industrie tire les ficelles de la réglementation

> « Je suis un idéaliste prêt à partir en croisade,
> et je crois sans aucun état d'âme à la loi de la jungle. »
> EDGAR MONSANTO QUEENY, P-DG de Monsanto de 1943 à 1963[1]

J e veux bien vous rencontrer, parce qu'on m'a dit que vous travailliez « sérieusement, mais sachez que je n'ai pas donné d'interview sur l'aspartame depuis quinze ans. Ce dossier est désespérant, car il montre que les agences de réglementation comme la Food and Drug Administration n'assurent pas leur mission, qui est de protéger les consommateurs avant les intérêts de l'industrie. » Ce fut mon premier contact téléphonique avec John Olney, un psychiatre spécialisé en neuropathologie et immunologie qui a travaillé pendant plus de quarante ans à l'université Washington de Saint Louis (Missouri).

E 621, E 900, E 951, etc. : les additifs chimiques alimentaires dans nos assiettes

À près de quatre-vingts ans, ce chercheur très respecté restera dans l'histoire médicale comme l'inventeur du terme « excitotoxicité », qui désigne la capacité de certains acides aminés (les constituants fondamentaux des protéines et peptides), comme l'acide glutamique et l'acide aspartique (un composant de l'aspartame), d'exciter ou d'hyperactiver certains récepteurs neuronaux, au point de provoquer la mort de neurones quand ils sont en excès. Ce processus neurotoxique est associé à des maladies neurologiques comme l'épilepsie et aux accidents cardiovasculaires, ainsi qu'à des pathologies neurodégénératives comme la maladie d'Alzheimer, la sclérose en plaques ou la maladie de Parkinson.

Ainsi que le soulignent le neurologue Dale Purves et ses coauteurs dans leur livre *Neurosciences*, « le phénomène d'excitotoxicité a été découvert par hasard en 1957, quand D. R. Lucas et J. P. Newhouse [deux ophtalmologistes britanniques] se sont aperçus que du glutamate de sodium, donné en nourriture à des souriceaux, détruisait les neurones de la rétine[2]. À peu près une décennie plus tard, John Olney [...] prolongeait cette découverte, en montrant que les régions où on observait une mort neuronique sous l'effet du glutamate s'étendaient à la totalité de l'encéphale[3] ».

« Mes études ont clairement montré que le glutamate est une neurotoxine qui peut créer des lésions dans une région du cerveau très importante pour le contrôle des fonctions endocriniennes, entraînant des troubles du comportement, des dysfonctionnements du système sexuel et l'obésité[4] », m'a expliqué le docteur Olney dans un parc de La Nouvelle-Orléans où nous nous étions donné rendez-vous en octobre 2009. J'assistais alors à un colloque sur les perturbateurs endocriniens (voir *infra*, chapitre 16) et lui à un symposium sur l'anesthésie et les dégâts qu'elle peut causer sur le cerveau des enfants. « À la différence de l'anesthésie, pour laquelle on peut réaliser un bilan bénéfices-risques, car elle est indispensable pour opérer de jeunes patients atteints de pathologies graves, le glutamate ne présente que des risques et, malheureusement, il est ingéré massivement par des millions d'enfants et de femmes enceintes[5] », a soupiré le neurologue.

En effet, par-delà son usage dans la cuisine chinoise[a], le glutamate fait partie des quelque 300 additifs alimentaires autorisés par l'Union européenne. Affublés d'un sigle, constitué de la lettre E suivie d'un

---

a   Le glutamate est responsable du « syndrome du restaurant chinois », qui peut se déclencher dans les minutes ou heures qui suivent l'ingestion. Celui-ci se traduit par des maux de tête, des nausées, des courbatures et des éruptions cutanées. Le glutamate est utilisé par l'industrie agroalimentaire pour amplifier les saveurs salées et stimuler l'appétence des préparations en réduisant les doses d'épices.

numéro d'identification (celui du glutamate est E 621), les fameux additifs sont officiellement définis comme des «substances habituellement non consommées comme aliment en soi [...], dont l'*adjonction intentionnelle* aux denrées alimentaires, *dans un but technologique, au stade de la fabrication, transformation, préparation, traitement, conditionnement, transport ou entreposage*, a pour effet [...] qu'elles deviennent elles-mêmes, ou que leurs dérivés deviennent directement ou indirectement, un composant de ces denrées alimentaires», selon les termes alambiqués de la directive européenne 89/107 qui en régit l'usage[6].

Plus prosaïquement, ces substances, qui sont très majoritairement des produits de synthèse chimique, ont fait irruption dans nos assiettes avec l'avènement de l'industrie agroalimentaire qui accompagna la «révolution verte» au lendemain de la Seconde Guerre mondiale. Faisant le bonheur des industriels, car elles permettent une substantielle réduction des coûts de fabrication[a], elles remplissent toutes sortes de fonctions «technologiques» qu'une autre directive européenne (95/2) décrit très précisément: «conservateurs», «antioxygènes», «acidifiants» ou «correcteurs d'acidité», «antiagglomérants», «émulsifiants», «affermissants», «exhausteurs de goût» (comme le glutamate), «agents moussants» ou «antimoussants», «gélifiants», «agents d'enrobage», «humectants», «amidons modifiés», «gaz d'emballage», «propulseurs», «stabilisants», «épaississants» ou «édulcorants» (comme l'aspartame[7]).

Quand la substance est naturelle, le fabricant utilise simplement le nom, comme pour le colorant «rouge de betterave» (aussi appelé E 162), mais quand il s'agit d'un produit chimique au nom rébarbatif et peu engageant, comme le diméthylpolysiloxane, un dérivé du silicone qui sert d'agent antimoussant dans les jus de fruits, les confitures, les vins ou le lait en poudre, il préfère indiquer le numéro, en l'occurrence E 900. La plupart des additifs alimentaires disposent d'une dose journalière acceptable (DJA), preuve s'il en était besoin qu'ils ne sont pas inoffensifs. Et, nous allons le voir avec l'exemple de l'aspartame, la sacro-sainte valeur a souvent été établie à partir d'études toxicologiques dont la qualité laisse pour le moins à désirer.

---

a Par exemple, l'aromatisation d'une tonne de crème glacée avec de la vanille naturelle coûte 780 euros, mais seulement 4 euros avec l'éthyl-vanilline, un arôme chimique artificiel (voir Charles WART, *L'Envers des étiquettes. Choisir son alimentation*, Éditions Amyris, Bruxelles, 2005).

La découverte de l'aspartame

L'aspartame, ou E 951, est un édulcorant de synthèse dont le pouvoir sucrant est deux cents fois supérieur à celui du sucre de canne. Présent dans plus de 6000 produits alimentaires, il est consommé mondialement par quelque 200 millions de personnes (dont 4 millions de Français), qui l'ingurgitent sous forme de sucrettes – sous les marques Canderel ou Equal –, céréales du petit déjeuner, gommes à mâcher, boissons gazeuses (comme le Coca-Cola diète et autres liquides dits «sans sucre»), yogourts, desserts industriels, vitamines et plus de 300 médicaments. Les principaux fabricants sont les américains Merisant et NutraSweet (deux anciennes filiales de... Monsanto) et le japonais Ajinomoto, qui en produisent chaque année 16000 tonnes.

La molécule fut découverte fortuitement par James Schatter, un chimiste de la firme pharmaceutique américaine G. D. Searle qui travaillait alors sur un nouveau médicament contre les ulcères. Sur des archives télévisées que j'ai pu visionner, on le voit en blouse blanche, dans le laboratoire de la firme de Chicago, expliquer qu'un jour de 1965 il a machinalement léché sa main présentant des traces d'une poudre blanche et qu'il a été étonné par son goût particulièrement sucré[8]. Il s'avéra que la substance possédait exactement la même saveur que le sucre, sans aucun apport calorique et sans l'arrière-goût métallique de la saccharine (E 954), l'édulcorant de synthèse (hautement controversé) qui dominait alors le marché[a]. Flairant la bonne affaire, Searle lança dès 1967 une série d'études destinées à déposer une demande d'autorisation de mise sur le marché auprès de la FDA, l'agence américaine chargée de la sécurité des aliments et des médicaments. Commence alors une incroyable saga qui fait qu'aujourd'hui l'aspartame est, pour les uns, l'«additif alimentaire le plus controversé de l'histoire», selon les termes du magazine *The Ecologist*[9], et, pour les autres, l'«additif le mieux étudié de tous les temps[10]», ainsi que ne cessent de l'affirmer les fabricants et les agences de réglementation comme la FDA.

Pour y voir plus clair, j'ai passé quatre mois à éplucher l'énorme dossier du E 951, en consultant près de mille documents – archives déclassifiées, études scientifiques, articles de presse, comptes rendus d'enquêtes

---

a   La saccharine a été interdite au Canada en 1977, car elle était suspectée d'induire des cancers (notamment de la vessie). Le CIRC l'a classée en 1987 dans le groupe 2B, «cancérigène possible pour les humains», puis en 1999 dans le groupe 3, «inclassable»... Elle reste autorisée dans le reste du monde, avec une DJA de 5 mg/kg.

parlementaires américaines –, et j'ai interviewé une vingtaine d'experts. Je remercie au passage Betty Martini, une Américaine particulièrement tenace qui m'a ouvert le sous-sol de sa maison à Atlanta, où elle a créé le plus grand centre de documentation privé sur l'aspartame. Depuis vingt ans, elle accumule les pièces à conviction, obtenues grâce au Freedom of Information Act, une procédure qui permet à tout citoyen d'avoir accès aux documents internes de l'administration (même si certains sont parfois «caviardés» ou tronqués[11]). Peu à peu, j'ai ainsi pu reconstituer les étapes de ce feuilleton à rebondissements qui illustre les aberrations de la «société du risque», où les intérêts du *big business* priment les «impératifs de protection sanitaire de la population», contraignant «les responsables à des démentis d'autant plus bruyants que leur argumentation est faible[12]».

Pour bien comprendre les enjeux de la polémique, il faut savoir que l'aspartame est composé de trois molécules: l'acide aspartique (40%), la phénylalanine (50%) et le méthanol (10%[13]). Les deux premières sont des acides aminés que l'on trouve naturellement dans certains aliments, mais à une différence près: quand ils sont ingérés sous forme d'aspartame, ils ne sont liés à aucune protéine et sont donc largués dans l'organisme sous forme «libre». En solution ou chauffées à plus de 30 °C, les deux substances ont tendance à se dégrader en dicétopipérazine, ou «DKP», un sous-produit toxique soupçonné d'être cancérigène par certains chercheurs. Quant au méthanol, également connu sous le nom d'«alcool méthylique» ou «alcool de bois», c'est aussi une substance que l'on trouve naturellement dans les fruits et légumes, sauf que, contrairement à l'aspartame, il est toujours associé à de l'éthanol (ou alcool éthylique) qui en contrecarre les effets nocifs[a]. Quand il n'est pas neutralisé, le méthanol est métabolisé dans le foie, qui le transforme en formaldéhyde, une substance classée «cancérigène pour les humains» en 2006 (voir *supra*, chapitre 7).

Comme nous allons le voir, ce sont les effets nocifs potentiels de chacune des trois molécules qui alimentent la controverse depuis quarante ans, mais aussi le plan de bataille développé par Searle dès le début des années 1970 pour imposer son édulcorant. C'est ce que révèle un «mémorandum confidentiel» très troublant qui prouve, pour le moins, que la firme était consciente que l'homologation du produit n'allait

---

a   Le méthanol est une substance très toxique, dont la consommation accidentelle peut entraîner la cécité et même la mort. En cas d'intoxication, le meilleur antidote est l'éthanol.

pas de soi. Rendu public lors d'une audience parlementaire américaine sur laquelle je reviendrai, ce document classé « secret commercial » a été adressé par Herbert Helling, l'un des responsables de Searle, à cinq scientifiques de la firme. « Voici mon point de vue concernant la stratégie que nous devons adopter pour l'édulcorant, écrit-il le 28 décembre 1970. Selon moi, notre objectif est d'obtenir l'autorisation de la Food and Drug Administration pour des usages variés qui permettent sa consommation (et donc sa production) à un niveau qui satisfasse nos exigences économiques. Il faut donc déterminer ce que nous avons besoin de faire, de savoir ou d'accomplir pour parvenir à cet objectif. Nous devons anticiper sur les facteurs qui risquent de poser le plus de problèmes à la FDA en déterminant lequel d'entre eux en posera le moins (après les avoir classés selon le niveau de difficultés qu'ils représentent pour nous). Lors de notre rencontre avec les représentants de l'agence, notre philosophie et notre démarche de base doivent être de les amener à dire "oui", [...] en créant une atmosphère positive à notre égard [...] et en les entraînant dans un esprit subconscient de participation. Ma première inquiétude concerne le DKP et notre manque de données toxicologiques complètes à ce sujet. Je propose que nous leur présentions une série de postulats de manière informelle et qui ne nous engage pas, [...] en essayant de les convaincre que ces postulats sont justes. Le premier postulat, c'est que la molécule est stable dans des produits secs, comme les céréales présucrées. Ensuite, nous pouvons aborder les différentes catégories alimentaires, une par une, pour voir laquelle rencontre de la résistance, [...] ce qui nous permettra d'explorer la nature de cette résistance pour voir comment nous pouvons la vaincre avec les études en cours. [...] La préparation de la réunion doit être faite à travers Virgil Wodicka, le chef du Bureau des aliments [de la FDA], qui vient de l'industrie[14]. »

Les « études laxistes » de la société Searle

« Dès que j'ai su que Searle avait déposé une demande de mise sur le marché pour l'aspartame, j'ai contacté la firme pour lui communiquer une étude que j'avais réalisée en 1970 et qui concernait l'acide aspartique, l'un des composants de l'édulcorant, m'a expliqué John Olney. Elle montrait que cette substance créait le même type de lésions cérébrales que le glutamate[15]. Les représentants de Searle m'ont dit qu'ils allaient examiner la question et je leur ai demandé de m'envoyer un échantillon d'aspartame, ce qu'ils ont fait. Je l'ai donné à manger à des souriceaux et j'ai observé les mêmes dégâts cérébraux qu'avec l'acide aspartique. En 1974, j'ai découvert dans le *Federal Register* [l'équivalent d'un *Journal officiel* de la FDA, où sont publiés tous les textes réglementaires produits par l'agence] que l'homologation de l'édulcorant était imminente. J'ai aussitôt sollicité une audience auprès du directeur [*commissioner*] de la FDA en lui envoyant des clichés des lésions que j'avais observées dans le cerveau des souriceaux. Puis, j'ai contacté l'avocat James Turner, qui avait joué un rôle capital pour l'interdiction du cyclamate. »

De fait, en 1970, le cyclamate, un autre édulcorant de synthèse, avait été interdit aux États-Unis, à la suite d'une campagne menée par James Turner (l'avocat que nous avons déjà rencontré dans le chapitre 12), l'un des « poulains » de Ralph Nader, avec qui il avait publié la même année un best-seller, *The Chemical Feast* (Le Festin chimique[16]): S'appuyant sur une étude qui avait montré que, associé à de la saccharine (à raison de neuf parts pour une), le cyclamate provoquait des cancers de la vessie chez des souris (comme la saccharine…), Turner avait contraint la FDA à demander le retrait du marché du produit, pourtant commercialisé depuis 1953[a]. Mais la suite de l'histoire montrera qu'Abbott, le fabricant du cyclamate, avait eu moins de chance que Searle, qui obtint l'homologation de l'aspartame pour les produits secs le 26 juillet 1974.

« Aussitôt, avec une association de consommateurs, nous avons déposé un recours contre la décision de la FDA, en citant les études réalisées par John Olney, m'a raconté James Turner. Cela a déclenché une énorme controverse car, pour la première fois de son histoire, l'agence fut contrainte de rendre publiques les données scientifiques sur lesquelles elle avait fondé son autorisation. Et, le moins que l'on puisse dire, c'est que les études fournies par Searle étaient laxistes[17]. » De fait, la polémique avait de quoi se nourrir, car les faits sont accablants: pendant six ans, les scientifiques de la FDA dénonceront avec une belle unanimité les nombreuses déficiences et irrégularités qui caractérisent les études toxicologiques de Searle, lesquelles fondent, pourtant, la DJA de l'aspartame toujours en vigueur aujourd'hui.

---

a   À noter que les études sur ce produit ne provoquent pas les mêmes effets de part et d'autre de l'Atlantique: le cyclamate (E 952) est toujours autorisé en Europe pour les boissons non alcoolisées, les desserts et les confiseries, avec une DJA de 7 mg/kg, tandis que celle que le JECFA a fixée est de 11 mg/kg…

En juillet 1975, Alexander Schmidt, le directeur (*commissioner*) de la FDA, décide de créer un «groupe de travail spécial» chargé d'examiner la validité de vingt-cinq études de la firme concernant six médicaments et l'aspartame. Exceptionnelle, la demande fait suite à l'examen de tests pharmacologiques que les scientifiques de l'agence ont jugés «aberrants». Parmi les membres du groupe de travail, il y avait Adrian Gross, qui travailla à la FDA de 1964 à 1979. Dans deux courriers adressés au sénateur Howard Metzenbaum en 1987[18], il a raconté en détail ce que les inspecteurs ont alors découvert dans les laboratoires de l'entreprise de Chicago, où ils ont passé au peigne fin onze études sur l'aspartame, dont deux considérées comme capitales puisqu'elles testaient les effets cancérigènes et tératogènes[a] de l'édulcorant.

Gross est l'un des signataires du rapport de 500 pages que le groupe de travail a remis le 24 mars 1976 et qui commence en ces termes: «Au cœur du processus réglementaire de la FDA, il y a sa capacité à pouvoir se reposer sur la validité des données de sécurité soumises par les fabricants des produits réglementés. Notre investigation démontre clairement que, dans le cas de G. D. Searle, nous n'avons aucune base pour asseoir notre confiance.» Puis, le rapport énumère sur des dizaines de pages les «déficiences sérieuses» rencontrées dans les «opérations et pratiques» de la firme qui «concernent spécifiquement les études sur l'aspartame». D'abord, ils ont constaté un «manque de souci pour l'homogénéité et la stabilité de l'ingrédient incorporé dans les régimes alimentaires», de sorte qu'«il n'y a aucune façon de savoir avec certitude si les animaux ont bien ingéré la dose rapportée». Ils soulignent que «les comptes rendus des observations et résultats contiennent de nombreuses erreurs et aberrations» et qu'il y a des «observations rapportées qui concernent un produit qui n'a jamais existé». Ils notent le «manque de formation des scientifiques "professionnels" qui ont fait les observations pour les études de tératogénicité» et la «perte d'informations pathologiques importantes due à la décomposition totale de certains organes». Enfin, et c'est probablement le plus grave, ils dénoncent l'«excision de masses tumorales», c'est-à-dire le fait que des tumeurs ont été retirées des cobayes, ce qui a permis de réduire le nombre des cancers cérébraux observés dans les groupes expérimentaux (douze au total). Or, note Adrian Gross dans son courrier au sénateur Metzenbaum, malgré toutes les déficiences observées, il n'en reste

---

a   La tératogénicité désigne la capacité d'une substance chimique à provoquer des malformations fœtales.

pas moins que «le taux de tumeurs cérébrales des animaux exposés est nettement supérieur à celui des animaux non exposés et cet excès est hautement significatif».

Le groupe de travail a aussi découvert que Searle avait «omis» de communiquer les résultats de deux études essentielles: l'une avait été réalisée par Harry Waisman, le directeur d'un laboratoire de l'université du Wisconsin, considéré comme l'un des meilleurs spécialistes de la phénylalanine. Conduite dès 1967 sur sept jeunes singes, celle-ci s'était soldée par la mort de l'un des cobayes, tandis que cinq avaient souffert de crises d'épilepsie. La seconde avait été réalisée par Ann Reynolds, une zoologue de l'université d'Illinois qui avait confirmé les résultats obtenus par John Olney. L'affaire est si grave que le groupe de travail recommande d'intenter une action en justice contre Searle pour «violation criminelle de la loi». L'autorisation de mise sur le marché de l'aspartame est suspendue *sine die*, tandis que les faits sont publiquement dénoncés par Alexander Schmidt, lors d'une audience au Sénat en juillet 1976.

«J'ai ici le rapport du groupe de travail de la FDA sur les études de Searle, êtes-vous d'accord avec ses conclusions? a demandé le sénateur Edward Kennedy au directeur de l'agence.

— Oui, a-t-il répondu.

— Est-ce la première fois qu'un problème d'une telle ampleur a été découvert par la FDA? a insisté l'élu démocrate.

— Oui, [...] nous avons parfois été informés de problèmes isolés, mais n'avions jamais rencontré de problèmes de cette ampleur dans une firme pharmaceutique[19].»

Dans la foulée de son audition, Alexander Schmidt annonce la création d'un nouveau groupe de travail, chargé d'examiner la troisième étude capitale réalisée par Searle concernant les effets du DKP, le métabolite de l'aspartame. Conduite par Jerome Bressler, un scientifique réputé de la FDA qui donnera son nom au rapport publié en août 1977, cette enquête confirme les irrégularités constatées par l'équipe précédente, avec toutefois quelques «originalités» qui valent le détour! «Les comptes rendus des observations indiquent que l'animal n° A23 LM était vivant à la semaine 88, mort de la semaine 92 à la semaine 104, vivant à la semaine 108 et mort à la semaine 112», notent ainsi les inspecteurs. La suite est de la même veine et je me contenterai de quelques extraits, tant la liste des «anomalies» est longue: «Une masse tissulaire de 1,5 × 1,0 cm a été excisée de l'animal B3HF le 2 décembre 1972»; «98 des 196 cobayes qui sont morts pendant l'étude ont été autopsiés très tard, parfois un an après la mort»; «vingt animaux ont été exclus de l'étude en raison de leur décomposition excessive » ; « l'animal F6HF, une femelle exposée à une forte dose, a été retrouvé mort au 787e jour et le rapport pathologique notait une tumeur mesurant 5,0 × 4,5 × 2,5 cm. Le dossier remis par Searle à la FDA ne mentionnait pas cette tumeur, car l'animal avait été exclu de l'étude en raison de son état de décomposition » ; « un polype sur l'utérus de l'animal K9MF a été découvert qui n'avait pas été diagnostiqué par Searle, ce qui porte le nombre de polypes utérins à cinq sur trente-quatre pour le groupe exposé à une dose médiane (15 %[20]) » ; etc.

« En 1979, j'ai pu consulter les études de Searle, grâce à la procédure du Freedom of Information Act, m'a raconté John Olney de sa voix étonnamment lente. J'ai été atterré par ce que j'ai découvert... Je me souviens notamment d'une photo prise par une technicienne du laboratoire, où l'on voyait un large morceau de DKP grossièrement mélangé à la nourriture en poudre des rats. Cette anomalie a été dénoncée dans le rapport Bressler, car les rongeurs sont suffisamment malins pour éviter une substance particulièrement nauséabonde. J'avais aussi noté le nombre élevé de tumeurs cérébrales constatées dans l'une des études centrales, car je sais que ce genre de tumeurs est excessivement rare chez les animaux de laboratoire. La littérature scientifique de l'époque donnait une incidence de 0,6 %, alors que l'étude de Searle parvenait à 3,57 %, malgré ses nombreuses déficiences. Je me souviens de m'être dit qu'avec de tels éléments la FDA ne pouvait que refuser l'homologation de l'aspartame[21]... »

Donald Rumsfeld impose l'aspartame

L'espoir du docteur Olney ne tardera pas à être déçu, car entre-temps un acteur d'une redoutable efficacité est entré en scène : Donald Rumsfeld, qui fut le représentant de l'Illinois au Congrès américain, puis secrétaire à la Défense dans le gouvernement de Gerald Ford. En mars 1977, celui que l'on surnommait le « JFK républicain » est nommé P-DG de... Searle. « La firme était installée dans la circonscription que Rumsfeld représentait lorsqu'il était élu au Congrès, m'a expliqué l'avocat James Turner. Et, comme la famille Searle était très influente, elle l'avait soutenu pendant toute sa carrière politique. Après l'élection de Jimmy Carter [en novembre 1976], il a entamé une traversée du désert et la firme avait besoin d'un homme d'influence pour sauver ses affaires qui étaient menacées par les révélations sur ses pratiques et plusieurs procès en cours. Rumsfeld avait le profil idéal, car il était aussi bien introduit à Washington qu'à Chicago. »

On ne saura sans doute jamais avec précision le rôle qu'a joué le nouveau P-DG de Searle dans l'enterrement de la procédure judiciaire intentée par Richard Merrill, le chef du département juridique de la FDA qui, le 10 janvier 1977, avait porté plainte pour « rétention de données et fausse déclaration ». L'affaire était sérieuse, car c'était la première fois que l'agence demandait l'ouverture d'une enquête pénale contre un fabricant. Six mois plus tard, Samuel Skinner, le procureur du tribunal de l'Illinois en charge de l'instruction, était recruté par le cabinet d'avocats Sidley Austin, qui conseillait Searle. Il était remplacé par William Conlon, qui le rejoignit en janvier 1979, après avoir pris le soin de laisser passer le délai de prescription[22]...

En juillet 1979, la FDA crée une commission d'enquête publique (Public Board of Inquiry, ou « PBOI »), supervisée par trois scientifiques qui ont pour mission de faire une synthèse de toute l'information disponible sur l'aspartame. Entendu par les « juges », alors que les jours de l'administration démocrate semblent comptés, John Olney remet en septembre 1980 une déposition écrite où il rappelle les fondamentaux de l'évaluation des risques, d'autant plus pertinents que celle-ci concerne en l'espèce une substance dont l'utilité est loin d'être avérée : « Une analyse risques-bénéfices devrait être conduite, explique-t-il, en distinguant les sous-groupes de population qui sont susceptibles d'être affectés par la substance (les fœtus, les nourrissons, les enfants et les personnes atteintes de phénylcétonurie[a]) de ceux qui pourraient potentiellement en bénéficier (les diabétiques et les obèses), de manière à développer un plan intelligent qui permette d'offrir le produit aux bénéficiaires sans exposer ceux pour qui il représente un danger indu[23]. »

La remarque est frappée au coin du bon sens, mais nous allons voir que cette qualité ne semble pas faire partie des critères d'évaluation revendiqués par les agences de réglementation. Concernant les « bénéfices » supposés de l'aspartame, le scientifique cite les conclusions d'un forum sur les édulcorants organisé en 1974 par l'Académie nationale des sciences : « Il est possible qu'ils aient un bénéfice psychologique pour les personnes obèses qui, en utilisant des édulcorants à basses calories, se souviennent ainsi qu'elles doivent suivre un

---

a   La phénylcétonurie est une maladie génétique due à une déficience qui empêche la transformation de la phénylalanine. Son dépistage est obligatoire dans de nombreux pays comme la France, car, non traitée, elle se traduit par des troubles cérébraux et un retard mental.

régime. [...] L'édulcorant *en soi* représente au mieux une tactique qui a une fonction mnémonique.» Quant aux diabétiques, les bénéfices qu'ils peuvent en tirer sont «de l'ordre du plaisir et du confort plutôt que de la santé». Après avoir souligné le risque que courraient spécifiquement les enfants s'ils consommaient régulièrement un mélange de glutamate et d'aspartame (comme ils le font aujourd'hui en mangeant un paquet de chips arrosées de Coca-Cola diète), John Olney enfonce le clou en rapportant le bilan de la saccharine qu'avait dressé Donald Kennedy, le nouveau directeur de la FDA: «1) Aucun bénéfice pour aucun groupe de consommateurs n'a jamais été démontré; 2) les enfants ont augmenté leur consommation de saccharine d'une manière alarmante; 3) la FDA a une obligation spéciale de protéger les enfants, parce qu'ils ne sont pas assez matures intellectuellement pour évaluer les risques et prendre les bonnes décisions pour protéger leur santé[24].»

Le 30 septembre 1980, le Public Board of Inquiry rend son rapport et tout semble indiquer que John Olney et James Turner ont gagné la bataille: «L'utilisation de l'aspartame dans les aliments doit être interdite tant que la question de son éventuel potentiel cancérigène n'a pas été résolue par de nouvelles études, écrivent les trois juges dans leurs conclusions. Il est ordonné que l'autorisation de l'aspartame comme additif alimentaire soit retirée[25].» Mais, cinq semaines plus tard, Ronald Reagan, le cow-boy d'Hollywood devenu l'apôtre de la déréglementation, est élu à la présidence des États-Unis. Donald Rumsfeld, qui restera P-DG de Searle jusqu'en 1985, rejoint sa *transition team* (équipe de transition), chargée de préparer la nouvelle administration avant l'investiture du 20 janvier 1981. Sa mission est de faire le ménage dans le ministère de la Santé, dont dépend la FDA. C'est lui qui propose le nom d'Arthur Hayes, professeur de médecine dans une université de Pennsylvanie, pour prendre la tête de l'agence.

Quand celui-ci est officiellement intronisé, le 3 avril 1981, le *New York Times* écrit ces lignes avisées: «La FDA a la responsabilité de protéger les consommateurs contre les aliments, médicaments et cosmétiques impurs et nocifs. Son activité, particulièrement dans le domaine des nouveaux médicaments et additifs alimentaires considérés comme potentiellement cancérigènes, a été critiquée par les compagnies pharmaceutiques. Certains représentants de l'industrie considèrent le docteur Hayes comme plus proche de leurs points de vue que ne l'étaient ses prédécesseurs[26].» Tout indique en effet que des «personnes haut placées» ont demandé au nouveau *commissioner* d'«en finir au plus vite avec le dossier de l'aspartame, comme un signal que l'administration

Reagan entrait dans une nouvelle ère réglementaire[27] ». Une ère où, conformément à la vulgate néolibérale, l'intervention de l'État dans les affaires de l'industrie doit être réduite à la portion congrue et où la FDA se transformera en une chambre d'enregistrement des produits industriels, en limitant ses contrôles au strict minimum.

De fait, le 15 juillet 1981, Arthur Hayes autorise la mise sur le marché de l'aspartame, avec une dose journalière acceptable de 50 mg/kg. Publiée dans le *Federal Register*, la décision est justifiée en ces termes : « Le *commissioner* a estimé qu'il y avait une certitude raisonnable : 1) que l'aspartame ne cause pas de tumeurs cérébrales chez les rats ; 2) qu'il ne comporte pas de risque de contribuer au retard mental, à des lésions au cerveau ou à des effets indésirables sur les systèmes neuro-endocriniens et régulateurs des humains[28]. »

Cette première autorisation concerne les « produits secs », comme les sucrettes, gommes à mâcher, céréales et poudres à café ou à thé. Elle sera étendue aux boissons gazeuses et vitamines en 1983, puis progressivement à toutes les catégories alimentaires. Dans le courrier qu'il a adressé en novembre 1987 au sénateur Metzenbaum, Adrian Gross, qui fut membre du premier groupe de travail de la FDA, écrit avec amertume : « Il est très difficile de comprendre comment la FDA, qui avait estimé en 1976 que les études expérimentales sur l'aspartame fournies par Searle étaient d'une qualité inacceptable, a pu changer d'avis plusieurs années plus tard au point de considérer que les *mêmes études* étaient suffisamment fiables pour lui permettre d'affirmer qu'elle était "raisonnablement certaine" que cet additif alimentaire était sans danger pour la consommation humaine[29]. »

L'« effet boule de neige »

« Ensuite, ce fut l'effet boule de neige, m'a dit avec un sourire navré Erik Millstone, le professeur de politique scientifique de l'université du Sussex. L'élection de Reagan a eu des répercussions à Genève, puisque le JECFA a emboîté le pas à la FDA, suivi de tous les pays européens ! Au Royaume-Uni, par exemple, j'ai interrogé au milieu des années 1980 un représentant du ministère de l'Agriculture, de la Pêche et des Aliments, pour savoir sur quelle base scientifique l'homologation de l'aspartame avait été accordée. Il m'a répondu qu'il y avait eu quelques échanges avec la FDA, qui avait certifié que l'édulcorant ne posait aucun problème, et c'est tout !

— Et sur quelles études s'est fondé le JECFA pour fixer sa DJA de 40 mg/kg ? ai-je demandé.

— Sur les mêmes études que la FDA, à savoir celles de Searle ! Avec cette affaire, on comprend mieux pourquoi la première autorisation est très importante pour les firmes : l'idéal est de l'obtenir auprès de la FDA ou du JECFA, car c'est la porte ouverte au reste du monde, qui copie leurs décisions les yeux fermés. Après, il suffit de laisser passer le temps, et plus personne ne se souvient dans quelles conditions la DJA a été fixée et le produit a un bel avenir assuré...

— Comment expliquez-vous que la FDA et le JECFA n'aient pas fixé la même DJA, s'ils ont évalué les mêmes études ?

— La décision fut complètement arbitraire, car de toute façon les études n'étaient absolument pas fiables ! Il est difficile d'en savoir plus, car malheureusement il n'y a aucune trace des débats dans les rapports du JECFA. »

Il est vrai que les archives du Joint Expert Committee on Food Additives, comme celles du JMPR, ne sont pas très bavardes. Elles se contentent en général de résumer les arguments scientifiques qui ont conduit à la décision adoptée. Pour l'aspartame, on découvre ainsi que dix-neuf experts du JECFA, dont René Truhaut et le docteur Blumenthal de la FDA, se sont réunis du 14 au 23 avril 1975 pour évaluer sa toxicité. Ils ont examiné l'étude de Searle sur les effets du DKP, dont le rapport Bressler révélera deux ans plus tard les nombreuses irrégularités. « Un problème particulier se pose du fait de la présence d'une impureté, la benzyl-5 dioxo-3,6 pipérazine-2 (dicétopipérazine), notent-ils dans leur compte rendu. On a observé, chez des rats soumis pendant de longues périodes à un régime alimentaire contenant de la dicétopipérazine, des lésions qualifiées de polypes utérins. [...] Le comité s'est donc trouvé dans l'impossibilité d'évaluer le composé. Il n'a donc préparé ni monographie ni norme[30]. » L'année suivante, le bilan est encore plus succinct, mais il est conforme aux inquiétudes que l'édulcorant suscite au même moment de l'autre côté de l'Atlantique : « Devant l'insuffisance des données fournies, le comité a décidé de reporter l'examen de l'aspartame. Des normes indicatives ont été établies, mais aucune monographie n'a été préparée[31]. » Dans son rapport de 1977, le JECFA reparle de l'étude sur le DKP et évoque le « doute exprimé quant à la validité des données de base » : c'est pourquoi il décide de « reporter sa décision, en attendant que soient fournies des assurances sur la validité des données toxicologiques utilisées[32] ».

Il faut attendre son vingt-quatrième rapport, daté de 1980, pour que l'évaluation de l'aspartame fasse l'objet de quelques lignes très laconiques : « Le comité a examiné de nouvelles études de toxicité chez l'animal et plusieurs études sur l'homme. La dose sans effet a été évaluée, d'après les études sur l'animal, à 4 g/kg. La DJA pour l'aspartame a été fixée à 40 mg/kg. [...] Une monographie a été préparée[33]. » En annexe figurent effectivement cinq « études » : deux d'entre elles ont été réalisées par Iroyuki Ishii, qui aurait évalué l'incidence des tumeurs cérébrales chez des rats et mesuré les effets du DKP pour le compte d'Ajinomoto, le fabricant japonais d'aspartame. Le problème, c'est que leurs résultats sont annoncés pour... 1981[34] ! (Notons au passage que le secrétariat du JECFA compte parmi ses membres le « docteur M. Fujinaga, de la Fédération des associations des additifs alimentaires de Japon ».) Les trois autres études ont été fournies par Searle et concernent les effets de l'aspartame sur les personnes atteintes de phénylcétonurie – il est précisé qu'elles n'ont pas été publiées. On n'en saura pas plus sur les données scientifiques qui ont poussé le JECFA à « préparer une monographie », ni comment il a résolu les « doutes » soulevés par les études toxicologiques de Searle lors des précédentes réunions. Toujours est-il qu'en 1981, quelques mois après l'arrivée de Ronald Reagan à la Maison-Blanche, le comité confirme définitivement la « DJA fixée lors de la vingt-quatrième réunion[35] ».

Trente ans plus tard, à Genève, l'histoire de la DJA de l'aspartame (toujours en vigueur en 2011) s'est bien évidemment perdue dans les limbes. « Quand le JECFA l'a fixée au début des années 1980, il s'est fondé sur toutes les études alors disponibles, m'a expliqué Angelika Tritscher, la secrétaire du JECFA et du JMPR. Cette norme est toujours valide car, depuis, elle a été confirmée par d'autres agences de réglementation. » « Confirmer » n'est pourtant pas le mot approprié car, pour cela, il eût fallu que lesdites agences aient conduit leur propre évaluation des études fournies par Searle. Or, il n'en est rien, puisque celles-ci se sont contentées de reprendre la DJA fixée par le JECFA, ainsi que me l'a expliqué Hugues Kenigswald, le chef de l'Unité des additifs alimentaires à l'EFSA, quand je l'ai rencontré à Parme en janvier 2009 : « La dose journalière acceptable de 40 mg/kg a été établie par le JECFA, puis adoptée en Europe par le Comité scientifique de l'alimentation humaine en 1985.

— Est-ce que vous savez sur quelles études scientifiques le JECFA s'est fondé pour établir sa DJA ? lui ai-je demandé.

— Sur les études financées par Searle, c'est-à-dire l'entreprise qui voulait mettre l'aspartame sur le marché, m'a répondu sans hésiter l'expert de l'EFSA.

— Savez-vous que les études de Searle étaient très controversées et jugées comme non fiables par de nombreux scientifiques de la FDA ?

— Je ne sais pas ce qu'il faut penser des études initiales, car je n'ai pas les éléments pour juger, a admis Hugues Kenigswald. Manifestement, s'il y avait un doute sur la validité des données, ce doute a été levé...

— Le problème, c'est qu'il n'y a eu aucune nouvelle étude de Searle qui permette de comprendre pourquoi ce doute a été levé et depuis tout le monde est resté "scotché" sur cette DJA...

— C'est peut-être regrettable, mais c'est souvent le cas avec des décisions qui ont été prises il y a trente ans[36]... »

Voilà comment l'aspartame a conquis le monde, malgré les nombreux signaux d'alertes sanitaires que les agences réglementaires continuent d'ignorer avec une unanimité suspecte...

15

Les dangers de l'aspartame et le silence des autorités publiques

« Le savant n'est pas l'homme qui fournit de vraies réponses,
c'est celui qui pose les vraies questions. »

CLAUDE LÉVI-STRAUSS

« Ceux qui attaquent la sécurité de l'aspartame attaquent aussi les décisions indépendantes des autorités sanitaires et réglementaires du monde entier. Le fait est, monsieur le sénateur, que *toutes les autorités ou institutions scientifiques, médicales ou réglementaires*, non seulement des États-Unis mais aussi partout dans le monde, qui ont *examiné le dossier scientifique concernant la sécurité de l'aspartame* sont toutes parvenues *indépendamment et séparément* à la même et unique conclusion, à savoir que l'aspartame est sans danger[a]. » Ces fortes paroles de Robert Shapiro sont particulièrement savoureuses quand on sait que l'aspartame doit son succès mondial à un (peu reluisant) « effet de troupeau », ressemblant à s'y méprendre à celui qui conduisit les moutons de Panurge à leur perte.

Dans *Le Monde selon Monsanto*, j'ai longuement évoqué le parcours de l'ambitieux et arrogant patron de la firme de Saint Louis, qui voulait

---

a   C'est moi qui souligne.

révolutionner la planète avec les OGM. Il a commencé sa (fulgurante) carrière comme avocat chez... Searle. En 1983, il est nommé P-DG de NutraSweet, la filiale de la firme pharmaceutique chargée de produire l'aspartame (qui est vendu aux États-Unis sous le nom de «NutraSweet»). Il est confirmé dans ses fonctions en 1985, lorsque Searle est rachetée par... Monsanto, dont il prendra la tête en 1995[a].

1987: les révélations de la commission Metzenbaum du Sénat américain

En ce jour de novembre 1987, Robert Shapiro est cité comme témoin dans une audition sénatoriale à Washington, organisée par Howard Metzenbaum, un élu démocrate de l'Ohio qui n'a jamais fait mystère de son opposition à l'aspartame. Conscient que l'interdiction pure et simple de l'édulcorant est un mirage hors de portée, il bataille alors pour obtenir ce qu'il considère comme une mesure de salubrité publique, à savoir l'étiquetage obligatoire de la quantité d'aspartame contenue dans les produits alimentaires. Lors d'une séance du Congrès qui s'est tenue le 5 mai 1985, il s'interrogeait déjà en ces termes: «Avec toutes les inquiétudes concernant la sécurité du NutraSweet, est-ce qu'il n'est pas sensé, logique, que les individus et leurs médecins sachent combien d'aspartame contient leur soda léger? En quoi est-ce si terrible d'indiquer la quantité? De quelle autre manière un consommateur, ou son médecin, peut-il savoir s'il a dépassé les limites d'une consommation raisonnable, tout particulièrement pendant les mois d'été[1]?»

J'ai consulté les cinq heures d'enregistrement de l'audition du 3 novembre 1987, disponibles sur le site de la chaîne parlementaire C-Span[2]. Et je dois dire que j'ai été fascinée par la capacité des Américains à déballer très officiellement toute une série de vérités fort dérangeantes, même si cela ne change pas grand-chose au bout du compte – en l'occurrence, l'aspartame n'a toujours pas été interdit ni même étiqueté près d'un quart de siècle plus tard. C'est ainsi que j'ai découvert que le Pentagone avait mis la substance sur une liste de produits candidats pour le développement d'armes chimiques. Ou que pas moins de dix hauts fonctionnaires de la FDA, qui avaient œuvré dans l'entourage

---

a   D'après le *Chicago Tribune*, Monsanto a acheté Searle pour 2,7 milliards de dollars. La vente a rapporté 1 milliard de dollars à la famille Searle et 12 millions à Donald Rumsfeld («Winter comes for a Beltway lion; Rumsfeld rose and fell with his conviction intact», *Chicago Tribune*, 12 novembre 2006).

d'Arthur Hayes, le patron de l'agence fédérale de 1981 à 1983, pour ficeler l'homologation de l'aspartame d'abord pour les produits secs (1981) puis pour les boissons gazeuses (1983), avaient ensuite été recrutés par Searle ou Monsanto. Parmi eux, un certain Michael Taylor.

Dans mon enquête sur Monsanto, j'ai raconté comment cet avocat d'un cabinet conseil de la multinationale a été nommé en 1991 numéro deux de la FDA (où il restera trois ans) pour rédiger la (non-) réglementation des OGM, puis deviendra en 1998 vice-président de Monsanto, firme pionnière en la matière. Considéré comme l'archétype de la pratique des «portes tournantes», il avait commencé son activité pendulaire entre les secteurs privé et public dès le début des années 1980, puisqu'il représenta la FDA lors du Public Board of Inquiry sur l'aspartame. Quant à Arthur Hayes, qui quitta l'agence en novembre 1983, dès sa mission accomplie, il devint consultant de Burson-Marsteller, l'une des firmes de communication préférées de NutraSweet et de Monsanto[3].

J'ai découvert aussi que, sollicité par le sénateur Metzenbaum, le Government Accountability Office (GAO), considéré comme le «bras investigateur du Congrès», avait entendu soixante-sept scientifiques: «Plus de la moitié avaient déclaré avoir quelques inquiétudes concernant la sécurité de l'aspartame» – douze d'entre eux avaient reconnu «être très préoccupés[4]». Et j'ai découvert encore que, cinq ans après sa mise sur le marché, l'aspartame était le produit pour lequel la FDA avait reçu le plus de plaintes spontanées, dont 3 133 concernaient des troubles neurologiques.

Pour incarner les (nombreux) «effets secondaires» – j'y reviendrai – de la poudre blanche qui a «conquis les papilles des Américains», selon les termes du sénateur Metzenbaum, celui-ci a convié le major Michael Collins, un pilote de l'US Air Force. Adepte des joggings carabinés («sept à dix kilomètres dans le désert du Nevada»), l'officier avait pris l'habitude de boire «au moins un gallon [3,8 litres] de Coca-Cola diète par jour». Progressivement, il est pris d'imperceptibles tremblements dans les bras et les mains; puis, le 4 octobre 1985, il perd conscience et fait une crise d'épilepsie. Après un arrêt-maladie, il s'envole pour le désert australien, où il est privé de sa boisson favorite: les symptômes disparaissent. De retour aux États-Unis, il reprend ses bonnes vieilles habitudes. Et les tremblements reprennent, jusqu'à une nouvelle crise d'épilepsie. Un médecin lui recommande d'éviter tous les produits contenant de l'aspartame: «Je l'ai fait, a-t-il expliqué la voix émue, et tous mes symptômes ont définitivement disparu.

Mais, depuis, je n'ai plus le droit de voler, car l'armée considère que je suis invalide[a]...»

D'aucuns diront que ce témoignage est «anecdotique». Mais tel ne fut pas l'avis de Richard Wurtman, une sommité américaine dans le domaine de la neurologie, qui dirigeait alors le centre de recherche clinique du célèbre Massachusetts Institute of Technology (MIT). Lors de son audition au Sénat, il a présenté une étude qu'il avait conduite sur 200 consommateurs d'aspartame souffrant de crises d'épilepsie, assorties de migraines et de vertiges fréquents, alors qu'ils n'avaient aucun antécédent ni aucune cause physiologique détectable[5]. Avec l'assurance tranquille du spécialiste à qui on ne peut en conter, le docteur Wurtman a expliqué que l'origine de ces troubles pouvait être la phénylalanine, un acide aminé sur lequel il «travaill[ait] depuis quinze ans et sur lequel [son] laboratoire a[vait] publié plus de quatre cents études». Coupant court aux (pauvres) arguments des représentants de NutraSweet, qui ont répété à l'envi que «les acides aminés de l'aspartame sont identiques à ceux que l'on trouve dans les protéines des aliments», le neurologue a au contraire affirmé que «la consommation d'aspartame n'avait rien à voir avec celle d'une protéine normale, parce que la phénylalanine n'est pas associée à d'autres acides aminés. C'est pourquoi elle a un effet bien supérieur sur le plasma sanguin, ce qui peut affecter la production des neurotransmetteurs et les fonctions du cerveau».

«Combien d'études ont été réalisées pour mesurer les effets de l'aspartame sur le cerveau? a demandé le sénateur Metzenbaum.

— À ma connaissance, aucune», a répondu sans hésiter le docteur Wurtman, qui a alors raconté des choses fort intéressantes...

Les manœuvres de l'ILSI

En 1980, le neurologue avait témoigné devant le Public Board of Inquiry en faveur de l'aspartame: il estimait qu'incluse dans des produits secs, la substance ne présentait que des risques infimes, car sa consommation resterait limitée. Il travaillait alors comme consultant pour l'International Life Sciences Institute (ILSI), l'organisme de «recherche» fondé

---

a   Dans le bulletin de l'US Air Force *Flying Safety* de mai 1992, le colonel Roy Poole a mis en garde les pilotes contre les dangers de l'aspartame: «Vertige, épilepsie, perte soudaine de mémoire et diminution progressive de la vue.»

en 1978 à Washington par des fabricants de l'agroalimentaire (voir *supra*, chapitre 12), dont le directeur était Jack Filer, un scientifique de l'université de l'Iowa qui avait «testé» l'aspartame pour le compte de Searle.

En 1983, Richard Wurtman apprend que la firme a demandé une extension de l'homologation du NutraSweet pour la fabrication de sodas. Il s'en inquiète auprès de l'ILSI, car, connaissant l'engouement de ses compatriotes, notamment des enfants, pour les boissons gazeuses, il craint qu'un apport massif de phénylalanine dans la chaîne alimentaire n'entraîne de graves conséquences sanitaires. Il propose donc de conduire une étude pour mesurer la capacité de l'aspartame à «modifier la chimie du cerveau» et à «favoriser le déclenchement de crises d'épilepsie[6]». Informé de son projet, Gerald Gaull, le vice-président de Searle, lui rend visite dans son laboratoire du MIT et le menace de faire jouer son droit de veto auprès de l'ILSI pour que les fonds que lui verse l'organisme soient coupés. «J'ai compris que l'industrie n'avait aucune volonté de tester véritablement les effets potentiels de son produit, a expliqué Richard Wurtman lors de l'audience, et j'ai décidé de me passer de son aide financière.»

Au moment de démissionner de son poste de consultant, il écrit une lettre à Robert Shapiro: «Cher Bob, je pense que tu seras d'accord avec moi si je dis que ce que j'apporte à Searle, c'est ma capacité de lui dire des choses qu'elle préférerait ne pas entendre pour l'aider à trouver des solutions. L'une de ces choses, c'est que certains consommateurs peuvent développer des symptômes médicaux significatifs s'ils ingèrent de grandes quantités d'aspartame, notamment lorsqu'ils suivent un régime pour perdre du poids. Si les études financées par Searle sont censées contribuer à la compréhension des symptômes de ces gens-là, alors les études doivent les inclure et ne pas se limiter à ceux qui ne consomment qu'un ou deux sodas par jour[7].» Lors de l'audience, le docteur Wurtman a stigmatisé les «études financées par l'industrie qui ne durent qu'un ou deux jours avec une ou deux doses d'aspartame. Comme nous savons que les symptômes apparaissent généralement après plusieurs semaines de consommation de la substance, les études d'un ou deux jours ne servent à rien». «Le problème, a-t-il poursuivi, c'est qu'il n'y a pas d'argent public pour conduire de vraies études. Je connais plusieurs collègues qui ont déposé des projets et à qui on a répondu qu'il fallait demander le soutien de l'industrie. Moi-même, je poursuis mes travaux en puisant sur les fonds propres de mon laboratoire.»

Ce système pervers, qui permet aux fabricants de verrouiller la recherche sur leurs produits, a été confirmé par deux autres scientifiques auditionnés par les sénateurs. « Les effets de la phénylalanine sur les fonctions cérébrales des humains n'ont jamais été étudiés, a ainsi déclaré Louis Elsas, un généticien de l'université Emory d'Atlanta. Des millions de dollars ont été dépensés pour des études inutiles qui n'ont jamais traité de ces questions. » Spécialisé en pédiatrie, le chercheur s'inquiétait particulièrement des effets de l'acide aminé sur les fœtus. « Nous savons que le niveau de phénylalanine présent dans le sang de la mère est de quatre à six fois supérieur après avoir passé le placenta et la barrière sang-cerveau[a] du fœtus, a-t-il expliqué. Cette capacité de concentration peut entraîner un retard mental, des microcéphalies et des malformations congénitales. Selon le même mécanisme, il pourrait se produire des dommages cérébraux irréversibles chez les bébés de zéro à douze mois. »

« Avez-vous eu des contacts avec l'ILSI ? a demandé Howard Metzenbaum.

— Oui, et ce ne fut pas une bonne expérience, a répondu le docteur Elsas. Comme j'avais exprimé en privé et publiquement mes inquiétudes, l'ILSI m'a demandé d'écrire un projet de recherche, ce que j'ai fait. Mais je n'ai jamais eu de réponse. En revanche, j'ai vu que le protocole de l'étude que j'avais élaboré a été repris par des laboratoires payés par l'industrie. »

Endocrinologue et professeur de médecine à l'université de Californie, William Pardridge a vécu une expérience similaire avec l'ILSI, qui « systématiquement a réservé ses fonds à des alliés au sein de la communauté scientifique en refusant son soutien à ceux qui soulevaient des questions sanitaires[8] ». Travaillant spécifiquement sur le transport de la phénylalanine à travers la barrière sang-cerveau, il a déposé deux projets de recherche sur les effets de l'aspartame sur le cerveau des enfants, mais ils ont été refusés.

Face à ces accusations circonstanciées, les représentants ou collaborateurs de l'ILSI ont fait bien pâle figure. Parmi eux, John Fernstrom, psychiatre à l'université de Pittsburgh, a essayé de botter en touche. « Je ne peux pas imaginer qu'un enfant boive cinq canettes de Coca-Cola diète par jour, la quantité nécessaire pour qu'il atteigne la DJA de l'aspartame, a-t-il ironisé. C'est impossible ! » Puis, il s'est lancé dans une discussion surréaliste sur la « vitesse de dégradation de l'aspartame », qui serait « cinq fois plus rapide chez les rats que chez les hommes ».

---

a   La barrière sang-cerveau, appelée « barrière hémato-encéphalique », protège le cerveau des agents pathogènes circulant dans le sang.

Manifestement exaspéré, le sénateur Metzenbaum a coupé court à sa langue de bois, en exhibant de derrière son pupitre, un à un, avec un sourire coquin, plusieurs dizaines de produits courants qui contiennent de l'aspartame: boissons gazeuses, gommes à mâcher, céréales, yogourts, médicaments, vitamines, etc. L'accumulation très théâtrale des produits a déclenché des salves d'applaudissements dans l'assistance.

Octobre 2009, la FDA persiste et signe: « la substance est sûre »

«Je n'ai aucun scrupule à dire que si nous basons la quantité d'aspartame autorisée dans nos aliments sur les études de Searle, alors c'est un vrai désastre.» Après les embrouillaminis des scientifiques de l'ILSI, le témoignage de Jacqueline Verrett est apparu d'une étonnante limpidité, provoquant un silence religieux dans la salle de l'audience. Très stricte avec ses lunettes carrées et son tailleur de vieille fille rangée, la docteure Verrett a travaillé à la FDA comme biochimiste et toxicologue de 1957 à 1979. En 1977, elle fit partie de l'équipe de Jerome Bressler et eut donc accès aux données brutes des trois fameuses études (celle sur le DKP et les deux sur la tératogénicité) qui ont fondé la DJA de l'aspartame aux États-Unis comme en Europe (voir *supra*, chapitre 14). Avec un ton pince-sans-rire, elle a ironisé sur les «animaux remis dans l'étude après extraction de leurs tumeurs», «les rats morts, puis ressuscités» et a tranché: «Il est impensable qu'un toxicologue digne de ce nom, après avoir effectué une évaluation complète et objective de ces données, ne conclue pas qu'il est impossible d'interpréter ces études et qu'il faut les refaire.» Or, a-t-elle assené, «j'ai vérifié la littérature scientifique récente et je n'ai trouvé aucune étude qui ait tenté de reproduire ces recherches pour résoudre les questions soulevées; [...] de sorte que nous ne pouvons absolument pas être sûrs d'avoir la bonne DJA».

Décédée en 1997, Jacqueline Verrett a publié en 1974 un livre iconoclaste intitulé *Eating May Be Hazardous to Your Health* (Manger peut être dangereux pour votre santé), où elle racontait son travail à la FDA. Bravant la réputation de la célèbre agence, elle n'hésitait pas à écrire: «Malheureusement, notre alimentation n'est pas la plus sûre du monde. [...] Si certains additifs alimentaires étaient réglementés comme des médicaments, ils seraient interdits, sauf sur prescription médicale, et devraient alors être accompagnés d'une mise en garde pour les femmes enceintes[9].» Elle donnait l'exemple du colorant rouge citrus n° 2, qui provoque «des mort-nés, des morts fœtales et des malformations congénitales chez les animaux[a]». La toxicologue racontait aussi le rôle qu'elle a joué dans l'interdiction aux États-Unis du cyclamate (E 952, toujours autorisé en Europe). Le 1er octobre 1969, elle avait provoqué un cataclysme en révélant sur la chaîne NBC les résultats d'une étude qu'elle avait menée sur 13 000 embryons de poussins. Elle leur avait injecté du cyclamate et ils étaient nés avec de «graves malformations congénitales»: «Colonnes vertébrales et pattes déformées, phocomélie[b].»

Faisant le tour des centaines d'additifs alimentaires autorisés par la FDA, dont «la majorité n'a jamais été testée», elle déplorait: «Nous sommes tous embarqués dans une expérimentation gigantesque dont nous ne saurons jamais les résultats, du moins pendant notre vie. Quels sont les dangers des produits chimiques que nous mangeons? Est-ce qu'ils provoquent le cancer? Des malformations congénitales? Des mutations? Des dommages au cerveau, au cœur et de nombreuses autres maladies? Nous n'en savons rien. [...] Il est possible que nous soyons en train de semer les graines d'une épidémie de cancers qui se développera dans les années 1980 et 1990[10].»

Après avoir lu ce livre très démoralisant, j'ai pris contact avec la Food and Drug Administration à Washington. Le moment semblait propice, car le président Obama venait de confier, en mars 2009, la direction de l'agence à Margaret Hamburg, une médecin réputée pour son engagement dans la santé communautaire, domaine peu investi par l'industrie... Connaissant la procédure pour l'avoir utilisée lors de mon enquête sur Monsanto, je me suis adressée au service de presse et je suis tombée sur Mike Herndon, le fonctionnaire qui, après moult tergiversations, a fini par me donner l'adresse électronique d'un personnage clé: James Maryanski, l'ancien directeur du département des biotechnologies de la FDA. Tout indique que Mike Herndon avait eu vent de mon film *Le Monde selon Monsanto*, où Maryanski faisait quelques révélations fracassantes sur les liens entre l'agence et la firme de

---

a   Le rouge citrus n° 2 (E 121) est interdit en Europe depuis 1977. Il est classé «cancérigène probable pour les humains» (groupe 2B) par le CIRC. Il est toujours autorisé aux États-Unis, uniquement pour colorer la peau des oranges. Si vous achetez des oranges de Floride, il est recommandé de se laver les mains après les avoir épluchées...

b   La phocomélie se traduit par une atrophie des membres. Elle est caractéristique des enfants qui ont été exposés *in utero* à la thalidomide, un médicament prescrit aux femmes enceintes contre les nausées dans les années 1950 et 1960.

Saint Louis, car il m'a gentiment envoyée promener! Il m'a fallu écrire à Joshua Sharfstein, le bras droit de Margaret Hamburg, qui – preuve d'un changement outre-Atlantique – m'a rapidement débloqué la situation. Voilà comment le pauvre Mike Herndon s'est retrouvé contraint de m'organiser un rendez-vous avec un certain David Hattan, le toxicologue en charge des additifs alimentaires à l'agence! Quand, le 19 octobre 2009, je suis entrée dans le bureau du *senior toxicologist*, j'ai cru halluciner: c'était l'homme qui siégeait à gauche du *commissioner* Frank Young lors de la fameuse audition sénatoriale du 3 novembre 1987. Inutile de préciser que Young avait alors défendu mordicus l'homologation de l'aspartame, sous le regard approbateur de Hattan.

«Je vous ai vu sur les archives de C-Span, lui ai-je dit, un rien amusée.

— Oui...

— Il y avait aussi votre collègue, Jacqueline Verrett, qui a écrit ce livre, *Eating May Be Hazardous to Your Health*. Vous l'avez lu? ai-je demandé en tendant l'ouvrage à mon interlocuteur passablement crispé.

— Non... a-t-il murmuré.

— Je vous prie de l'ouvrir à la page 96. J'aimerais avoir votre commentaire, car vous travaillez ici depuis très longtemps. La docteure Verrett écrit: "Ce n'est pas que les décideurs gouvernementaux soient corrompus..." C'est une bonne nouvelle, n'est-ce pas?» m'interrompis-je en scrutant la réaction de David Hattan, qui opina du chef avec un sourire figé. Puis, je repris ma lecture: «"... mais leur sens du devoir est constamment érodé par leurs contacts avec l'industrie et leur souci pour les effets à court terme sur l'industrie plutôt que pour les effets à long terme sur les consommateurs." Partagez-vous ce constat?

— Non, je ne suis pas du tout d'accord, me répondit le toxicologue. Je pense qu'aucun d'entre nous à la FDA n'estimerait faire son travail correctement s'il ne plaçait pas la sécurité du consommateur au-dessus de toute considération pour le bien-être de l'industrie. Cela reviendrait à subvertir le paradigme de l'évaluation de la sécurité. Vraiment, je ne suis pas du tout d'accord avec la docteure Verrett...

— Vous avez suivi de très près le processus d'homologation de l'aspartame, puisque vous êtes arrivé à la FDA au moment de la mise en place du Public Board of Inquiry, n'est-ce pas?

— Oui.

— Le PBOI, comme les autres groupes d'investigation de la FDA, s'est prononcé contre l'autorisation de l'édulcorant. Comment expliquez-vous que, quelques mois plus tard, la substance ait tout de même été autorisée, alors que l'opinion générale dans l'agence était que les études de Searle n'étaient absolument pas fiables ?

— Oh ! J'aimerais que vous consultiez nos archives pour que vous voyiez tout ce que la FDA a fait pour résoudre cette controverse. Cela a coûté des millions de dollars au fabricant, Searle… Nous ne défendons pas tout ce qui a été fait, ces études présentaient certes quelques erreurs et raccourcis… Vous savez, c'était avant l'instauration des "bonnes pratiques de laboratoire" et les exigences n'étaient pas aussi rigoureuses qu'aujourd'hui… Mais nous pensons qu'aucun des problèmes rencontrés n'était suffisamment sérieux pour invalider les résultats des études et le fait que la substance est sûre[11]. »

Quatre-vingt-onze effets secondaires

« La FDA a reçu des milliers de plaintes concernant les effets secondaires de l'aspartame, ai-je poursuivi, tandis que David Hattan multipliait les regards vers Michael Herndon, le fonctionnaire du service de presse assis dans mon dos. J'ai ici un document interne déclassifié qui présente quatre-vingt-onze symptômes : "Maux de tête, vertiges, vomissements, nausées, crampes abdominales, troubles de la vision, diarrhée, crises d'épilepsie, perte de conscience et de la mémoire, irruptions cutanées, insomnies, perturbations des règles, paralysie des membres, œdèmes, fatigue chronique, difficultés respiratoires"… » Le document que j'ai tendu au toxicologue, histoire de lui rafraîchir la mémoire, avait défrayé la chronique en 1995. Il avait été obtenu par Betti Martini, la fondatrice de « Mission Possible », grâce à la procédure du Freedom of Information Act. Il révélait que quelque 10 000 personnes s'étaient spontanément manifestées auprès de la FDA pour rapporter des troubles qu'elles estimaient liés à l'aspartame[a]. Or, d'après une règle admise par l'agence, seuls 1 % des consommateurs qui ont des problèmes avec une substance prennent généralement la peine d'écrire, ce qui signifierait qu'un million d'Américains auraient souffert des effets secondaires de l'aspartame (entre 1981 et 1995).

Tous les symptômes décrits dans le document de la FDA sont strictement similaires à ceux qu'a constatés le docteur Hyman Roberts au cours de sa longue carrière. Ce médecin de Palm Beach (Floride),

---

[a]   Plus de 38 % des plaintes étaient liées à la consommation de boissons gazeuses, 21,7 % à celle de sucrettes, 4 % à celle de gommes à mâcher.

que j'ai rencontré le 24 octobre 2009, s'est intéressé fortuitement à l'aspartame en 1984[12]. Cette année-là, il avait reçu en consultation Tammie, une jeune fille de seize ans qui eut une crise d'épilepsie sous ses yeux dans son cabinet. Bouleversé, il lui prescrivit moult examens, qui n'éclairèrent pas l'origine des troubles neurologiques. Il en conclut que la seule cause possible était l'aspartame contenu dans les «sodas légers» que Tammie s'était mise à boire pour réduire sa consommation de sucre. Quatre ans plus tard, le docteur Roberts publia une étude portant sur 551 patients qui le consultèrent pour au moins un des effets rapportés dans le document de la FDA. «Le rôle causal joué par les produits contenant de l'aspartame est soutenu par le fait que les symptômes disparaissent rapidement après l'arrêt de la consommation, mais qu'ils réapparaissent quelques heures ou jours après une nouvelle exposition parfois involontaire, écrit-il. Un bref test d'abstinence peut éviter de multiples consultations, examens coûteux et l'hospitalisation[13].» En 2001, Hyman Roberts a publié un livre de 1 020 pages où il présente l'histoire clinique de 1 400 patients[14]. Il a constaté un phénomène d'addiction, notamment chez les gros consommateurs de sodas légers (plus de deux litres par jour) ou de gommes à mâcher «sans sucre» (au moins une boîte par jour), qui entraîne une sensation de manque lors du sevrage.

«Avez-vous contacté la FDA? lui ai-je demandé.

— Bien sûr, mais l'agence ne m'a jamais répondu! a soupiré le docteur Roberts. L'industrie considère que tous ces cas sont "anecdotiques", alors que ce sont des centaines de milliers de personnes qui sont concernées.»

Dans une lettre qu'il a adressée au sénateur Howard Metzenbaum juste après l'audience de novembre 1987, le neurologue John Olney notait avec ironie: «Je doute fort que tous ces citoyens ordinaires qui ont émis toutes ces plaintes les aient préméditées pour conspirer de sorte qu'elles apparaissent toutes liées à un trouble du système nerveux central[15].»

«Connaissez-vous les travaux du docteur Roberts?» La question a fait sourciller David Hattan, qui, après quelques hésitations, a répondu: «En réalité, la FDA et la firme Searle ont conduit des études cliniques supplémentaires pour évaluer ces effets, comme les maux de tête ou les crises d'épilepsie. Tout cela a été soigneusement testé et le résultat fut que, dans un environnement contrôlé où l'on connaît exactement la dose utilisée, le moment précis de l'ingestion et l'individu qui la consomme, eh bien on ne parvient pas à reproduire ces effets...»

« Je ne sais pas de quelles études parle M. Hattan, m'a dit froidement Ralph Walton, lorsque je l'ai rencontré à New York le 30 octobre 2009. Ce serait bien qu'il me communique les références, car c'est justement parce qu'il n'y avait pas d'études sérieuses qui analysaient les effets neurologiques de l'aspartame sur les humains que j'ai décidé de conduire ma propre recherche. » Professeur de psychiatrie clinique à l'université de l'Ohio, le docteur Walton est aussi « tombé sur l'aspartame par hasard ». « En 1985, l'une de mes patientes, que je suivais depuis douze ans pour une dépression chronique, a commencé à faire des crises d'épilepsie et à développer des épisodes maniaques, m'a-t-il raconté. C'était d'autant plus curieux qu'elle allait très bien depuis des années et que son traitement antidépresseur n'avait pas changé. Après avoir écarté l'hypothèse d'un trouble bipolaire, j'ai mené un vrai travail de détective pour comprendre ce qui avait changé dans sa vie. Et j'ai découvert que, pour perdre du poids, elle s'était mise à boire des produits "Crystal light", dont elle consommait un à deux litres par jour. Dès qu'elle a arrêté sa consommation, les troubles ont définitivement disparu. J'ai adressé un rapport clinique à un journal médical, dont l'un des relecteurs était Richard Wurtman. Il m'a demandé si je connaissais d'autres cas similaires. Comme je présidais la société médicale de ma ville, j'ai lancé un appel auprès de mes confrères, et des dizaines de cas m'ont été signalés. Finalement, ces histoires cliniques ont constitué un chapitre du livre que le docteur Wurtman a publié sur les effets de la phénylalanine sur les fonctions cérébrales[16].

— En quoi a consisté l'étude que vous avez conduite? ai-je demandé.

— À dire vrai, si j'avais su les graves réactions qu'elle allait déclencher, je ne me serais jamais lancé dans cette expérience... Nous avons administré de l'aspartame à des volontaires pendant sept jours, en double aveugle, c'est-à-dire que les participants ne savaient pas s'ils recevaient la substance ou un placebo, tout comme les chercheurs qui leur remettaient les produits. Un ami et associé de quarante-deux ans, docteur en psychologie, a eu un détachement de la rétine et un saignement oculaire et a perdu définitivement la vue d'un œil. Une infirmière, qui s'était aussi portée volontaire, a aussi présenté des saignements oculaires. Le comité éthique qui encadrait l'étude nous a demandé de l'arrêter immédiatement. Mais, comme treize personnes avaient suivi tout le protocole, nous avons pu la publier avec des résultats significatifs. Notre conclusion était que les personnes ayant connu des épisodes dépressifs étaient extrêmement sensibles à l'aspartame[17].

— Quelle dose avez-vous utilisée dans votre étude ?

— 30 mg/kg, car je voulais rester au-dessous de la DJA fixée par la FDA. Cela correspond à environ huit canettes de Coca-Cola diète par jour, mais c'est une dose que de nombreuses personnes consomment quotidiennement, car on trouve de l'aspartame un peu partout[18]. »

L'influence du financement de la recherche par l'industrie : le funding effect

« L'article que nous venons de publier montre une augmentation de l'incidence des tumeurs du cerveau ainsi qu'une gravité accrue des tumeurs cérébrales dans la population américaine qui ont commencé trois ans après la mise sur le marché de l'aspartame[19]. » C'était le 18 novembre 1996, lors d'une conférence de presse, organisée à Washington. Y participaient Ralph Walton, l'avocat James Turner, le sénateur Howard Metzenbaum et John Olney. Ce dernier avait épluché les données de l'Institut national du cancer concernant les tumeurs cérébrales recensées de 1970 à 1992 dans treize zones géographiques des États-Unis, qui couvraient 10 % de la population américaine. « Nos résultats montrent une première hausse ponctuelle de l'incidence au milieu des années 1970, qui peut s'expliquer par l'amélioration des techniques de diagnostic, avait commenté le neurologue, puis une deuxième hausse très nette de 10 % en 1984, qui s'est maintenue jusqu'en 1992. » Et de conclure : « Cette étude ne permet pas d'établir si l'aspartame cause ou non des tumeurs du cerveau, mais il est urgent de répondre à cette question avec de nouvelles études expérimentales bien conçues. »

La publication de John Olney avait provoqué beaucoup de remous médiatiques, au point que le célèbre magazine télévisé *60 Minutes* décida de consacrer une édition spéciale à l'aspartame. Désemparés face à la masse d'études concernant l'édulcorant, les producteurs de CBS avaient demandé à Ralph Walton de conduire une revue systématique de celles qui avaient été publiées dans des revues scientifiques à comité de lecture. Une première recherche sur différentes banques de données, dont MedLine, donna 527 références, dont le psychiatre ne garda que celles qui étaient « clairement liées à la sécurité du produit pour les humains ».

« D'abord, me dit Ralph Walton, il faut noter que les trois études fondamentales de Searle, qui ont servi à calculer la DJA de l'aspartame, n'ont jamais été publiées ! Par ailleurs, sur les 166 études que mon équipe a finalement sélectionnées, 74 avaient été financées par l'industrie

(Searle, Ajinomoto ou l'ILSI) et 92 par des organismes de recherche indépendants (des universités ou la FDA). Cent pour cent des études financées par l'industrie concluaient que l'aspartame était sans danger. Sur les 74, plusieurs avaient été publiées plusieurs fois dans différents journaux, sous différents noms, mais c'était la même étude. Sur les 92 études indépendantes, 85 concluaient que l'édulcorant posait un ou plusieurs problèmes sanitaires. Les sept dernières avaient été conduites par la FDA et arrivaient aux mêmes conclusions que celles de l'industrie.

— Comment expliquez-vous cet incroyable résultat ? demandai-je.

— Ah ! Vous savez, l'argent est très puissant... »

Le phénomène que Ralph Walton a constaté d'une manière flagrante a été qualifié de *funding effect* (que l'on pourrait traduire par « effet financement »). David Michaels décrit ainsi ce mécanisme fort inquiétant : « Quand un scientifique est recruté par une firme qui a un intérêt financier dans les résultats de l'étude qu'elle soutient, la probabilité que les résultats de l'étude soient favorables à la firme augmente considérablement. » Et le nouveau patron de l'OSHA de préciser : « Le fait qu'il y ait un enjeu financier lié aux résultats change la manière dont même les scientifiques les plus respectés approchent leur recherche et interprètent les résultats des expériences[20]. »

Le *funding effect* a été découvert par Paula Rochon, une gériatre de Boston, alors qu'elle comparait les tests cliniques de médicaments anti-inflammatoires non stéroïdiens, comme l'aspirine, le naproxène et l'ibuprofène (Advil), utilisés pour traiter l'arthrite. Elle montra que les tests payés par l'industrie présentaient *toujours* des conclusions favorables, même si un examen attentif des données ne le confirmait pas[21]. Quatre ans plus tard, l'équipe du Canadien Henry Thomas Stelfox (université de Toronto) faisait le même constat pour les antagonistes du calcium, des médicaments prescrits pour soigner l'hypertension et suspectés de provoquer des infarctus. Les chercheurs ont examiné les articles publiés entre mars 1995 et septembre 1996 et classé leurs auteurs en trois catégories caractérisant leur position par rapport aux molécules : « favorable », « neutre » et « critique ». Résultat : 96 % des scientifiques « favorables » avaient un lien financier avec les fabricants d'antagonistes du calcium, contre 60 % des auteurs « neutres » et 37 % des critiques[22]. Depuis, le phénomène a aussi été détecté pour les contraceptifs oraux et les médicaments pour le traitement de la schizophrénie, de la maladie d'Alzheimer ou du cancer[23].

J'ai épluché attentivement la liste des soixante-quatorze études financées par les fabricants d'aspartame que Ralph Walton a établie, et l'une d'entre elles a attiré mon attention, car elle illustre bien le phénomène des «boîtes noires» que décrit Bruno Latour dans son livre *La Science en action*. En effet, pour qu'un énoncé scientifique devienne un fait établi, dont plus personne n'est en mesure de reconstituer la genèse, il faut que celui-ci soit largement cité dans de multiples articles scientifiques. «Un énoncé a valeur de fait ou de fiction non par lui-même, mais seulement par ce que les autres énoncés font de lui plus tard, explique le philosophe. Pour survivre, ou pour acquérir le statut de fait, un énoncé a besoin de la génération suivante d'articles[24].» Voilà pourquoi Searle et consorts ont *fait publier* plusieurs dizaines d'«études», qui n'ont jamais traité des questions essentielles mais dont le but était d'*occuper le terrain de la littérature scientifique*: une étude *publiée* est une étude qui peut être *citée* et donc contribuer à transformer une fiction en fait, et c'est encore plus efficace si on parvient parallèlement à bloquer la production d'études indépendantes sur les questions essentielles justement, une tâche dont l'ILSI s'est parfaitement acquitté.

Nous avons vu dans quelles conditions douteuses la DJA de l'aspartame avait été fixée en 1981. Dix ans plus tard, Searle demande à deux de ses scientifiques, Harriett Butchko et Frank Kotsonis, de publier un article sur le concept de la DJA, «en prenant comme exemple l'aspartame, un additif alimentaire largement utilisé», ainsi que le dit le préambule[25]. C'est astucieux, car cela permet de poser d'emblée comme une «boîte noire» la DJA de l'aspartame, alors que, quatre ans après l'audience sénatoriale, celle-ci est loin de faire l'unanimité: «L'OMS et les autorités réglementaires d'Europe et du Canada ont fixé une DJA de 40 mg/kg et la FDA de 50 mg/kg», écrivent ainsi les auteurs, qui truffent ensuite leur papier de multiples références (cinquante), principalement aux études financées par Searle (mais la source du financement n'est pas précisée), dont celles qu'a conduites Jack Filer (neuf références), qui, on l'a vu, deviendra le directeur de l'ILSI! Qui va vérifier que ces études, dont les auteurs prétendent qu'elles ont servi à fixer la DJA, sont toutes postérieures à 1979? Ou qu'une étude de l'incontournable Filer, censée confirmer l'innocuité de l'aspartame, a duré… six heures pendant lesquelles huit «adultes normaux» (quatre hommes et quatre femmes) ont ingéré 10 mg d'aspartame toutes les deux heures[26]?

«Le problème, a commenté Ralph Walton, c'est que toutes ces études de faible qualité, voire biaisées, sont publiées dans des revues scientifiques à comité de lecture. On attend toujours la "réforme radicale" que Richard Smith a appelée de ses vœux.» Directeur du prestigieux *British Journal of Medicine*, l'homme avait fait sensation en avouant publiquement les limites et faiblesses du système du *peer review* (voir *supra*, chapitre 9), pourtant considéré comme le *must* en matière de publication scientifique. «Nous savons qu'il est coûteux, lent, enclin aux biais, ouvert aux abus, voire défavorable à la véritable innovation et incapable de détecter la fraude, écrivait-il. Nous savons aussi que les articles publiés qui émergent du processus sont souvent grossièrement déficients[27].» Dans cet éditorial, qui fit grincer bien des dents (industrielles), Richard Smith racontait l'expérience menée par Fioda Godlee et deux collègues du journal : ils avaient pris une étude qui allait être publiée, dans laquelle ils avaient inséré volontairement huit erreurs. Puis ils avaient envoyé le texte à 420 relecteurs potentiels, dont 221 (53%) ont répondu : le nombre moyen d'erreurs relevées était de deux, pas un seul relecteur n'a relevé plus de cinq erreurs et 16% n'y ont vu que du feu…

L'Institut Ramazzini, « maison de ceux qui ont consacré leur vie à la recherche de la vérité »

«Cela fait vingt ans que je bataille pour que le National Toxicology Program (NTP) conduise une étude sur l'aspartame, m'a expliqué en 2009 James Huff, le directeur adjoint du département de la cancérogenèse chimique au National Institute of Environmental Health Sciences (NIEHS), qui dirigea le programme des monographies du CIRC [voir *supra*, chapitre 10]. Malheureusement, la FDA s'y est toujours opposée, en faisant jouer son droit de veto[a].

— Comment l'expliquez-vous ?

— Je pense que l'agence craignait que nous prouvions que l'édulcorant est cancérigène[28]», m'a répondu le scientifique en me renvoyant à un article de novembre 1996, qui faisait suite à la publication de l'étude de John Olney sur l'augmentation des tumeurs cérébrales. Y témoignaient James Huff ainsi que David Rall, l'ancien directeur du NIEHS, qui supervisa le NTP pendant dix-neuf ans (jusqu'à son départ à la retraite en 1990) : «C'est une manière efficace d'assurer que l'aspartame ne sera pas testé, déclarait ce dernier. On empêche les chercheurs de le tester, puis on dit qu'il est sûr[29].»

---

a   Le National Toxicology Program est placé sous la direction du NIEHS, mais ses sujets de recherche sont décidés par un comité exécutif, qui comprend des représentants de toutes les agences réglementaires américaines, dont l'OSHA, l'EPA et la FDA.

«J'ai lu, pourtant, que le NTP avait publié les résultats d'une étude sur l'aspartame en 2005[30], ai-je poursuivi.

— C'est vrai, a reconnu James Huff, mais j'étais opposé à cette étude ainsi que plusieurs collègues du NIEHS. Elle a été menée sur des souris transgéniques à qui on a inséré un gène qui les rend plus susceptibles au cancer. C'est un nouveau modèle expérimental qui ne présente aucun intérêt pour les produits chimiques non génotoxiques. Or, l'aspartame n'est pas génotoxique, c'est-à-dire qu'il ne produit pas de mutations[a]. Le résultat de cette étude, qui a coûté beaucoup d'argent pour rien, fut bien sûr négatif et a fait le bonheur de l'industrie[b]... J'étais écœuré, c'est pourquoi j'ai participé activement à la conception des études conduites par l'Institut Ramazzini qui, elles, ont confirmé les pouvoirs cancérigènes de l'aspartame. Ce sont pour moi les meilleures études jamais réalisées sur cette substance.»

Créé en 1987 en hommage au «père de la médecine du travail» (voir *supra*, chapitre 7), l'Institut Ramazzini est l'œuvre du cancérologue italien Cesare Maltoni, dont les travaux sur le chlorure de vinyle avaient semé la panique chez les fabricants de plastique européens et américains (voir *supra*, chapitre 11). Installé dans le magnifique château Renaissance de Bentivoglio, à une trentaine de kilomètres de Bologne, le centre de cancérologie environnementale définit ses programmes de recherche en collaboration avec le Collège Ramazzini, qui compte cent quatre-vingts scientifiques issus de trente-deux pays. Parmi eux, quelques-uns des scientifiques que nous avons croisés dans ce livre, comme James Huff, Devra Davis, Peter Infante, Vincent Cogliano, Aaron Blair et Lennart Hardell. Une fois par an, cette assemblée exceptionnelle se réunit à Carpi, le «lieu de naissance du maître» Bernardino Ramazzini. Dans un article publié en 2000, qui constitue une véritable profession de foi mais aussi son testament, Cesare Maltoni (décédé en 2001) a décrit ce qui fait l'originalité de ce collège académique à nul autre pareil. «Notre époque est caractérisée par l'énorme expansion et

---

a   On considère qu'il y a deux types d'agents cancérigènes: les génotoxiques, qui agissent directement sur les gènes en initiant la première étape du processus de cancérisation par mutations géniques; et les non-génotoxiques, qui n'agissent pas directement sur les gènes, mais participent au processus de cancérogenèse (stade de promotion ou de progression) en favorisant la prolifération des cellules mutées ou «initiées» (voir la fiche «Cancers professionnels», sur le site www.cancer-environnement.fr).

b   De fait, l'étude du NTP était accompagnée de cette remarque: «Étant donné qu'il s'agit d'un nouveau modèle, il y a une incertitude quant à sa sensibilité et sa capacité à détecter un effet cancérigène.»

la suprématie de l'industrie et du commerce, au détriment de la culture (dont fait partie la science) et de l'humanisme, écrit-il. L'objectif premier et bien souvent unique de l'industrie et du commerce est le profit. La stratégie de l'industrie et du commerce pour atteindre leurs objectifs – dussent-ils entrer en conflit avec la culture et l'humanisme – a été marquée par la création d'une culture alternative pseudo-scientifique, dont le but principal est de polluer délibérément la vérité, en opposant la culture et la science et en étouffant la voix des humanistes[31]. » C'est pourquoi, poursuit Cesare Maltoni, la *raison d'être*[a] du Collège Ramazzini, c'est « d'être la maison de ceux qui ont consacré leur vie à la recherche de la vérité et d'être solidaire avec ceux qui sont attaqués et humiliés parce qu'ils poursuivent la vérité ».

Depuis sa création, l'Institut a testé quelque 200 polluants chimiques, comme le benzène, le chlorure de vinyle, le formaldéhyde et de nombreux pesticides. Ses études ont souvent contribué à une baisse des normes d'exposition en vigueur, car leurs résultats sont inattaquables. D'abord, contrairement à la grande majorité des études industrielles, celles de l'Institut sont conduites sur des méga-cohortes, comprenant plusieurs milliers de cobayes, ce qui bien sûr renforce leur pouvoir statistique[32]. Lors de ma visite, le 2 février 2010, j'avais été impressionnée par l'étendue du laboratoire, qui couvre 10 000 mètres carrés. D'énormes installations circulaires abritaient alors 9 000 rats soumis à différents niveaux d'ondes électromagnétiques pour une expérience que le docteur Morando Soffritti, qui a succédé à Cesare Maltoni, m'avait présentée comme « top secret » avec un large sourire entendu. « La deuxième caractéristique de notre Institut, m'avait-il expliqué, c'est que, contrairement aux recommandations du guide des "bonnes pratiques de laboratoire", nos études expérimentales ne durent pas deux ans, mais nous laissons vivre nos animaux jusqu'à leur mort naturelle. En effet, 80 % des tumeurs malignes détectées chez les humains le sont après l'âge de soixante, soixante-cinq ans. Il est donc aberrant de sacrifier les animaux expérimentaux à la cent quatrième semaine, ce qui, rapporté à l'espèce humaine, correspond à l'âge de la retraite, où la fréquence d'apparition des cancers ou des maladies neurodégénératives est la plus élevée[33]. »

« C'est la principale force des études de l'Institut Ramazzini, m'a confirmé James Huff. Quand on interrompt arbitrairement une étude au bout de deux ans, on risque de passer à côté des effets cancérigènes

---

a   En français dans le texte.

d'une substance. Et plusieurs exemples le prouvent. Le cadmium est un métal largement utilisé, notamment pour la fabrication de PVC et d'engrais chimiques, qui a été classé dans le groupe 1 ("cancérigène pour les humains") par le CIRC. Pourtant, les études expérimentales de deux ans ne montraient aucun effet. Jusqu'au jour où un chercheur a décidé de laisser mourir les rats naturellement : il a constaté que 75 % développaient un cancer du poumon dans le dernier quart de leur vie. De même, le NTP a étudié le toluène et n'a trouvé aucun effet au bout de vingt-quatre mois. En revanche, l'Institut Ramazzini a vu plusieurs cancers apparaître à partir du vingt-huitième mois. Le protocole des études de l'Institut Ramazzini devrait être repris par tous les chercheurs, car l'enjeu est important : on se glorifie toujours de l'allongement de l'espérance de vie, mais à quoi bon vivre dix ou quinze ans plus vieux, si c'est pour vivre sa retraite accablé par toutes sortes de maladies qui seraient évitables si on contrôlait mieux l'exposition aux produits chimiques ? C'est pourquoi les deux études de l'Institut Ramazzini sur l'aspartame sont très inquiétantes... »

« *L'aspartame est un agent cancérigène multisite puissant* »

Plus inquiétant encore est le rejet de ces deux études par l'EFSA et la FDA et, dans la foulée, par toutes les agences réglementaires nationales (dont, bien sûr, l'ANSES française). Et je dois dire que, j'ai beau tourner leurs arguments dans tous les sens, ils ne parviennent pas à me convaincre...

Publiée en 2006, la première étude portait sur 1 800 rats, qui ont ingéré des doses journalières d'aspartame comprises entre 20 mg/kg et 100 mg/kg, depuis l'âge de huit semaines jusqu'à leur mort naturelle. Résultat : une augmentation significative, corrélée à la dose, des lymphomes, leucémies et tumeurs rénales chez les femelles, et des schwannomes (tumeurs des nerfs crâniens) chez les mâles. « Si nous avions tronqué l'expérience en l'arrêtant à deux ans, nous n'aurions sans doute pas pu montrer le potentiel cancérigène de l'aspartame, écrivent les auteurs dans leur publication. Les résultats de cette méga-étude indiquent que l'aspartame est un agent cancérigène multisite puissant, y compris à la dose journalière de 20 mg/kg, qui est bien inférieure à la DJA[34]. »

Curieusement, alors qu'elle se contente en général fort bien des résumés de données que lui envoient les fabricants, la FDA a, dans ce cas précis, beaucoup insisté pour obtenir l'ensemble des données brutes de l'étude. C'est en tout cas l'argument officiel qu'elle n'a cessé de brandir, à l'instar de David Hattan, qui me l'a resservi sans sourciller : « Nous n'avons pu examiner qu'une petite partie des données brutes, m'a-t-il expliqué avec une moue navrée, et il nous a semblé que les changements observés étaient sporadiques et somme toute habituels dans ce genre d'expérimentation. Malheureusement, nous n'avons pas pu obtenir toutes les données, car l'Institut Ramazzini nous a dit que le règlement interne lui interdisait de les partager avec des tierces parties. »

« Pourquoi avez-vous refusé de communiquer les données brutes de l'étude ? ai-je demandé à Morando Soffritti, le directeur scientifique de l'Institut Ramazzini.

— Je suis surpris que la FDA ait pu vous dire cela, m'a-t-il répondu avec son indéfectible sourire en coin. Nous sommes entrés en contact avec la FDA dès 2005 et nous lui avons envoyé toutes les données en notre possession. »

Dans l'avis qu'elle a publié, le 20 avril 2007, l'agence américaine affirme, en tout cas, que « les données de l'étude ne permettent pas de conclure que l'aspartame est cancérigène[35] ». Un an plus tôt, l'EFSA avait rendu un avis similaire, après une longue introduction où elle ne manquait pas de s'appuyer sur la « boîte noire » si laborieusement construite : « L'aspartame a notamment été l'objet de quatre études de cancérogénicité conduites sur des animaux pendant les années 1970 et au tout début des années 1980. Ces études, avec d'autres sur la géno-toxicité, ont été évaluées par les agences réglementaires du monde et toutes ont conclu que l'aspartame n'avait pas de potentiel génotoxique ou cancérigène[36]. » Puis, l'Autorité européenne en vient à l'étude de l'Institut Ramazzini, qui comprend des « déficiences remettant en question la validité des résultats. [...] L'explication la plus plausible des résultats de l'étude concernant les lymphomes et leucémies, c'est que ceux-ci sont dus à une maladie respiratoire chronique dont souffrait la colonie. [...] En résumé, il n'y a pas de raisons de revoir la DJA de 40 mg/kg établie précédemment ».

« Pourquoi avez-vous rejeté cette étude ? ai-je insisté auprès d'Hugues Kenigswald, le chef de l'Unité des additifs alimentaires de l'EFSA (que nous avons déjà rencontré au cours du chapitre 14).

— Alors, d'abord, que ce soit bien clair : cette étude n'a absolument pas été rejetée, au contraire, elle a été étudiée [*sic*] avec le plus grand soin. Par contre, ce qui est très clair, c'est qu'il y a un certain nombre, pour ne pas dire un nombre certain, d'insuffisances méthodologiques qui ont été relevées dans cette étude...

— Par exemple?

— En particulier, le fait que certains rats présentaient des pathologies respiratoires.

— Quel est le rapport entre le fait d'avoir une maladie respiratoire et un lymphome ou une leucémie?

— La maladie respiratoire fait que ça provoque... est à l'origine de tumeurs et peut donc complètement brouiller les pistes; c'est exactement ce qui s'est passé dans cette étude.»

L'argument de l'EFSA a (de nouveau) fait sourire Morando Soffritti qui, bien calé dans son fauteuil, a répliqué: «Nous ne sommes pas d'accord, pour une série de raisons. Premièrement, parce que les processus inflammatoires que nous observons dans nos animaux dépendent très souvent du fait que nous les laissons mourir naturellement sans interrompre leur vie de façon arbitraire. Et, comme il arrive pour l'homme dans la dernière phase de la vie, les complications pulmonaires et rénales sont très courantes. De plus, il n'a jamais été démontré que les infections pulmonaires ou rénales qui apparaissent en fin de vie soient capables de produire des tumeurs en si peu de temps.

— Est-ce que les rats du groupe contrôle avaient le même problème inflammatoire?

— Bien sûr, nous l'avons observé à la fois dans les groupes traités et dans le groupe contrôle. La seule différence entre les deux groupes était que les groupes expérimentaux avaient ingéré de l'aspartame et que le groupe contrôle n'en avait pas ingéré.»

En 2007, l'équipe du docteur Soffritti a publié une seconde étude, encore plus inquiétante que la première. Cette fois-ci, 400 rates en gestation ont été exposées à des doses journalières d'aspartame de 20 mg/kg et de 100 mg/kg et leurs descendants ont été suivis jusqu'à leur mort. «Nous avons constaté que, quand l'exposition commence pendant la vie fœtale, le risque d'avoir les tumeurs observées lors de la première étude augmente de manière très significative, a commenté Morando Soffritti. S'y ajoute l'apparition de tumeurs mammaires chez les descendantes femelles. Nous estimons que ces résultats devraient conduire les agences réglementaires à agir au plus vite, car les femmes enceintes et les enfants sont les plus grands consommateurs d'aspartame.» Dans leur publication, Morando Soffritti et ses collègues soulignent: «[À] leur demande, nous avons fourni aux agences réglementaires toutes les données brutes de l'étude[37].»

Pourtant, David Hattan m'a soutenu le contraire: «Nous n'avons pas examiné la seconde étude de l'Institut Ramazzini, car malheureusement nous n'avons pas pu trouver un accord pour obtenir les données brutes», a affirmé le toxicologue de la FDA.

«Ce n'est pas vrai, a rétorqué le docteur Morando Soffritti depuis son laboratoire de Bentivoglio.

— Vous prétendez que David Hattan ment? ai-je insisté.

— On peut dire qu'il ment.»

Dans l'avis qu'elle a rendu le 19 mars 2009, l'EFSA souligne aussi que «les données brutes de l'étude n'ont pas été fournies par les auteurs», ce que dément avec vigueur le directeur de l'Institut Ramazzini. Puis, l'Autorité européenne écarte de nouveau les leucémies et lymphomes constatés, qu'elle s'entête à considérer comme «caractéristiques d'une maladie respiratoire chronique» (décidément!), avant de se lancer dans une explication qui a carrément fait bondir les Américains James Huff et Peter Infante tant elle leur semblait «scabreuse et peu scientifique»: «L'augmentation de l'incidence des carcinomes mammaires n'est pas considérée comme étant indicative d'un potentiel cancérogène de l'aspartame, car l'*incidence des tumeurs mammaires* chez les rats femelles est relativement élevée et *varie considérablement d'une étude de carcinogénicité à l'autre*, écrivent les experts de l'EFSA. Le groupe scientifique a constaté qu'*aucune augmentation de l'incidence des carcinomes mammaires n'a été signalée dans la précédente étude* menée sur l'aspartame, dans laquelle des doses du produit beaucoup plus élevées ont été utilisées[38].»

«C'est incroyable que des experts puissent écrire cela, s'est étonné James Huff. On dirait qu'ils n'ont pas compris que l'originalité de l'étude, c'est de commencer l'exposition *in utero*. Ce qui est inquiétant, c'est précisément que les descendantes ont développé des tumeurs mammaires que les rates adultes n'avaient pas développées dans la première étude. On observe exactement le même phénomène avec les perturbateurs endocriniens: ce sont les filles exposées pendant la vie fœtale qui ont des cancers mammaires, et pas leurs mères!»

De fait, l'argument de l'EFSA a de quoi surprendre, mais c'est pourtant le seul qu'a évoqué Hugues Kenigswald pour justifier la décision d'ignorer les résultats de l'étude italienne: «Les tumeurs mammaires qui sont décrites dans la deuxième étude n'apparaissaient pas dans la première étude, m'a-t-il expliqué en jetant des regards vers les deux fonctionnaires européens assis dans mon dos. Donc, les résultats des deux études sont incohérents.»

«Comment expliquez-vous cet argument de l'EFSA?» ai-je demandé à Morando Soffritti, qui, manifestement, a cherché ses mots avant de me répondre : « Les évaluations faites par les experts des différentes agences sont souvent hâtives et pas toujours réfléchies, a-t-il lâché. S'ils avaient pris le temps de mesurer ce que peut impliquer une exposition commencée pendant la vie fœtale, peut-être n'auraient-ils pas émis un jugement aussi trivial d'un point de vue scientifique... » En attendant, la décision européenne a fait le bonheur de l'Association internationale des édulcorants (ISA) qui, dans un communiqué d'avril 2009, s'est « félicitée de l'avis scientifique publié par l'EFSA qui confirme le précédent avis publié en mai 2006 sur la sécurité et l'innocuité de l'édulcorant aspartame, rejetant les affirmations de l'Institut Ramazzini, en Italie, selon lesquelles l'aspartame serait dangereux pour la santé. Ces conclusions de l'EFSA sont entièrement compatibles avec le *consensus scientifique mondial*, etc.[39] ».

Conflits d'intérêts et boîte de Pandore

Je l'ai déjà dit et je le répète : les arguments avancés par l'EFSA et la FDA ne sont absolument pas convaincants. Comment comprendre que ces agences décident d'ignorer deux études conduites par un institut considéré comme un poids lourd dans le domaine de la cancérologie environnementale, alors qu'elles continuent de défendre bec et ongles la DJA de l'aspartame, fondée sur des études qui, pour le moins, présentent les pires « insuffisances méthodologiques », pour reprendre les termes d'Hugues Kenigswald ? Intriguée, j'ai décidé de savoir qui étaient les vingt et un experts qui constituent le « groupe ANS » de l'EFSA, le « groupe scientifique sur les additifs alimentaires et les sources de nutriments ajoutés aux aliments ».

Depuis 2002, les experts de l'Autorité européenne, qui à la différence de ceux du JMPR ou du JECFA sont permanents, sont tenus de déclarer leurs conflits d'intérêts et les déclarations sont consultables sur le site de l'EFSA. J'ai ainsi découvert que John Christian Larsen, le président du groupe, travaille pour... l'ILSI ! Même chose pour John Gilbert et Ivonne Rietjens, qui a aussi des liens financiers avec la FEMA (Flavor and Extract Manufacturers Association). Quant à Jürgen König, il a des contrats avec Danone, grand utilisateur d'aspartame. Mais la « palme », si j'ose dire, revient à Dominique Parent-Massin, qui est membre du comité scientifique d'Ajinomoto, le géant japonais de l'aspartame, et de Coca-Cola, un utilisateur historique de l'édulcorant et membre fondateur de l'ILSI ! Directrice du laboratoire de toxicologie alimentaire de l'université de Brest, l'experte a même présidé le Groupe additifs alimentaires de l'Agence française de sécurité sanitaire des aliments (AFSSA, rebaptisée ANSES en 2010)! Avec France Bellisle, une chercheuse de l'Institut national de recherche agronomique (INRA), qui siège au comité scientifique du Conseil européen de l'information sur l'alimentation (EUFIC), financé par les géants de l'agroalimentaire, et Bernard Guy-Grand, professeur de nutrition à l'Hôtel-Dieu, qui fut président du comité scientifique d'Ajinomoto, Dominique Parent-Massin fait partie de la *dream team* française du fabricant japonais, même si elle se garde bien de le dire quand elle intervient sous l'étiquette «autorités sanitaires» dans les congrès pour défendre l'innocuité de l'aspartame[40]. Ainsi, lors des Entretiens de Bichat de 2006, elle a répété la bonne vieille antienne: «L'aspartame est l'un des additifs les plus étudiés au monde[41].»

J'ai évidemment interrogé Catherine Geslain-Lanéelle, la directrice exécutive de l'EFSA, sur les conflits d'intérêts patents qui caractérisent certains membres du «groupe ANS», avec en tête Dominique Parent-Massin. Pour être franche, j'avais quelque curiosité à rencontrer cette ancienne haut fonctionnaire très zélée de la Direction générale de l'alimentation, qui, on l'a vu dans le chapitre 6, avait refusé de communiquer le dossier d'autorisation de mise sur le marché du Gaucho au juge Louis Ripoll, alors qu'il perquisitionnait au siège de la DGAL dans le cadre d'une instruction sur la toxicité de l'insecticide pour les abeilles. D'apparence très cordiale, la directrice exécutive m'a d'abord expliqué que l'EFSA avait commencé en 2008 la «réévaluation des colorants» et décidé récemment d'interdire un «colorant utilisé depuis trente ans en Europe dans les produits de petit déjeuner et des saucisses consommées en Grande-Bretagne et en Irlande». «Un examen des études a montré qu'il était génotoxique, m'a-t-elle précisé, donc nous l'avons retiré du marché, comme nous l'avions fait précédemment pour certains arômes de synthèse.

— C'est certes une bonne nouvelle, dis-je. Concernant l'aspartame, je suis surprise de voir qu'une personne comme Dominique Parent-Massin, dont les liens avec le principal fabricant d'aspartame sont avérés, siège dans le groupe sur les additifs alimentaires...

— Cela veut dire que, quand nous faisons l'évaluation de l'aspartame, cette experte ne peut pas être rapporteur, ne peut pas préparer l'avis du groupe et ne peut pas participer aux délibérations sur ce sujet, parce qu'elle a un conflit d'intérêts.

— Par exemple, dans le cas de l'avis qui a été rendu sur l'aspartame en mars 2009, Dominique Parent-Massin n'a pas participé?

— Non… C'est important de comprendre qu'aujourd'hui la recherche publique est souvent associée à la recherche privée et, donc, qu'il est impossible de trouver des experts qui n'ont jamais eu de contact avec l'industrie ; je pense que cela n'existe plus, a reconnu Catherine Geslain-Lanéelle. C'est pourquoi nous avons établi une règle qui veut que les scientifiques ayant travaillé ou travaillant directement pour le fabricant du produit évalué sont disqualifiés pour participer aux travaux d'évaluation, et c'est ce qui s'est passé avec Dominique Parent-Massin[42]. »

La transparence, en tout cas, a ses limites. La déclaration de conflit d'intérêts de Dominique Parent-Massin que j'avais trouvée sur le site de l'EFSA *avant* ma visite à Parme a disparu quelques jours plus tard ! Elle a été remplacée par une nouvelle, où l'experte ne dit plus un mot sur ses liens avec Ajinomoto et Coca-Cola… L'anecdote a fait (encore) sourire Morando Soffritti, qui en avait aussi une à me raconter : « Un haut dirigeant de l'EFSA m'a dit un jour : "Docteur Soffritti, si nous admettions que les résultats de vos études sont valides, nous devrions interdire l'aspartame dès demain matin. Vous vous rendez bien compte que cela n'est pas possible"… »

Tout indique en effet que, par-delà les enjeux économiques, l'aspartame est devenu une forteresse inexpugnable, ainsi que le souligne Erik Millstone, l'indéfectible poil à gratter des agences réglementaires : « Si elles admettent qu'elles ont fait une erreur, cela entraînera une perte de confiance. Et puis, elles craignent sans doute que cela ouvre les vannes, m'a-t-il expliqué avec un ton franchement accusateur. Il y a des gens qui risquent de dire : peut-être n'avez-vous pas fait une seule, mais plusieurs erreurs ; et peut-être que tout le processus est défectueux ! L'aspartame est une boîte de Pandore : si elle s'ouvre, c'est tout le système qui risque d'exploser. C'est aussi vrai pour le bisphénol A, un autre produit symbolique de l'inefficacité de la réglementation telle qu'elle fonctionne depuis un demi-siècle… »

IV

L'incroyable scandale des perturbateurs endocriniens

16

« *Mâles en péril*[a] » : *l'espèce humaine en danger ?*

> « Au bout de quelques années, la nature outragée prend sa revanche, de la façon la plus inattendue et la plus déconcertante. »
>
> ALDOUS HUXLEY

Il faut changer la façon de réglementer les produits chimiques et de « protéger les humains. Il y a suffisamment d'études qui montrent que les perturbateurs endocriniens provoquent des dysfonctionnements du système de la reproduction, des cancers ou des troubles du comportement. Ce n'est pas un problème scientifique, mais politique ! » C'était le 14 septembre 2010, à l'Assemblée nationale française. Professeure de biologie cellulaire à la faculté de médecine de la Tufts University de Boston, Ana Soto a terminé par ces propos la conférence introductive au colloque sur les perturbateurs endocriniens parrainé par les députés Gérard Bapt et Bérengère Poletti[b] et organisé par le Réseau

---

a   J'emprunte ce titre à l'excellent documentaire de Sylvie Gilman et Thierry de Lestrade, diffusé sur Arte le 25 novembre 2008, dont les auteurs ont les premiers révélé en France certains des stupéfiantes informations évoquées dans ce chapitre.

b   Gérard Bapt (PS) est président du Groupe santé environnementale à l'Assemblée nationale ; Bérengère Poletti (UMP) est présidente du groupe de suivi de Plan national santé environnement.

environnement santé (RES). S'adressant ostensiblement aux deux élus, la scientifique américaine a insisté : « C'est au niveau de la loi qu'il faut agir. Sinon, qu'est-ce qu'on fait ? On attend encore cent ans, et on cherche sur quel récepteur on doit agir pour éviter l'extinction de l'espèce humaine ! »

Assis à la tribune, André Cicollela, chercheur en santé environnementale et porte-parole du RES, a opiné du chef. Le toxicologue avait de quoi être satisfait : le 5 juin 2009, il avait organisé un colloque similaire au Palais-Bourbon, mais la salle était loin d'être pleine. Quinze mois plus tard, il avait dû refuser du monde, preuve que la nécessité d'un « changement de paradigme dans l'évaluation des risques sanitaires et environnementaux » – selon le titre du colloque – est devenue une préoccupation qui dépasse largement le cercle restreint des experts. Preuve aussi que le patient travail d'alerte conduit depuis plus de vingt ans par des scientifiques américains, dont Ana Soto et Carlos Sonnenschein, son vieux complice, commence à porter ses fruits, malgré les embûches de l'industrie et le déni des autorités publiques.

« *Le plastique n'est pas une matière inerte* »

Pour les deux chercheurs de la Tufts University, tout a basculé un jour de 1987. Ils travaillaient alors sur des cellules de cancer du sein et essayaient de trouver un inhibiteur qui permette de bloquer la prolifération des cellules caractéristique de la progression des tumeurs. Deux ans plus tôt, ils avaient constaté que s'ils extrayaient l'œstrogène, une hormone féminine naturelle, d'un sérum de sang et appliquaient ce sérum « purifié » sur des cellules de cancer du sein, celles-ci cessaient de se multiplier. En revanche, s'ils ajoutaient de l'œstrogène aux cellules cancéreuses, celles-ci proliféraient à vitesse grand V. « Nous essayions d'identifier l'inhibiteur qui d'après notre hypothèse était neutralisé par la présence d'œstrogène, m'a expliqué Ana Soto lors de ma visite dans leur laboratoire de la Tufts University en octobre 2009. Et, pour cela, nous répétions sans cesse la même expérience et obtenions toujours les mêmes résultats : en l'absence d'œstrogène les cellules de cancer du sein ne se multipliaient pas, mais en présence d'œstrogène, elles se multipliaient. Puis, tout à coup, toutes les cellules se sont mises à proliférer de manière indiscriminée, dans les deux groupes de l'expérience. Nous avons pensé que notre laboratoire était contaminé par de l'œstrogène et nous avons commencé à vérifier chaque composante du processus pour comprendre d'où pouvait provenir cette contamination[1].»

Pendant quatre (très longs) mois, les deux chercheurs, qui vont alors jusqu'à envisager un sabotage tant l'événement est exceptionnel, passent en revue tout le matériel utilisé, en procédant par élimination : les pipettes en verre, le filtre au charbon actif qui permet d'extraire l'œstrogène du sérum, les tubes en plastique où sont conservées les cellules sanguines. Mais ils ont beau répéter l'expérience en changeant le matériel, les cellules cancéreuses continuent de se multiplier, avec ou sans œstrogène !

« Cela faisait des années que nous utilisions les mêmes tubes en plastique de la société Corning, m'a expliqué Carlos Sonnenschein en me montrant un spécimen reconnaissable à son bouchon orange. En désespoir de cause, nous avons décidé de changer de fournisseur, en nous adressant à l'entreprise Falcon. Et là, à notre grand étonnement, les cellules cancéreuses exposées au sérum purifié ont cessé de proliférer ! Nous en avons conclu qu'il y avait quelque chose qui fuyait de l'intérieur des tubes de Corning et agissait comme de l'œstrogène. Nous avons aussitôt alerté Jean Mayer, le président de la Tufts University, un nutritionniste qui a tout de suite compris l'énorme enjeu sanitaire que représentait notre découverte. »

Un rendez-vous est organisé avec les représentants de Corning, le 12 juillet 1988, dans l'hôtel Hilton de l'aéroport de Boston. « Ils nous ont informés qu'ils avaient récemment changé la formulation du plastique [de leurs tubes] pour le rendre plus stable et moins friable, mais qu'ils n'avaient pas changé la référence dans leur catalogue, m'a raconté Ana Soto. Malheureusement, ils ont refusé de nous communiquer le nom de la molécule utilisée comme antioxydant, en arguant qu'elle était couverte par le secret commercial.

— Nous étions très choqués, a poursuivi Carlos Sonnenschein, car nous pensions aux effets que pouvait avoir cette substance si elle était présente dans les biberons en plastique ou les emballages alimentaires. Même si nous ne sommes pas chimistes, nous avons passé deux ans à l'extraire des tubes. Et, finalement, le Massachusetts Institute of Technology (MIT) nous a dit que c'était du nonylphénol[a].

— C'était très inquiétant, a ajouté Ana Soto, car nous avons découvert que cette molécule entrait dans la composition de certains

---

a   Le nonylphénol fait partie d'une famille de produits chimiques synthétiques appelée «alkylphénols». Sa production mondiale s'élève à 600 000 tonnes par an.

plastiques à base de chlorure de vinyle comme le PVC, ou de polystyrène, qui peuvent être en contact avec les aliments ou l'eau du robinet, mais aussi dans des crèmes spermicides, des shampoings et des détergents.

— Le fabricant ne savait pas que cette molécule avait une fonction œstrogénique? ai-je demandé.

— Non! C'est typique du mode de fonctionnement de l'industrie, m'a répondu Carlos Sonnenschein. Les chimistes synthétisent de nouvelles substances qui sont mises sur le marché et ce n'est que bien plus tard qu'on découvre les effets qu'elles peuvent avoir. Dans ce cas, nous avons fortuitement révélé que, contrairement à ce qu'on pensait, les plastiques ne sont pas des matières inertes d'un point de vue biologique et qu'ils comportent des molécules de synthèse qui imitent les hormones naturelles[2].

— C'est ce qu'on appelle les "perturbateurs endocriniens"?

— Tout à fait! Ce nouveau concept scientifique a été inventé par Theo Colborn, à qui l'humanité doit une fière chandelle, car elle a mis au jour une catégorie de polluants qui est à l'origine de la plupart des maladies chroniques contemporaines[3]. »

Les préoccupantes découvertes de la zoologue Theo Colborn

Rencontrer Theo Colborn se mérite. D'abord, parce que, à quatre-vingt-trois ans, celle que l'on a souvent comparée à Rachel Carson en raison de l'impact de son œuvre a dû limiter son activité en filtrant soigneusement les multiples demandes d'entrevues et de conférences. Et puis, parce qu'elle habite au fin fond de l'État du Colorado, à une centaine de kilomètres du petit aéroport de Grand Junction. Quand j'ai atterri le 10 décembre 2009, plus d'un mètre de neige recouvrait la mythique Grand Valley étincelante sous le soleil éblouissant. La température était de - 25 °C, un changement brutal après les + 23 °C de Houston où j'étais la veille. Dans la voiture qui me conduisait à Paonia, la ville où Theo Colborn est venue s'installer avec sa famille en 1962, je relisais mes notes sur son parcours hors du commun: pharmacienne de formation, elle décide d'élever ses quatre enfants dans un ranch du Colorado; puis elle s'engage dans un mouvement local pour la défense de la qualité de l'eau de la vallée, menacée par la pollution minière et agricole; alors qu'elle est déjà grand-mère, elle décroche une maîtrise en gestion de l'eau, puis se lance dans un doctorat de zoologie à l'université du Wisconsin, qu'elle obtient en 1985, à cinquante-huit ans révolus ! « J'avais besoin de ces diplômes pour mieux faire entendre ma voix », a-t-elle déclaré dans une interview.

Au milieu de mes notes, il y avait aussi le dernier courriel qu'elle m'avait adressé où elle faisait référence au prix Rachel Carson qui nous unit ». En effet, en juin 2009, j'avais eu l'incroyable honneur de recevoir le dixième prix Rachel Carson, remis par un jury de Stavanger (Norvège) à une « femme internationale qui contribue à la protection de l'environnement ». Theo Colborn avait obtenu le cinquième prix, dix ans plus tôt. Alors, bien sûr, dès que j'eus franchi la porte de sa maison, l'« experte en santé environnementale », ainsi que le stipule sa carte de visite, commença par évoquer longuement l'auteure de *Silent Spring* (voir *supra*, chapitre 3). « Son livre m'a accompagnée tout au long de ma carrière, m'a-t-elle expliqué. D'abord, parce qu'il m'a ouvert les yeux sur les dangers des pesticides, mais aussi parce qu'il dessinait une vision globale, en recréant du lien entre les différents organismes vivants et en se projetant dans le futur. Pour moi, la partie la plus étonnante est le questionnement sur les conséquences funestes qu'un tel déluge de produits chimiques pourrait avoir sur les générations exposées dès la vie fœtale et sur la reproduction, ce qui était complètement visionnaire. »

De fait, dans son chapitre « Through a narrow window » (À travers une fenêtre étroite), Rachel Carson cite des rapports médicaux qui font état d'« oligospermie, c'est-à-dire la production réduite de spermatozoïdes chez les applicateurs de DDT par avion », ou d'« atrophie des testicules observée chez des mammifères de laboratoire », ou encore de la métamorphose d'insectes exposés au DDT sur plusieurs générations en d'« étranges créatures appelées gynandromorphes qui présentent une partie mâle et une partie femelle[4] ». Dans la seule et unique interview télévisée qu'elle a donnée peu avant sa mort, elle s'inquiétait déjà des effets transgénérationnels que pourraient avoir les produits chimiques. « Nous ne devons pas oublier que les enfants qui naissent aujourd'hui sont exposés à ces substances depuis la naissance, et même peut-être avant la naissance, soulignait-elle. Quelle conséquence cette exposition peut-elle avoir dans leur vie d'adulte ? Nous n'en savons absolument rien, car nous n'avons jamais connu ce genre d'expérience auparavant[5]. »

« Rachel Carson pensait surtout au cancer, a commenté Theo Colborn, une maladie dont elle est elle-même décédée et qui représentait la grande préoccupation de l'époque. Il m'a fallu moi-même beaucoup de temps pour que je sorte de cette conception toxicologique issue de l'après-guerre où l'on mesure la toxicité d'un produit chimique au nombre de morts qu'il provoque à court ou à moyen terme. Si j'ai pu la dépasser, c'est aussi parce que j'ai suivi l'enseignement de Rachel Carson qui disait que "notre destin est lié à celui des animaux".

— Comment votre vision a-t-elle changé ?

— Ce fut un long processus, m'a répondu la zoologue. En 1987, j'ai été recrutée par une commission mixte du Canada et des États-Unis pour dresser un bilan de l'état écologique des Grands Lacs. J'ai contacté tous les biologistes qui travaillaient sur la région. Je n'oublierai jamais mes rencontres avec ces scientifiques qui, chacun de son côté, observaient des phénomènes similaires, à savoir une réduction draconienne des populations de certaines espèces animales, des dysfonctionnements du système de la reproduction tels que les adultes avaient du mal à faire des petits et, quand ils y parvenaient, les petits naissaient avec des malformations congénitales et ne survivaient pas ; ils observaient aussi des troubles du comportement inhabituels, avec des femelles qui se mettaient en couple, des mâles qui ne défendaient plus leur territoire… »

Dans le best-seller qu'elle a publié en 1996, *Our Stolen Future*[6], Theo Colborn raconte les travaux de ses collègues qui, petit à petit, lui ont permis de « reconstituer le puzzle du mécanisme à l'œuvre ». Parmi eux, il y a Pierre Béland, un océanographe qui dès 1982 tient un « livre de la mort » où il consigne les multiples cadavres de bélugas qu'il a trouvés dans le golfe du Saint-Laurent. Les autopsies révèlent des cancers mammaires, de la vessie, de l'estomac, de l'œsophage ou des intestins, des ulcères de la bouche, des pneumonies, des infections virales, des kystes sur la thyroïde, mais aussi des malformations de l'appareil génital, jusque-là inconnues. Ainsi, Booly, un béluga mâle, présente deux testicules, un vagin et deux ovaires, un « phénomène d'hermaphrodisme très rare dans la faune, qui n'avait jamais été rapporté chez un cétacé[7] ». Tous les cadavres sont chargés de résidus de pesticides, dont le DDT, mais aussi de BPC et de métaux lourds. Dans le même temps, Pierre Béland constate que la population locale des dauphins, qui était estimée à 5 000 au début du xxe siècle, est tombée à 2 000 au début des années 1960 et à 500 en 1990.

Theo Colborn a aussi rencontré Glen Fox, un ornithologue qui a observé un étrange phénomène dans les colonies de goélands argentés des lacs Ontario et Michigan : à partir des années 1970, les nids comptent deux fois plus d'œufs que ce que l'on trouve normalement, car ils sont occupés par deux femelles plutôt que par un couple mâle-femelle.

« Fox les surnommait les "goélands homosexuels", m'a raconté Theo, car il a découvert un problème d'identité sexuelle chez les mâles et femelles dû à leur contamination par le DDT, qui comme les BPC agit comme une hormone œstrogénique. » Au même moment, les biologistes Richard Aulerich et Robert Ringer constatent la quasi-extinction des visons, qui se nourrissent essentiellement de poissons, lesquels sont bourrés de BPC.

« Devant la gravité des dégâts constatés, j'ai élargi ma recherche au-delà des Grands Lacs, m'a expliqué Theo Colborn. J'ai découvert les travaux de Charles Facemire, qui avait constaté une féminisation des panthères mâles dans les parcs du sud de la Floride, avec de nombreux cas de cryptorchidie (c'est-à-dire des testicules non descendus), une baisse de la concentration des spermatozoïdes ou un taux anormalement élevé d'œstradiol, une hormone féminine, au détriment de la testostérone, l'hormone mâle. Les autopsies révélaient de fortes concentrations de DDE, un métabolite du DDT, et de BPC, accumulées dans les graisses des félins, qui constituaient une espèce protégée. Au même moment, Charles Broley faisait des constats similaires dans la population des pygargues à tête blanche, l'oiseau emblème des États-Unis, qui avaient pratiquement disparu des côtes de Floride. Au final, j'ai consulté plus de mille études réalisées en Amérique du Nord, mais aussi en Europe, et j'ai compris qu'il n'y avait aucun endroit dans le monde qui soit à l'abri de cette pollution insidieuse perpétrée par des milliers de molécules chimiques, avec en tête ce que l'on appelle aujourd'hui les "polluants organiques persistants". »

Les BPC sont partout

J'ai déjà présenté brièvement les polluants organiques persistants, les fameux « POP » (voir *supra*, chapitre 2), qui sont bannis par la convention de Stockholm de 2001. Parmi ceux que l'on surnomme la « sale douzaine », il y a le DDT, l'« herbicide miracle » de l'après-guerre, la dioxine, mais aussi les BPC, auxquels j'ai consacré un chapitre dans mon livre *Le Monde selon Monsanto*. J'y racontais comment la firme de Saint Louis avait caché pendant cinq décennies la haute toxicité de cette molécule chlorée, qui présente une stabilité thermique et une résistance au feu remarquables et fut utilisée comme liquide réfrigérant dans les transformateurs électriques et les appareils hydrauliques industriels, mais aussi comme lubrifiant dans des applications aussi variées que les plastiques, les peintures, l'encre ou le papier. «Les BPC sont partout», écrivais-je alors, et c'est en lisant *Our Stolen Future* que j'ai véritablement compris comment ils avaient pu coloniser la planète et menacer la survie de nombreuses espèces animales, y compris l'espèce humaine.

Dans son livre, Theo Colborn imagine le voyage d'une molécule de polychlorobiphényle (PCB, ou BPC), fabriquée au printemps 1947 dans l'usine de Monsanto à Anniston. Baptisé «Arochlor 1254», le BPC est chargé dans un train qui le transporte vers une usine de transformateurs électriques de General Electric à Pittsfield, dans le Massachusetts. Mélangé à une huile – pour former du «pyralor» (États-Unis) ou du «pyralène» (France) –, il remplit un transformateur électrique, installé dans une raffinerie de pétrole au Texas. En juillet 1947, un violent orage fait griller l'installation électrique et le transformateur est abandonné dans une décharge publique, après qu'un ouvrier consciencieux a déversé son contenu liquide sur le parking de la raffinerie où le BPC a imbibé les poussières rouges du sol[a]. Quatre mois plus tard, un vent puissant soulève les poussières du parking et le BPC entame un long périple qui le conduira... jusqu'à l'Arctique. En effet, exposée à la chaleur du soleil, la molécule se met à flotter comme une vapeur qui peut monter très haut et se déplacer au gré des vents sur de grandes distances. Dès qu'elle croise de l'air froid, elle retombe brutalement au petit bonheur la chance : sur l'herbe d'un champ, broutée par les vaches, où elle s'incrustera dans la graisse du lait, car elle est très lipophile ; elle peut aussi atterrir sur la surface d'un lac où elle s'accrochera à une algue, avant d'être happée par une mouche aquatique, dévorée ensuite par un crustacé, qui sera mangé par une truite, laquelle finira dans l'assiette d'un pêcheur du dimanche.

À noter que, à la fin de sa courte vie de dix jours, la concentration de BPC dans la mouche aquatique est quatre cents fois plus élevée que celle de l'eau, car la molécule de Monsanto n'est pas biodégradable et a la faculté de s'accumuler dans les tissus adipeux (et en bout de course dans nos graisses à nous, les consommateurs). Si le pêcheur a raté sa prise, la truite blessée finit dans le bec d'une mouette (dont la concentration en BPC est 25 millions de fois supérieure à celle de l'eau du lac), qui s'envole vers le lac Ontario pour convoler. Elle y pond

---

a   Combien de transformateurs ont-ils ainsi été vidés dans des décharges publiques ou dans des lieux à ciel ouvert, partout dans le monde? Rappelons qu'en France 545 610 appareils (dont 450 000 appartenant à EDF, Électricité de France) contenant plus de cinq litres de BPC étaient inventoriés à la date du 30 juin 2002, cinq ans après l'interdiction de ces produits, représentant 33 462 tonnes de BPC à éliminer.

deux œufs. L'un éclot six semaines plus tard, mais l'oisillon est mort, car le BPC (comme le DDT ou la dioxine) a pénétré le jaune de l'œuf et tué l'embryon. L'autre œuf ne donne rien, mais il est repéré par une mouette qui le casse; le jaune tombe dans le lac et est happé par une écrevisse, mangée par une anguille, qui remonte vers l'océan Atlantique, pour frayer, pondre et mourir. Sa carcasse se désintègre dans les eaux chaudes tropicales des Bahamas et, libéré, le BPC reprend son voyage aérien, poussé pour les vents, toujours plus vers le nord. L'incroyable cycle de la vie lui fera terminer sa course dans la graisse d'un ours polaire, dont la concentration en BPC est 3 milliards de fois supérieure à celle de son milieu environnant, car il est «le prédateur suprême et le plus grand carnivore de la région».

Or, souligne Theo Colborn dans *Our Stolen Future*, «à l'instar des ours polaires, les hommes partagent les risques de se nourrir en haut de la chaîne alimentaire. Les produits chimiques synthétiques persistants qui ont envahi l'univers du grand ours ont également envahi le nôtre[8]». Elle résume: «C'est ainsi que, un demi-siècle plus tard, la molécule fabriquée un jour de printemps peut se retrouver absolument n'importe où: dans le sperme d'un homme infertile testé dans une clinique dans le nord de l'État de New York, dans le caviar le plus fin ou les tissus adipeux d'un nouveau-né du Michigan, dans les pingouins de l'Antarctique, le thon d'un sushi servi dans un bar de Tokyo ou les pluies de la mousson tombant sur Calcutta, dans le lait d'une mère allaitant son bébé en France ou dans la jolie perche à rayures pêchée lors d'un week-end estival[9].»

«Alors que je reconstituais les effets sur la faune des BPC et autres POP, je découvris aussi les premières études réalisées sur des humains fortement exposés, m'a expliqué l'experte en santé environnementale. Elles montraient que les enfants inuits présentaient un taux de BPC sept fois supérieur à celui des enfants du sud du Canada ou des États-Unis et que le lait maternel était hautement contaminé[10]. Elles montraient aussi que ces enfants souffraient de déficiences immunitaires, comme les bélugas de la baie du Saint-Laurent, conduisant à des otites chroniques ou à une production affaiblie d'anticorps lors des vaccinations. Une autre étude réalisée auprès de mères ayant consommé des poissons du lac Michigan révélait que les enfants exposés *in utero* aux BPC souffraient de troubles neurologiques ou de déficiences motrices[11]. Dix ans plus tard, les chercheurs ont constaté que ces mêmes enfants avaient des problèmes auditifs et visuels, ainsi qu'un quotient intellectuel inférieur de 6,2 points par rapport à la moyenne de leur âge[12].

« Aujourd'hui tout cela a été largement confirmé, mais à l'époque c'était nouveau. Et, pour comprendre ce qui se passait, j'ai réalisé d'immenses tableaux avec, d'un côté, les espèces animales ou humaine concernées et, de l'autre, les troubles observés. Finalement, après des semaines à tourner en rond dans mon bureau, j'ai compris le lien qu'avaient toutes ces histoires : c'était le système endocrinien des organismes vivants qui était affecté dès la vie intra-utérine, ce qui entraînait des malformations congénitales, des troubles de la reproduction, des désordres neurologiques et un affaiblissement du système immunitaire chez les descendants. Voilà comment j'ai proposé d'organiser une rencontre entre tous les chercheurs qui avaient été confrontés à ce genre de problèmes. Et ce fut un moment inoubliable[13]. »

Juillet 1991 : la déclaration historique de Wingspread

Sans doute aucun, la « rencontre » restera marquée d'une croix dans l'histoire médicale, même si, aujourd'hui, nombre de sommités de la médecine officielle n'en ont jamais entendu parler ou du moins le prétendent. Mais, pour les vingt et un pionniers qui se réunirent, du 26 au 28 juillet 1991, dans le centre de conférences de Wingspread (Wisconsin), ce fut une « expérience fondamentale », selon les mots d'Ana Soto, l'une des participantes. Pour organiser cette réunion inédite, Theo Colborn avait sollicité l'aide de John Peterson Myers – dit « Pete Myers » –, un jeune biologiste qui avait travaillé sur le déclin des populations d'oiseaux marins migrant de l'Arctique à l'Amérique du Sud et qui cosignera *Our Stolen Future*. Intitulé « Les altérations du développement sexuel induites par la chimie : la connexion faune/humains », le colloque a permis de confronter les travaux de scientifiques venus de quinze disciplines, dont l'anthropologie, l'écologie, l'endocrinologie, l'histopathologie, l'immunologie, la psychiatrie, la toxicologie, la zoologie et même le droit.

« Cette rencontre a constitué un tournant dans ma carrière, m'a raconté Louis Guillette, un zoologue de l'université de Floride que j'ai rencontré le 22 octobre 2009 lors d'un colloque à La Nouvelle-Orléans. En effet, je me débattais tout seul dans mon coin pour essayer de décrypter les troubles que je constatais sur les alligators de Floride et, tout d'un coup, tout s'est éclairé, grâce à ce formidable échange interdisciplinaire et à l'énorme travail de Theo. » Et le scientifique de me raconter son histoire ; en 1988, le gouvernement de Floride lui demande de récolter des œufs d'alligators dans le but de créer des fermes d'élevage. Il ratisse une dizaine de lacs de l'État, d'où il rapporte plus de 50 000 œufs. Il les met en couveuse et constate que seuls 20 % des œufs prélevés dans l'immense lac Apopka (de 12 500 hectares et situé non loin d'Orlando et de Disney World) ont éclos, contre 70 % pour les œufs issus des autres lacs. De plus, 50 % des bébés alligators sont morts dans les jours qui ont suivi leur naissance.

« Je me suis souvenu que, quelques années plus tôt, le lac avait été fortement contaminé par le déversement accidentel de dicofol, un insecticide proche du DDT, a précisé Louis Guillette. Curieusement, on ne trouvait plus de trace du pesticide dans les eaux du lac, mais tout indiquait qu'il était stocké dans les sédiments, la faune aquatique et la graisse des crocodiles. Quand j'ai commencé à étudier la population des alligators, je m'attendais à trouver des cancers, mais ce que j'ai observé n'avait rien à voir avec des tumeurs : les femelles présentaient des malformations des ovaires et des niveaux anormalement élevés d'œstrogène ; quant aux mâles, ils avaient souvent des micro-pénis et des taux de testostérone extrêmement bas. La seule hypothèse qui me paraissait plausible, bien qu'elle fût difficile à expliquer, c'est que ces malformations étaient dues à un dérèglement survenu pendant la formation de l'embryon, car les œufs étaient contaminés par des résidus de pesticides.

— Est-ce que vous aviez déjà vu des anormalités similaires ?

— Jamais ! m'a répondu sans hésiter le spécialiste des sauriens. À l'époque, la littérature scientifique était complètement muette sur ce genre de malformations, qui n'avaient jamais été rapportées chez les alligators ni chez aucune autre espèce sauvage. En revanche, j'avais lu des études sur des animaux expérimentaux exposés *in utero* au distilbène, le médicament prescrit aux femmes enceintes pendant les années 1950 et 1960 [voir *infra*, chapitre 17]. Elles faisaient état de malformations des ovaires ou du pénis. Mais cela ne faisait que renforcer mon trouble, car je me disais : ces alligators n'ont pas reçu de médicaments, ni été exposés volontairement à une forte dose d'une molécule de synthèse, alors comment se fait-il que les faibles doses de pesticide présentes dans leurs organismes provoquent de tels effets ?

— Quelles étaient les doses de pesticides que vous avez mesurées ?

— Elles étaient de l'ordre de 1 ppm, c'est-à-dire des doses que l'on considère généralement comme biologiquement inactives et que l'on trouve tous les jours dans notre environnement ou nos aliments…

— En quoi cette expérience avec les alligators peut-elle être utile aux humains ?

— Il faut bien comprendre que la faune constitue une sentinelle pour la santé humaine, m'a répondu Louis Guillette. Les animaux sauvages nous alertent sur les dangers environnementaux qui nous menacent, et spécialement nos enfants. Tous les mammifères, qu'ils soient humains ou sauriens, partagent les mêmes hormones, la même structure des ovaires ou des testicules. D'ailleurs, ce que j'ai constaté dans les années 1980 et 1990 sur les crocodiles se voit aujourd'hui chez de nombreux enfants un peu partout dans le monde.

— Notamment chez les fils de paysans?

— Exact. Il y a des études qui montrent que les fils d'agriculteurs qui utilisent des pesticides ont un taux plus élevé de micro-pénis ou d'anomalies des testicules.

— Est-ce qu'aujourd'hui le lac Apopka a été nettoyé?

— Il est en cours de restauration. Les autorités essaient d'extraire les pesticides, qui sont nombreux, mais malheureusement ce n'est pas facile, car certains d'entre eux, comme le dicofol ou le DDT, se sont fixés dans la chaîne alimentaire du lac. Ils sont enfermés dans les graisses des organismes vivants et nous n'en viendrons à bout que dans plusieurs générations.

— Et est-ce que les alligators sont guéris?

— Non! Les femelles sont comme nous, elles se reproduisent sur plusieurs décennies et nous continuons d'observer les mêmes dysfonctionnements qu'il y a vingt ans.

— En quoi la conférence de Wingspread vous a-t-elle éclairé?

— Grâce à l'échange avec mes collègues, qui avaient fait des constats similaires sur d'autres espèces sauvages, j'ai compris que certains produits chimiques se comportaient comme des hormones et ce fut une vraie révélation», conclut Louis Guillette[14].

Au terme de la conférence, les participants ont signé un manifeste, intitulé «Déclaration de Wingspread», où, dès 1991, ils attiraient l'attention sur les méfaits causés par des molécules qui, vingt ans plus tard, continuent d'être ignorés par les pouvoirs publics: «De nombreux composés chimiques introduits dans l'environnement par l'activité humaine sont capables de perturber le système endocrinien des animaux, y compris des poissons, de la faune et des humains. Les conséquences de cette perturbation peuvent être profondes en raison du rôle crucial joué par les hormones dans le contrôle du développement, écrivaient-ils. De nombreuses espèces sauvages sont déjà affectées par ces substances. [...] Les types d'effets varient selon les espèces et les produits chimiques, mais quatre points communs peuvent être cependant soulignés: 1) les molécules peuvent avoir des effets totalement différents sur l'embryon, le fœtus ou l'organisme périnatal et sur les adultes; 2) les effets s'expriment plus souvent chez les descendants que sur les parents exposés; 3) le moment de l'exposition de l'organisme en développement est crucial pour déterminer son caractère et son potentiel futur; 4) bien que l'exposition critique ait lieu pendant le développement embryonnaire, il est possible que ces signes manifestes ne s'expriment pas avant l'âge adulte. »

Enfin, les auteurs tiraient la sonnette d'alarme: «Si l'on n'élimine pas les perturbateurs synthétiques hormonaux de l'environnement, on peut s'attendre à des dysfonctionnements de grande envergure à l'échelle de la population générale. L'étendue du risque potentiel pour la faune et les humains est grande, en raison de la probabilité d'une exposition répétée et constante à de nombreux produits chimiques synthétiques connus pour être des perturbateurs endocriniens. »

Les perturbateurs endocriniens, de dangereux «brouilleurs de pistes»

«Qui a inventé le terme "perturbateur endocrinien"? » Contre toute attente, la question a fait sourire Theo Colborn: «Ah! Ce fut toute une histoire, m'a-t-elle répondu. Au fur et à mesure qu'avançait le colloque, l'excitation mais aussi l'inquiétude gagnaient les participants, qui prenaient conscience de la gravité du phénomène qu'ils venaient d'identifier. Mais, quand il s'est agi de le nommer, nous avons eu beaucoup de mal. Finalement, un consensus s'est dessiné autour du terme "perturbateur endocrinien" – que personnellement je trouve très laid, mais nous n'en avons pas trouvé de meilleur!

— Qu'est-ce qu'un perturbateur endocrinien?

— C'est une substance chimique qui interfère avec la fonction du système endocrinien. Quelle est la fonction du système endocrinien? Il coordonne l'activité de la cinquantaine d'hormones que fabriquent les glandes de notre organisme, comme la thyroïde, l'hypophyse, les glandes surrénales, mais aussi les ovaires ou les testicules. Ces hormones jouent un rôle capital, car elles règlent des processus vitaux comme le développement embryonnaire, le taux de glycémie, la pression sanguine, le fonctionnement du cerveau et du système nerveux, ou la capacité à se reproduire. C'est le système endocrinien qui contrôle tout le processus de construction d'un bébé, depuis la

357

fécondation jusqu'à la naissance : chaque muscle, la programmation du cerveau et des organes, tout cela en dépend. Le problème, c'est que nous avons inventé des produits chimiques qui ressemblent aux hormones naturelles et qui peuvent se glisser dans les mêmes récepteurs, en allumant une fonction ou en l'éteignant. Les conséquences peuvent être funestes, surtout si l'exposition à ces substances a lieu pendant la vie intra-utérine. »

Pour bien mesurer l'enjeu de ces propos, il faut comprendre très précisément comment opèrent les hormones naturelles une fois qu'elles sont libérées par les glandes dans le sang et les fluides qui entourent les cellules. Elles sont souvent comparées à des « messagers chimiques » qui circulent dans l'organisme à la recherche de « cellules cibles » présentant des « récepteurs » qui leur sont compatibles. L'autre image souvent utilisée est celle d'une « clé » (l'hormone) capable de pénétrer dans une « serrure » (le récepteur) pour ouvrir une « porte » (une réaction biologique). Une fois qu'une hormone s'est attachée à un récepteur, celui-ci exécute les instructions qu'elle lui transmet, soit en modifiant les protéines contenues dans la cellule cible, soit en activant des gènes pour créer une nouvelle protéine qui provoque la réaction biologique appropriée. « Le problème, m'a expliqué Theo Colborn, c'est que les perturbateurs endocriniens ont la capacité d'imiter les hormones naturelles en se fixant sur les récepteurs et en déclenchant une réaction biologique au mauvais moment ; ou, au contraire, ils bloquent l'action des hormones naturelles en prenant leur place sur les récepteurs. Ils sont également capables d'interagir avec les hormones en modifiant le nombre de récepteurs ou en interférant avec la synthèse, la sécrétion ou le transport des hormones. »

Comme l'écrivent André Cicollela et Dorothée Benoît Browaeys, les perturbateurs endocriniens ne sont pas des « toxiques au sens classique », car « ils agissent comme des leurres, des manipulateurs. Ils s'immiscent dans nos fonctions les plus intimes, digestives, respiratoires, reproductives, cérébrales, et jouent les "brouilleurs de pistes" en usant de faux messages. Ils agissent à des doses infinitésimales et sont de nature chimique très variée[15] ». « Ces substances chimiques opèrent à des concentrations d'une part par million ou même par milliard, confirme Theo Colborn. Le problème, c'est qu'un infime glissement dans l'alchimie hormonale peut entraîner des effets irréversibles, notamment quand il intervient à des moments très sensibles du développement prénatal, qu'on appelle les "fenêtres d'exposition". »

Et je dois dire que cette question des «fenêtres d'exposition» du fœtus lors d'une grossesse m'a particulièrement bouleversée. Mère de trois adolescentes, j'ai été saisie d'une vive inquiétude, presque viscérale, quand j'ai découvert l'incroyable subtilité de l'organogenèse, c'est-à-dire du processus de formation des organes de l'enfant à naître, qui se déroule essentiellement pendant les treize premières semaines de la grossesse. «Il existe des phases critiques durant ce développement, expliquent ainsi Bernard Jégou, Pierre Jouannet et Alfred Spira, auteurs du livre *La fertilité est-elle en danger?*. Ce sont celles, souvent brèves durant quelques heures ou quelques jours, pendant lesquelles certains organes ou fonctions se mettent en place. Ainsi, l'exposition à des modifications physiques, chimiques et/ou biologiques pourra avoir des effets différents, souvent de façon spectaculaire, selon le moment de l'exposition. Une variation de quelques jours dans le moment de survenue d'un événement peut se traduire par des effets radicalement différents. [...] Lorsque les mécanismes maternels, embryo-fœtaux et placentaires doivent s'adapter à des perturbations de l'environnement, cette compensation peut également engendrer des effets secondaires essentiellement négatifs, qui se manifesteront à long terme[16].»

Les trois spécialistes de renommée internationale expliquent alors que, agissant comme un «cheval de Troie[17]», les perturbateurs endocriniens ingérés par la mère peuvent faire dérailler des moments clés de l'organogenèse de son bébé en gestation, comme la différenciation sexuelle – qui a lieu très précisément au quarante-troisième jour –, la formation de la plaque neurale qui donnera le cerveau (du dix-huitième au vingtième jour) ou celle du cœur (quarante-sixième et quarante-septième jours). Évidemment, je ne savais rien de tout cela quand j'étais enceinte de mes filles, dans les années 1990. Et, malheureusement, les futures mamans d'aujourd'hui ne sont pas davantage au courant...

Et, à ceux qui prétendent que les hormones de synthèse sont finalement très semblables à celles que produisent naturellement les plantes – une argutie que j'ai pu lire à plusieurs reprises dans la littérature des scientifiques et lobbyistes liés à l'industrie –, Theo Colborn et ses coauteurs répondaient dès 1996 d'une manière définitive : «L'organisme est capable de métaboliser et d'excréter l'œstrogène d'origine végétale, tandis que les nombreuses hormones synthétiques créées par l'homme résistent au processus normal de dégradation. Et, au contraire, elles s'accumulent dans l'organisme, en exposant les humains et les animaux à des doses faibles, mais constantes. Ce modèle d'une exposition chronique aux hormones est sans précédent dans l'histoire de notre évolution et, pour pouvoir nous adapter à ce nouveau danger, il ne faut pas des dizaines, mais des milliers d'années[18].»

Chute de la fertilité des hommes et inquiétantes anomalies reproductives

Au moment où les pionniers de Wingspread forgeaient le terme «perturbateurs endocriniens», un scientifique danois, Niels Skakkebaek, préparait la publication d'une étude qui allait faire l'«effet d'un coup de tonnerre». Avec ses collègues de l'hôpital universitaire de Copenhague, il a «analysé 61 articles publiés de 1938 à 1990, concernant un total de 14 947 hommes fertiles ou en bonne santé, issus de tous les continents, et a mis en évidence une décroissance régulière de la production spermatique au cours du temps. En effet, alors que les premières études datant de 1938 rapportaient une concentration moyenne de 113 millions de spermatozoïdes par millilitre de sperme, les dernières publications de 1990 faisaient état d'une concentration moyenne de 66 millions par millilitre[19]». En clair: la quantité de spermatozoïdes contenue dans un éjaculat a baissé de moitié en moins de cinquante ans!

Publiés en septembre 1992 dans le très sérieux *British Medical Journal*[20], les résultats de l'étude paraissaient tellement incroyables qu'ils suscitèrent le doute de Jacques Auger et de Pierre Jouannet, deux spécialistes français de la santé reproductive et fondateurs des CECOS (Centres d'étude et de conservation des œufs et du sperme), organismes essentiels pour permettre le développement des fécondations *in vitro* (FIV). Ceux-ci décidèrent d'analyser et de comparer les éjaculats des 1 750 donateurs de sperme parisiens entre 1973 (date de la création du CECOS de l'hôpital du Kremlin-Bicêtre) et 1992. Les résultats confirmèrent ceux de l'étude danoise: en deux décennies, la quantité de spermatozoïdes avait chuté d'un quart, soit une baisse de la concentration d'environ 2% par an. Les hommes nés en 1945 et mesurés en 1975 avaient une moyenne de 102 millions de spermes par millilitre, contre 51 millions pour ceux qui étaient nés en 1962 (et avaient été mesurés trente ans plus tard). De plus, la chute quantitative s'accompagnait d'une baisse de la qualité des spermatozoïdes, qui présentaient une mobilité réduite et des anomalies de forme, entraînant une réduction de la fertilité[21]. Dans le livre qu'il a cosigné avec Bernard Jégou et Alfred Spina, Pierre Jouannet souligne le doute qu'a suscité de nouveau cette étude décidément fort dérangeante: «Ces résultats semblaient aller tellement à l'encontre d'une donnée communément admise – la stabilité de la production spermatique – que le prestigieux journal qui publia cet article (le *New England Journal of Medicine*) le fit spécialement évaluer par un statisticien externe[22]. »

Les préjugés ayant la peau dure, Shanna Swan, une épidémiologiste américaine, entreprit en 2000 de reprendre la méta-analyse de Niels Skakkebaek, en y ajoutant quarante publications supplémentaires. Et elle confirma – définitivement et à la hausse – les conclusions de l'équipe danoise, puisqu'elle constata une baisse annuelle moyenne de la densité spermatique de 1,5 % aux États-Unis et de 3 % en Europe et en Australie sur la période 1934-1996[23].

Les remous suscités par sa publication font encore sourire Niels Skakkebaek, dont l'histoire a été racontée par Theo Colborn dans *Our Stolen Future*. « Quand mon étude est sortie, tout le monde s'est focalisé sur la baisse très spectaculaire des spermatozoïdes, a-t-il commenté lorsque je l'ai rencontré, le 21 janvier 2010, dans son laboratoire du Rigshospitalet à Copenhague. Mais, pour moi, elle comprenait une autre information tout aussi inquiétante, à savoir l'augmentation constante du taux de cancer des testicules, notamment au Danemark, où il avait été multiplié par trois entre 1940 et 1980. C'était d'autant plus troublant que cette hausse n'était pas observée dans la Finlande voisine, un pays essentiellement forestier et très peu industrialisé. De plus, j'avais constaté la même différence pour deux anomalies de l'appareil génital masculin, quatre fois plus fréquentes au Danemark qu'en Finlande : la cryptorchidie et l'hypospadias. »

Pour bien comprendre l'importance de la découverte réalisée par le chercheur danois, il faut savoir que « la descente des testicules dans les bourses est contrôlée par des hormones : l'insuline-like factor 3 et la testostérone. Quand les testicules ne sont pas descendus dans le scrotum avant trois mois, on parle de cryptorchidie », ainsi que l'expliquent les auteurs de *La fertilité est-elle en danger ?* De même, concernant l'hypospadias, ils précisent : « La formation de l'urètre dans le pénis est contrôlée par la testostérone. Ce développement peut être perturbé. Au lieu de s'ouvrir au niveau du gland, l'urètre se termine alors par une ouverture plus ou moins large sous le pénis ou même au niveau des bourses[24]. »

Perturbé par les résultats de son étude, Niels Skakkebaek se met en rapport avec son collègue écossais Richard Sharpe, qui a constaté les mêmes anomalies reproductives au Royaume-Uni. Ensemble, ils épluchent la littérature scientifique et découvrent que des expériences menées sur des rats exposés à du distilbène, un œstrogène de synthèse (voir *infra*, chapitre 17), ont révélé le même type de malformations congénitales. «C'est ainsi que, pour la première fois, nous avons émis l'hypothèse que la multiplication des anomalies reproductives pouvait être due à une exposition accrue à des œstrogènes pendant la vie prénatale[25], m'a expliqué l'endocrinologue et pédiatre danois.

— Vous avez mené un vrai travail de détective?

— Oui, je crois qu'on peut le dire, car à l'époque ce champ d'investigation était complètement nouveau. La chance que j'ai eue, si je puis dire, c'est que ma recherche fondamentale était nourrie par ma pratique médicale, ici, au Rigshospitalet, où de nombreux hommes présentant des problèmes d'infertilité sont venus me consulter. En examinant les biopsies de leurs testicules, j'ai découvert que ceux-ci contenaient des cellules précancéreuses. Or, il s'est avéré que plusieurs de ces hommes que j'ai suivis pendant plusieurs années ont effectivement développé un cancer des testicules. L'autre fait troublant était que les cellules précancéreuses présentes dans les testicules de ces hommes infertiles étaient similaires aux cellules germinales que l'on trouve chez un fœtus. Ces cellules ne devraient pas être dans les testicules d'un homme adulte. Tout indique que quelque chose a bloqué le développement des cellules fœtales qui auraient dû mûrir et évoluer vers la production de sperme, mais elles se sont maintenues au stade de cellules germinales dans les testicules, ce qui fait que l'homme est né avec ces cellules immatures. Pendant l'enfance elles sont restées dormantes, mais à la puberté elles ont commencé à se multiplier pour finalement développer un cancer.

— Comment expliquez-vous ce phénomène?

— L'hypothèse la plus probable, c'est que les mères ont été exposées à des perturbateurs endocriniens pendant leur grossesse, à un moment crucial pour le développement de l'appareil génital de leur bébé. Cette contamination prénatale a entraîné une série de dysfonctionnements qui sont tous liés: les problèmes de fertilité, les malformations congénitales comme la cryptorchidie ou l'hypospadias et le cancer des testicules. Avec des collègues, j'ai baptisé ce phénomène le "syndrome de dysgénésie testiculaire", car on est en face de plusieurs symptômes qui ont la même origine fœtale et environnementale. Cela veut dire aussi que les hommes qui ont des difficultés à faire un enfant doivent se faire régulièrement suivre, car le risque qu'ils développent un cancer des testicules avant quarante ans est considérablement accru[26].

— Que répondez-vous à ceux qui disent que le cancer n'a rien à voir avec la pollution environnementale, mais qu'il est dû à une augmentation de la population âgée?

— Pour le cancer des testicules, ce n'est pas vrai, car il est caractéristique des hommes jeunes, âgés de vingt à quarante ans, m'a répondu le docteur Skakkebaek. Les hommes de plus de cinquante-cinq ans ont un risque presque nul de développer une tumeur des testicules. Il se trouve aussi que le cancer des testicules est l'un des cancers qui ont le plus progressé au cours des trente dernières années, et la seule explication possible, c'est la contamination environnementale.

— Et comment peut-on protéger les hommes de ces troubles graves?

— Le seul moyen de les protéger, c'est de protéger leurs mères! Le problème, c'est que les perturbateurs endocriniens sont partout. Mais il y a des produits que les femmes enceintes devraient absolument éviter, comme les phtalates, que l'on trouve dans de nombreux emballages plastiques et films de protection alimentaire, des objets en PVC, mais aussi dans des produits de soin corporel comme les shampoings. J'ai récemment publié une étude qui montre qu'il y a une corrélation entre le taux de phtalates présent dans le lait maternel et celui des malformations congénitales, comme la cryptorchidie, chez les petits garçons[27]. Il faut aussi éviter les produits qui contiennent du bisphénol A, comme les récipients en plastique dur ou certaines boîtes de conserve [voir *infra*, chapitre 18], mais aussi les poêles et casseroles antiadhésives qui contiennent de l'acide perfluoro-octanoïque (PFOA[28]).

«Je viens de publier une étude qui montre que les hommes fortement imprégnés de résidus de PFOA ont en moyenne 6,2 millions de spermes dans un éjaculat, ce qui est proche du seuil de la stérilité[29]. Et puis, il est préférable de manger des fruits et légumes issus de l'agriculture biologique, car de nombreux pesticides sont des perturbateurs endocriniens.

— Mais, concernant le bisphénol A ou le PFOA, les agences de réglementation ne cessent de répéter que les résidus que l'on trouve dans nos organismes sont négligeables, car ils sont bien en dessous de la dose journalière acceptable de ces produits : est-ce qu'elles se trompent?

— Je ne suis pas toxicologue mais, en tant qu'endocrinologue, je peux vous dire que ces substances agissent à des doses infinitésimales qui sont bien inférieures à la DJA qui leur a été assignée. Tout indique que le système de réglementation n'est pas adapté aux perturbateurs endocriniens.

— Pensez-vous que l'espèce humaine est en danger ?

— Je pense que la situation est sérieuse. Au Danemark, aujourd'hui, 8 % des enfants sont conçus par des techniques de procréation médicale assistée comme la fécondation *in vitro*, c'est déjà beaucoup et les couples qui présentent un problème de fertilité sont de plus en plus nombreux. Il est urgent d'agir... »

Le témoignage dévastateur de Dawn Forsythe, ancienne lobbyiste de l'industrie chimique

« Quand le livre de Theo Colborn est sorti le 18 mars 1996, ma direction m'a aussitôt demandé d'en acheter une vingtaine d'exemplaires pour les distribuer à tous les cadres supérieurs, afin de pouvoir préparer la contre-offensive. » Ce ne fut pas facile de rencontrer Dawn Forsythe, qui a dirigé jusqu'à la fin 1996 le département des affaires gouvernementales de la filiale américaine de Sandoz Agro, un fabricant suisse de pesticides (qui a fusionné en 1996 avec Ciba-Geigy, pour former Novartis). Pourtant, son témoignage est précieux, car, comme on l'a vu (voir *supra*, chapitre 13), il est pratiquement impossible d'obtenir une interview de représentants de l'industrie chimique, y compris d'anciens salariés. « Je suis bien placée pour savoir que la communication des multinationales de la chimie est complètement verrouillée, m'a expliqué Dawn Forsythe lorsqu'elle m'a reçue à son domicile de Washington le 18 octobre 2009. Quant à ceux qui quittent la "famille", comme je l'ai fait moi-même, ils préfèrent en général passer à autre chose et se faire oublier.

— Pourquoi m'avez-vous accordé cette entrevue ? ai-je demandé.

— Parce que vous m'avez été recommandée par Theo Colborn, en qui j'ai toute confiance...

— Pourtant, elle représente la bête noire de votre ancien employeur...

— Oui... Son livre a été épluché par tous les cadres de Sandoz, d'autant plus que nous avions plusieurs pesticides soupçonnés d'être des perturbateurs endocriniens. Je me souviens d'un rendez-vous avec le vice-président qui, en guise d'introduction, m'a dit : "Je viens de lire le chapitre sur la baisse des spermatozoïdes. Les militants écologistes devraient être contents, car ils sont favorables au contrôle des naissances, n'est-ce pas ?" Plus sérieusement, les fabricants de pesticides avaient peur que Theo devienne une nouvelle Rachel Carson. Alors, ils ont commencé à faire courir la rumeur qu'elle avait un cancer, ils ont loué les services d'entreprises de communication, chargées de la suivre à la trace, de noter le moindre de ses faits et gestes. J'ai gardé une malle de documents internes; beaucoup sont des comptes rendus de conférences ou débats publics auxquels Theo a participé et qui étaient soigneusement consignés par une "taupe". J'étais notamment chargée de les évaluer. Il faut noter que la "traque" avait commencé avant la publication du livre, comme le prouve un rapport anonyme concernant une conférence qu'a donnée Theo à Ann Arbor (Michigan), le 2 décembre 1995[a].

— Quel était l'enjeu pour les fabricants de pesticides?

— Il était énorme! Cela faisait trente ans qu'ils essayaient de donner le change sur le problème du cancer. Tous les tests qu'ils étaient censés réaliser étaient fondés sur le principe que "la dose fait le poison". Ils ne comprenaient rien au concept de "perturbateurs endocriniens" et ne voyaient pas comment ils pourraient tester les effets de leurs produits sur les fœtus ou sur la reproduction. Chez Sandoz, comme dans toute l'industrie chimique, nous n'avions pas un seul endocrinologue parmi notre personnel scientifique! J'ai ici un document du 11 mars 1996, classé *"interoffice correspondence"* et non signé, qui résume bien la panique qui s'est emparée de ma direction: "Les intelligences les plus brillantes de l'histoire de l'humanité essaient depuis des décennies de découvrir les causes du cancer et des traitements pour le soigner, et elles n'y sont toujours pas arrivées. Cela prendra d'autres décennies pour parvenir à déchiffrer le processus biologique des perturbateurs endocriniens."

— Mais, à l'intérieur de l'entreprise, on ne niait pas que les pesticides puissent être des perturbateurs endocriniens?

— Pas du tout! J'ai un autre document, daté du 30 juillet 1996, qui est un énième brouillon de la déclaration officielle de l'American Crop Protection Association (ACPA), laquelle sera finalement signée par tous les fabricants de pesticides. J'ai moi-même coordonné la rédaction de cette déclaration commune, qui a fait plusieurs fois la navette entre toutes les firmes signataires. Ce brouillon a été rédigé par neuf scientifiques de l'industrie, qui proposaient de remplacer le terme "perturbation endocrinienne" par "modulation endocrinienne reproductive", en précisant que "le mot *modulation* est moins chargé émotionnellement que *perturbation*". Ensuite, ils écrivaient: "Il y a des preuves scientifiques

---

a   Dawn Forsythe m'a laissée photocopier une centaine de documents issus de ses archives personnelles, dont tous ceux qu'elle cite dans cette interview.

convaincantes que certains produits chimiques organiques, y compris certains pesticides, ont causé des effets sur la reproduction de populations locales de poissons et de la faune fortement exposées et que ces effets sont fondés sur la modulation du système endocrinien reproductif. De plus, les études de laboratoire exigées actuellement par l'EPA (l'Agence de protection de l'environnement) ne permettent pas généralement d'évaluer si un produit chimique peut causer ces effets[30]." Je dois préciser que ce paragraphe a disparu de la déclaration finale! Ce n'est pas surprenant, car l'un des arguments que j'étais chargée de promouvoir auprès de tous mes interlocuteurs, c'était précisément le contraire! J'ai ici un mémorandum de la National Agricultural Chemicals Association, que j'ai largement distribué. Il reprend les questions clés concernant les perturbateurs endocriniens et fournit des réponses toutes faites. Par exemple: "Est-ce que les études exigées par l'EPA permettent de détecter l'activité œstrogénique des produits?" La réponse: "Oui! L'étude clé qui permet de signaler l'activité œstrogénique potentielle est l'étude de reproduction sur deux générations."

— Quelle fut la stratégie de l'industrie pour contrer l'impact de *Our Stolen Future*?

— Attaquer l'attaquant, mais pas directement! Nombreux étaient ceux dans l'industrie qui voulaient attaquer personnellement Theo Colborn. Mais d'autres disaient: si vous l'attaquez, vous lui donnerez plus de crédibilité. Il n'y a probablement rien de mieux, pour un scientifique environnementaliste, que d'être attaqué personnellement par l'industrie des pesticides, qui n'a pas bonne presse. C'est ce qui s'était passé pour Rachel Carson et cela avait été un désastre en termes d'image. Au cours des nombreuses réunions que nous avons organisées – l'année 1996 fut vraiment très éprouvante! –, nous avons donc décidé de montrer notre bonne volonté: nous avons créé un groupe de travail, baptisé "Endocrine Issue Coalition", qui était censé fournir des propositions pour améliorer l'évaluation des pesticides et autres produits chimiques. Le message que je devais faire circuler était: "Nous prenons tout cela au sérieux, nous travaillons…" Parallèlement, j'étais chargée de contacter tous les "groupes propesticides" que l'industrie avait créés dans les cinquante États de l'Union…

— Des "groupes propesticides"? C'est quoi? ai-je demandé, car je n'étais pas sûre d'avoir bien compris.

— Ce sont des associations de paille que nous avions montées de toutes pièces et vers qui nous renvoyions la presse quand elle sollicitait une interview d'un représentant de l'industrie. Regardez, j'ai la liste ici : comment ne pas faire confiance à la "Coalition de l'Indiana pour la défense de l'environnement" ? Ou au "Conseil du Kansas pour la protection et l'éducation environnementales" ? Ou aux "Amis des fermes et forêts de Washington" ? Nous leur donnions de l'argent et des informations et leur rôle était de défendre nos positions, tout en prétendant être indépendants.

— Le but était de créer le doute ?

— Tout à fait ! Quand les journalistes leur demandaient leur avis sur le débat autour des perturbateurs endocriniens, ils répondaient : "Ah ! Vous savez, il ne faut pas s'emballer, on a besoin des pesticides pour produire une alimentation abondante et bon marché… Il faut faire plus de recherche…" J'ai ici une lettre qui émane de Terry Witt, le président d'"Oregonians for Food and Shelter", l'un de nos groupes. Elle est adressée conjointement à ses contacts chez Sandoz, Ciba, DuPont, Monsanto, ACPA et DowElanco. Il demande qu'on lui envoie "des informations et des noms d'experts" pour contrer une campagne contre les herbicides organochlorés menée par ce qu'il appelle la "faction environnementale et antitechnologie". J'imagine que nous avons dû lui fournir le nom de quelques universitaires que nous avions recrutés.

— Des universitaires ?

— Oui ! C'était une autre partie de mon travail : constituer et entretenir un réseau d'universitaires amis que l'on puisse solliciter pour faire des études, bien payées ; et éventuellement prendre publiquement la parole pour défendre nos intérêts… »

À ce stade de l'interview, Dawn Forsythe s'est brutalement arrêtée de parler. Après un long silence, elle a repris la parole, la voix entrecoupée de sanglots : « Pour moi, cela a été très douloureux, surtout dans les années qui ont suivi mon départ, quand j'ai compris le rôle que j'avais joué pour faire échouer des lois destinées à protéger la population, ou pour convaincre les gens de croire à nos mensonges. C'était très douloureux et cela l'est encore… Je suis désolée d'avoir passé une partie de ma vie de cette manière. J'étais une enfant des années 1960 et 1970 qui voulait faire le bien et je pensais sincèrement qu'on avait besoin des pesticides pour nourrir le monde.

— Pourquoi êtes-vous partie ?

— J'ai assisté à une conférence d'Ana Soto sur le lien entre les perturbateurs endocriniens et le cancer du sein, où elle a évoqué plusieurs pesticides, dont l'atrazine. À l'époque, Sandoz avait le projet de mélanger cet herbicide à un produit maison et je m'en suis inquiétée auprès de la direction. J'ai très vite compris que ce n'était pas son problème. Petit à petit, j'ai senti qu'on se méfiait de moi, non seulement chez Sandoz, mais aussi dans le reste de l'industrie : un jour, lors d'une réunion interfirmes, le représentant de Dow Chemical m'a traitée de "terroriste écoféministe". J'ai profité de la fusion entre Sandoz et Ciba-Geigy pour partir... Après, ce ne fut pas facile : j'étais bien sûr grillée dans l'industrie, mais aussi dans le monde environnementaliste : qui va faire confiance à une ancienne lobbyiste des pesticides ? Grâce au soutien de Theo Colborn, j'ai réussi à remonter la pente et à retrouver du travail dans une administration. En attendant, les manœuvres de l'industrie ont payé : en août 1996, le Congrès a voté une loi demandant à l'EPA de mettre en place un programme pour évaluer les effets potentiels des produits chimiques sur le système endocrinien, mais treize ans plus tard cela n'a toujours pas été fait. Que de temps perdu[a] ! »

Dawn Forsythe a raison : comme nous allons le voir dans les deux chapitres suivants, avec les affaires du distilbène et du bisphénol A, l'alarme sonnée en 1991 par les scientifiques de la Déclaration de Wingspread a été suivie de peu d'effets... Mais, avant de partir vers d'autres horizons, j'avais une dernière question à lui poser. Celle-ci n'a cessé de me tarauder tout au long de mon enquête sur la planète chimique : « Les gens qui travaillent chez Sandoz ou Monsanto ont une famille : comment font-ils pour la protéger ?

— Ils vivent entre eux, m'a répondu l'ancienne lobbyiste des pesticides. Sauf quand il y a une fusion ou des licenciements massifs, il est rare que l'on quitte la grande famille que représente l'industrie chimique. Et, dans leur univers, les risques chimiques n'existent pas. Ils sont comme j'ai moi-même été pendant de nombreuses années : ils croient sincèrement que leur entreprise est "responsable" et que les produits sont sérieusement testés avant d'être mis sur le marché. En tout cas, la grande majorité en est convaincue... »

---

a   Il s'agit du Food Quality Protection Act (FQPA) et des amendements de 1996 au Safe Drinking Water Act (SDWA). En 2010, l'administration Obama aurait demandé à l'EPA d'accélérer le programme. Sur son site, l'Agence de protection de l'environnement écrivait en 1998 que son problème était le « manque de données scientifiques, pour la majorité des [87 000] produits chimiques et de leurs dérivés », qui permettraient d'évaluer leurs risques associés au système endocrinien (*EDSTAC Final Report*, www.epa.gov, chapitre 4, août 1998).

17

Le distilbène, ou le « modèle parfait »

« Nous sommes devenus les cobayes involontaires
d'une vaste expérimentation que nous avons nous-mêmes créée. »

THEO COLBORN

L e distilbène (ou DES) est réellement le produit chimique qui a
« changé notre manière de penser en nous éclairant sur ce qu'est la
perturbation endocrinienne et sur ce que nous appelons aujourd'hui
l'"origine fœtale des maladies de l'adulte". » C'est par ces mots que John
McLachlan, le directeur du Centre de recherche bio-environnementale
de l'université de Tulane, a ouvert le neuvième Symposium sur l'environnement et les hormones qui s'est tenu du 20 au 24 octobre 2009
à La Nouvelle-Orléans. Une soixantaine de scientifiques internationaux avaient répondu à l'appel, dont Ana Soto, Carlos Sonnenschein
et Louis Guillette (voir *supra*, chapitre 16). « Le distilbène fut la première hormone de synthèse fabriquée intentionnellement par Charlie
Dodds en 1938, a poursuivi John McLachlan, considéré comme l'un
des meilleurs spécialistes mondiaux du funeste DES. Il avait déjà synthétisé le bisphénol A, en 1936, mais, comme le DES avait un meilleur
pouvoir œstrogénique, il a laissé tomber le bisphénol A. Soit dit en
passant, d'autres l'ont récupéré et, comme il polymérisait facilement,

ils l'ont utilisé pour fabriquer des plastiques – nous en reparlerons...
Le distilbène a été prescrit à des millions de femmes (4 à 8 millions)
comme support endocrinien pour les grossesses de la fin des années
1940 jusqu'à 1975. Après, vous connaissez tous l'histoire : on a constaté
des cancers du vagin et de nombreux troubles de l'appareil génital chez
les filles des femmes traitées. C'est une substance qui fait pousser des
seins à tout homme qui en absorbe une infime quantité... Pour commencer cette journée, j'aimerais donner la parole aux représentantes
de DES Action, avec qui mon laboratoire travaille en étroite collaboration depuis plus de trente ans... »

Un « médicament miracle » découvert en 1938

Avant d'écouter le témoignage de celles que l'on appelle les « filles du
distilbène », il faut rappeler l'histoire de cette molécule qui, trente ans
après son interdiction, continue de faire des dégâts dans les familles et
constitue le « modèle des agents environnementaux ayant un potentiel
œstrogénique[1] ». Comme l'a dit John McLachlan, le DES a été synthétisé
par le Britannique Charles Dodds[2], au moment même où son confrère
suisse Paul Müller découvrait le DDT. Les inventeurs du médicament
et de l'insecticide « miracles » reçurent tous les deux un prix Nobel en
1948, un temps record pour l'obtention de la prestigieuse distinction
qui en dit long sur l'engouement que suscitaient les molécules. Il se
trouve que celles-ci ont (au moins) deux points communs : ce sont
des « poisons » aujourd'hui interdits et qui présentent une structure
chimique similaire leur conférant la capacité d'imiter l'œstrogène,
l'hormone sexuelle féminine. C'est ce qu'ont découvert deux chercheurs de l'université de Syracuse, au moment où le DES commençait
sa tragique carrière dans les cabinets gynécologiques. Ils constatèrent
en effet qu'administré à des coqs, le DDT atrophiait les testicules des
pauvres volatiles et les féminisait[3].

    Le pouvoir « féminisant » du distilbène, considéré comme un œstro-
gène de synthèse très puissant, a été constaté dans les usines... allemandes dès la Seconde Guerre mondiale. En effet, n'étant pas brevetée,
car elle avait été synthétisée dans un laboratoire financé par des fonds
publics, la molécule fut immédiatement adoptée comme anabolisant
dans l'agriculture du IIIe Reich : mélangée à la nourriture des poules,
vaches et cochons, elle « boostait » leur développement de 15 % à 25 %.
Une économie de temps et d'argent fort commode en temps de guerre

et qui fascina littéralement… Robert Kehoe, le défenseur invétéré de l'essence au plomb (voir *supra*, chapitre 8). En voyage dans l'Allemagne nazie, où il rencontra les chimistes d'IG Farben pour « étudier l'incidence et les méthodes de prévention du cancer de la vessie chez les ouvriers travaillant dans les usines de benzidine[4] », le directeur du laboratoire Kettering décrivit avec admiration l'usine de DES que lui firent visiter les fabricants du Zyklon B.

« Le DES constitue un médicament intéressant pour l'hygiène industrielle, écrit-il. Seules des femmes peuvent travailler dans les usines qui le fabriquent, à cause des effets fâcheux qu'induit chez les hommes son absorption au cours d'une journée de travail. Les garçons développent un gonflement mammaire si douloureux qu'ils ne peuvent en supporter la pression sur leur chemise. [...] Par ailleurs, les hommes plus âgés développent une atrophie des testicules et une impuissance sexuelle apparemment temporaire[5]. » Le scientifique attitré de l'industrie chimique ne dit pas un mot sur les effets que pourrait avoir la substance sur les ouvrières enceintes. Pourtant, s'il avait consulté la littérature scientifique internationale, il aurait découvert que Charles Dodds, l'inventeur du DES, avait lui-même constaté dès 1938 que l'ingestion d'œstrogène en tout début de grossesse, y compris de distilbène, provoquait des avortements chez des lapines et rates[6]. La même année, deux chercheurs britanniques avaient fait des observations similaires sur des vaches, chez lesquelles le DES baissait de surcroît la production laitière[7]. En France, Antoine Lacassagne avait noté que la substance induisait des cancers mammaires chez la souris[8]. Au même moment, des chercheurs américains rapportaient que des rates exposées *in utero* à de l'œstrogène étaient nées avec des malformations de l'utérus, du vagin et des ovaires, tandis que les mâles présentaient plusieurs anomalies génitales, comme un pénis atrophié[9].

Un an à peine après la découverte du DES, une quarantaine d'articles soulignaient ainsi les dangers cancérigènes et tératogènes de l'œstrogène naturel ou synthétique, au point que – une fois n'est pas coutume – le *Journal of the American Medical Association* tirait la sonnette d'alarme : « La possibilité que les œstrogènes induisent des cancers ne peut être ignorée. L'administration longue et continue de ces agents de prolifération cellulaire à des patients ayant une prédisposition peut être dangereuse. L'idée que l'activité des œstrogènes n'est liée qu'aux organes sexuels doit être abandonnée. D'autres tissus de l'organisme peuvent réagir de manière indésirable, lorsque les doses sont excessives et administrées pendant une longue période. Tout cela devrait être sérieusement vérifié, d'autant qu'il apparaît que la profession médicale risque d'être sollicitée dans le futur pour prescrire à des patientes des doses élevées d'œstrogènes très puissants, comme le distilbène, en raison de la facilité d'usage de cette préparation[10]. »

L'éditorialiste du *JAMA* avait vu juste : dès 1941, la Food and Drug Administration autorise la mise sur le marché du distilbène, suivie bientôt par la plupart des pays européens. Les firmes pharmaceutiques – Eli Lilly, Abbott, Upjohn, Merck – se ruent sur la molécule dont la fabrication est peu coûteuse (il n'y a pas de brevet) et facile. Le médicament « miracle » est prescrit massivement sous forme de comprimés pour traiter les bouffées de chaleur de la ménopause, les vaginites, pour couper la lactation, soigner l'acné des jeunes filles, réguler la taille – et même comme « pilule du lendemain ». En 1947, le distilbène est autorisé comme complément alimentaire ou comme implant dans les oreilles du bétail ou le cou des poulets pour accélérer leur engraissement. En 1971, alors que l'avocat Ralph Nader s'insurge contre cet apport massif d'œstrogène dans la chaîne alimentaire, Charles Edwards, le commissaire de la FDA, soutient publiquement la drogue, avec des arguments de marchand de tapis qui ont fait bondir la toxicologue Jacqueline Verrett (voir *supra*, chapitre 15). « Un animal de 500 livres peut atteindre le poids remarquable de 1 050 livres, en consommant 511 livres de nourriture en moins et en gagnant trente et un jours, si on lui donne des aliments qui contiennent du DES », déclare le chef de la sécurité alimentaire des États-Unis[11].

1962 : le scandale sans lendemain de la thalidomide

« Le problème, a dit Stephanie Kanarek, l'une des quatre représentantes de l'association DES Action au colloque de La Nouvelle-Orléans, c'est que nous avons du mal à faire confiance aux autorités médicales. Nous avons de graves problèmes de santé à cause d'un médicament tout à fait légal qui a été prescrit à nos mères alors que nous étions dans leur ventre et, aujourd'hui, on voudrait nous traiter avec des médicaments tout aussi légaux, mais nous sommes très méfiantes. C'est pourquoi nous avons besoin des conseils de scientifiques indépendants : peut-on croire les firmes pharmaceutiques et les médecins ? »

On comprend le désarroi de Stephanie Kanarek, dont les parents se sont « saignés » pour pouvoir suivre à la lettre le « régime des Smith », un traitement très coûteux recommandé pour avoir un bébé « sain et costaud», ainsi que le disait la propagande de l'époque. George et Olive Smith étaient respectivement gynécologue-obstétricien et endocrinologue à la faculté de médecine de Harvard. Spécialistes des grossesses à risques, ils ont publié en 1948 un article préconisant l'usage du DES pour prévenir les fausses couches et le diabète des femmes enceintes. S'appuyant sur des observations très partielles, effectuées sur quelques femmes volontaires, mais sans groupe contrôle, ils préconisaient d'utiliser le distilbène dès le début de la grossesse, puis d'augmenter régulièrement la dose jusqu'à la trente-cinquième semaine[12]. Largement promu par les firmes pharmaceutiques, qui le distribuèrent gracieusement auprès des gynécologues, accompagné de flacons de pilules de DES, le «régime» fut rapidement étendu à «toutes les grossesses» pour avoir un «bébé plus beau et plus costaud», comme le vantait une publicité de la Grant Chemicals Company dans *The American Journal of Obstetrics and Gynecology* de juin 1957. Plus prosaïquement, ainsi que le souligne la sociologue Susan Bell, le DES devint un «moyen important de médicaliser la grossesse[13]» et, donc, de gagner beaucoup d'argent, même si les alertes ne cessaient de s'accumuler.

En 1953, une étude réalisée par James Ferguson à La Nouvelle-Orléans, où 184 femmes furent traitées avec du DES tandis que 198 recevaient un placebo, montra que la drogue n'avait aucun effet pour prévenir les fausses couches, l'éclampsie[a], les naissances prématurées ou les morts fœtales[14]. La même année, William Dieckmann confirmait ces résultats auprès d'une cohorte de 1 646 femmes, dont 840 reçurent du distilbène, dans le centre médical de l'université de Chicago[15]. Une étude ultérieure qui réexaminera la même cohorte vingt-cinq ans plus tard révélera que c'était même tout le contraire[16], mais nous n'en sommes pas encore là...

Alors que l'étude de Dieckmann est superbement ignorée par la FDA et les autorités sanitaires internationales, le DES continue d'être prescrit massivement, selon un mécanisme immuable qui, au moment où j'écris ces lignes, me fait penser à l'affaire du Mediator[b]. «Les firmes pharmaceutiques avaient un marketing très persuasif, écrit Pat Cody, la

---

a   L'éclampsie est une complication grave de la grossesse qui se caractérise par des convulsions.

b   Le 16 novembre 2010, les autorités sanitaires françaises admettaient que le Mediator, un médicament des laboratoires Servier indiqué aux diabétiques en surpoids (mais sans aucune efficacité), largement utilisé comme coupe-faim, aurait provoqué au moins 500 morts et des milliers d'hospitalisations pour atteintes des valves cardiaques, entre 1976 et novembre 2009.

fondatrice de DES Action. Les médecins voulaient croire qu'ils aidaient leurs patientes. Ils n'avaient pas le temps de jeter un œil sur la recherche conduite sur tous les médicaments qu'ils prescrivaient. Ils faisaient confiance aux firmes pharmaceutiques. Les femmes faisaient confiance à leurs médecins et questionnaient rarement leurs pratiques[17]. »

Certes. Mais *quid* des autorités sanitaires ? N'est-ce pas leur rôle d'effectuer la veille scientifique que les praticiens ne peuvent pas faire ? Comment expliquer autrement que par une incroyable négligence et une bienveillance coupable à l'égard des firmes le fait qu'elles n'aient pas réagi aux multiples études qui, à la fin des années 1950, annonçaient le sinistre scénario à venir ? En 1959, William Gardner (de l'université Yale) montre que des souris exposées *in utero* au DES développent des cancers du vagin et de l'utérus[18]. La même année, une étude rapporte quatre cas de « masculinisation de petites filles » dont les mères ont suivi un traitement avec du DES[19], tandis qu'une autre signale un cas d'« hermaphrodisme » chez un petit garçon atteint d'hypospadias[20].

Tout indique qu'à l'ère de la chimie triomphante, où l'on se plaît à célébrer les insecticides et médicaments « miracles », les autorités médicales et sanitaires sont aveuglées par ce que Theo Colborn appelle le « mythe de la barrière du placenta », à savoir la « croyance que le placenta, cet ensemble complexe de tissus qui est attaché à la paroi utérine et relié au bébé à travers le cordon ombilical, agit comme un bouclier impénétrable protégeant le bébé des influences nocives extérieures. [...] Selon les convictions de l'époque, la seule chose qui était capable de passer à travers le placenta était la radiation nucléaire[21] ».

Le « mythe » vola en éclats en 1962, quelques semaines avant la sortie de *Silent Spring*, lorsque les journaux du monde entier firent leur une avec des images d'enfants atteints d'atroces mutilations. La plupart présentaient des anomalies des membres, avec l'absence de bras et les doigts sortis de l'épaule. Rarissime, la maladie fut baptisée « phocomélie », car, tels des phoques, les victimes avaient les mains attachées directement au tronc. Les malformations s'accompagnaient parfois de surdité, de cécité et d'autisme, de dégâts cérébraux et de troubles épileptiques. Le coupable : la thalidomide, un médicament allemand mis sur le marché en 1957 dans cinquante pays (mais pas aux États-Unis) et prescrit comme tranquillisant et contre les nausées matinales des femmes enceintes. En cinq ans, la drogue a déformé 8 000 enfants. Les chercheurs se penchent alors sur les incroyables effets de la substance et découvrent que certains bébés exposés ont été épargnés, alors que leurs mères avaient pris la funeste pilule sur une longue période ; à l'inverse, d'autres sont affreusement mutilés, alors que leurs mères n'ont pris le médicament qu'une seule fois. Les scientifiques comprennent que l'impact tératogène « dépend du *moment* où est prise la drogue, et non pas de la dose[22] ». Les mères qui ont pris le médicament – fût-ce une ou deux pilules – entre la cinquième et la huitième semaine de grossesse ont mis au monde des enfants aux membres mutilés, parce que c'était précisément le moment où se forment les bras et les jambes du fœtus.

« Ce tragique épisode révéla que des substances et des doses qui sont parfaitement tolérées par les adultes peuvent être dévastatrices pour l'enfant à naître, écrivent les auteurs de *Our Stolen Future*. Le principe selon lequel le moment de l'exposition est primordial sera maintes fois confirmé, au fur et à mesure que les scientifiques exploreront la capacité des produits chimiques à perturber le développement. Une dose faible d'un médicament ou d'une hormone peut n'avoir aucun effet à un moment précis du développement fœtal, mais peut être dévastatrice quelques semaines plus tard[23]. »

Alors que *Silent Spring* paraît en feuilleton dans *The New Yorker* (voir *supra*, chapitre 3), le célèbre *Life Magazine* consacre sa couverture au désastre de la thalidomide[24]. Si, comme nous allons le voir, les autorités publiques ont du mal à tirer les leçons du drame, Rachel Carson, elle, en a bien mesuré les enjeux : « Nous venons d'avoir un tragique avertissement que les médicaments peuvent causer de sérieuses malformations et d'autres déficiences chez les bébés à naître, dit-elle dans son unique interview télévisée du 1er janvier 1963. Les pesticides peuvent avoir le même effet. Nous ne devrions pas tester cela sur des générations d'êtres humains, mais sur des animaux de laboratoire, comme nous le faisons depuis des années pour déterminer les effets génétiques. Nous devons réfléchir à des méthodes de contrôle beaucoup plus scientifiques, pertinentes et précises[25]. » La biologiste avait tout à fait raison (voir *infra*, chapitre 19) …

Le drame atroce des « filles du distilbène »

« Si la thalidomide a fait exploser le mythe du placenta inviolable, l'expérience du distilbène a réduit à néant l'idée que les malformations congénitales importantes sont nécessairement immédiates et visibles », écrit Theo Colborn dans *Our Stolen Future*[26]. De fait, en avril 1971, le *New England Journal of Medicine* publia une étude[27] qui fit l'« effet d'une bombe », pour reprendre les termes de Jacqueline Verrett[28]. Dans son livre *Eating May Be Hazardous to Your Health*, la toxicologue de la FDA rappelle qu'au moment où cet article défraya la chronique, 30 millions de têtes de bétail étaient traitées chaque année avec du DES, et que le Secrétariat à l'Agriculture avait dû reconnaître qu'on en trouvait des résidus dans la viande consommée par les Américains. Conduite par des chercheurs de Harvard, l'étude présentait les histoires cliniques de sept jeunes filles de quinze à vingt-deux ans atteintes d'un adénocarcinome à cellules claires, un cancer du vagin si rare dans cette tranche d'âge que seuls quatre cas avaient été recensés dans la littérature scientifique.

La « découverte » avait été faite fortuitement par Howard Ulfelder, un gynécologue qui avait reçu en consultation une jeune fille de quinze ans à qui il avait dû prescrire l'ablation du vagin et de l'utérus. Devant la perplexité du spécialiste, la mère lui avait demandé si la cause pouvait être le DES qu'elle avait pris pendant sa grossesse. La question avait surpris le gynécologue, qui reçut quelques mois plus tard une autre jeune fille, atteinte du même mal. Cette fois-ci, ce fut lui qui posa la question à la mère et il fut bouleversé d'apprendre qu'elle avait aussi suivi le « régime des Smith ». Profondément perturbé, le médecin consciencieux contacta l'un de ses collègues de Harvard, Arthur Herbst, et l'épidémiologiste David Poskanzer ; et c'est ainsi que cinq cas supplémentaires furent détectés dans le seul hôpital du Massachusetts. Six mois après la publication dans *The New England Journal of Medicine*, le trio avait réuni soixante-deux cas d'adénocarcinomes à cellules claires chez des femmes de moins de vingt-quatre ans.

L'affaire fit tellement de bruit que la FDA fut contrainte de publier un avis indiquant que « le DES était contre-indiqué pour les grossesses », mais curieusement l'agence n'a jamais interdit officiellement le médicament[a]. Le couvercle était toutefois levé sur les méfaits du distilbène qui, comme le soulignent les auteurs de *Our Stolen Future*, auraient pu être ignorés pendant encore longtemps si on avait dû attendre que les autorités publiques fassent leur travail. « Est-ce que les médecins auraient un jour établi un lien entre les problèmes médicaux dont souffraient certaines de leurs jeunes patientes et un médicament pris par leurs mères quelques décennies plus tôt, s'il n'y avait eu cet incroyable cluster[b] et

---

a   En France, le distilbène n'a été interdit qu'en 1977, pour les femmes enceintes (voir Véronique MAHÉ, *Distilbène : des mots sur un scandale*, Albin Michel, Paris, 2010). On estime qu'en France le DES a été prescrit à environ 200 000 femmes enceintes, qui ont donné naissance à 160 000 enfants.

b   Pour mémoire, en épidémiologie, un cluster désigne un agrégat exceptionnel d'une maladie donnée dans un espace ou une population donnés.

une question posée au hasard par une mère ? s'interrogent-ils à juste titre. Jusqu'à l'affaire du distilbène, la plupart des médecins pensaient qu'une molécule était sûre tant qu'elle ne causait pas de malformations immédiates et évidentes. Ils avaient du mal à croire que quelque chose puisse provoquer des effets sérieux à long terme, sans causer d'anomalies congénitales apparentes[29]. »

« Quand l'étude des médecins de Boston a été publiée, j'avais déjà subi une première opération chirurgicale, m'a raconté Kari Christianson, la directrice des programmes de DES Action, lors du colloque de La Nouvelle-Orléans. J'étais toute jeune et je n'oublierai jamais la réaction de ma mère quand elle a découvert dans la presse que les troubles dont je souffrais étaient dus à un médicament qu'elle avait pris pendant qu'elle me portait. Elle était effondrée... Elle avait fait quatre fausses couches avant ma naissance et elle avait toujours cru que c'était le distilbène qui lui avait permis de m'avoir, ainsi que mon jeune frère. D'ailleurs, je suis née en parfaite santé, sans aucun problème apparent.

— De quoi souffriez-vous ?

— D'adénose cervico-vaginale, une pathologie très courante chez les filles du distilbène. Elle se traduit par la présence d'une muqueuse sur le col de l'utérus qui peut évoluer vers un cancer.

— Comment l'avez-vous découvert ?

— À la puberté, comme la majorité d'entre nous. Certaines ont découvert qu'elles avaient de graves problèmes au moment où elles ont voulu avoir un enfant. »

« Ce fut mon cas, a poursuivi Karen Fernandez, une autre militante de DES Action. Jeune mariée, j'ai fait deux grossesses extra-utérines, mes bébés se sont développés dans les trompes de Fallope ; et, à l'âge de vingt-six ans, j'ai été déclarée stérile. »

« Quelles sont les pathologies qui sont associées à une exposition au distilbène ?

— Chez les filles, on constate des malformations congénitales, comme un utérus en forme de T, des anomalies du vagin ou des ovaires qui s'accompagnent souvent d'un problème de stérilité ou de la difficulté de mener une grossesse à son terme, m'a répondu Kari Christianson. On observe aussi des cancers de l'utérus ou du vagin, comme l'adénocarcinome à cellules claires qui frappe une femme exposée sur mille ; un risque multiplié par trois d'avoir un cancer du sein. Et ce risque caractérise aussi nos mères, ainsi que l'ont montré plusieurs études épidémiologiques. Chez les garçons, on note une prévalence accrue de cryptorchidie, hypospadias, cancer des testicules et une faible concentration de spermatozoïdes. Plus récemment, on a constaté que les adultes qui avaient été exposés *in utero* présentaient un risque accru de dépression, de troubles neurologiques ou du comportement. En effet, à la différence de l'œstrogène naturel de la mère, le distilbène peut atteindre le cerveau du fœtus, car il a la capacité de passer à travers le placenta. Tout cela a été établi scientifiquement, grâce à l'énorme travail accompli par Pat Cody, la fondatrice de DES Action.»

Le combat exemplaire de l'association américaine DES Action

Je tenais beaucoup à rencontrer celle que l'on surnomme la «mère DES», dont l'œuvre a «atteint un statut légendaire dans les annales de la médecine», ainsi que l'écrit la sociologue Susan Bell, qui a dédié un ouvrage à DES Action, l'association créée en 1978 par Pat Cody[30]. Elle fait partie de ces femmes qui forcent le respect tant leur engagement à l'égard de la communauté humaine est exemplaire. Malheureusement ce rendez-vous n'a pu avoir lieu, car elle est décédée le 30 septembre 2010, à l'âge de quatre-vingt-sept ans.

Avant de lancer un mouvement qui, au-delà du distilbène, incarne une nouvelle manière d'aborder les questions médicales, la journaliste de *The Economist* s'était rendue célèbre pour avoir fondé avec son mari une librairie indépendante à Berkeley, où toute une génération de militants et d'écrivains des années 1960 vint refaire le monde. Comme elle le raconte dans son livre *DES Voices. From Anger to Action* (Les voix du DES. De la colère à l'action), sa vie a «basculé définitivement» un «vendredi d'avril 1971», lorsque, «en train de boire une tasse de café dans [s]a cuisine», elle «failli[t] avoir un arrêt cardiaque» en lisant un titre du *San Francisco Chronicle*[31]. «Un médicament transmet le cancer aux filles», disait le journal qui présentait l'étude publiée par les chercheurs de Boston. Or, Pat Cody avait pris du distilbène lorsqu'elle était enceinte de Martha, l'aînée de ses quatre enfants. Tandis que son cœur chavirait, elle se souvint du traitement exorbitant qui coûtait trente dollars par mois (elle payait soixante-quinze dollars de loyer pour sa maison) et calcula qu'elle avait ingurgité en sept mois 10 g de DES, soit l'équivalent de 500 000 pilules anticonceptionnelles. Rongée de remords et d'inquiétude, elle ne dit rien à sa fille jusqu'à sa majorité.

Une fois le choc de la nouvelle passé, Martha accepta de subir un frottis vaginal : il s'avéra qu'elle présentait des cellules utérines précancéreuses. «Il faut revenir me voir tous les six mois, lui dit le gynécologue, et, surtout, ne pas prendre de contraception orale, car elle risque de stimuler le développement du cancer.» C'est précisément là que Pat Cody réalisa que, par-delà le drame personnel, il lui fallait agir, pour informer toutes les mères et filles qui avaient été exposées au distilbène. Commença alors une incroyable aventure qui devint un modèle de collaboration entre les femmes qui avaient une connaissance intime des méfaits du DES et la communauté médicale et scientifique, ainsi que les autorités juridiques, politiques et sanitaires. Une expérience unique qui pourrait inspirer l'Association des paysans victimes des pesticides, dont Paul François (voir *supra*, chapitre 1) m'a annoncé qu'elle devait tenir sa première assemblée générale à Ruffec le 18 mars 2011.

Pat Cody et ses complices, dont Kari Christianson, mirent d'abord en place un réseau de comités locaux à travers les États-Unis, qui s'employèrent à alerter l'opinion publique avec une lettre d'information largement distribuée. Des milliers de femmes et d'hommes – mères, filles ou fils du distilbène – se manifestèrent pour faire part de leurs expériences et inquiétudes. Se constitua ainsi une banque de données exceptionnelle sur ce poison des temps modernes, que DES Action mit à la disposition des chercheurs, tel Arthur Herbst, l'un des auteurs de l'étude de 1971 qui avait ouvert un «registre pour la recherche sur la carcinogenèse hormonale transplacentaire» à l'Hôpital général de Boston. Ces milliers de «rapports anecdotiques», comme l'industrie aime à les (dis)qualifier, furent «transmis aux chercheurs dans l'espoir qu'ils conduisent des études[32]». Ce qu'ils firent, ainsi que nous allons le voir. Dans le même temps, un travail de sensibilisation était conduit auprès des médecins et des structures médicales pour qu'ils soient efficaces en termes tant de prévention que de soins. DES Action organisa des ateliers auxquels étaient conviés des praticiens, infirmiers, enseignants, travailleurs sociaux et scientifiques, comme John McLachlan, l'organisateur du colloque de La Nouvelle-Orléans en 2009.

Puis, point très important, l'association apporta son soutien aux (nombreuses) actions en justice contre les industriels qu'intentèrent les victimes du distilbène. «Si le fait d'avoir à rendre des comptes devant la justice pour avoir mis sur le marché des médicaments insuffisamment testés et inefficaces affecte leur profit, peut-être que les compagnies pharmaceutiques seront plus prudentes et que nous pourrons ainsi éviter de futurs désastres chimiques», note Pat Cody dans son livre[33]. Cette remarque pleine de bon sens me rappelle ce qu'avait dit François Lafforgue, l'avocat de Paul François, qui encourageait les agriculteurs à porter plainte contre les fabricants de pesticides lors de la réunion de Ruffec (voir *supra*, chapitre 4)...

En 1974, la première à traîner en justice Eli Lilly, le principal fabricant de distilbène, fut Joyce Bichler, atteinte d'un adénocarcinome à cellules claires à l'âge de dix-sept ans. Le chef d'inculpation retenu par le tribunal de New York fut « négligence ». Dans sa plaidoirie, l'avocate Sybil Shainwald souligna qu'« avant 1940 il y avait huit articles clés dans la littérature médicale qui montraient un lien entre l'œstrogène, le DES et le cancer ». Puis elle énuméra toutes les études publiées dans les années 1940 et 1950, pour conclure : « Si les fabricants savaient que leur produit pouvait déformer un fœtus et qu'il était cancérigène, n'était-il pas prudent de leur part qu'ils conduisent un test pour le vérifier ? Ou considèrent-ils que le public doit servir de cobaye jusqu'à ce que quelqu'un découvre quels cancers sont causés par l'usage du produit[34] ? »

Lors du verdict rendu en 1980, les jurés durent répondre à sept questions, dont trois étaient capitales : « Est-ce qu'une firme pharmaceutique raisonnablement prudente aurait dû prévoir que le DES pouvait causer des cancers chez les descendants des femmes enceintes qui le prenaient ?

— Oui », répondirent les six jurés à l'unanimité.

« Est-ce qu'un fabricant prudent aurait commercialisé le DES en prévention des fausses couches, s'il savait qu'il causait des cancers chez les descendants de souris enceintes ?

— Non », fut la réponse des jurés.

« Quelle indemnité accordez-vous à Mlle Bichler ?

— Cinq cent mille dollars[35a]. »

Eli Lilly fit appel, mais en vain. Le jugement fut définitivement confirmé en cassation. Si la victoire de Joyce Bichler ouvrait la brèche, la bataille était cependant loin d'être gagnée pour les autres plaignantes, qui affrontaient une difficulté apparemment insurmontable : pour que leur plainte soit recevable, elles devaient impérativement fournir la preuve du nom du fabricant du produit que leur mère avait utilisé. Un vrai défi, quand on sait que quelque deux cents entreprises ont commercialisé le distilbène sous des marques très variées. De plus, ainsi

---

a   En France, il a fallu attendre le 24 mai 2002 pour qu'un tribunal (celui de Nanterre) condamne un fabricant de distilbène (UCB Pharma). Les plaignantes étaient Nathalie Bobet et Ingrid Criou, qui subirent l'ablation de leur utérus et de leur vagin. Après dix ans de procédure, elles obtinrent 15 244 euros de dédommagement. Une belle victoire pour l'association DES France, qui soutient actuellement d'autres procès.

que le souligne Pat Cody, «quelle mère a gardé un flacon de pilules acheté vingt-cinq ans plus tôt[36]»? Quant aux médecins traitants, rares sont ceux qui eurent le courage de témoigner, par peur de poursuites judiciaires. La fondatrice de DES Action note avec ironie le nombre incroyable «d'incendies et d'inondations qui ont détruit les archives des cabinets médicaux». Sans parler des pharmacies qui entre-temps ont changé de main ou des cliniques qui ont fermé.

Pour surmonter cet obstacle, DES Action a rallié à sa cause de brillants avocats, qui bataillèrent pour que les plaintes puissent être déposées contre *tous les fabricants de distilbène*, quelle que soit la marque du produit utilisé par les mères. Et ils ont gagné! En mars 1980, la Cour suprême de Californie autorisa ainsi Judith Sindell à porter plainte, même si elle ne savait pas quel était le fabricant du produit que sa mère avait ingurgité, comme l'a rapporté Pat Cody, citant les termes de cet arrêt historique: «Dans notre société industrialisée très complexe, les progrès de la science et de la technologie créent des produits qui peuvent rendre les consommateurs malades, mais dont on ne connaît pas l'identité du fabricant, écrivent les juges. La réponse des tribunaux peut être soit de s'en tenir rigidement à la doctrine préalablement en vigueur, soit d'élaborer des moyens qui permettent de couvrir ces besoins nouveaux. [...] C'est pourquoi nous estimons qu'il est approprié de procéder à une certaine adaptation des lois qui régissent la responsabilité des dommages pouvant se produire[37].» Aux termes de ce jugement qui instituait la «théorie de la responsabilité proportionnelle aux parts de marché», «le ou la plaignant(e) peut désormais se retourner contre tous les fabricants principaux de DES, écrivit Nancy Hersh, l'avocate de Judith Sindell, dans le bulletin d'information de DES Action, chaque société étant responsable proportionnellement à sa part de marché, à moins qu'elle puisse prouver qu'elle n'a pas fabriqué le produit qui a causé les dommages du plaignant». La décision de la Cour suprême de Californie fit jurisprudence aux États-Unis où, de la Floride au Wisconsin, de l'État de Washington au Michigan, de nombreuses plaintes furent déposées contre les fabricants de distilbène.

John McLachlan, «figure centrale» de la collaboration inédite entre DES Action et les scientifiques

Dans son livre *DES Voices*, Pat Cody souligne l'«importance des procès contre les firmes pharmaceutiques» – et, j'ajouterais, contre tous les fabricants de poisons. «Premièrement, écrit-elle, ils apportent une compensation pour les coûts médicaux, la peine et la souffrance endurés par ceux qui les intentent; deuxièmement, ils attirent l'attention des médias sur le problème du distilbène; troisièmement, les condamnations pour négligence font réfléchir les fabricants sur la manière dont ils testent les médicaments; quatrièmement, le fait d'agir, de se battre, de ne pas être une victime mais un survivant a un effet positif sur le plaignant et sur la communauté entière.» Et de souligner que les actions juridiques sont un objectif prioritaire de l'association, même si sa mission principale reste la «promotion de la recherche».

De fait, la grande originalité de DES Action est d'avoir su «développer des alliances avec des scientifiques biomédicaux pour améliorer la prévention, les traitements et la recherche», ainsi que l'a noté Susan Bell: «Constatant le fossé qui existait entre leur connaissance intime et directe des effets de la substance sur leurs corps et la littérature médicale, les militantes de DES Action initièrent et développèrent leur propre recherche[38].» Dès 1984, l'association a distribué un questionnaire médical détaillé à ses adhérent(e)s, pour «aider à identifier certains troubles – autres que ceux qui sont déjà connus – qui apparaissent de manière plus fréquente chez les femmes et les hommes exposés au DES que dans la population non exposée». Les résultats de ce vaste sondage ont été dépouillés par des membres de l'association en collaboration avec Deborah Wingard, une épidémiologiste de l'université de Californie. Les données nouvelles récurrentes ont été «discutées avec des scientifiques, qui en conçurent un programme de recherche».

L'une des «figures centrales[39]» de ce processus de collaboration entre DES Action et la recherche fondamentale est John McLachlan, l'organisateur du colloque de La Nouvelle-Orléans. Nommé chef du département Endocrinologie et pharmacologie du National Institute of Environmental Health Sciences (NIEHS) en 1976, le biologiste a conduit une série d'études expérimentales qui lui permirent de vérifier l'«hypothèse de la perturbation endocrinienne»: «Une intuition audacieuse et non orthodoxe, qui s'est développée *dans* et *à partir de* la recherche sur le distilbène», ainsi que le rapporte Sheldon Krimsky, professeur de politique environnementale à la Tufts University de Boston[40]. Considérés jusqu'au milieu des années 1980 comme de la «science de caniveau[41]», les travaux de John McLachlan, qui a pris la tête du centre de recherche bio-environnementale de l'université Tulane en 1985, ont permis de définir le distilbène comme un modèle des mécanismes de la perturbation endocrinienne. Pour cela, il a développé un protocole de recherche expérimentale qui constitue aujourd'hui une référence pour tous les scientifiques travaillant sur les perturbateurs endocriniens, grâce à « un aller et retour permanent entre le monde de la souris et celui des humains, et entre les études environnementales et cliniques sur les effets des substances œstrogéniques[42] ». C'est ainsi qu'il a créé en 1979 le premier symposium sur « l'environnement et les hormones », auquel participa Pat Cody. Organisée depuis régulièrement à l'université Tulane, cette manifestation scientifique de première importance a fêté en octobre 2009 son trentième anniversaire.

« Quels effets avez-vous constatés quand vous avez exposé des souris en gestation à du distilbène ? ai-je demandé au chercheur.

— Nous avons observé des effets sur leur descendance mâle et femelle. Chez les femelles, nous avons noté de graves malformations de l'appareil génital et des cancers dans leur système de reproduction, notamment du vagin ; chez les mâles, des problèmes d'infertilité, de cryptorchidie et des cancers de la prostate[43]. En fait, tout ce que nous avons constaté chez les souris a été vérifié chez les humains et tout ce qui a été vu chez les humains l'a aussi été chez les souris. C'est même très troublant : lorsque nous avons conduit nos études sur les souris il y a vingt-cinq ans, nous avions noté que les femelles de la seconde génération avaient des ménopauses plus précoces ; et, aujourd'hui, nous constatons la même chose chez les femmes exposées *in utero*.

— Pourquoi considérez-vous que le distilbène constitue un modèle pour comprendre les mécanismes de la perturbation endocrinienne ?

— C'est un modèle parfait ! m'a répondu sans hésiter le scientifique américain. Ce que nous avons constaté avec le DES est confirmé aujourd'hui par les études sur le bisphénol A [lequel, je le rappelle, est une hormone de synthèse inventée par Charles Dodds, avant le distilbène]. Ces deux molécules agissent de la même manière d'un point de vue biologique, y compris quand elles sont utilisées à de très faibles doses. Le modèle du distilbène devrait servir à anticiper les risques causés par les perturbateurs endocriniens que l'on retrouve dans l'environnement, car il y a peu d'exemples dans la science environnementale où on a à la fois des données sur les animaux très solides, mais aussi sur un groupe d'humains exposés et suivis depuis plus de quarante ans[44]. »

« La perturbation endocrinienne n'est pas une notion théorique, elle a un visage »

« J'ai une fille de vingt-huit ans et un fils de vingt-trois ans, qui vont bien pour l'instant, a déclaré Cheryl Roth, l'une des représentantes de DES Action lors du colloque de La Nouvelle-Orléans. Mais j'aimerais savoir où en est la recherche sur les effets du distilbène à la troisième génération. Que faut-il dire à nos adhérent(e)s qui s'inquiètent pour leurs petits-enfants ? » C'est Retha Newbold, biologiste dans le département de toxicologie du NIEHS depuis plus de trente ans, qui a répondu à cette question.

En préambule, elle a rappelé la pertinence du « modèle DES de la souris », qu'elle a contribué à élaborer lorsqu'elle travaillait dans le laboratoire de John McLachlan au NIEHS. Commentant une série de diapositives, elle a expliqué que « 1 % des souris femelles exposées *in utero* au distilbène du premier au cinquième jour de la gestation avaient développé un adénocarcinome vaginal, ce qui correspond exactement au même pourcentage que celui qui est observé chez les filles du DES[45] ». De plus, a-t-elle précisé, « le modèle nous a permis de mesurer les effets de la génistéine, une isoflavone contenue dans le soja qui a une faible activité œstrogénique. Nous avons constaté que les femelles exposées *in utero* présentaient des anomalies ovariennes pouvant entraîner des problèmes de fertilité. Toutes les études que nous avons menées confirment la fragilité du fœtus lorsqu'il est exposé à des substances ayant une activité hormonale lors de moments critiques de son développement ; cette exposition au tout début de la vie fœtale peut entraîner le déclenchement de maladies à l'âge adulte, que l'on retrouve chez les souris et les humains[46] ».

Ensuite, a poursuivi Retha Newbold, « nous avons voulu savoir si la susceptibilité aux tumeurs pouvait se transmettre à la génération suivante. La réponse est : oui ! Par exemple, nous avons constaté que 31 % des souris de la génération F1, c'est-à-dire les souris exposées *in utero* au DES, développaient un cancer de l'utérus ; à la génération F2, c'est-à-dire les filles de la génération F1, on trouve 11 % de cancer de l'utérus, contre 0 % dans le groupe contrôle[47]. De même, chez les mâles F2, nous avons constaté un risque accru de lésions précancéreuses et de tumeurs du système reproductif[48]. Les mécanismes qui sont à l'œuvre dans cette transmission sont pour l'heure largement méconnus, mais tout indique qu'ils sont d'ordre épigénétique. Plusieurs laboratoires travaillent actuellement sur cette hypothèse[49]. Chez les humains, plusieurs études ont montré un risque accru d'hypospadias chez les fils de femmes exposées *in utero* au distilbène[50]. »

Ensuite, la scientifique a présenté ses derniers travaux concernant un aspect méconnu des effets que peuvent induire les perturbateurs endocriniens. «En marge des problèmes de la reproduction et des cancers, nous avons constaté un lien entre l'exposition prénatale au distilbène et l'obésité, mais aussi le diabète, a-t-elle expliqué. C'est très intéressant, surtout quand on sait – cela a été récemment démontré – que les adipocytes, les cellules présentes dans les tissus adipeux, sont des organes endocriniens, dans ce sens qu'ils ont une fonction endocrinienne : ils peuvent produire et recevoir des signaux qui interagissent avec les systèmes de la reproduction ou immunitaire, le foie ou la thyroïde. Cela veut dire que l'obésité peut être considérée comme une maladie du système endocrinien, ce qui expliquerait en partie l'épidémie d'obésité à laquelle nous assistons un peu partout dans le monde. Bien évidemment, l'obésité est une maladie complexe, où peuvent interagir plusieurs facteurs, comme la "malbouffe", la prédisposition génétique ou l'absence d'exercice, mais nos études tendent à prouver que les perturbateurs endocriniens, comme le distilbène, ont une fonction "obésogène", pour reprendre le terme inventé par notre collègue de l'université de Californie Bruce Greenberg[51], c'est-à-dire qu'ils peuvent programmer l'obésité future de l'adulte par leur action sur le fœtus en développement. »

Et Retha Newbold de présenter une série de diapositives confirmant ce qu'elle appelle l'«hypothèse obésogène» : «Vous voyez, à gauche, les souris qui ont été exposées *in utero* au DES ; et, à droite, celles du groupe contrôle. Jusqu'au vingt-quatrième jour, qui est l'âge de la puberté pour ces rongeurs, les souris exposées sont un peu plus maigres que celles du groupe contrôle. Et puis, il y a un changement très net : en quelques semaines, les souris exposées deviennent obèses, jusqu'à la fin de leur vie, au point que nous avons dû commander des cages plus grandes ! D'autres laboratoires ont fait le même constat avec d'autres perturbateurs endocriniens, comme les phtalates, les retardateurs de flammes, le PFOA des poêles antiadhésives ou le bisphénol A. Il me semble que c'est un champ de la recherche très important, car si cela se confirme, cela veut dire que l'on peut prévenir l'obésité en évitant l'exposition, notamment des femmes enceintes, à ces produits[52]. »

Puis vint le moment des questions, très techniques, concernant la partie strictement scientifique de l'exposé de Retha Newbold. Alors que le modérateur était sur le point de présenter le conférencier suivant,

Kari Christianson, la directrice des programmes de DES Action, a demandé la parole : « Je voulais vous dire que si nous sommes ici, nous les "filles du distilbène", c'est pour que vous, les scientifiques, vous n'oubliiez jamais que la perturbation endocrinienne n'est pas une notion théorique, mais qu'elle a un visage : le nôtre, ou celui de nos enfants et petits-enfants, pour celles qui en ont, a-t-elle expliqué, visiblement très émue. Nous ne voulons pas que le drame vécu par nos familles aille à la poubelle, ou ne devienne qu'une note de bas de page dans les annales médicales. Nous voulons que notre souffrance serve à illuminer le futur, pour qu'on puisse éviter d'autres drames similaires. Plus que jamais, nous avons besoin de chercheurs indépendants qui travaillent pour le bien de la communauté et nous serons toujours là pour vous le rappeler... »

Au moment où le bisphénol A, un autre perturbateur endocrinien notoire, occupe le devant de la scène médiatique, l'avertissement de la représentante de DES Action retentit comme un puissant désaveu des agences de réglementation. Car, à l'aube des années 2010, celles-ci, nous allons le voir, restent toujours sourdes aux multiples signaux d'alerte lancés partout dans le monde par des dizaines de chercheurs indépendants...

18

L'affaire du bisphénol A,
ou la boîte de Pandore

« Donc, il faut le répéter encore et encore: tous les effets du distilbène observés chez les humains l'ont aussi été chez les souris et les rats, a insisté Ana Soto, la biologiste de la Tufts University (voir *supra*, chapitre 16), lors du symposium de La Nouvelle-Orléans sur "l'environnement et les hormones" d'octobre 2009. Et aujourd'hui, avec Carlos Sonnenschein, nous obtenons les mêmes effets avec des doses très faibles de bisphénol A, similaires à celles que l'on trouve dans l'environnement. Il y a cependant une différence: nous avons obtenu nos premiers résultats en 2007; et, si l'on fait un parallèle avec le distilbène, cela veut dire qu'il faudra attendre 2032 pour vérifier ces effets chez les humains. Et ce sera très difficile... Pour le distilbène, les femmes qui ont été exposées *in utero* peuvent avoir les ordonnances de leurs mères comme preuve. Tandis que les femmes qui auront un cancer en 2032 n'auront aucune preuve qu'elles ont été exposées au BPA *in utero*. Je vous laisse avec cette pensée très préoccupante... »

Petites doses pour grands effets

Alors que le bisphénol A (encore appelé « BPA ») défrayait la chronique internationale, le colloque de 2009 a consacré une journée entière à cette molécule synthétisée par Charles Dodds en 1936, deux ans avant le distilbène. Considérée comme 2 000 fois moins puissante que l'œstrogène naturel, cette hormone artificielle est largement utilisée dans le processus de polymérisation des plastiques, ou comme antioxydant dans la composition de certains plastifiants. Avec une production annuelle estimée à 3 millions de tonnes, le bisphénol A est présent dans d'« innombrables applications » qui sont censées « rendre notre vie quotidienne plus facile, plus saine et plus sûre », ainsi que le proclame l'étonnant site web des industriels qui le produisent[1]. De fait, on le trouve dans de multiples produits de consommation courante en polycarbonate (65 % des usages) – comme les récipients en plastique dur, bonbonnes d'eau ou biberons, les préparations pour micro-ondes, mais aussi les lunettes de soleil, les CD ou les papiers thermiques des tickets de caisse –, ou dans les revêtements en résine époxy (35 %) qui tapissent les parois des boîtes de conserve ou des canettes de boissons gazeuses, ainsi que les ciments dentaires[a].

« Le BPA est l'un des produits aujourd'hui en usage les plus largement testés, affirme la propagande des industriels. Sa sécurité est étudiée depuis plus de quarante ans. Les très nombreuses données toxicologiques existantes montrent que les produits de consommation faits en BPA sont sûrs […] et n'exposent à aucun risque pour la santé humaine. La FDA et les agences internationales chargées de protéger la santé des consommateurs soutiennent totalement l'usage de ce matériau. » Voilà pour le discours officiel, qui ressemble à s'y méprendre à celui qu'assènent depuis trois décennies les fabricants d'aspartame…

Concrètement, la dose journalière acceptable (DJA) du bisphénol A a été fixée en 2006 à 0,05 mg (ou 50 mg) par kilo de poids corporel ; et, bien qu'on le détecte aussi dans les poussières domestiques, l'exposition des consommateurs se fait principalement par voie alimentaire. En effet, ainsi que le reconnaissent les industriels eux-mêmes, la substance a la capacité de « migrer », c'est-à-dire de sortir du plastique ou de la résine pour pénétrer dans les aliments avec lesquels elle est en contact. Ce phénomène similaire à l'hydrolyse, dû à l'instabilité du lien

---

a   Le code d'indentification du BPA est un « 7 » au milieu d'un triangle. Mais on peut aussi en trouver dans les produits signalés par un « 3 » ou un « 6 ».

chimique entre les molécules de BPA et les polymères, est décuplé sous l'action de la chaleur, d'où la polémique sur les biberons chauffés dans un four à micro-ondes, dont la presse s'est faite largement l'écho. Mais, nous allons le voir, la question des biberons, pour importante qu'elle soit, est un peu l'arbre qui cache la forêt. En effet, si le bisphénol A est l'objet de toutes les attentions, c'est parce qu'il symbolise une problématique largement ignorée par les agences de réglementation : les effets des substances chimiques à de très faibles doses, c'est-à-dire à des doses jamais testées, car considérablement inférieures à la DJA. Parmi ces substances, il y a bien sûr celles qui ont une activité hormonale, comme les perturbateurs endocriniens, dont on a vu qu'ils agissent à des doses infinitésimales (voir *supra*, chapitre 16) et dont le BPA constitue le plus beau fleuron.

Mais, objectera-t-on, la DJA n'est-elle pas calculée à partir d'une dose pour laquelle on n'a pas observé d'effets – la fameuse NOAEL (voir *supra*, chapitre 12) –, à laquelle on a appliqué un «facteur de sécurité», généralement de cent? Comment une substance peut-elle avoir des effets à des doses «considérablement inférieures à la DJA»? Cette question est précisément la raison du bras de fer qui oppose les agences de réglementation d'Europe et des États-Unis et un nombre croissant de scientifiques. Comme on s'en doute, les fabricants de BPA évacuent d'un revers de main l'«hypothèse des faibles doses» comme étant «non valide», en affirmant sur leur site que la substance «ne montre des effets toxiques qu'à de très hauts niveaux d'exposition. L'ensemble des preuves scientifiques confirme clairement la sécurité du BPA et fournit une assurance solide qu'il n'y a aucune base qui soutienne la crainte d'effets sur la santé humaine résultant d'une exposition à de faibles doses de BPA».

L'optimisme affiché par les industriels ne manque pas de surprendre. En effet, une étude publiée dès 1993 dans la revue *Endocrinology* a montré, au contraire, que la «crainte» était tout à fait justifiée[2]. Elle concernait une découverte faite fortuitement par David Feldman, un chercheur de l'université Stanford (Californie) qui fut confronté à la même énigme qu'Ana Soto et Carlos Sonnenschein quelques années plus tôt (voir *supra*, chapitre 16). Il travaillait alors sur une protéine présente dans une levure, dont il avait constaté qu'elle avait la capacité de se lier avec l'œstrogène. Il en avait déduit qu'elle comportait un récepteur d'œstrogène et, donc, que la levure contenait probablement une hormone. Son équipe était en train de traquer l'hormone, quand elle nota qu'une substance avait «squatté» le récepteur d'œstrogène.

Après une longue recherche, David Feldman identifia le coupable : le bisphénol A, qui avait migré des flacons en polycarbonate utilisés pour stériliser l'eau des expériences par autoclave. Le chercheur contacta le fabricant (GE Plastics), qui reconnut que le BPA migrait vers le contenu de ses flasques et bonbonnes à eau, particulièrement sous l'action de la chaleur, mais aussi de produits détergents ; pour pallier cette déficience, il avait mis au point un système de nettoyage du plastique qui, selon lui, avait réglé le problème.

La suite de l'histoire, racontée dans *Our Stolen Future*, est d'une importance capitale, car elle est au cœur de la polémique sur le bisphénol A. David Feldman envoya un échantillon de l'eau contaminée à GE Plastics, mais la société *ne fut pas capable de détecter les traces de BPA*, dont le chercheur avait pourtant vérifié qu'elles provoquaient la prolifération de cellules de cancer du sein. La limite de détection des appareils de mesure utilisés par l'industriel était de dix parties par milliard, alors que les résidus détectés par l'équipe de Stanford étaient de deux à cinq parties par milliard. « Nous avons montré que le bisphénol A déclenche une réponse œstrogénique sur des cellules de laboratoire à un niveau bien inférieur à dix parties par milliard, a commenté David Feldman. Nous n'en savons pour l'heure pas assez pour pouvoir déclencher une crise de santé publique, mais la prochaine étape logique serait de vérifier si on obtient la même réponse chez des animaux à qui on a donné à boire de l'eau contenant les mêmes niveaux de bisphénol A[3]. »

La recommandation de l'endocrinologue californien sera suivie, quelques années plus tard, par sa collègue Patricia Hunt, une biologiste moléculaire qui connut aussi une contamination accidentelle dans son laboratoire de l'université de Cleveland en 1998. Elle conduisait alors des travaux expérimentaux visant à comprendre pourquoi la fréquence des grossesses caractérisées par des anomalies chromosomiques augmentait avec l'âge de la mère. Son étude consistait à comparer la division cellulaire d'ovocytes de souris présentant des anomalies à celle de souris « normales ». Pour bien mesurer la signification de ce qui va suivre, il faut savoir que, chez les mammifères, l'élaboration des cellules sexuelles (ou gamètes) – les spermatozoïdes chez le mâle et les ovules chez la femelle – commence pendant la vie fœtale lors d'un processus qu'on appelle la « méiose ». Cela veut dire que les femelles forment leurs futurs ovules dans le ventre de leur mère (ovogenèse). « J'étais en train d'observer la division d'ovocytes de souris normales juste avant l'ovulation, quand j'ai constaté que le nombre et la disposition des chromosomes étaient anormaux. C'était très inquiétant, car les ovules qui présentent ce genre d'anomalies sont associés à de graves malformations congénitales comme le syndrome de Down», a raconté Patricia Hunt au journal *PLoS Biology*[4].

À l'instar d'Ana Soto, Carlos Sonnenschein et David Feldman, la biologiste finit par identifier la substance qui avait profondément perturbé le processus de formation des ovules : quelques jours plus tôt, l'un des employés du laboratoire avait nettoyé les cages en polycarbonate des souris avec un détergent puissant qui avait causé la détérioration du plastique, lequel avait libéré d'infimes quantités de BPA. La contamination des animaux s'était produite par voie cutanée. Profondément troublée par les implications sanitaires que pouvait induire sa découverte fortuite, Patricia Hunt décida alors d'exposer volontairement des souris gestantes à une dose très faible de bisphénol A, similaire au niveau de résidus constaté dans la population américaine. Elle constata que les ovaires en formation des femelles exposées *in utero* contenaient un nombre anormalement élevé d'ovocytes présentant des anomalies chromosomiques qui sont associées aux fausses couches, aux malformations congénitales et au retard mental chez les humains. Puis, lorsque les souris exposées *in utero* eurent atteint l'âge adulte, la généticienne fit fertiliser leurs ovules et nota un taux particulièrement élevé d'embryons présentant des anomalies chromosomiques[5]. «En exposant la mère à une faible dose de BPA, nous avons augmenté la probabilité que ses petits-enfants soient anormaux», a-t-elle commenté[6]. En effet, «ce ne sont pas que les fœtus qui sont exposés, mais aussi les ovocytes qui produiront la prochaine génération». Et d'ajouter : «Ces anomalies du fœtus sont permanentes et irréversibles, tandis que les effets d'une exposition sur les adultes sont réversibles. Le fœtus est particulièrement sensible au bisphénol A, une seule atteinte pendant une courte période peut influencer le développement futur[7].»

Les dangers de l'exposition des fœtus au bisphénol A

«Quand elle ne nie pas carrément la validité de nos résultats, l'industrie les minimise en arguant que les rongeurs ne sont pas des humains, m'a dit Ana Soto lors de ma visite dans son laboratoire de la Tufts University à Boston. Mais que pouvons-nous faire? Exposer volontairement des femmes enceintes à du bisphénol A pour vérifier qu'il produit bien les mêmes effets que ceux que nous avons constatés dans nos études expérimentales?» Tandis qu'elle prononçait ces mots un brin blasés, la biologiste a allumé son ordinateur pour me montrer une série d'images concernant l'étude qu'elle a menée avec Carlos Sonnenschein sur des souris en gestation exposées à des doses très faibles de bisphénol A. En effet, après leur découverte fortuite sur le nonylphénol (voir *supra*, chapitre 16), les deux chercheurs ont décidé de travailler sur les effets transgénérationnels du BPA. «Nous avons pensé que c'était plus utile, car l'exposition humaine au bisphénol A est beaucoup plus importante que celle au nonylphénol, m'a expliqué Ana Soto. C'est pourquoi nous avons utilisé d'emblée des doses proches de celles qu'on peut trouver dans notre environnement, c'est-à-dire très inférieures à la DJA. Nous sommes même descendus le plus bas possible, pensant que nous n'observerions pas d'effets, ce qui malheureusement ne fut pas le cas.

— Quels effets avez-vous observés avec ces très faibles doses de BPA?

— Nous avons constaté, chez les rats ou les souris exposés *in utero*, une augmentation du taux de cancer du sein et de la prostate, des problèmes de fertilité, avec notamment des cycles ovariens perturbés, des troubles du comportement, comme des souris femelles qui se comportent comme des mâles, mais aussi – et ce fut une vraie surprise – une tendance très marquée à l'obésité. C'est très inquiétant, car ces pathologies sont précisément celles qui sont en forte progression dans la population humaine.

— À quelle dose avez-vous constaté ces résultats?

— À des doses deux cents fois inférieures à la DJA, soit 250 nanogrammes par kilo, comme dans cette expérience, m'a répondu Ana Soto en me montrant une image saisie sur un microscope électronique. Vous voyez ici la glande mammaire d'une souris de quatre mois qui n'a pas été exposée au bisphénol A. On peut voir les canaux qui plus tard draineront le lait. Ils ne sont pas très nombreux et font peu de ramifications. Maintenant, je vais vous montrer un animal qui a été exposé au bisphénol A *in utero*: on constate un développement exceptionnel des canaux et des ramifications latérales, une transformation anormale des bourgeons terminaux et une augmentation des récepteurs à la progestérone. C'est quatre mois après l'exposition. Ce serait une situation normale si la souris était gestante, mais ce n'est pas le cas. La gestation n'est pas une pathologie en soi, mais si la glande mammaire d'une femelle qui n'est pas gestante imite celle qui caractérise un état de gestation, alors ce n'est pas normal!»

Dans l'article qu'elle a publié en 2001 dans *Biology of Reproduction*, Ana Soto écrit que «ces changements sont associés à la carcinogenèse chez les rongeurs comme chez les autres animaux[8]». Pour vérifier ces résultats, l'équipe de la Tufts University a répété l'expérience sur des rats exposés *in utero* et a constaté une augmentation significative des lésions précancéreuses du sein, et des cancers *in situ* aux doses les plus élevées. « Ces résultats sont similaires à ceux qu'on a obtenus chez des femmes exposées *in utero* au distilbène, qui présentent une plus grande sensibilité aux cancers hormonodépendants, m'a expliqué Ana Soto.

— Pourtant, ai-je insisté, pendant la vie natale, les fœtus sont exposés à de l'œstrogène naturel, qui ne provoque pas ces effets...

— L'œstrogène naturel apparaît dans l'organisme au bon moment, a commenté Carlos Sonnenschein, tandis que les hormones de synthèse arrivent n'importe quand et, notamment, au mauvais moment. L'autre différence, c'est que l'organisme métabolise – et donc inactive – rapidement les hormones naturelles, ce qui n'est pas le cas avec les hormones exogènes ou qui viennent de l'extérieur. Celles-ci agissent plus longtemps, car elles résistent aux mécanismes de dégradation et, de plus, elles sont lipophiles, c'est-à-dire qu'elles se logent dans les graisses.

— Est-ce que les effets causés par le BPA sur les fœtus sont réversibles ?

— Malheureusement, tout indique qu'ils sont définitifs, m'a répondu sans hésiter Ana Soto, parce qu'ils sont intervenus pendant l'organo-genèse, c'est-à-dire pendant le processus de formation des organes. L'effet des hormones de synthèse sur les organes en développement est très différent de celui qui est causé sur un organe déjà formé d'un adulte.

— Est-ce que vos résultats ont été répétés par d'autres laboratoires ?

— Bien sûr ! Et notamment par Fred vom Saal, qui nous a montré la voie, car c'est lui qui révéla que les perturbateurs endocriniens peuvent n'avoir aucun effet à de fortes doses mais des effets très puissants à des doses infinitésimales... »

Fred vom Saal découvre la puissance des hormones

Les travaux de Frederick vom Saal, biologiste à l'université Columbia (Missouri), constituent en effet une « pièce centrale du puzzle[9] » patiemment reconstitué par Theo Colborn au cours de la longue enquête qui la conduisit à la découverte des perturbateurs endocriniens (voir *supra*, chapitre 16). Dans son livre *Our Stolen Future*, l'experte en environnement raconte comment ce chercheur hors pair, qui jouit d'une grande notoriété aux États-Unis, fut effectivement le premier à montrer que « de petites modifications dans les hormones avant la naissance peuvent avoir une extrême importance et provoquer des conséquences qui dureront toute la vie». Pour cet ancien étudiant de l'université du Texas (Austin), tout a commencé dans les années 1970, lorsqu'il rédigeait sa thèse de doctorat sur le rôle joué par la testostérone, l'hormone mâle, dans le développement fœtal. Il constata que cette hormone, indispensable à la mise en place et au bon fonctionnement de l'appareil génital masculin, conditionnait aussi l'une des caractéristiques des mâles : l'agressivité.

C'est ainsi qu'il passa des mois à observer le comportement de souris possédant le même patrimoine génétique et nota que certaines femelles issues d'une même mère présentaient un niveau d'agressivité anormalement élevé. Il émit l'hypothèse que cette différence d'attitude pouvait être due à l'emplacement des souris dans le ventre de leur génitrice. En effet, chez ces petits rongeurs, une portée «classique» comprend en moyenne douze fœtus, calés les uns contre les autres comme des sardines dans une boîte. Certaines femelles sont ainsi prises en sandwich entre deux mâles. Or, une semaine avant la naissance, les testicules des mâles se mettent à secréter de la testostérone. «Les femelles embryonnaires peuvent être ainsi inondées de testostérone provenant de leurs voisins mâles», écrit Theo Colborn[10], ce qui pourrait expliquer qu'elles adoptent ultérieurement un comportement plus masculin, à savoir plus agressif. Pour vérifier son hypothèse, Frederick vom Saal procéda à des dizaines de césariennes, juste avant la naissance naturelle des souris (qui intervient généralement au dix-neuvième jour de gestation). Il identifia soigneusement chaque souriceau, qu'il marqua en fonction de sa position dans la portée, puis observa son évolution comportementale. Les résultats furent spectaculaires : «Les femelles les plus agressives étaient celles qui s'étaient développées entre deux frères[11].»

Cette découverte capitale, qui confirma «le rôle puissant des hormones dans le développement des deux sexes et l'extrême sensibilité des mammifères en développement à d'infimes changements hormonaux dans le ventre maternel», fut baptisée «wombmate effect» (que l'on peut traduire par «effet de la portée») et conduisit à un nouveau concept scientifique : le «phénomène de la position intra-utérine[12]». Frederick vom Saal et les chercheurs qui lui emboîtèrent le pas, comme Mertice Clark, Peter Karpiuk et Bennett Galef, de l'université McMaster, ou John Vandenbergh et Cynthia Huggett, de l'université de Caroline du Nord, constatèrent que la position intra-utérine des femelles conditionnait définitivement leur vie d'adulte. En effet, celles qui avaient eu la «malchance» de se développer entre deux mâles – Theo Colborn les surnomme les «laiderons» (*ugly sisters*), par opposition aux «mignonnes» (*pretty sisters*) – avaient beaucoup moins de succès auprès des mâles, qui huit fois sur dix leur préféraient une «mignonne». «Les *pretty sisters* ont une odeur plus "sexy" pour les mâles, parce qu'elles produisent des substances chimiques différentes de celles que produisent leurs sœurs moins attirantes, résume Theo Colborn. L'environnement hormonal prénatal laisse sur chaque sœur une empreinte permanente qui est reconnue par les mâles tout au long de sa vie[13].» Les chercheurs constatèrent également que les pauvres «laiderons» avaient une puberté plus tardive et une fertilité moindre que leurs «jolies» sœurs et que, lorsqu'elles parvenaient à se reproduire, leurs portées comprenaient généralement une majorité de mâles (60%) contre exactement le contraire (60% de femelles) chez les «mignonnes».

Mais le phénomène de la position intra-utérine ne concerne pas que les femelles: les observations réalisées par Frederick vom Saal et ses collègues montrèrent que des souriceaux mâles pris, *in utero*, en sandwich entre deux femelles étaient exposés à des niveaux d'œstrogène plus élevés que leurs frères coincés entre deux mâles, ce qui provoquait également des différences de comportement significatives. Surnommés les «playboys», les premiers étaient caractérisés par un niveau d'agressivité exacerbé, les poussant parfois à attaquer, voire à tuer, de jeunes souriceaux, tandis que les seconds avaient un comportement irréprochable de «bons papas». De plus, les «playboys» présentaient une prostate deux fois plus grosse que leurs frères non exposés à l'œstrogène de leurs sœurs et une sensibilité accrue aux hormones mâles, due à un nombre trois fois supérieur de récepteurs de la testostérone. Comme le souligne Theo Colborn, «les bébés humains n'ont généralement pas à partager le ventre de leur mère avec des frères et sœurs, mais leur développement peut cependant être affecté par des variations du niveau des hormones», qui peuvent être dues à des «problèmes médicaux, par exemple une tension élevée qui augmente le niveau d'œstrogène», ou le fait que «les tissus adipeux de la mère contiennent des substances chimiques synthétiques qui perturbent les hormones[14]». Or, poursuit l'auteure de *Our Stolen Future*, «il faut se souvenir que les hormones agissent sans altérer les gènes ni causer de mutations. Elles contrôlent l'"expression" des gènes au sein du cadre génétique que l'individu a hérité de ses parents, à des concentrations qui sont de l'ordre d'une partie par trillion, c'est-à-dire mille fois inférieure à une partie par milliard[15]».

Parmi ces gènes, il y a notamment celui que l'on appelle «SRY» (*sex-determining region of Y gene*), dont l'expression détermine la différenciation sexuelle et, plus précisément, l'identité masculine. On sait que, chez les mammifères, chaque cellule féminine compte deux chromosomes X, tandis que les cellules masculines comportent un chromosome X et un chromosome Y. Les ovules de la mère présentent donc toutes un chromosome X, tandis que les spermatozoïdes du père présentent soit un chromosome X soit un chromosome Y. On a longtemps pensé que le sexe du petit à naître était automatiquement déterminé par la présence ou l'absence d'un chromosome Y dans le spermatozoïde fécondant du père : si celui-ci contenait un Y, le bébé serait un garçon, et une fille si c'était un X. Or, depuis 1990, on sait que le processus de la différenciation sexuelle est beaucoup plus complexe et qu'il dépend de l'activation d'un gène, le SRY, situé sur le chromosome Y.

« Bien que le sperme fournisse la gâchette génétique pour le mâle quand il pénètre l'ovule, le bébé en développement ne s'engage pas tout de suite dans une voie plutôt qu'une autre, explique Theo Colborn. Au contraire, il maintient le potentiel d'être soit un mâle soit une femelle pendant plus de six semaines, en développant une paire de gonades (organes reproducteurs) unisexes qui peuvent devenir des testicules ou des ovaires ainsi que deux jeux séparés d'une "plomberie" primitive – l'un étant le précurseur de l'appareil reproductif masculin et l'autre l'esquisse des trompes de Fallope et de l'utérus. Les deux systèmes de canaux, appelés "canaux de Wolff" et "canaux de Müller", sont les seules parties du système de reproduction masculin et féminin qui sont issues de tissus différents. Bien qu'elles paraissent extrêmement différentes d'un sexe à l'autre, toutes les autres pièces de cet équipement essentiel proviennent de tissus communs que l'on trouve chez les fœtus aussi bien masculins que féminins. Le fait que ces tissus donnent un pénis ou un clitoris, les bourses du scrotum qui abritent les testicules ou les plis de la chair des lèvres autour du vagin féminin, ou encore quelque chose dans l'entre-deux, dépend des signaux hormonaux reçus pendant le développement du bébé[16]. » De fait, la détermination définitive du sexe du fœtus passe par l'activation du gène SRY, que déclenche un signal envoyé par la testostérone *à un moment très précis et unique de la grossesse*, ainsi que le rapportent Bernard Jégou, Pierre Jouannet et Alfred Spira dans leur livre *La fertilité est-elle en danger ?*.

Je retranscris ici leur description, car elle est capitale pour comprendre la subtilité des processus de différenciation sexuelle et de fabrication des organes génitaux, dont on comprend qu'ils peuvent complètement dérailler si un intrus s'immisce dans cette mécanique d'une délicatesse extrême : « À la septième semaine du développement, le gène SRY, localisé dans le chromosome Y, envoie un signal à la gonade et lui donne l'instruction de se transformer en testicule, écrivent les spécialistes de la santé reproductive. La différenciation en deux sexes dépend de l'activité hormonale du testicule fœtal qui sécrète activement deux hormones essentielles. Une des premières conséquences du gène SRY est la sécrétion de l'hormone antimüllérienne (AMH) par les cellules de Sertoli, et la sécrétion de la testostérone produite par les cellules de Leydig. L'AMH va entraîner la régression des canaux de Müller et la testostérone assure le maintien des canaux de Wolff qui se développeront en épididyme, canaux déférents et vésicules séminales. La testostérone et ses dérivés, que l'on appelle encore les androgènes, favorisent aussi le développement de l'urètre et de la prostate, ainsi que l'expansion du tubercule génital pour former le pénis et les bourses (scrotum) chez l'homme. À cette étape du développement, les testicules sont situés dans l'abdomen. Ils ne descendront dans le scrotum que vers le septième ou huitième mois de grossesse, soit peu de temps avant la naissance. [...] Dans l'embryon féminin, et en l'absence de gène SRY, mais aussi grâce à d'autres gènes, la gonade indifférenciée se transforme en ovaire. En l'absence de testostérone et d'AMH, les canaux de Wolff régressent, tandis que les canaux de Müller persistent et donnent naissance aux trompes de Fallope, à l'utérus et à la portion supérieure du vagin. En ce qui concerne les organes génitaux externes, les plis urogénitaux et labioscrotaux ne fusionnent pas. Ils forment respectivement les petites et grandes lèvres de la vulve, le tubercule génital étant destiné à former le clitoris[17]. »

Une « bombe à retardement »

« L'industrie chimique a fait un gros travail de désinformation pour convaincre les gens que nous ne sommes pas exposés au bisphénol A et que les quantités présentes dans nos organismes ne sont pas du tout préoccupantes, a déclaré Fred vom Saal lors du colloque de La Nouvelle-Orléans. Les faits prouvent le contraire. Juste pour vous donner un exemple, si vous tenez à avoir votre dose quotidienne de BPA, il suffit que vous mangiez de la sauce tomate Heinz ou du thon à l'huile provenant d'une boîte de conserve. Le Centre pour le contrôle des maladies d'Atlanta (CDC) a mené plusieurs études pour mesurer le niveau de

BPA dans les urines de la population américaine[18]. Et, comme on peut le voir dans cette enquête nationale, plus de 95 % des Américains sont contaminés et plus vous êtes jeune, plus votre niveau de bisphénol est élevé[19]. Il faut noter que la contamination des nourrissons prématurés qui sont placés en couveuse ou en unité de soins intensifs est particulièrement inquiétante ; elle est due à la présence de BPA, mais aussi de phtalates, dans les pompes et sacs à perfusion en plastique[20]. Les quantités de bisphénol A mesurées sont identiques à celles que j'utilise dans mes études expérimentales depuis plus de dix ans... »

À l'issue de sa conférence, où il a présenté les résultats de ses dernières études sur le BPA, Fred vom Saal m'a accordé une interview qui a duré... deux heures. Il est en effet fascinant d'écouter ce chercheur brillant qui connaît son sujet sur le bout des ongles et en parle avec passion, ce qui tranche singulièrement avec la tiédeur approximative des experts chargés du dossier du bisphénol A, ainsi que je le constaterai bientôt au sein des agences de réglementation comme l'EFSA ou, en France, l'(ex-)AFSSA.

« Quels effets avez-vous observé quand vous avez exposé des souris en gestation à des doses très faibles de BPA ? lui ai-je demandé.

— Avant de vous répondre, je tiens à préciser que les doses que mon équipe utilise dans ses expériences correspondent au niveau de BPA que l'on trouve dans toutes les enquêtes d'imprégnation réalisées auprès des populations américaines, européennes ou japonaises, c'est-à-dire qu'elles sont largement inférieures à la dose journalière acceptable fixée par les agences de réglementation internationales. Les effets que nous avons observés sont multiples : d'abord, une réduction des différences comportementales entre mâles et femelles ainsi qu'une perte de l'identité liée au genre ; une malformation de l'urètre et de la vessie qui fait qu'à l'âge adulte les animaux n'arrivent pas à uriner correctement. Certaines malformations sont absolument monstrueuses, comme celles que l'on voit sur ces photos, où les rats exposés *in utero* à une dose de 20 mg de BPA par kilo de poids corporel, soit une dose deux fois et demie inférieure à la DJA, ont développé une obstruction de l'urètre conduisant à un dysfonctionnement spectaculaire de la vessie. À des doses encore inférieures, le BPA cause la sécrétion de l'insuline, une augmentation du taux de glucose, mais aussi une résistance à l'insuline, du diabète, des maladies cardiaques, des troubles cérébraux et du comportement. Nous constatons aussi des dysfonctionnements dans le système de reproduction des mâles et des femelles. Chez les femelles, des kystes aux ovaires ou des fibromes utérins. Chez les mâles, des malformations des testicules, une quantité réduite de spermatozoïdes, des niveaux d'hormones et de testostérone anormalement bas. Nous observons, enfin, des cancers de la prostate chez les mâles et du sein chez les femelles. Quand on connaît l'étendue de la contamination des humains, je pense sincèrement que nous avons affaire à une véritable bombe à retardement.

— Pourquoi le fœtus est-il particulièrement sensible aux effets du bisphénol A ?

— Au BPA, mais aussi à tous les perturbateurs endocriniens. La première raison, c'est que, contrairement à l'adulte, le fœtus ne dispose pas de système de protection, comme des enzymes qui permettent de métaboliser les substances chimiques. Une fois que la substance a pénétré dans le fœtus, elle y reste pour toujours. La deuxième raison tient à la susceptibilité unique du fœtus, qui est issu d'une seule cellule, laquelle s'est divisée en deux cellules puis en quatre au cours du processus de différenciation cellulaire. Chaque cellule comprend les mêmes gènes, que ce soient les cellules musculaires, adipeuses ou cérébrales, mais ces gènes sont programmés différemment pour produire des cellules différentes, grâce à l'action d'hormones spécifiques. Or, le bisphénol A, comme tous les perturbateurs endocriniens, a le pouvoir de rendre le processus de différenciation cellulaire anormal. Une fois que ce chemin anormal a été pris, il n'est plus possible de faire marche arrière, car le dommage est définitif. C'est ce que nous appelons la "programmation génétique", qui fait que certains organes sont conditionnés pour fonctionner de manière anormale, de sorte qu'ils développeront des cancers quelques décennies plus tard.

— Est-ce que vous confirmez dans tous les cas l'inefficacité de la barrière placentaire ?

— Il existe bien une barrière placentaire, mais, contrairement à ce que l'on pensait, elle ne sert pas à empêcher les produits toxiques de traverser le placenta et d'atteindre le fœtus ; c'est même le contraire : elle sert de piège, car une fois que les substances ont réussi à pénétrer, elle les empêche de sortir… De même, mes études ont montré que les cellules du fœtus sont protégées de l'œstrogène naturel présent dans l'organisme de la mère grâce à un système de barrière sanguine qui, en revanche, est incapable de bloquer l'intrusion des hormones de synthèse dans les cellules fœtales. C'est notamment ce que j'ai découvert en travaillant sur le distilbène, qui est en quelque sorte la mère de tous les perturbateurs endocriniens[21]. »

L'industrie monte au créneau

C'est en effet parce qu'il essayait de comprendre comment un œstrogène exogène comme le distilbène pouvait interférer dans les étapes clés du développement fœtal que le chercheur de l'université de Columbia a pu confirmer ce qu'il avait déjà observé lors de ses études sur les portées de souris : l'« extrême puissance des faibles doses d'hormones, qui ont souvent un effet bien plus important et bien plus néfaste que les fortes doses », ainsi qu'il me l'a expliqué lors de notre entretien à La Nouvelle-Orléans. Pour bien comprendre les enjeux de cette découverte fondamentale, à laquelle les agences de réglementation continuent de résister, il faut retracer brièvement le parcours du chercheur.

En 1997, il a publié une première étude montrant que les descendants mâles de souris ayant ingéré d'infimes quantités de distilbène pendant la gestation présentaient un développement anormal de la taille de la prostate, similaire à celui qui était observé chez des souriceaux exposés *in utero* à de l'œstradiol, une hormone endogène que Fred vom Saal connaissait particulièrement bien[22]. Or, une augmentation excessive de la taille et du poids de la prostate est généralement considérée comme un signe précurseur d'un cancer potentiel. Ayant répété l'expérience avec du bisphénol A, le chercheur obtint des résultats identiques, publiés la même année : « Notre étude montre pour la première fois que l'exposition fœtale à des doses de bisphénol A de l'ordre de quelques parties par milliard, similaires à celles que l'on trouve dans l'environnement ou qui sont couramment ingérées par les consommateurs, peut altérer le système reproductif de souris adultes », écrivit-il dans un article de *Environmental Health Perspectives* qui à l'époque ne provoqua guère de remous[23]. Mais, l'année suivante, il publia une troisième étude qui « attira immédiatement l'attention de l'industrie chimique et le transforma en un croisé infatigable contre le bisphénol A », ainsi que le rapporte la journaliste scientifique Liza Gross dans la revue *PLoS Biology*[24]. Pour son expérience, le biologiste de l'université Columbia a nourri des souris du onzième au dix-septième jour de la gestation avec des concentrations de bisphénol A (dilué dans de l'huile) de 2 et 20 mg/kg de poids corporel – soit des doses respectivement inférieures de vingt-cinq et 2,5 fois à la DJA du produit. « La dose de 2 mg est inférieure à la quantité estimée de bisphénol A qu'un patient avale dans l'heure qui suit la mise en place d'un ciment dentaire en résine », nota-t-il dans l'introduction de son article[25]. Pourtant, les effets observés étaient loin d'être négligeables: une augmentation de la taille de certains organes génitaux (glandes préputiales) ou, au contraire, une réduction (épididymites) et, à une dose de 20 mg, une baisse de la production spermique de 20% par rapport au groupe contrôle. Publiée peu de temps après la sortie de *Our Stolen Future*, qui, comme on l'a vu, provoqua un vent de panique parmi les industriels de la chimie (voir *supra*, chapitre 16), l'étude fit l'effet d'une bombe, ainsi que l'a raconté Frederick vom Saal à *PLoS Biology*: «Dès que nous avons publié notre article sur le bisphénol A, l'industrie chimique a réagi et a loué les services de plusieurs laboratoires privés, à qui elle a demandé de répliquer notre recherche. Le plus étonnant, c'est qu'elle a fait appel à des gens qui n'avaient aucune idée de la manière dont il fallait faire le travail. Plusieurs représentants de ces laboratoires sont venus me voir et m'ont dit: "Nous ne savons pas comment il faut s'y prendre, pourriez-vous nous aider[26]?"»

La suite de cette incroyable histoire est racontée par Liza Gross: «Vom Saal fit une copie vidéo de ses protocoles expérimentaux pour un laboratoire qui avait passé un contrat avec Dow Chemical et il envoya l'un de ses étudiants en Angleterre pour enseigner le procédé aux scientifiques d'AstraZeneka. À partir de 1999, une rafale d'études furent publiées par AstraZeneca, en collaboration avec la Société des industries des plastiques (SPI), par les laboratoires de Dow, Shell, General Electric et Bayer, les principaux fabricants de bisphénol A (AstraZeneca ne fabrique pas de bisphénol A, mais plusieurs pesticides qui peuvent provoquer les mêmes effets). Aucune de ces études ne trouva que des doses faibles de bisphénol A endommageaient le développement de la prostate[27].»

Pourtant, la même année, une autre étude, publiée par Channda Gupta, professeure de pharmacologie à l'université de Pittsburgh, confirma les résultats de Frederick vom Saal. Elle avait exposé des souris gestantes à de faibles doses de bisphénol A et d'alachlore (le pesticide de Monsanto vendu sous le nom de Lasso; voir *supra*, chapitre 1), mais aussi de distilbène, qu'elle utilisa comme «contrôle positif», ainsi que l'avait fait son collègue de l'université Columbia. En effet, comme l'a expliqué ce dernier, «si les animaux ne montrent pas de réponse à une exposition au DES, dont les effets sont parfaitement connus, c'est un signe que le montage de l'étude est défectueux[28]». La chercheuse a constaté un accroissement de la taille de la prostate chez les mâles exposés *in utero*, du seizième au dix-huitième jour de gestation, à une dose de 50 mg de BPA par kilo de poids corporel (l'équivalent de la

DJA), ainsi qu'un accroissement de la distance anogénitale[a] (et elle a obtenu un effet identique avec la même dose d'alachlore[29]). De plus, lorsqu'elle a placé les prostates fœtales dans un milieu de culture et les a traitées avec les produits chimiques, elle a noté le même accroissement anormal des organes, « preuve que les molécules agissaient directement sur ceux-ci[30] ».

La réaction de l'industrie ne se fit pas attendre. D'abord, trois scientifiques travaillant pour le Chemical Industry Institute of Toxicology (CIIT) – un organisme financé par l'American Chemistry Council – publièrent un commentaire dans *The Proceedings of the Society for Experimental Biology and Medicine*, où ils critiquaient violemment « les méthodes analytiques et les conclusions » de l'étude de Channda Gupta[31]. Celle-ci y répliqua en soulignant un phénomène que nous avons déjà évoqué lors de l'affaire de l'aspartame, à savoir le *funding effect* (voir *supra*, chapitre 15) : « Il est intéressant de noter que les études qui ne sont pas parvenues à trouver un effet produit par la molécule sont financées par les industriels de la chimie, tandis que les résultats positifs sont rapportés par des laboratoires universitaires indépendants. Il est aussi clair que les scientifiques qui choisissent d'étudier un produit chimique présentant une importance commerciale sont soumis à un examen pointilleux de l'industrie chimique et des scientifiques qui travaillent pour ces industries[32]. »

Puis, fidèle à ses techniques d'intoxication récurrentes, destinées à « polluer la littérature scientifique », pour reprendre l'expression de l'épidémiologiste Peter Infante (voir *supra*, chapitre 9), l'industrie sollicita l'« expertise » d'un organisme apparemment très respectable : le Harvard Center for Risk Analysis (HCRA). Sur le papier, le nom sonne bien et a de quoi aveugler les experts candides des agences de réglementation : qui va, en effet, soupçonner un organisme se réclamant de la célèbre université de travailler pour le compte des plus grands fabricants de poisons de la planète ? Telle est pourtant la « mission » du HCRA, qui a été créé en 1989 par un certain John Graham. Des documents déclassifiés au moment des grands procès contre les cigarettiers ont révélé que le premier client du HCRA fut... Philip Morris[33], suivi des firmes Dow Chemical, DuPont, Monsanto, Exxon, General Electric et General Motors, pour lesquelles il réalisa de longs rapports

---

a   La « distance anogénitale » est celle qui sépare l'anus des parties génitales. Elle est normalement deux fois plus longue chez le mâle que chez la femelle, et une variation peut être un indice de malformation congénitale des organes de reproduction masculins (voir *infra*, chapitre 19).

minimisant systématiquement les risques sanitaires liés aux produits chimiques. Au moment où l'Institut est sollicité par l'American Plastics Council pour effectuer une méta-analyse des études présentant des effets induits par de faibles doses de bisphénol A, John Graham rejoint l'administration de George W. Bush, qui l'a nommé à la tête de l'Office of Information and Regulatory Affairs, un poste clé pour la réglementation des produits chimiques. Cette nomination provoqua un vif tollé, y compris dans le milieu universitaire, au point que 53 scientifiques de renom, dont l'épidémiologiste Richard Clapp (voir *supra*, chapitre 11), adressèrent le 9 mai 2001 une lettre au Comité sénatorial des affaires gouvernementales. Ils y dénonçaient le «travail de Graham, qui a systématiquement démontré une collusion remarquable avec les intérêts des industries réglementées» et son déni systématique des «risques réels causés par des polluants bien documentés comme la dioxine et le benzène, en utilisant des arguments économiques hautement sujets à caution[34]».

Après son départ à Washington, John Graham a été remplacé à la tête du HCRA par George Gray, un fervent défenseur des pesticides[35]. Celui-ci réunit un panel de scientifiques censé conduire la méta-analyse financée par l'industrie du plastique. Parmi eux : Lorenz Rhomberg, un «expert» de Gradient Corporation, un cabinet conseil qui travailla étroitement avec les industriels du tabac. En 2006, Rhomberg s'illustrera par un activisme débordant pour faire échouer un projet de loi de l'État de Californie (Bill AB 319) visant à interdire le BPA et les phtalates dans les biberons et jouets destinés aux enfants de moins de trois ans. C'est ainsi qu'on lira sous sa plume la panoplie des arguments que j'entendrai bientôt presque mot pour mot à l'EFSA : «Les défenseurs du projet de loi évoquent une hypothèse scientifiquement non orthodoxe selon laquelle d'infimes expositions au bisphénol A – bien en dessous de celles qui sont largement considérées comme sûres – mettraient la santé en danger. Ils se fondent sur une spéculation non prouvée que des niveaux extrêmement bas de bisphénol A pourraient d'une certaine manière causer des dégâts chez les enfants. Cependant, la plupart des études qu'ils citent sont d'une validité limitée, voire nulle, et ces quelques études censées montrer des effets du bisphénol A à des doses infimes n'ont jamais pu être confirmées par des études plus larges et plus rigoureuses. [...] Qu'importe le nombre d'études citées, la somme de preuves fragiles et inconsistantes ne fait jamais une preuve solide. [...] À l'opposé, la sécurité des plastiques comprenant du bisphénol A n'a cessé d'être réaffirmée. Ce fut le cas récemment lors d'évaluations très complètes conduites par des agences gouvernementales du Japon et d'Europe et par un panel indépendant d'experts scientifiques orga-nisé par le Harvard Center for Risk Analysis[36]. »

« *Des techniques et savoirs qui datent du xvie siècle* »

Car, bien sûr, la méta-analyse publiée par le HCRA en 2004, grâce au « soutien de l'American Plastics Council », conclut que « le poids des preuves montrant des effets [du BPA] à de faibles doses est peu consis-tant[37] ». À noter que George Gray et les « experts du panel indépen-dant » mirent deux ans à analyser 19 des 47 études publiées à la date d'avril 2002 et que trois membres du panel refusèrent finalement de signer le rapport. Dans ses conclusions, celui-ci recommandait la « réplication des études existantes dans des conditions soigneusement contrôlées »...

Au moment où l'industrie du plastique diffusait abondamment le fameux rapport, Frederick vom Saal et Claude Hugues, un endocrino-logue qui avait signé l'article du HCRA et finalement s'en était déso-lidarisé, publièrent une nouvelle méta-analyse dans laquelle ils exa-minèrent non pas 19, mais 115 études qui avaient fait l'objet d'une publication sur les effets à faibles doses du bisphénol A à la fin de 2004[38]. « Les résultats furent proprement renversants, m'a expliqué Fred vom Saal lors de notre entretien à La Nouvelle-Orléans. Nous avons en effet constaté que plus de 90 % des études financées par des fonds publics montraient des effets significatifs du BPA à de faibles doses – soit 94 études sur 115 –, mais pas une de celles qui étaient comman-ditées par l'industrie !

— C'est ce qu'on appelle le *funding effect*...

— Oui... De plus, 31 études conduites sur des animaux vertébrés ou invertébrés avaient trouvé des effets significatifs à une dose infé-rieure à la DJA du bisphénol A.

— Comment expliquez-vous les résultats négatifs obtenus par les scientifiques travaillant pour l'industrie ? Est-ce qu'ils ont triché ?

— La triche est difficile à prouver, m'a répondu prudemment Fred vom Saal, mais en revanche il y a plusieurs "astuces" qui permettent de masquer les effets potentiels. D'abord, ainsi que nous l'avons écrit avec Claude Hugues dans notre article, la plupart des laboratoires payés par l'industrie ont utilisé une lignée de rats qui est connue pour être tota-lement insensible aux effets des molécules œstrogéniques.

— Il y a des rats qui présentent cette caractéristique ? ai-je demandé, tant cette information me paraissait invraisemblable.

— Oui ! Cette lignée, appelée Sprague-Dawley, ou CD-SD, a été inventée, si on peut dire, par l'entreprise Charles River qui l'a sélectionnée, il y a une cinquantaine d'années, en raison de sa haute fertilité et de la croissance postnatale rapide des souriceaux qu'elle engendre. Cela donne des rates obèses, capables de produire d'énormes quantités de bébés, mais qui du coup sont insensibles à l'œstrogène, par exemple à l'éthinylestradiol, un œstrogène puissant que l'on trouve dans les pilules contraceptives : elles ne réagissent qu'à une dose cent fois supérieure à la quantité prise quotidiennement par les femmes qui utilisent un contraceptif oral ! Cette lignée est donc tout à fait inappropriée pour étudier les effets des faibles doses d'œstrogènes de synthèse !

— Et cette caractéristique des rats Sprague-Dawley n'était pas connue des laboratoires travaillant pour l'industrie ?

— Apparemment non ! Mais, curieusement, tous les laboratoires publics étaient au courant, m'a répondu Fred vom Saal avec un sourire entendu. L'autre problème que nous avons rencontré avec les études privées, c'est qu'elles utilisent une technologie qui date d'au moins cinquante ans ! Elles sont incapables de détecter des doses infimes de BPA, tout simplement parce que les laboratoires n'ont pas les équipements qui le permettent ou parce que le guide des "bonnes pratiques de laboratoire", les fameuses GLP [voir *supra*, chapitre 12], ne l'exige pas, ce qui est bien pratique ! C'est un peu comme un astrologue qui voudrait examiner la lune avec des jumelles, alors qu'il existe des télescopes comme Hubble ! Dans mon laboratoire, nous pouvons détecter des résidus de bisphénol A libre, c'est-à-dire non métabolisé, à un niveau de 0,2 partie par milliard, mais, dans la plupart des études de l'industrie que nous avons examinées, le niveau de détection était de cinquante à cent fois supérieur ! Il est alors facile de conclure que "l'exposition au bisphénol A ne pose pas de danger pour la santé, parce qu'il est complètement éliminé"… Enfin, le dernier problème que nous avons constaté est que les scientifiques des laboratoires privés, mais aussi la plupart des experts des agences de réglementation, ne comprennent rien en général à l'endocrinologie. Ils ont tous été formés à la vieille école de la toxicologie qui veut que "la dose fait le poison". Or, ce principe, qui constitue le fondement de la dose journalière acceptable, est basé sur des hypothèses erronées qui datent du xvie siècle : à l'époque de Paracelse, on ne savait pas que les produits chimiques peuvent agir comme des hormones et que les hormones ne suivent pas les règles de la toxicologie[39].

— Est-ce que cela signifie que le principe de la relation dose-effet, qui est le corollaire de la DJA, est aussi erroné ?

— Tout à fait. Pour les perturbateurs endocriniens, il ne sert à rien ! Il peut marcher pour certains produits toxiques traditionnels, mais pas pour les hormones, pour aucune hormone ! Pour certains produits chimiques et pour les hormones naturelles, nous savons que les doses faibles peuvent stimuler les effets, alors que les fortes doses les inhibent. Pour les hormones, la dose ne fait jamais le poison, les effets n'empirent pas systématiquement, car en endocrinologie les courbes linéaires dose-effet n'existent pas. Je vais vous donner un exemple concret : quand une femme a un cancer du sein, on lui prescrit un médicament qui est le Tamoxifen. Au début du traitement, les effets sont très désagréables, car la molécule commence par stimuler la progression de la tumeur, puis, quand elle atteint une certaine dose, elle bloque la prolifération des cellules cancéreuses. On observe le même phénomène avec le Lupron, un médicament prescrit aux hommes qui souffrent d'un cancer de la prostate. Dans les deux cas, l'action de la substance n'est pas proportionnelle à la dose et ne suit pas une courbe linéaire, mais une courbe en forme de U inversé. En endocrinologie, on parle d'un effet biphasique : d'abord une phase ascensionnelle, puis une descendante.

— Mais les agences de réglementation ne connaissent-elles pas ces caractéristiques ?

— Je pense sincèrement que leurs experts devraient retourner sur les bancs de l'université de médecine pour suivre un cours d'initiation à l'endocrinologie ! Plus sérieusement, je vous invite à consulter la déclaration de consensus qu'a publiée récemment la Société américaine d'endocrinologie, qui compte plus de mille professionnels. Elle demande officiellement au gouvernement de prendre des mesures pour que soit revue de fond en comble la manière dont sont réglementés les produits chimiques qui ont une activité hormonale – on estime qu'il y en a plusieurs centaines. Et les auteurs de cette déclaration ne sont pas des activistes radicaux qui manifestent avec des pancartes ! Ce sont des endocrinologues professionnels, qui disent clairement que, tant que leur spécialité ne sera pas admise au sein des agences de réglementation, les consommateurs et le public ne seront pas protégés, car le système ne peut être qu'inefficace. »

De fait, j'ai lu le texte publié par la Société d'endocrinologie en juin 2009 (et dont Ana Soto fut l'un des auteurs[40]). En près de cinquante pages, celui-ci tire très clairement la sonnette d'alarme: «Nous apportons la preuve que les perturbateurs endocriniens ont des effets sur le système de reproduction masculin et féminin, écrivent ses auteurs, mais aussi sur le développement du cancer du sein et de la prostate, la neuroendocrinologie, la thyroïde, l'obésité et l'endocrinologie cardiovasculaire. Les résultats obtenus à partir de modèles animaux, d'observations cliniques humaines et d'études épidémiologiques convergent pour impliquer les perturbateurs endocriniens comme un problème majeur de santé publique.» Après avoir rappelé que «les perturbateurs endocriniens représentent une classe étendue de molécules comprenant des pesticides, des plastiques et plastifiants, des combustibles et de nombreux autres produits chimiques présents dans l'environnement et très largement utilisés», ils précisent qu'«un niveau infinitésimal d'exposition, le plus petit soit-il, peut causer des anomalies endocriniennes et reproductives, particulièrement si l'exposition a lieu pendant une fenêtre critique du développement. Aussi surprenant que cela puisse paraître, des doses faibles peuvent même avoir un effet plus puissant que des doses plus élevées. Deuxièmement, les perturbateurs endocriniens peuvent exercer leur action en suivant une courbe dose-effet qui n'est pas traditionnelle, telle qu'une courbe en forme de U inversé». En conclusion, ils appellent les «décideurs scientifiques et individuels à promouvoir la prise de conscience et le principe de précaution, et à mettre en place un changement dans la politique publique».

«L'étude qui a fondé la DJA du BPA est ridicule»

«Savez-vous sur quelle étude l'EFSA et la FDA se sont fondées pour fixer la DJA du bisphénol A à 50 mg par kilo de poids corporel? ai-je demandé à Frederick vom Saal, sans savoir que je touchais là à l'un des points les plus incroyables de cette (lamentable) affaire.

— Les agences se sont fondées sur une étude dont je n'hésite pas à dire qu'elle est ridicule et qu'elle devrait immédiatement rejoindre les poubelles de l'histoire scientifique, m'a-t-il répondu avec une fermeté dont la gravité tranchait avec le ton enjoué du début de notre entretien. Cette étude a été dirigée par Rochelle Tyl et financée par la Société de l'industrie des plastiques, Dow Chemical, Bayer, Aristech, Chemical Corp et GE Plastics, qui sont les principaux fabricants de bisphénol A. Elle a été publiée en 2002 et, comme son titre l'indique, elle a utilisé des rats Sprague-Dawley : autant dire qu'elle est parfaitement inutile, mais c'est pourtant cette étude que l'EFSA et la FDA ont choisie, parmi des centaines, pour fixer la DJA ! »

De fait, quand on consulte l'avis de l'EFSA publié en 2006[41], on peut lire à la page 32 que l'étude qui a servi à déterminer la NOAEL pour la toxicité reproductive est une « vaste étude sur trois générations » de Rochelle Tyl conduite sur des rats Spraguë-Dawley[42]. « Quand, en 2005, j'ai révélé que les rats Sprague-Dawley étaient insensibles aux molécules œstrogéniques, l'équipe de Tyl s'est empressée de conduire une seconde étude avec des souris que l'on appelle "suisses" ou "CD-1", m'a raconté Frederick vom Saal, les mêmes que j'utilise dans mon laboratoire, mais là aussi il y a de gros problèmes... » Effectivement, d'une manière pour le moins elliptique, pour ne pas dire énigmatique, l'avis de l'EFSA de 2006 évoque la « controverse sur les effets possibles des faibles doses de BPA sur des lignées de rongeurs sensibles », avant de préciser qu'« une étude récente de toxicologie reproductive sur deux générations, conduite sur des souris selon les bonnes pratiques de laboratoire, n'a pas confirmé l'existence d'effets à faible dose[43] ». On en conclut, même si ce n'est pas clairement dit, que la DJA de 50 mg fixée lors de l'examen de l'« étude ridicule » de 2002 a été maintenue.

« Et quels sont les problèmes de cette seconde étude ? ai-je demandé à Fred vom Saal.

— Ils sont multiples ! s'est-il exclamé. L'affaire est tellement grave, car l'enjeu c'est la DJA du BPA, que trente scientifiques américains, dont je fais partie, ont publié en 2009 un long article dans le journal *Environmental Health Perspectives*[44] pour dénoncer les incroyables déficiences de cette étude, qui devrait, comme la première, finir à la poubelle ! Alors qu'elle est considérée par l'EFSA et la FDA comme le *must* des bonnes pratiques de laboratoire ! »

Pour bien comprendre la suite de ce récit, proprement sidérant, il faut savoir que l'équipe de Rochelle Tyl a utilisé 280 souris mâles et autant de femelles, qui furent réparties en trois groupes : un « groupe contrôle » (qui ne fut exposé à aucune substance), un « groupe contrôle positif » (qui fut exposé à de l'œstradiol, car les effets de cette hormone sont parfaitement connus) et un « groupe expérimental » (exposé à du bisphénol A, avec six niveaux de dose). Une attention particulière fut portée aux femelles exposées pendant la gestation et à leurs descendants mâles et femelles, car le but de l'étude était principalement de mesurer les effets transgénérationnels de faibles doses de bisphénol A sur le système reproductif. « La première chose que nous avons rapportée dans notre article, m'a expliqué Frederick vom Saal, c'est que les souris du groupe contrôle positif étaient extraordinairement insensibles à l'œstradiol. Les premiers effets ne sont apparus qu'à une dose 50 000 fois supérieure à celle qui avait été constatée dans de nombreux laboratoires, dont le mien. Tout indique que les installations de Rochelle Tyl étaient contaminées par de l'œstrogène. L'une des explications possibles pourrait être un incendie qui a ravagé le laboratoire en août 2001, au cours duquel une vingtaine de cages en polycarbonate ont brûlé en libérant du bisphénol A. Cette hypothèse a été abordée récemment lors d'un colloque en Allemagne auquel participaient Rochelle Tyl et un représentant de la FDA et où les aberrations de l'étude furent largement évoquées[45]. Ce qui est incroyable, c'est que l'EFSA et la FDA n'aient pas remarqué les anomalies caractérisant le groupe contrôle positif, alors qu'elles devraient purement et simplement invalider tous les résultats de l'étude, car cette contamination à l'œstrogène rend impossible la mesure d'effets à faibles doses du BPA. Le second problème, c'est le poids absolument anormal de la prostate des mâles du groupe contrôle, qui est de 75 % supérieur à celui qu'on a constaté dans toutes les études similaires. »

En effet, dans le tableau 3 de son étude, Rochelle Tyl note que le poids moyen de la prostate des souris du groupe contrôle était supérieur à 70 mg, *à l'âge de trois mois et demi*. Or, soulignent les trente scientifiques de l'article cosigné par Frederick vom Saal, « ce poids moyen dans le groupe contrôle contraste radicalement avec celui qu'ont rapporté d'autres laboratoires. En général, le poids de la prostate chez des souris CD-1 de deux à trois mois est de 40 mg. Plusieurs études ont rapporté que l'exposition prénatale à de faibles doses de BPA ou à de l'œstrogène causait une augmentation du poids de la prostate, [...] mais la prostate hypertrophiée des animaux exposés au BPA dans ces laboratoires pesait moins que celle des souris du groupe contrôle de Tyl[46] ». « Ce poids exceptionnel de la prostate ne peut s'expliquer que de deux manières, m'a expliqué Frederick vom Saal. Soit les techniques de dissection étaient inappropriées, soit les animaux souffraient d'une infection de la prostate. Et je dois dire que les multiples versions données par Rochelle Tyl pour justifier cette taille incongrue ne font que confirmer que cette étude n'a aucune valeur. »

De fait, il faut bien admettre que la scientifique de l'industrie s'est pris plusieurs fois les pieds dans le tapis. Lors d'une audition organisée par la FDA, le 16 septembre 2008, elle a livré une première version, lorsque Frederick vom Saal l'interrogea publiquement sur cette anomalie manifeste. «Les souris n'avaient pas trois mois, mais six, a-t-elle affirmé, c'est pourquoi leur prostate était plus grande.» Imperturbable, le chercheur de l'université Columbia a alors exhibé la fameuse étude, en s'étonnant qu'«elle contienne deux fois la même faute d'impression[47]»... Interrogée de nouveau sur les fichues prostates lors du colloque sur le BPA qui s'est tenu en Allemagne en avril 2009, Rochelle Tyl a fourni une troisième version: «Les souris avaient cinq mois», a-t-elle déclaré, tandis que certains des cinquante-huit scientifiques présents se demandaient ouvertement comment une telle étude avait pu être choisie comme référence par les agences de réglementation[48].

Les pauvres arguments de l'EFSA en faveur du bisphénol A

Comment est-ce possible? Alors que je roulais sur l'autoroute reliant Bologne à Parme (Italie), le 19 janvier 2010, cette question ne cessait de me poursuivre. Ce jour-là, j'avais rendez-vous avec quatre représentants de l'EFSA, dont Alexandre Feigenbaum, le chef de l'unité chargée de l'évaluation des matériaux au contact avec les aliments (groupe CEF). Avant de le rencontrer, j'avais soigneusement relu l'avis publié par l'Autorité européenne sur le bisphénol A en novembre 2006: «Les résultats des études rapportant des effets à de faibles doses contrastent avec ceux des études qui utilisent des protocoles [...] conformes aux lignes directrices reconnues internationalement et conduits dans le respect des bonnes pratiques de laboratoire. Aucune de ces études [...] n'a prouvé que le BPA pouvait avoir des effets à de faibles doses sur des rongeurs (jusqu'à 0,003 mg/kg de poids corporel[49]).»

Ah! Les «bonnes pratiques de laboratoire»! Elles ont décidément le dos large! J'ai raconté (voir *supra*, chapitre 12) qu'elles ont été promues par l'OCDE, mais aussi par la FDA et l'EPA, après que fut révélé à la fin des années 1970 le comportement pour le moins laxiste, voire frauduleux, de grands laboratoires privés réalisant des études pour l'industrie. Les études de Searle sur l'aspartame en constituaient une illustration parfaite (voir *supra*, chapitres 15 et 16). Or, comme le soulignent Fred vom Saal et ses vingt-neuf coauteurs dans l'article précédemment cité («Pourquoi les agences de la santé publique ne peuvent pas dépendre des bonnes pratiques de laboratoire pour sélectionner leurs données»), «ce comportement laxiste fut possible parce que les données de l'industrie ne sont généralement pas soumises à l'examen scientifique rigoureux et multiple qui caractérise les données des études académiques, financées par des fonds publics et publiées dans des revues à comité de lecture. C'est l'absence de ces garde-fous qui a permis la fraude[50] ».

Concrètement, les bonnes pratiques de laboratoire consistent en une feuille de route réglementée où les scientifiques conduisant des études à des fins réglementaires et commerciales doivent rapporter scrupuleusement toutes les étapes et données de leur recherche, de manière à faciliter leur contrôle si nécessaire. Mais ce travail d'enregistrement et d'archivage somme toute très bureaucratique « ne garantit pas la validité des résultats scientifiques » ni « ne dit rien sur la qualité du protocole de l'étude, le savoir-faire des techniciens, la sensibilité des expériences ou si les méthodes utilisées sont à la pointe ou au contraire complètement dépassées[51] ». « Dans notre laboratoire, nous n'avons jamais recours au règlement des bonnes pratiques de laboratoire, car les inspections régulières qui y sont liées coûtent cher, m'a expliqué Ana Soto. Ce qui est incroyable, c'est que ce système qui a été mis en place pour éviter la fraude des laboratoires privés se retourne aujourd'hui contre les laboratoires universitaires, qui sont déjà soumis à des exigences draconiennes pour pouvoir financer leur recherche ! Voilà pourquoi *toutes* les études que j'ai réalisées sur le bisphénol A et qui ont *toutes* été publiées dans la littérature scientifique ont *toutes* été rejetées par l'EFSA ! »

« Pourquoi avez-vous rejeté les études d'Ana Soto ? ai-je demandé à Alexandre Feigenbaum en ouverture de notre entretien – enregistré par mon équipe de tournage, comme les trois autres interviews que j'ai réalisées à l'EFSA, mais aussi par les trois représentants de l'Autorité européenne qui étaient assis dans mon dos…

— Elles ne répondent tout simplement pas aux critères sur la qualité des études, m'a répondu l'expert. Il est possible que… Ce sont des effets isolés que l'on peut voir ; comment voulez-vous être certain que ce que vous pouvez voir, soit dans des tubes à essai, soit sur un nombre restreint d'animaux, ait une signification pour la santé humaine ? Nous, nous sommes obligés de prendre des études valides et acceptées par la communauté scientifique. Et vous savez bien que les études d'Ana Soto ne le sont pas…

— Et qu'en est-il des études de Frederick vom Saal ? ai-je poursuivi, préférant ignorer l'énormité de ce que je venais d'entendre.

— Cela fait une quinzaine d'années que M. vom Saal essaie de convaincre la communauté scientifique de prendre en compte ses études. Et il n'a pas convaincu : toutes les agences nationales ou internationales en charge de l'évaluation du risque, que ce soit la FDA, que ce soit en Nouvelle-Zélande, au Japon, le BFR en Allemagne, ou la FSA en Angleterre, toutes sont d'accord avec notre démarche d'évaluation du risque et avec la DJA que nous avons établie...

— Comment expliquez-vous que l'EFSA ne prenne pas en compte les centaines d'études universitaires qui montrent des effets du bisphénol A à des doses largement inférieures à la DJA? ai-je insisté, de plus en plus découragée.

— C'est sûr qu'on voit des effets dans la plupart de ces études, mais on ne sait pas ce que signifient ces effets pour la santé humaine, m'a répondu l'expert européen, après un long monologue incompréhensible que je préfère épargner au lecteur. Comment voulez-vous qu'une agence qui est responsable de donner un avis sur la sécurité des consommateurs puisse se fonder sur des études qui ne sont pas validées, ou pas répétables?

— Deux études ont été utilisées par l'EFSA pour fixer la DJA du BPA: ce sont celles de Rochelle Tyl. Que pensez-vous du fait qu'elle ait donné trois versions sur l'âge de ses souris, pour justifier la taille anormale de leurs prostates?

— Pardon? Vous pouvez répéter votre question?

— Rochelle Tyl a conduit deux études, payées par l'industrie, qui ont servi de référence à l'EFSA pour fixer la DJA du BPA. Or, dans la seconde étude, la taille de la prostate des souris du groupe contrôle était anormalement élevée vu l'âge des animaux, qui était de trois mois selon ce qu'avait publié Rochelle Tyl. Pour justifier cette anomalie, elle a modifié plus tard par deux fois l'âge de ses souris. Est-ce conforme aux "bonnes pratiques de laboratoire"?

— La question, c'est: est-ce que le fait que les souris aient eu six mois au lieu de trois mois est de nature à remettre en cause complètement toute la validité de l'étude? C'est ça?

— Oui!

— Vous pouvez couper la caméra, je voudrais consulter mes collègues...»

«Je ne peux pas répondre à votre question, finira par me dire Alexandre Feigenbaum, qui en profitera pour changer de sujet: J'ai fait une recherche avant que vous veniez: rien que pour l'année 2009, il y a plus de mille études qui sont parues sur le bisphénol A. Certaines vont dans le sens que vous donnez, d'autres vont tout à fait dans le sens de ce que dit l'EFSA. Et donc, effectivement, si vous rencontrez des scientifiques qui vont dans le sens des partisans des effets à faibles doses, vous pouvez être convaincue par eux...

— Vous avez dit : les "partisans des effets à faibles doses". Pensez-vous que les effets des faibles doses relèvent d'une posture idéologique et qu'ils ne reposent sur rien de scientifique ?

— Ce sont des écoles de pensée, effectivement, mais je vous assure que ce n'est pas la majorité de la communauté scientifique. Est-ce que vous pensez qu'on peut fonder une opinion qui a un impact majeur sur la santé publique sur des hypothèses ou sur des données non confirmées ? Ce n'est pas possible... »

« Ignorer ces données ne relève pas d'une attitude scientifique »

« Comment expliquez-vous que l'AFSSA, l'agence française, ou l'EFSA, l'Autorité européenne, ou encore la FDA s'accrochent ainsi à la DJA de 50 mg/kg, alors que des centaines d'études sur le bisphénol A montrent des effets à des doses bien inférieures ? » La question a fait sourire Linda Birnbaum, la directrice du National Institute of Environmental Health Sciences, qui m'a reçue, le 26 octobre 2009, dans son bureau, orné du drapeau étoilé, du Research Triangle Park (Caroline du Nord). Sa nomination à la tête du célèbre NIEHS par le président Barack Obama avait été applaudie, dix mois plus tôt, par tous ceux qui, aux États-Unis, se battent pour que la santé publique et l'environnement (re)deviennent une véritable préoccupation nationale.

« Pourquoi ? a-t-elle répété en cherchant visiblement ses mots. Parce que ces agences n'ont pas examiné les nouvelles données, c'est le problème. Certaines agences de réglementation sont très lentes à s'adapter à la nouvelle science. Pourtant, au cours des dernières années, une quantité énorme de données a été publiée dans la littérature scientifique qui montre que le bisphénol A produit des effets sur les organismes en développement à des niveaux d'exposition extrêmement bas. Je pense que le fait d'ignorer ces nouvelles données ne relève pas d'une attitude scientifique... »

La franchise de Linda Birnbaum m'a carrément sidérée, car je ne m'attendais pas à ce que la directrice du plus grand organisme de recherche publique des États-Unis lance un tel pavé dans la mare des agences réglementaires, même si elle a une réputation de scientifique rigoureuse et intransigeante sur l'éthique professionnelle. Toxicologue renommée – au moment de sa nomination au NIEHS, elle présidait l'Union internationale de toxicologie –, Linda Birnbaum a dirigé pendant seize ans la division de toxicologie expérimentale de l'Agence de protection de l'environnement. En 2007, elle a signé avec trente-sept autres scientifiques une «déclaration de consensus» sur le bisphénol A, qui fut soutenue par le NIEHS; cette déclaration synthétisait trois jours de travaux, organisés du 28 au 30 novembre 2006 à Chapel Hill (Caroline du Nord). Réunis en cinq panels, les participants évaluèrent sept cents articles publiés dans la littérature scientifique et leur constat fut sans appel: «L'étendue des effets nocifs observés sur des animaux de laboratoire exposés à de faibles doses de bisphénol A pendant la vie fœtale et adulte constitue une cause d'inquiétude, en raison des effets similaires potentiels qui pourraient affecter les humains, écrivent-ils dans leur conclusion. En effet, les tendances récentes des maladies humaines ressemblent aux effets nocifs observés sur des animaux de laboratoire exposés à de faibles doses de bisphénol A, comme l'augmentation des cancers du sein et de la prostate, les malformations urogénitales chez les bébés masculins, la baisse de la qualité du sperme des hommes, la précocité de la puberté chez les filles, le diabète de type 2, l'obésité et les problèmes neurocomportementaux tels que le trouble du déficit de l'attention et l'hyperactivité[52].»

Un an plus tard, Linda Birnbaum était associée à la rédaction d'un volumineux rapport publié – d'abord sous une forme préliminaire en avril 2008, puis comme monographie en septembre 2008 – par le très officiel National Toxicology Program, qui avait demandé à un panel d'experts d'évaluer la toxicité du bisphénol A. Coupant court aux tergiversations de l'industrie, celui-ci notait que «les études de *biomonitoring* [voir chapitre suivant] ont montré que l'exposition humaine au bisphénol A est largement répandue» et que «l'ingestion quotidienne la plus élevée dans la population générale se produit chez les nouveau-nés et les enfants». Dans ses conclusions, il admettait, avec la prudence de rigueur, une «*certaine* préoccupation pour les effets neurologiques et comportementaux sur les fœtus, nourrissons et enfants aux niveaux d'exposition courants, [...] ainsi que pour les effets sur la prostate, la glande mammaire et l'âge de la puberté chez les sujets féminins[53]».

Le ton était certes très mesuré, mais le gouvernement canadien ne s'y est pas trompé: peu de temps après la publication du rapport préliminaire du NTP, il annonçait la suspension immédiate de la vente de biberons contenant du bisphénol A (à noter qu'au Canada la DJA du produit n'est pas de 50 mg/kg, mais de 25 mg/kg). Au même moment, Santé Canada (le ministère fédéral chargé de la santé) publiait également un rapport préliminaire sur le bisphénol A qui enfonçait le clou, en confirmant la contamination généralisée de l'environnement : « Le BPA est présent dans des endroits où il n'est pas directement largué, comme les sédiments et les nappes phréatiques. Cela signifie que la substance reste suffisamment longtemps dans l'environnement pour pouvoir se déplacer de son point de largage vers d'autres lieux. [...] Le bisphénol A est hautement toxique pour les organismes aquatiques. Il peut aussi avoir un impact sur le développement normal des individus ainsi que sur celui de leurs descendants, avec des effets nocifs démontrés sur la reproduction des vers de terre, la croissance des plantes et le développement des mammifères et des oiseaux. [...] C'est pourquoi il est proposé de considérer le bisphénol A comme une substance qui constitue ou peut constituer un danger pour la vie et la santé des Canadiens[54]. »

La décision pionnière des autorités canadiennes d'interdire *de facto* les biberons en plastique à base de bisphénol A fut aussi confortée par la publication, pendant l'été 2008, de deux études de Xu-Liang Cao, un chercheur de Santé Canada, montrant la contamination d'aliments liquides en boîte pour bébés ainsi que du contenu des biberons chauffés à 70 °C[55]. Pour les biberons, la migration de la substance vers le lait variait de 228 à 521 mg/l. Sur son site web, le Réseau environnement santé français s'est livré à un petit calcul très explicite : « Si on retient un volume de 0,5 l pour un bébé de un an ayant un poids moyen de 9 kg, la dose maximale quotidienne sera de 260 mg/l, soit rapporté au poids : 260/9 = 28,9 mg/kg/j. » Cette « consommation » *par la seule voie du biberon* se situe certes en dessous de la DJA européenne de 50 mg/kg, si sujette à caution, mais très au-dessus des doses à risques identifiées par l'étude d'Ana Soto et de Carlos Sonnenschein, montrant des effets sur la glande mammaire des souris exposées *in utero* à 250 nanogrammes de BPA : si les agences de réglementation prenaient cette étude comme référence, elles obtiendraient une DJA inférieure à 2,5 nanogrammes, soit 0,0025 mg/kg de poids corporel, c'est-à-dire 20 000 fois inférieure à la DJA actuelle...

« Oublions tous ces calculs savants, m'a dit d'une voix calme et posée Linda Birnbaum, et soyons pragmatiques. Je pense qu'il y a suffisamment de preuves qui indiquent que le BPA a le potentiel de causer des effets nocifs, particulièrement pendant la période très sensible du développement. Donc, si j'étais une jeune maman et que je nourrissais mon bébé avec un biberon, je ne voudrais pas qu'il y ait du BPA dans ce biberon... »

Les biberons en plastique à base de bisphénol A : l'argument fallacieux des agences de réglementation

«Je rappelle que le principe de précaution ne s'applique qu'en l'absence d'étude fiable. En l'occurrence, les études fiables existent; elles concluent, en l'état actuel des connaissances scientifiques, à l'innocuité des biberons en bisphénol A. [...] Ces études sont confirmées par l'ensemble des grandes agences sanitaires.» C'était le 31 mars 2009, au Parlement français: Roselyne Bachelot, ministre de la Santé, répondait aux questions du député centriste de Seine-Saint-Denis Jean-Christophe Lagarde, qui demandait que, comme au Canada, le gouvernement applique le principe de précaution au moins pour les biberons contenant du bisphénol A. Affirmant avec force que «le principe de précaution est un principe de raison, il n'est en aucun cas un principe d'émotion», la ministre a asséné, imperturbable: «Les autorités canadiennes ont décidé son interdiction sous la pression de l'opinion publique, sans que cette décision repose toutefois sur aucune étude scientifique sérieuse.» Gageons que ces phrases malencontreuses entacheront à jamais l'image de celle qui, quelques mois plus tard, se lança à corps perdu dans la désastreuse affaire du vaccin contre la grippe H1N1[a].

À la décharge de la ministre, on peut dire qu'elle avait (sans doute) été bien mal conseillée par les «experts» français et européens chargés du dossier du BPA. En effet, à la suite de l'interdiction canadienne, l'Union européenne a demandé à l'EFSA de produire un nouvel avis relatif à l'usage du bisphénol A dans les biberons. La question centrale était de vérifier si les mécanismes de dégradation du bisphénol A[b] opérant dans les organismes des femmes enceintes, des fœtus et des bébés, à savoir les populations les plus sensibles selon les rapports américains et canadiens, les mettaient à l'abri d'effets nocifs. Et on assista alors à une démonstration qui a laissé pantois bon nombre de scientifiques que j'ai interrogés à ce sujet, dont Linda Birnbaum, Frederick vom Saal et le toxicologue André Cicollela, porte-parole du Réseau environnement santé (RES): «L'exposition du fœtus au BPA est négligeable», conclut en effet en juillet 2008 le «groupe CEF» de l'Autorité européenne[56].

---

a   Le 17 mai 2010, les députés français adopteront finalement une loi interdisant la commercialisation des biberons en polycarbonate contenant du bisphénol A...

b   Une fois qu'il a pénétré dans l'organisme, le bisphénol A se décompose en «bisphénol libre» et en deux métabolites principaux : le BPA glucuronide et le BPA-sulfate.

Pour justifier cette étrange conclusion, qui allait à l'encontre des résultats des multiples études conduites sur les rongeurs et les singes, mais aussi de la déclaration de Chapel Hill et de la monographie du National Toxicological Program, les experts européens s'appuyèrent sur une comparaison du BPA avec le... paracétamol, au motif que les deux molécules présentent une structure proche et, donc, que les mécanismes de détoxification chez le fœtus et le nouveau-né doivent être similaires. Bien qu'on ne trouve aucune trace de cette déduction hasardeuse dans les rapports nord-américains ni dans la littérature scientifique internationale, l'argument de l'EFSA sera repris les yeux fermés par l'(ex-)AFSSA qui, dans un « avis relatif au bisphénol A dans les biberons en polycarbonate susceptibles d'être chauffés au four à micro-ondes » publié en octobre 2008, a conclu que rien ne justifiait une « précaution d'emploi particulière[57] ».

« L'exposition du fœtus par contamination de la mère est négligeable, a ainsi déclaré Marie Favrot, directrice de l'évaluation des risques nutritionnels et sanitaires de l'(ex-)AFSSA, lors d'un colloque organisé le 5 juin 2009 à l'Assemblée nationale par le RES et Gérard Bapt (président du Groupe santé environnementale à l'Assemblée nationale). Les études n'ont bien sûr pas pu être faites avec le BPA lui-même, mais on est parti des études faites sur le paracétamol, qui a des similitudes de structure et surtout utilise le même métabolisme de détoxification. »

La nécessité de changer de paradigme

« Cet argument est absolument grotesque, m'a expliqué André Cicollela quand je l'ai rencontré à son domicile parisien le 11 février 2010. Si j'ai un stagiaire qui me rend un rapport avec ce type d'argutie, il sort avec un coup de pied dans les fesses, parce que c'est contraire à tout ce qu'on enseigne et à tout ce qui constitue le fondement même de la toxicologie. Les structures du bisphénol A et du paracétamol sont clairement très différentes. Certes, elles ont en commun un noyau phénolique, constitué d'un radical OH ajouté à un noyau benzénique, mais c'est tout! Avec ce mode de raisonnement, toute substance ayant un noyau benzénique serait à considérer comme cancérogène, ce qui serait parfaitement stupide et ferait, à juste titre, hurler l'industrie chimique!

— Je me souviens que, lors du colloque du 5 juin, vous vous êtes plusieurs fois énervé.

— Oui ! Il y a des arguments qui tournent en boucle et que je ne peux plus entendre, comme celui du représentant de l'industrie du plastique, qui est aussi, d'ailleurs, celui des agences de réglementation », m'a expliqué André Cicollela.

« Je vous emmène faire un petit voyage à travers le monde pour vous présenter ce dont nous, les industriels, avons besoin, à savoir des avis des agences sanitaires qui nous autorisent à mettre sur le marché les différents produits », s'était en effet réjoui Michel Loubry, le directeur Europe de l'Ouest de Plastics Europe, la « voix officielle des producteurs européens de plastiques », selon le site web de l'association[58]. « Le consensus actuel des agences sanitaires aux États-Unis, au Canada, en Europe et au Japon est que les niveaux actuels d'exposition au BPA en application alimentaire ne présentent aucun risque pour la santé des populations, y compris les enfants et les bébés, avait ensuite expliqué Michel Loubry.

— De la même manière, il n'y a pas si longtemps, toutes les agences étaient d'accord pour dire que l'amiante ne posait pas de problème, avait rétorqué André Cicollela. Mais, à l'époque, on nous disait : "Où sont les victimes ?" Aujourd'hui, on en est à 3 000 morts [par an] et il y en aura plusieurs dizaines de milliers d'ici vingt ans... Alors, la vraie question qui se pose, c'est : est-ce qu'on attend quarante, cinquante ou soixante ans pour avoir la certitude ? Ou est-ce qu'on applique le principe de précaution, étant donné la convergence des études chez l'animal, sur toutes les espèces testées, souris, rat et singe – les données sur le singe sont extrêmement fortes...

— Le problème, avait répliqué Pascale Briand, la directrice de l'(ex-)AFSSA, c'est qu'on ne peut pas protéger correctement nos concitoyens sur la base de l'émotion...

— Mais comment pouvez-vous parler d'"émotion" ? s'était énervé André Cicollela. Comment pouvez-vous parler d'émotion devant l'ensemble de ces données scientifiques ? »

« Lors de ce colloque, Pascale Briand a affirmé que les comités d'experts de l'AFSSA menaient, je cite, une "évaluation scientifique indépendante et impartiale". Qu'en pensez-vous ? ai-je demandé au porte-parole du RES, lors de notre rencontre à son domicile.

— La démarche de l'agence est tout sauf scientifique ! m'a-t-il répondu. Sinon, comment peut-elle expliquer qu'elle a fondé sa norme du BPA sur deux études hautement suspectes, alors que plus de cinq cents études sérieuses ont été publiées ? Comment peut-elle expliquer que, sur un sujet aussi polémique que le bisphénol A, tous les avis soient toujours pris à l'unanimité[a]? Il y a un problème de fond, qui est la déontologie de l'expertise. Comment un système d'expertise qui devrait être construit pour protéger la santé publique a-t-il pu être à ce point perverti? Avez-vous consulté les "déclarations d'intérêts" des experts de l'AFSSA ou de l'EFSA?»

Oui, je les ai consultées. Parmi les experts qui ont rendu l'avis de l'AFSSA d'octobre 2008 figurent Jean-François Régnier, qui travaille pour Arkema, un fabricant de plaques de polycarbonates, et Frédéric Hommet et Philippe Saillard, qui ont des contrats avec le CTCPA (Centre technique de la conservation des produits agricoles). Quant au panel de l'EFSA qui a émis les avis de 2006 et 2008, il comptait au moins quatre membres liés à l'International Life Sciences Institute (ILSI) (voir *supra*, chapitre 12) et un expert, Wolfgang Dekant, qui est lié à de nombreuses entreprises de la chimie, comme RCC Ltd et Honeywell Inc., etc.

«Quel est l'enjeu du bisphénol A? ai-je finalement demandé à André Cicollela.

— Si le BPA est devenu une substance emblématique, c'est parce qu'il incarne la nécessité d'un changement de paradigme pour l'évaluation des produits chimiques, m'a-t-il expliqué. La réglementation actuelle repose sur des concepts des années 1970, complètement inopérants pour des substances comme les perturbateurs endocriniens. Il faut absolument que l'on change de logiciel ou de grille de lecture. On a formé des générations de toxicologues avec l'idée que "c'est la dose qui fait le poison"; or, on s'aperçoit aujourd'hui que, pour de nombreuses substances, c'est la période – et, parfois même, la journée – qui fait le poison. La formation des testicules se fait par exemple le quarante-troisième jour de la grossesse: ce jour-là, il vaut mieux que la femme enceinte évite d'avoir une exposition à des molécules qui ont un impact testiculaire… Et puis, le système actuel constitue une aberration, parce qu'il ne prend pas en compte notre exposition multiple et permanente à des centaines de molécules chimiques. L'évaluation se fait molécule par molécule, de manière indépendante, alors que, dans la vie réelle, nous sommes soumis à des mélanges qui peuvent former de véritables bombes chimiques…»

---

a   Lors de l'avis qu'elle a rendu en septembre 2010 sur les effets neurologiques du bisphénol A, l'EFSA a, pour la première fois, précisé qu'«un membre du groupe scientifique a exprimé un avis minoritaire», en jugeant bon de préciser: «L'EFSA considère qu'il est important que les scientifiques puissent exprimer un avis qui diverge d'un avis unanime: c'est ce qui définit un avis minoritaire.» Les experts ont toutefois «conclu qu'ils n'avaient pu identifier aucune nouvelle preuve qui les amènerait à reconsidérer la dose journalière acceptable existante pour le BPA, fixée par l'EFSA à 0,05 mg/kg de poids corporel»…

19

L'effet cocktail

«Compte tenu de l'irréversibilité de certains des processus déclenchés,
la prudence est la meilleure part du courage et elle est en tout cas
un impératif de la responsabilité. »

HANS JONAS

Il est arrivé au colloque de La Nouvelle-Orléans avec une chemise colorée et ses dreadlocks tirés en queue-de-cheval. «Je vais vous parler de l'impact des perturbateurs endocriniens sur la vie réelle et, bien sûr, de l'atrazine et des grenouilles», a-t-il dit avec sa bonne humeur légendaire qui a fait sourire toute l'assistance. La cinquantaine bien enveloppée, Tyrone Hayes est l'un des biologistes les plus célèbres de l'université de Berkeley (Californie), mais aussi la bête noire de Syngenta, le géant suisse de la chimie, de l'agroalimentaire et des pesticides[a]. Avec un chiffre d'affaires annuel de 11 milliards de dollars (en 2009) et une implantation dans quatre-vingt-dix pays, la firme produit notamment l'insecticide Cruiser, suspecté d'être coresponsable de la

---

a   Syngenta est née en 2000 de la fusion d'AstraZeneca et de Novartis. Je rappelle que Novartis était elle-même née, en 1996, de la fusion de Sandoz Agro et de Ciba-Geigy (voir *supra*, chapitre 16).

surmortalité des abeilles[a] (voir *supra*, chapitre 6), mais aussi l'atrazine, l'herbicide qui a débarqué sur la ferme de mes parents au moment où je naissais (voir *supra*, chapitre 1).

L'atrazine, un « castrateur chimique puissant »

Lors du colloque de La Nouvelle-Orléans, Tyrone Hayes a évoqué l'une des dernières études qu'il a publiées montrant que ce poison agricole induit des mécanismes caractéristiques des cancers du sein et de la prostate dans des cellules humaines exposées à des doses similaires à celles que l'on trouve dans l'environnement[1]. « Vous avez tous appris la bonne nouvelle, s'est-il réjoui : l'Agence de protection de l'environnement a annoncé qu'elle allait réexaminer le dossier scientifique de l'atrazine ! Espérons qu'elle finira par le bannir comme l'a fait l'Europe il y a déjà cinq ans ! » En effet, si l'herbicide a été interdit par l'Union européenne en 2004[2], il continue d'être utilisé massivement aux États-Unis, où quelque 40 000 tonnes sont épandues chaque année sur de nombreuses cultures, comme le maïs, le sorgho, la canne à sucre et le blé[3]. Chanté comme le « DDT des mauvaises herbes[4] » lors de sa mise sur le marché en 1958, il représente aujourd'hui le principal contaminant des eaux de surface et souterraines américaines, un privilège qui, malgré l'interdiction, continue de caractériser la plupart des pays européens, avec en tête la France[5].

Deux semaines avant le colloque de La Nouvelle-Orléans, Lisa Jackson, la directrice de l'EPA nommée par le président Barack Obama en janvier 2009, avait effectivement annoncé que l'agence allait « conduire une nouvelle évaluation sur les liens possibles entre l'atrazine et le cancer, ainsi que d'autres problèmes de santé, comme les naissances prématurées[6] ». « C'est un changement capital, avait commenté Linda Birnbaum, la directrice du NIEHS (voir *supra*, chapitre 18). Il y a de plus en plus de preuves que l'atrazine représente un danger pour la santé humaine. C'est un signal fort que le monde est en train de changer pour l'un des herbicides les plus largement utilisés. »

S'il y a un scientifique qui s'est battu pour que l'atrazine soit interdite aux États-Unis, c'est bien Tyrone Hayes, même si, comme il me

---

a   En février 2011, le Conseil d'État français a annulé l'autorisation de mise sur le marché du Cruiser ; s'appuyant sur la directive européenne 91/214, il a demandé que soient fournies des données qui prouvent son innocuité sur le long terme.

l'a expliqué lorsqu'il m'a reçue dans son laboratoire de Berkeley, le 12 décembre 2009, « ce combat ne fut pas une décision personnelle, mais fut imposé par les événements ». En 1998, en effet, il fut contacté par Novartis (devenue Syngenta deux ans plus tard, après sa fusion avec AstraZeneca), qui lui proposa un contrat « grassement payé » pour « vérifier si l'atrazine [était] un perturbateur endocrinien », ainsi que l'avait suggéré Theo Colborn dans *Our Stolen Future* (voir *supra*, chapitre 16). Pour l'industriel, l'affaire était grave, car, sept ans plus tôt, un rapport de l'US Geological Survey avait révélé que, dans les fleuves du Missouri, du Mississippi et de l'Ohio ainsi que dans leurs affluents, « l'atrazine dépassait le taux de résidus autorisé dans l'eau dans 27 % des points de mesure[7a] ». De plus, dès les années 1980, deux études conduites sur des souris[8] et des rats[9] avaient montré que l'exposition à l'herbicide provoquait des cancers mammaires, utérins, des lymphomes et des leucémies. Les résultats avaient été jugés suffisamment convaincants pour que le CIRC ait décidé de classer l'atrazine comme un « cancérigène possible pour les humains » (groupe 2B) en 1991[10]. En conséquence, s'appuyant sur le Safe Drinking Water Act, l'EPA avait baissé la norme de l'atrazine à un maximum de 3 mg/l d'eau, ou 3 ppb (parties par milliard). En 1994, trois études établissaient un lien entre l'exposition à l'atrazine de rongeurs et les tumeurs mammaires[11]. Et en 1997, un an après la sortie de *Our Stolen Future*, une étude épidémiologique conduite dans plusieurs comtés ruraux du Kentucky concluait à un excès significatif de cancers du sein chez les femmes les plus exposées (en corrélation avec le niveau de contamination de l'eau et la proximité du domicile avec les cultures de maïs[12]).

Commença alors pour Novartis (future Syngenta) l'ère des grandes manœuvres. La première fut d'une redoutable efficacité, car elle conduisit, en 1999, au déclassement de l'atrazine par le CIRC du groupe 2B (cancérigène possible pour les humains) au groupe 3 (inclassable). Pour justifier cette incroyable décision, les « experts » de l'agence onusienne eurent recours à l'argutie que j'ai décrite dans le

---

a   L'US Geological Survey est un organisme public créé en 1879 et chargé de surveiller l'évolution des écosystèmes et de l'environnement (état des eaux, tremblements de terre, ouragans, etc.). Dans l'Illinois, quinze fournisseurs d'eau se sont réunis en 2004 dans une *class action* (action judiciaire collective) et ont porté plainte contre Syngenta, à qui ils réclament 350 millions de dollars pour nettoyer les ressources en eau, hautement contaminées par l'atrazine. Un autre recours collectif était en cours de constitution en 2010, réunissant dix-sept fournisseurs en eau de six États du Midwest (Rex DALTON, « E-mails spark ethics row. Spat over health effects of atrazine escalates », *Nature*, vol. 446, n° 918, 18 août 2010).

chapitre 10: «Le mécanisme par lequel l'atrazine induit des cancers mammaires chez les rats n'est pas transposable à l'homme[13].»

Pour la deuxième manœuvre, la pièce centrale était… Tyrone Hayes, un brillant biologiste (le plus jeune professeur promu à Berkeley) et un passionné des… batraciens, au point qu'il a appelé sa fille Kassina, du nom d'une grenouille africaine. «Les grenouilles sont toute ma vie, m'a-t-il expliqué dans son laboratoire où il a entreposé des milliers de bocaux remplis d'amphibiens. J'ai grandi à la campagne, en Caroline du Sud, et j'ai toujours été fasciné par leur capacité de métamorphose, de l'œuf vers le têtard puis la grenouille adulte.

— En quoi les grenouilles constituent-elles un modèle intéressant pour étudier les effets des perturbateurs endocriniens? lui ai-je demandé.

— C'est un modèle parfait! m'a répondu le biologiste. D'abord, parce qu'elles sont très sensibles à l'action des hormones qui permettent d'activer les gènes nécessaires à leurs multiples métamorphoses; et puis, parce qu'elles possèdent exactement les mêmes hormones que les humains, comme la testostérone, l'œstrogène et l'hormone thyroïdienne.

— Comment avez-vous procédé pour votre étude?

— Il faut préciser que tout le processus a été étroitement surveillé par Novartis, puis Syngenta. Dans un premier temps, nous avons élevé des grenouilles de la famille des *Xenopus laevis* dans des réservoirs d'eau où nous avons ajouté différentes doses d'atrazine, proches de ce que l'on trouve dans les bas-côtés des champs et jusqu'à trente fois inférieures à la norme en vigueur aux États-Unis (3 ppb) – c'est-à-dire des niveaux qu'un être humain peut trouver dans l'eau du robinet. Pour donner une image, c'est l'équivalent d'un grain de sel dans un réservoir d'eau. Nous avons constaté que l'atrazine diminue le larynx, qui est la boîte vocale des mâles; or, pour séduire les femelles, les mâles chantent, ce qui fait qu'ils sont sexuellement handicapés. Nous avons constaté aussi chez les mâles adultes des niveaux très bas de testostérone; certains d'entre eux étaient hermaphrodites, c'est-à-dire qu'ils avaient à la fois des ovaires et des testicules. Dans certains cas, les mâles devenaient homosexuels, en s'accouplant avec d'autres mâles et en ayant un comportement féminisé; parfois, ils avaient des œufs dans leurs testicules, au lieu de sperme. En fait, l'atrazine agit comme un castrateur chimique très puissant, qui est biologiquement actif à 1 ppb, et même à 0,1 ppb.

— Savez-vous si les grenouilles sauvages présentent les mêmes troubles?

— Ce fut précisément la deuxième étape de notre étude : nous sommes partis avec un camion frigorifique dans l'Utah et l'Iowa, où nous avons ramassé huit cents jeunes grenouilles léopard (*Rana pipiens*) dans les fossés bordant les champs, près des terrains de golf ou au bord des rivières. Nous les avons disséquées et avons constaté exactement les mêmes dysfonctionnements que chez les grenouilles de laboratoire. C'était très impressionnant et c'est là que j'ai compris que le déclin des populations de grenouilles en Amérique du Nord et en Europe était dû à la contamination par les pesticides qui affectent leur système de reproduction.

— Comment expliquez-vous ce phénomène ?

— L'atrazine stimule une enzyme appelée "aromatase", qui transforme l'hormone mâle, la testostérone, en hormone femelle, l'œstrogène. C'est ainsi que l'œstrogène produite par l'aromatase entraîne le développement d'organes féminins, comme les ovaires ou les ovules dans les testicules. Or, un haut niveau d'aromatase est aussi lié au développement des cancers du sein ou de la prostate. Une étude épidémiologique conduite dans une usine d'atrazine de Syngenta en Louisiane, publiée en 2002, a d'ailleurs montré un excès significatif de cancers de la prostate chez les ouvriers[14].

— Comment a réagi Syngenta ?

— Ah ! a soupiré Tyrone Hayes, j'étais très naïf à l'époque ! La firme m'a d'abord demandé de répéter l'étude, pour vérifier que j'obtenais bien les mêmes résultats. Elle m'a proposé 2 millions de dollars pour cela et, au début, j'ai accepté... Puis, j'ai compris que leur stratégie, c'était de faire traîner les choses, pour gagner du temps et m'empêcher de publier. J'ai finalement rompu mon contrat et j'ai publié mes résultats en 2002[15][a]. À partir de là, ce fut la guerre ! Et je dois dire que je n'avais jamais imaginé qu'elle puisse être d'une telle violence : Syngenta a écrit au doyen de l'université de Berkeley, s'est répandue dans la presse pour me discréditer[16], a mis un lien sur son site web vers junkscience.com, le site de Steven Milloy, et je me suis retrouvé sur la liste des *junk scientists* [voir *supra*, chapitre 8]. Aujourd'hui, cela me fait rire, car je sais que le fait d'avoir l'honneur de figurer sur cette liste est la preuve que j'ai fait du bon travail ! Puis, la firme a payé des scientifiques pour conduire de nouvelles études qui, bien sûr, n'ont pas pu

---

a   Cette même année 2002, Tyrone Hayes a reçu le « Berkeley's Distinguished Teaching Award », qui récompense les professeurs de la célèbre université pour la qualité de leur enseignement.

répéter mes résultats. Leur but, c'était de créer le doute, et ça a marché, du moins aux États-Unis, où finalement l'EPA a renouvelé l'homologation de l'atrazine en 2007.»

De fait, en octobre 2007, l'Agence de protection de l'environnement rendait un rapport où elle concluait: «L'atrazine n'est pas nocive pour le développement des gonades des amphibiens; aucune étude additionnelle n'a été requise[17].» Circulez, il n'y a rien à voir! L'implacable machine à broyer les vérités qui dérangent a, une fois de plus, fonctionné à merveille... Alors qu'il était au plus fort de la tourmente, en 2004, Tyrone Hayes a publié dans *BioScience* un article où il décrypte les immuables rouages que j'ai aussi décrits tout au long de ce livre: manipulations de la science, *funding effect*, campagnes de diffamation, complaisance des autorités publiques, intoxication de la presse, etc[18].

Le mélange des pesticides décuple leurs effets

«L'industrie a multiplié ses efforts pour discréditer mon travail, mais mon laboratoire continue d'étudier les impacts de l'atrazine et d'autres pesticides sur l'environnement et la santé publique, écrit Tyrone Hayes sur son site web, qu'il a ironiquement baptisé atrazinelovers.com. Ma décision de me lever et d'affronter le géant industriel n'était pas héroïque. J'ai suivi l'enseignement de mes parent, qui me disaient: "N'agis pas parce que tu cherches une récompense ni parce que tu crains une punition. Fais ce que tu penses devoir faire, parce que cela te semble juste".»

«Mes démêlés avec Syngenta ont marqué un tournant dans ma carrière, m'a expliqué le chercheur de Berkeley, car je me suis alors spécialisé sur un domaine encore peu exploré: les effets des mélanges de pesticides. En effet, les grenouilles léopard que j'avais rapportées des champs du Midwest n'avaient pas été exposées à la seule atrazine, mais à une mixture de plusieurs substances. Or, la littérature scientifique s'intéresse en général aux effets toxicologiques des pesticides à des doses relativement élevées (de l'ordre de parties par million), mais rarement aux faibles doses et encore moins aux mélanges des faibles doses, tels qu'ils existent dans notre environnement quotidien, notamment dans l'eau du robinet ou les fruits et légumes que nous mangeons.»

Cet «oubli» somme toute étonnant, qui caractérise aussi le système de réglementation des produits chimiques, a également été souligné par l'US Geological Survey dans un rapport de 2006, très remarqué parce qu'il décrivait sans fard la pollution des eaux souterraines et de surface américaines : « La présence courante de mélanges de pesticides, particulièrement dans les cours d'eau, signifie que la toxicité totale combinée des pesticides dans les ressources aquatiques, les sédiments et les poissons doit être plus élevée que celle de chaque pesticide pris isolément, écrivait ainsi Robert Gilliom, l'auteur principal du rapport. Nos résultats indiquent que l'étude des mélanges doit être une priorité absolue[19]. »

C'est ainsi que Tyrone Hayes a repris son camion frigorifique pour parcourir les routes du Nebraska et recueillir des milliers de litres de la « soupe chimique » (*chemical brew*) qui ruisselle des champs de maïs industriels. De retour à Berkeley, il a identifié neuf molécules récurrentes : quatre herbicides, dont l'atrazine et l'alachlore (le Lasso, qui provoqua l'intoxication de Paul François ; voir *supra*, chapitre 1), trois insecticides et deux fongicides[20]. Au moment où je l'ai rencontré, il travaillait sur un autre mélange, comprenant cinq pesticides, dont le Roundup et le chlorpyriphos. Pour chaque étude, le scientifique procède de deux manières : il élève des grenouilles dans des réservoirs contenant la « soupe » qu'il a rapportée des champs, mais aussi dans le mélange qu'il a reconstitué dans son laboratoire afin de pouvoir comparer les effets. Et, dans les deux cas, le résultat est très inquiétant.

« Quand on mélange les substances, on observe des effets que l'on ne voit pas avec les produits pris séparément, m'a-t-il expliqué. D'abord, on constate un affaiblissement du système immunitaire des grenouilles dû à un dysfonctionnement du thymus qui fait qu'elles sont plus sensibles, par exemple, à la méningite, et qu'elles meurent plus souvent de maladies que les grenouilles du groupe contrôle. Cette fragilité immunitaire peut, en partie, expliquer le déclin des populations. À cela, s'ajoute une perturbation de la fonction reproductive similaire à celle que j'avais constatée avec l'atrazine seule. Enfin, les mélanges ont un effet sur le temps de métamorphose et la taille des larves. Or, les doses que nous utilisons sont jusqu'à cent fois inférieures au taux de résidus autorisé dans l'eau.

— Que peut-on en conclure pour les humains ?

— Nous n'en savons rien ! m'a répondu Tyrone Hayes. Mais ce qui est incroyable, c'est que le système d'évaluation des pesticides n'a jamais pris en compte le fait que les substances pouvaient interagir ou s'additionner, voire créer de nouvelles molécules. C'est d'autant plus surprenant que les pharmaciens savent depuis des siècles qu'il y a certains médicaments qu'il faut impérativement éviter de prendre ensemble, au risque de s'exposer à de graves effets secondaires. D'ailleurs, quand la FDA autorise un nouveau médicament, elle exige toujours que soient précisées sur la notice d'emploi les contre-indications médicamenteuses. Évidemment, ce genre de précaution est difficile à mettre en place pour les pesticides. Imaginez l'EPA expliquer aux paysans : vous pouvez appliquer ce pesticide A, à condition que votre voisin n'applique pas le pesticide B ou C sur la culture d'à côté ! C'est impossible ! Et, si c'est impossible, cela veut dire que ces produits n'ont rien à faire dans les champs. En attendant, quand on connaît la "charge chimique corporelle" qui caractérise chaque citoyen des pays industrialisés, on peut effectivement craindre le pire... »

La « charge chimique corporelle » : tous pollués par la « soupe chimique »

« *The chemical body burden* » (la « charge chimique corporelle ») : je me souviens très précisément du moment où j'ai découvert cette expression, qui m'a tétanisée. C'était en octobre 2009, dans un avion qui me conduisait de La Nouvelle-Orléans à Palm Beach et où je lisais *The Body Toxic*, un livre de ma consœur américaine Nena Baker que j'avais acheté la veille. Elle y raconte que ce concept a été créé au début des années 2000 par le Center for Disease Control d'Atlanta, l'organisme chargé de la veille sanitaire aux États-Unis. Le CDC conduisait alors le premier programme de *biomonitoring* du monde, visant précisément à évaluer la « charge chimique corporelle » de la population américaine. Disposant d'un laboratoire ultramoderne, il avait mesuré les résidus de 27 produits chimiques dans les urines et le sang de 2 400 volontaires, soigneusement choisis pour représenter l'ensemble de la population américaine (âge, sexe, origines ethnique, géographique et professionnelle).

Publié en mars 2001, le premier rapport fut suivi d'un autre en 2003, où le nombre des produits recherchés fut de 116, puis d'un troisième en 2005 (148 produits) et, enfin, d'un quatrième en 2009 (212 produits). À peine avais-je rejoint ma chambre d'hôtel à Palm Beach que je consultai le quatrième rapport mis en ligne par le CDC sur son site web[21]. J'y découvris que les 212 molécules chimiques recherchées avaient *toutes* été retrouvées chez la quasi-totalité des 2 400 volontaires testés (dans leur urine ou dans leur sang) : le bisphénol A figurait largement en tête, devant le polybromodiphényléther (PBDE), un retardateur de flammes, le PFOA (revêtement des poêles antiadhésives) et bon nombre de pesticides (ou leurs métabolites), comme l'alachlore (le Lasso), l'atrazine, le chlorpyriphos, mais aussi les insecticides organochlorés de la « sale douzaine » comme le DDT (et son métabolite le DDE), toujours bien présents malgré leur interdiction.

Une vraie « soupe chimique », pour reprendre les termes de Tyrone Hayes, révélée grâce à la ténacité du docteur Richard Jackson, directeur du Centre national de santé environnementale du CDC de 1994 à 2003, qui lança le programme de *biomonitoring* et publia le premier rapport : « J'ai subi beaucoup de pressions, mais j'ai résisté, a-t-il raconté à Nena Baker. Je voulais que le public et la communauté scientifique disposent de ces données, de la même manière que le médecin utilise des résultats de laboratoire pour prendre une décision à propos d'un patient. Le reproche des industriels de la chimie était que le rapport allait effrayer les gens. Je ne le pense pas, car on n'effraie jamais les gens avec une information sérieuse ; on effraie les gens avec l'absence d'information ou une information de mauvaise qualité[22]. » Le docteur Jackson a ainsi fait preuve d'un courage rare, car j'imagine sans mal les multiples pressions qu'il a dû subir, y compris de sa hiérarchie. C'est tellement vrai que les États-Unis sont le seul pays qui conduit régulièrement (tous les deux ans) un programme national de *biomonitoring*[a].

Rien de tel en Europe – et moins encore en France –, où persiste la politique de l'autruche des autorités, consistant à ne pas chercher pour ne pas trouver, afin de justifier ainsi leur inertie. Les seules initiatives reviennent à des organisations non gouvernementales, comme WWF (le Fonds mondial pour la nature), qui a publié en avril 2004 les résultats d'une enquête de grande envergure, baptisée « Detox ». L'ONG a alors mené une campagne de prélèvements sanguins auprès de trente-neuf députés européens, quatorze ministres de la Santé ou de l'Environnement, ainsi que trois générations au sein d'une même famille dans chaque État de l'Union européenne. Les résultats furent à la hauteur de ceux qu'avait constatés le CDC américain : 76 substances chimiques toxiques ont été retrouvées dans le sang des députés européens (sur les 101 recherchées, appartenant à cinq grandes familles : pesticides organochlorés, BPC, retardateurs de flammes bromés, phtalates et composés perfluorés comme le PFOA). En moyenne, chaque

---

a   En Californie, le gouverneur Arnold Schwarzenegger a signé en 2006 un décret pour la mise en place d'un programme de *biomonitoring* visant, dans un premier temps, les femmes enceintes.

député était porteur d'un cocktail de 41 produits toxiques, composé de substances persistantes (qui ne se dégradent pas dans la nature) et bioaccumulatives (qui s'accumulent dans le corps). La «palme d'or» a ironiquement été décernée à Marie-Anne Isler-Béguin, une députée européenne verte, qui affichait un record de 51 substances, dont une quantité importante de BPC[23]. «C'est incroyable que ce soit une ONG qui soit obligée de faire ce type d'études pour qu'on puisse avoir des données de référence, a déclaré cette dernière après avoir avoué qu'elle était bouleversée par la découverte de sa "charge chimique corporelle". C'est aux autorités et, notamment, à la Commission européenne de lancer des enquêtes[24].»

Quant aux ministres européens, un total de 55 substances a été retrouvé dans leur sang, avec une moyenne de 37 produits (l'un d'entre eux présentant jusqu'à 43 résidus différents). Des résultats similaires ont été obtenus chez les familles européennes (sur trois générations), comme la famille Mermet, résidant en Bretagne : sur un total de 107 produits chimiques recherchés, on a retrouvé les traces de 34 d'entre eux dans le sang de la grand-mère, Liliane Corouge, 26 chez la mère, Laurence Mermet, et 31 chez le fils, Gabriel Mermet.

Un an plus tard, en septembre 2005, WWF et Greenpeace publiaient un nouveau rapport, concernant cette fois le sang de quarante-sept femmes enceintes ou allaitantes et les cordons ombilicaux de vingt-deux nouveau-nés[25]. Les résultats furent malheureusement sans surprise : des traces de phtalates, de bisphénol A, de retardateurs de flammes bromés (utilisés dans les meubles, tapis ou équipements électriques), de BPC, de pesticides organochlorés (DDT, lindane), de muscs synthétiques (présents dans les déodorants d'intérieur, les détergents, les cosmétiques), de PFC et de triclosan (utilisé dans certains dentifrices) furent retrouvées dans la majorité des prélèvements[a]. «Dans quelle mesure les concentrations des produits chimiques trouvés peuvent-elles être nocives pour la croissance et le développement du fœtus ? s'interrogeaient les auteurs du rapport. Nous ne pouvons pas le savoir avec certitude. [...] Pour cela, il faudrait plus de recherche. Cependant, on peut déjà conclure que l'exposition du fœtus en développement à de faibles

---

a   En 2010, l'Environmental Working Group de Washington a publié une étude similaire portant sur les cordons ombilicaux de dix nouveau-nés, issus de minorités ethniques du Michigan, de Floride, du Massachusetts, de Californie et du Wisconsin. Un total de... 232 produits chimiques a été détecté (ENVIRONMENTAL WORKING GROUP, «Pollution in people. Cord blood contaminants in minority newborns», 2010).

doses continues d'un mélange complexe de substances chimiques persistantes, bioacumulatives et bioactives représente un motif sérieux d'inquiétude. Toutes les mesures devraient être prises pour éviter une telle exposition *in utero*. Cela ne peut être fait qu'en contrôlant l'exposition de la mère et, donc, en éliminant les substances particulièrement dangereuses des produits quotidiens que nous utilisons et de l'environnement dans lequel nous vivons.»

Un cocktail de pesticides dans les cordons ombilicaux

Cette recommandation concernait en priorité les pesticides, dont on a retrouvé des traces jusque dans le méconium de nouveau-nés (leurs premières selles après la naissance), ainsi que l'a prouvé en 2001 une étude conduite à New York par une équipe de l'université de Columbia, qui y a détecté un cocktail de chlorpyriphos et de diazinon (deux insecticides connus pour leurs effets sur le système neurologique), ainsi que de parathion[26]. Deux ans plus tard, la même équipe a analysé le plasma du cordon ombilical de 230 nouveau-nés et le sang de leurs mères, résidant dans trois quartiers populaires de New York. Les chercheurs ont constaté la présence de vingt-deux pesticides, dont huit organophosphorés comme le chlorpyriphos, le diazinon, le bendiocarbe, le propoxur, le dicloran, le folpet, le captafol et le captane, présents dans 48% à 83% des échantillons. Ils ont observé une forte corrélation entre le taux de résidus de ces pesticides (et de leurs métabolites) dans le plasma de la mère et celui de son nouveau-né et en ont conclu que «les pesticides sont littéralement transférés au fœtus en développement pendant la grossesse[27]».

Tout indique que l'imprégnation des femmes enceintes par les pesticides est généralisée et qu'elle concerne autant les zones urbaines que les régions rurales. Ainsi, une étude réalisée dans les années 2000 en Bretagne (sur une cohorte dite «Pélagie») a révélé la présence d'un total de 52 molécules dans l'urine de 546 femmes enceintes, dont 12 appartenaient à la classe des triazines (comme l'atrazine), 32 à celle des organophosphorés (comme le chlorpyriphos et le chlorpyriphos-méthyl), 6 à la classe des amides et 2 à celle des carbamates. «Les résidus de pesticides sont généralement multiples, soulignaient les auteurs en 2009; et leurs impacts, individuels ou conjoints, sur le fœtus et son développement sont encore incertains dans la littérature épidémiologique. Ils seront évalués prochainement dans la cohorte Pélagie[28].»

Si la charge chimique corporelle des femmes enceintes et des bébés est particulièrement préoccupante, il en est de même pour celle des enfants, dont le taux d'imprégnation par les pesticides est proportionnellement beaucoup plus élevé que celui des adultes. C'est ce que montrent de nombreuses études (qu'il n'est pas possible de toutes énumérer), dont une réalisée dans le Minnesota, une région d'agriculture intensive comprenant aussi d'importantes zones urbaines : publiée en 2001, elle a révélé que 93 % des échantillons urinaires prélevés sur 90 enfants ruraux et urbains présentaient un cocktail de résidus d'atrazine, de malathion, de carbaryl et de chlorpyriphos[29]. Comme on l'aura remarqué, le fameux chlorpyriphos (voir *supra*, chapitre 13) revient avec la régularité d'une pendule dans tous les études de *biomonitoring* : d'après le deuxième rapport du CDC, il est l'un des pesticides dont le taux de résidus dépasse régulièrement les normes autorisées, particulièrement chez les enfants testés. Dans un document qui commente les résultats de ce rapport, Pesticides Action Network (PAN) souligne que « s'il y a quelqu'un qui est responsable de la présence du chlorpyriphos dans nos organismes, c'est bien Dow Chemical, qui a développé et commercialisé en premier le pesticide [...] et continue de le produire et de le promouvoir aux États-Unis et internationalement, malgré des preuves solides qu'il a un impact significatif sur la santé publique[30] ». Et l'association d'en appeler à la « mise en cause des firmes chimiques » qui polluent nos organismes à travers nos assiettes, et mettent particulièrement en danger la santé de nos enfants.

Si l'on en croit les résultats d'une étude publiée en décembre 2010 par Générations futures (l'ex-MRDGF, voir *supra*, chapitre 1), les responsables potentiels sont nombreux[31]. L'association a en effet fait analyser l'alimentation quotidienne d'un enfant d'une dizaine d'années, comprenant trois repas types qui suivent les recommandations officielles – cinq fruits et légumes frais, trois produits laitiers et 1,5 litre d'eau par jour – et un encas (avec des friandises). Ainsi que l'écrit *Le Monde.fr*, « le bilan est accablant » : « Cent vingt-huit résidus, quatre-vingt-une substances chimiques, dont quarante-deux sont classées cancérigènes possibles ou probables et cinq substances classées cancérigènes certaines ainsi que trente-sept substances susceptibles d'agir comme perturbateurs endocriniens (PE). [...] Pour le petit déjeuner, le beurre et le thé au lait contiennent à eux seuls plus d'une dizaine de résidus cancérigènes possibles et trois avérés comme des cancérigènes certains, ainsi que près d'une vingtaine de résidus susceptibles de perturber le système hormonal. Le steak haché, le thon en boîte, et même la baguette de pain et le chewing-gum, étaient truffés de pesticides et autres substances chimiques. Dans l'eau du robinet, les analyses ont révélé la présence de nitrates et de chloroforme. Mais c'est le steak de saumon prévu pour le dîner qui s'est révélé le plus "riche", avec trente-quatre résidus chimiques détectés[32]. »

Ainsi que l'a expliqué François Veillerette, le fondateur de Générations futures, au quotidien du soir, « les effets de synergie probables induits par l'ingestion de tels cocktails contaminants ne sont pas pris en compte et le risque final pour le consommateur est probablement très sous-estimé. Actuellement, nous ne savons à peu près rien de l'impact des cocktails chimiques ingérés par voie alimentaire[33] ».

Les « nouvelles mathématiques des mélanges : 0 + 0 + 0 = 60 »

« Je pense que nous avons été extrêmement naïfs dans nos études et système de réglementation en ne nous intéressant qu'à un seul produit chimique à la fois, alors qu'aucun d'entre nous n'est exposé à une seule substance, m'a dit Linda Birnbaum lorsque je l'ai rencontrée dans son bureau du NIEHS. Je pense que nous sommes passés ainsi complètement à côté d'effets qui peuvent se produire. C'est particulièrement vrai pour les hormones naturelles et synthétiques. C'est pourquoi le défi que nous devons maintenant relever, c'est de comprendre et d'évaluer les effets que peuvent provoquer les mixtures chimiques dans lesquelles nous vivons. Mais, malheureusement, il y a très peu de laboratoires qui travaillent là-dessus… »

Une fois n'est pas coutume, les laboratoires qui font référence dans le domaine de la toxicologie des mélanges chimiques sont européens, en l'occurrence danois et britannique. Le premier est dirigé par Ulla Hass, une toxicologue qui travaille à l'Institut danois de la recherche alimentaire et vétérinaire, situé à Soborg, dans la banlieue de Copenhague. Je l'ai rencontrée un jour enneigé de janvier 2010. Avant de commencer notre entretien, elle m'a fait visiter sa « ménagerie », une pièce d'un blanc clinique où sont installées les cages des rats wistar qu'elle utilise pour ses expériences. Grâce au soutien de l'Union européenne et en collaboration avec le centre de toxicologie de l'université de Londres, elle a conduit une série d'études visant à tester les effets des mélanges de substances chimiques ayant une action antiandrogène sur des rats mâles exposés *in utero*. Dans la première d'entre elles, le cocktail comprenait deux fongicides, la vinclozoline et le procymi-done (voir *supra*, chapitre 13), et la flutamide, un médicament prescrit pour traiter le cancer de la prostate[34].

«Qu'est-ce qu'un antiandrogène? ai-je demandé à la toxicologue danoise.

— C'est une substance chimique qui affecte l'action des andro-gènes, c'est-à-dire des hormones masculines comme la testostérone, m'a-t-elle répondu. Or, les hormones masculines sont capitales pour la différenciation sexuelle qui, chez les humains, a lieu à la septième semaine de grossesse. Ce sont elles qui permettent au modèle de base, qui est féminin, de se développer en un organisme masculin. Donc, les antiandrogènes peuvent faire dérailler le processus et empêcher le mâle de se développer correctement.

— Comment avez-vous procédé pour votre étude?

— Nous avons d'abord observé les effets de chaque molécule sépa-rément en essayant de trouver, pour chacune d'elles, une dose très basse qui ne provoquait aucun effet. Je vous rappelle que notre objectif était de mesurer l'effet potentiel des mélanges, il était donc particulièrement intéressant de voir si trois molécules qui individuellement n'avaient pas d'effet pouvaient en avoir une fois mélangées. Et ce fut exacte-ment les résultats que nous avons obtenus. Prenons, par exemple, ce que nous appelons la "distance anogénitale", qui mesure la distance entre l'anus et les parties génitales de l'animal. Elle est deux fois plus longue chez le mâle que chez la femelle, et c'est précisément dû au rôle des androgènes pendant le développement fœtal. Si elle est plus courte chez les mâles, c'est un indicateur de l'hypospadias, une malforma-tion congénitale grave des organes de reproduction masculins. Quand nous avons testé chaque produit séparément, nous n'avons constaté aucun effet, ni aucune malformation. Mais, quand nous avons exposé les fœtus mâles à un mélange des trois substances, nous avons observé que 60 % d'entre eux développaient plus tard un hypospadias, ainsi que des malformations graves de leurs organes sexuels. Parmi les malfor-mations que nous avons observées, il y avait notamment la présence d'une ouverture vaginale chez certains mâles qui avaient, par ailleurs, des testicules. En fait, ils étaient sexuellement dans l'entre-deux-sexes, comme des hermaphrodites.»

Et la toxicologue de conclure par cette phrase que je n'oublierai jamais: «Nous devons apprendre de nouvelles mathématiques quand nous travaillons sur la toxicologie des mélanges, parce que ce que disent nos résultats, c'est que 0 + 0 + 0 fait 60 % de malformations...

— Comment est-ce possible ?

— En fait, nous assistons à un double phénomène : les effets s'additionnent et ils entrent en synergie pour décupler, m'a expliqué Ulla Hass.

— C'est effrayant ce que vous dites, surtout quand on sait que chaque Européen a ce que l'on appelle une "charge chimique corporelle" ! Ce que vous avez observé chez les rats pourrait-il aussi se produire dans nos organismes ?

— En fait, le gros problème, c'est que nous n'en savons rien, a soupiré Ulla Hass, qui a alors fait la même remarque que son collègue Tyrone Hayes. Il est très difficile de comprendre pourquoi cela n'a pas été pris en compte plus tôt. Quand vous allez à la pharmacie pour acheter un médicament, il est écrit sur le mode d'emploi qu'il faut faire attention si vous prenez d'autres médicaments, car il peut y avoir une combinaison d'effets. C'est pourquoi il n'est pas surprenant que l'on ait le même phénomène avec des polluants chimiques.

— Pensez-vous que les toxicologues doivent complètement revoir leur manière de fonctionner ?

— Il est clair que pour pouvoir évaluer la toxicité des mélanges chimiques, et tout particulièrement celle des perturbateurs endocriniens, il faut sortir du modèle qu'on nous a enseigné, qui veut qu'à une faible dose on ait un petit effet et à une forte dose un gros effet, avec une courbe linéaire dose-effet. C'est un modèle simple et rassurant, mais qui, pour de nombreuses molécules chimiques, ne sert à rien. En revanche, il faudrait développer des outils comme ceux qu'a mis en place le laboratoire d'Andreas Kortenkamp, à Londres, avec qui mon laboratoire collabore. Après avoir entré toutes les caractéristiques chimiques des trois substances que nous avons testées dans un système informatique, il a pu prédire, grâce à un logiciel spécifique, quels allaient être les effets de l'addition et de la synergie des molécules. C'est une piste très intéressante pour l'avenir…»

L'explosion des cancers du sein est due aux cocktails d'hormones de synthèse

Et, bien sûr, j'ai pris le chemin du Royaume-Uni pour rencontrer Andreas Kortenkamp, qui dirige le centre de toxicologie de l'université de Londres. Dans l'étude qu'il a publiée en 2009 avec Ulla Hass et leurs collègues, les auteurs concluaient : «Les évaluations qui ignorent la possibilité d'une combinaison des effets peuvent conduire à une sous-estimation considérable des risques associés à l'exposition aux produits chimiques[35]. » Dans son livre *La Société du risque*, Ulrich Beck dit la même chose, mais en des termes beaucoup plus radicaux, que je n'étais pas loin de faire miens au moment de terminer mon voyage sur la planète chimique : « À quoi me sert-il de savoir que tel ou tel polluant est nocif à partir de telle ou telle concentration, si je ne sais pas dans le même temps quelles réactions entraîne l'action conjuguée de toutes ces substances toxiques résiduelles ? [...] Car, quand les hommes sont confrontés à des situations de danger, ce ne sont pas des substances toxiques isolées qui les menacent, mais une situation *globale*. Répondre à leurs questions sur la menace *globale* par des tableaux de taux limites portant sur des substances isolées, c'est faire preuve d'un cynisme collectif dont les conséquences meurtrières ont cessé d'être latentes. Il est compréhensible que l'on ait commis une telle erreur aux temps où tout le monde avait une croyance aveugle dans le progrès. Continuer à le faire aujourd'hui, en dépit des protestations, des statistiques de morbidité et de mortalité – en s'abritant derrière la "rationalité" scientifique des "taux limites" –, c'est s'exposer à bien plus qu'une crise de confiance, et c'est une attitude qui relève des tribunaux[36] ».

Le 11 janvier 2010, mon « coup de blues » passé, j'ai donc rencontré Andreas Kortenkamp, un scientifique d'origine allemande auteur notamment d'un rapport sur le cancer du sein qu'il a présenté aux députés européens le 2 avril 2008[37]. Pour lui, en effet, l'augmentation permanente du taux d'incidence de ce cancer, qui frappe aujourd'hui une femme sur huit dans les pays industrialisés et représente la première cause de mort par cancer des femmes de 34-54 ans, est due principalement à la pollution chimique[a]. « La progression fulgurante du cancer du sein dans les pays du Nord est très choquante, m'a-t-il expliqué. Elle est due à un faisceau de facteurs concordants qui concernent tous le rôle de l'œstrogène dans le corps des femmes : il y a d'abord la décision d'avoir des enfants plus tard et, pour certaines, de ne pas allaiter ; il y a aussi, pour une faible part, l'utilisation de pilules anticonceptionnelles et, de manière évidente, l'usage de traitements hormonaux à la ménopause. On estime qu'au Royaume-Uni l'usage des traitements hormonaux de substitution a provoqué un excès de 10 000 cas de cancer du sein. S'y ajoute un facteur génétique, mais qu'il ne faut pas surévaluer :

---

[a] Le taux d'incidence de cancers du sein en Amérique du Nord, en Europe et en Australie est de 75 à 92 pour 100 000 (après ajustement de l'âge), contre moins de 20 pour 100 000 en Asie et en Afrique.

on estime qu'il ne représente qu'une tumeur mammaire sur vingt. Tout indique que le facteur principal est environnemental et qu'il est lié à la présence d'agents chimiques capables d'imiter l'hormone sexuelle féminine, dont les effets s'additionnent à des doses infinitésimales.

— Quels sont les produits que vous mettez en cause ? ai-je demandé en pensant à toutes les femmes, dont plusieurs amies proches, qui souffrent ou sont décédées d'un cancer du sein.

— Malheureusement, la liste est longue, m'a répondu Andreas Kortenkamp avec une moue de réprobation. Il y a certains additifs alimentaires comme les conservateurs, les produits anti-UV des crèmes solaires, les parabens et phtalates que l'on trouve dans de nombreux produits cosmétiques (shampoings, parfums, déodorants), les alkylphénols utilisés dans les détergents, peintures ou plastiques, les BPC qui continuent de polluer la chaîne alimentaire ; et puis de nombreux pesticides, comme le DDT qui s'est accumulé dans l'environnement, des fongicides, herbicides, insecticides qui ont tous une activité œstrogénique et qui se retrouvent sous forme de résidus dans nos aliments[38]; bref, le corps des femmes est exposé en permanence à un cocktail d'hormones qui peuvent agir de concert, ainsi que l'a révélé une étude espagnole[39]. De plus, on sait que ces mélanges d'hormones sont particulièrement redoutables pendant les phases du développement fœtal et la puberté. C'est ce qu'ont révélé le drame du distilbène (voir *supra*, chapitre 17) et la terrible expérience de la bombe atomique à Hiroshima : la majorité des femmes qui ont développé un cancer étaient adolescentes au moment de l'explosion.

— Quelles études menez-vous dans votre laboratoire ?

— Nous testons l'effet synergétique des hormones de synthèse – qu'elles soient œstrogéniques ou antiandrogéniques – sur des lignées de cellules, c'est-à-dire *in vitro*, et non pas *in vivo*, comme le fait ma collègue Ulla Hass. Et nos résultats confirment ce qu'elle a observé sur des rats : les xéno-œstrogènes, ou œstrogènes environnementaux, voient leurs effets décupler quand ils sont mélangés et interagissent de surcroît avec l'œstrogène naturel. On parle beaucoup de charge chimique corporelle, mais il serait intéressant de mesurer la charge hormonale globale des femmes, qui devrait être un bon indicateur du risque d'avoir un cancer du sein...

— Pensez-vous que les agences de réglementation devraient revoir leur système d'évaluation des produits chimiques ?

— Certainement ! m'a répondu sans hésiter le scientifique germano-britannique. Il faut qu'elles changent de paradigme pour intégrer l'effet cocktail, qui est pour l'heure complètement ignoré. L'évaluation produit par produit n'a pas de sens et je constate que les autorités européennes ont commencé à en prendre conscience. En 2004, le Comité scientifique européen de la toxicologie, de l'écotoxicologie et de l'environnement a clairement recommandé de prendre en compte l'effet cocktail des molécules qui ont un mode d'action identique, comme les hormones environnementales[40]. De même, en décembre 2009, les vingt-sept ministres de l'Environnement européens ont publié une déclaration commune demandant que l'effet des mélanges, notamment de perturbateurs endocriniens, soit intégré dans le système d'évaluation des produits chimiques. Cela dit, la tâche est immense. D'après les estimations, il y a actuellement entre 30 000 et 50 000 produits chimiques sur le marché en Europe, dont 1 % seulement ont été testés. S'il y a parmi eux quelque 500 perturbateurs endocriniens, cela fait des millions de combinaisons possibles...

— Autant dire que la tâche est impossible...

— Je crois qu'il faut procéder de manière pragmatique. Les poissons des rivières représentent un bon indicateur des effets cocktail. Il faudrait déterminer quelles sont les substances qui les affectent le plus et peut-être va-t-on découvrir que vingt molécules sont responsables de 90 % des effets. Il convient alors de les retirer du marché, comme le prévoit le règlement Reach, qui va dans la bonne direction[a]. Mais, pour cela, il faut une volonté politique forte, car la résistance des industriels est redoutable...

— Est-ce que l'effet cocktail existe aussi pour les molécules cancérigènes ?

— Tout indique que oui ! C'est ce qu'ont montré des études japonaises dans lesquelles ont été mélangés des pesticides qui individuellement n'avaient pas d'effet cancérigène à la dose utilisée dans le mélange, mais dont l'effet a été décuplé une fois qu'ils ont été mélangés.

— Cela signifie-t-il que le principe de Paracelse qui veut que "la dose fait le poison" est à mettre à la poubelle, y compris pour les produits autres que les perturbateurs endocriniens ?

— Malheureusement, ce principe est utilisé à toutes les sauces, mais personne ne comprend vraiment ce qu'il signifie. Fondamentalement, bien sûr qu'il y a une relation entre la toxicité d'un produit et la dose,

---

a   Entré en vigueur le 1er juin 2007, Reach est l'acronyme anglais du «Règlement européen sur l'enregistrement, l'évaluation, l'autorisation et les restrictions des substances chimiques».

mais ce n'est pas cela le problème. La faille du système d'évaluation repose sur la notion de NOAEL, la dose sans effet nocif observé. En fait, il faut bien comprendre qu'autour de cette fameuse NOAEL il y a ce que les statisticiens appellent un *fog* ou une zone grise, c'est-à-dire que nous sommes incapables de savoir ce qui se passe à + ou – 25 % de la NOAEL. Il n'y a aucune étude expérimentale qui peut résoudre ce problème fondamental. Bien sûr, on peut augmenter le nombre d'animaux testés pour réduire la taille du *fog*, mais on ne le fera jamais disparaître complètement. Le discours officiel, c'est que ce problème est résolu par l'application de facteurs d'incertitude ou de sécurité, mais là encore c'est complètement arbitraire, car, encore une fois, nous ne le savons pas. Et c'est particulièrement vrai pour la toxicologie des mélanges, où l'effet conjugué de très petites doses de produits apparemment inoffensifs quand ils sont pris isolément est impossible à prévoir avec certitude, sauf à appliquer des facteurs de sécurité très élevés, ce qui limiterait considérablement l'usage des produits.

— Pensez-vous que le système actuel met particulièrement la vie des enfants en danger ?

— Il est clair que les fœtus et jeunes enfants sont particulièrement sensibles aux cocktails de produits chimiques et, notamment, de perturbateurs endocriniens. C'est ce que montre l'évolution des pathologies enfantines… »

Une « épidémie silencieuse » : les enfants sont les premières victimes

Impossible de terminer ce livre sans évoquer le destin des enfants, qui sont les premières victimes de la pollution généralisée de l'environnement, au point que Philippe Grandjean, professeur de santé environnementale à l'université Harvard, et son collègue Philippe Landrigan, de l'école de médecine Mont-Sinaï de New York, parlent d'une « épidémie silencieuse[41] ». Si leur constat concerne les nombreux troubles neurologiques qui touchent les enfants – autisme, troubles de l'attention, hyperactivité, retard mental –, il peut s'appliquer aussi à toutes les autres maladies dont souffrent des centaines de milliers d'enfants nés dans les pays dits « développés », en raison de leur exposition aux poisons chimiques qui peuplent leur environnement, y compris le ventre de leur mère.

Car il est une chose que les « magiciens des taux limites » semblent s'obstiner à ignorer : contrairement à la vulgate, en matière de toxicologie, «les enfants ne sont pas de petits adultes», ainsi que le rappelle une étude très documentée réalisée à la demande du Parlement européen[42]. C'est tellement vrai que le prix payé à la pollution de l'air, de l'eau et à la contamination par le plomb par les enfants et les jeunes de moins de vingt ans s'élève, chaque année en Europe, à 100 000 morts (soit 34 % des décès pour cette tranche d'âge[43]). Après avoir évoqué la «vulnérabilité spécifique des femmes enceintes et des fœtus», les députés européens soulignent les «caractéristiques physiologiques et comportementales des nourrissons et des enfants qui augmentent leur vulnérabilité face aux impacts sanitaires négatifs des pesticides[44]». Celle-ci est due «au fait que leurs corps sont encore en train de se développer et que les systèmes de signaux chimiques utilisés pour diriger leur développement sont susceptibles d'être perturbés lorsqu'ils sont soumis à des toxines environnementales[45]».

De plus, «la barrière hémato-encéphalique des bébés n'est pas complètement développée avant qu'ils atteignent l'âge de six mois, en conséquence de quoi leur cerveau immature est beaucoup moins protégé que celui des autres enfants et des adultes[46]». «Étant donné que ses voies de détoxification sont moins développées, l'organisme de l'enfant est moins capable de métaboliser et d'éliminer les polluants[47].» «En outre, les enfants boivent et mangent plus par kilogramme de poids corporel que les adultes, [...] ce qui entraîne un effet supérieur des pesticides sur leur organisme[48].» À cela s'ajoute que «les enfants ont l'habitude de porter leurs mains à la bouche, ils ont une plus petite stature, jouent près du sol et passent beaucoup de temps à l'extérieur. Leur alimentation est souvent plus riche en fruits et légumes, ce qui augmente leur exposition aux résidus de pesticides. En outre, le processus de transformation des aliments préparés pour les enfants tend aussi à augmenter la concentration de résidus de pesticides. Enfin, les nourrissons peuvent ingérer des résidus de pesticides à travers le lait maternel[49]». Et les députés de conclure: «Malgré les preuves de la vulnérabilité accrue des bébés et des enfants et la nature chronique et handicapante des effets sanitaires qui en résultent, on constate une absence de données spécifiques sur la toxicité postnatale de la majorité des pesticides actuellement utilisés.»

Toutes les caractéristiques décrites par l'étude européenne sont aussi reprises sur le site web de l'Agence de protection de l'environnement des États-Unis (EPA) qui, en 1996, a dû ajouter un facteur de sécurité de dix au facteur habituel de cent (voir *supra*, chapitre 12) utilisé pour calculer la DJA des pesticides, à la suite de la décision du Congrès américain d'amender la loi fédérale sur les fongicides, insecticides et rodenticides, afin de mieux protéger les enfants. L'agence a créé un bureau spécialement dédié à la santé environnementale de l'enfant et sur son site web (rubrique «Alimentation et pesticides»), elle explique clairement «pourquoi les enfants sont spécialement sensibles aux pesticides» et quelles sont les maladies qu'ils peuvent développer à la suite d'une exposition aux produits chimiques. La première d'entre elles est bien sûr le cancer, qui «représente la deuxième cause de décès chez les enfants de un à quatorze ans, après les morts accidentelles». Et l'EPA de préciser : «La leucémie est le cancer le plus courant chez les enfants de moins de quinze ans et représente 30 % de tous les cancers infantiles, suivie du cancer du cerveau.»

La leucémie infantile représente un drame d'autant plus injuste que tout indique que son incidence pourrait être considérablement réduite si les femmes enceintes étaient informées du rôle que jouent les pesticides, et surtout les insecticides, dans son étiologie. En effet, «une dizaine d'études épidémiologiques récentes ont montré que l'usage d'insecticides d'intérieur pendant la grossesse doublait au minimum la probabilité que l'enfant à naître développe une leucémie ou un lymphome non hodgkinien», ainsi que me l'a expliqué Jacqueline Clavel, directrice de l'unité Épidémiologie environnementale des cancers à l'Inserm[50], qui dirigea l'une d'entre elles[51]. En 2009, une équipe de l'université d'Ottawa a conduit une méta-analyse de trente et une études épidémiologiques publiées entre 1950 et 2009 qui ont examiné le lien entre la leucémie infantile et l'exposition parentale aux pesticides. Les résultats sont sans appel : l'exposition maternelle prénatale aux insecticides (d'intérieur ou agricoles) multiplie par 2,7 le risque de leucémie chez l'enfant, et ce risque est multiplié par 3,7 lors d'une exposition maternelle professionnelle aux herbicides[52].

Des enfants déformés par les pesticides

Pendant les tournages, il est des moments particulièrement intenses émotionnellement et dont le souvenir ne cesse de vous hanter, car le temps ne parvient pas à les effacer de votre mémoire. C'est ainsi que je repense régulièrement à ma visite, en décembre 2006, à l'hôpital Tû Dû, à Hô Chi-Minh-Ville (Viêt-nam), où le docteur Nguyen Thi Ngoc Phuong avait conservé dans des dizaines de bocaux des fœtus déformés par l'agent orange de Monsanto et Dow Chemical[53].

De même, je n'oublierai jamais mon séjour à Fargo, la ville du Dakota du Nord qui donna son nom à l'un des films les plus sinistres des frères Coen. J'y suis arrivée la veille de la Toussaint 2009. Il faisait un froid glacial dans la Red River Valley toute proche, prête à accueillir la neige pendant de longs mois, avant que ne reprennent les cultures intensives de blé, maïs, betteraves, pommes de terre ou soja (transgénique). Dans cette région à cheval sur les États du Dakota et du Minnesota, les pesticides sont généralement épandus par avion, car la taille moyenne des exploitations agricoles dépasse plusieurs centaines d'hectares.

J'avais rendez-vous avec le professeur Vincent Garry, de l'université de Minneapolis (Minnesota), qui participa à la conférence de Wingspread (voir *supra*, chapitre 16) et dirigea trois études sur le lien entre l'exposition aux poisons agricoles et les malformations congénitales[54]. Celles-ci montraient un risque accru très significatif d'anomalies cardiovasculaires, respiratoires, urogénitales (hypospadias, cryptorchidie) et musculo-squelettiques (malformation des membres, nombre de doigts) dans les familles d'agriculteurs de la Red River Valley, *mais aussi* chez les riverains. Comparé avec celui des populations urbaines des États du Dakota du Nord ou du Minnesota, ce risque était multiplié par deux à quatre, selon le type d'anomalies. Lorsqu'il a étudié plus précisément les familles d'agriculteurs, Vincent Garry a constaté que les malformations congénitales et les fausses couches étaient plus fréquentes quand la conception des enfants avait lieu au printemps, c'est-à-dire au moment où sont appliqués les pesticides (notamment le Roundup de Monsanto, dont il démontra qu'il est un perturbateur endocrinien). Le chercheur a noté aussi un déficit du sexe mâle chez les enfants des utilisateurs de pesticides. Ensemble, nous avons rendu visite à David, un agriculteur d'une quarantaine d'années, dont les parents avaient participé à l'étude de 1996. Le professeur Garry avait conservé le dossier concernant la famille de David, où il apparaissait que son jeune frère était atteint de malformations congénitales graves et d'un retard mental. Je n'oublierai jamais l'attention émue et le silence embarrassé de la famille, réunie autour de la table de la cuisine, quand Vincent Garry a présenté les résultats de l'étude, dont elle n'avait jamais été informée...

Dix jours plus tard, je m'envolais pour le Chili (voir *supra*, chapitre 3), où, après ma rencontre avec les travailleuses saisonnières victimes d'intoxications aiguës, j'avais rendez-vous avec la docteure Victoria Mella, une gynécologue obstétricienne de l'hôpital régional de Rancagua. Dans cette province centrale du pays andin, on pratique l'agriculture intensive dédiée à l'exportation depuis le début des années 1980, à grand renfort de pesticides. C'est ainsi que Victoria Mella a constaté une augmentation spectaculaire des malformations congénitales graves chez les enfants nés dans l'hôpital au cours des années 1980. En 1990, elle a rédigé un rapport, fondé sur 10 000 naissances, où elle décrivit les nombreuses anomalies dont souffraient les enfants principalement des travailleuses saisonnières, qui furent exposées aux pesticides pendant leur grossesse : « hydrocéphalies », « cardiopathie congénitale », « malformations des membres inférieurs et supérieurs », « anomalies du système urinaire ou du tube neural », « fente orale », « *spina bifida* », « morts fœtales[55] ». Bouleversée par ce qu'elle découvrait, jour après jour, dans son cabinet de consultation, la gynécologue a décidé de filmer les bébés aux corps martyrisés, afin d'avoir une preuve qu'elle puisse soumettre aux autorités publiques. Jamais je n'oublierai ces images atroces d'enfants déformés par la folie chimique des hommes...

Conclusion

Changer de paradigme

Une nouvelle manière de penser est nécessaire, si l'humanité veut « survivre », a dit Albert Einstein. C'était il y a plus de cinquante ans et, aujourd'hui, ses mots résonnent comme un cri d'alarme. Tout indique, en effet, que nous sommes à la croisée des chemins et qu'il est urgent de « changer de paradigme dans notre gestion de la santé publique », comme me l'a dit André Cicolella. « Il y a une crise écologique globale, a poursuivi le porte-parole du Réseau environnement santé, qui concerne quatre domaines capitaux pour l'avenir de l'humanité : la biodiversité, l'énergie, le climat et la santé. La crise sanitaire est la quatrième crise importante dans la crise écologique globale. Pour y remédier, il faut une véritable révolution de la santé publique similaire à celle qui avait permis, au XIXᵉ siècle, de lutter contre les maladies infectieuses par une amélioration de la qualité de l'eau et l'hygiène et par l'éducation. Cette nouvelle révolution doit être basée sur ce que j'appelle l'"expologie", c'est-à-dire la prise en compte de toutes les expositions chimiques auxquelles l'homme est soumis dans son environnement. On ne peut plus attendre pour agir, car tous les signaux sont au rouge. » En janvier 2011, deux articles du journal *Le Monde*, publiés à dix jours d'intervalle, attiraient l'attention sur deux de ces « signaux ». Daté du 27 janvier, le premier rapportait que « l'espérance moyenne de vie des Américains a régressé[1] » pour la première fois de leur histoire ; le second constatait que « le nombre de personnes souffrant d'obésité a doublé en trente ans dans le monde[2] ». Curieusement, le quotidien du soir ne disait pas un mot sur le rôle des polluants chimiques dans cette double évolution, alors que, comme on l'a vu, l'obésité est une maladie chronique, dont l'étiologie est en (grande ?) partie d'origine environnementale. Preuve que, pour pouvoir « changer de paradigme », il faut poursuivre assidûment le travail d'information, car savoir, c'est véritablement pouvoir.

Les aliments anticancer

Dans le monde de la recherche, deux écoles s'ignorent, alors que tout indique qu'elles sont complémentaires : d'un côté, les chercheurs qui travaillent exclusivement sur les origines environnementales des maladies chroniques, c'est-à-dire sur les effets de la pollution chimique qui constitue le cœur de mon livre ; de l'autre, les scientifiques qui ne s'intéressent qu'au « style de vie » et notamment aux conséquences de la malbouffe, fondée sur un apport excessif en graisses et en sucres (dont les farines blanches) et une carence en produits végétaux. Au terme de ma longue enquête, j'ai compris que ces deux points de vue représentent les deux faces d'une même pièce, car le pendant de la « révolution verte » est la « révolution agroalimentaire » qui a profondément bouleversé le contenu de notre assiette.

Or, comme le souligne l'agronome Pierre Weill dans son livre *Tous gros demain ?*, « nos gènes sont "vieux", ils ne changent pas à chaque génération. La fréquence de mutation spontanée d'un gène est de l'ordre d'une centaine de milliers d'années[3] ». Dans son excellent (et courageux) ouvrage *Anticancer. Prévenir et lutter grâce à nos défenses naturelles*, David Servan-Schreiber explique par exemple comment le fait que les vaches ne mangent plus d'herbe ni de lin, riches en acides gras oméga-3, mais du maïs et du soja, riches en oméga-6, a des répercussions sur notre physiologie : « Les oméga-6 facilitent le stockage des graisses, la rigidité des cellules, la coagulation et les réponses inflammatoires aux agressions extérieures. Ils stimulent donc la fabrication de cellules graisseuses à la naissance. Les oméga-3 participent à la constitution du système nerveux, rendent les cellules plus souples et calment les réactions inflammatoires. Ils limitent aussi la fabrication des cellules adipeuses. L'équilibre de la physiologie dépend étroitement de l'équilibre entre oméga-3 et oméga-6. Or, ce rapport est celui qui a le plus changé dans notre alimentation en cinquante ans[4]. » Effectivement, il est passé de 1/1 à 1/25, voire 1/40. Ce qui n'est pas anodin, les cancérologues le savent bien : l'inflammation fait le lit du cancer.

En effet, à l'origine d'une tumeur, il y a toujours une cellule agressée par un agent extérieur qui peut être un virus, une irradiation ou un produit chimique. Si l'organisme est en bonne santé, la cellule endommagée est détectée par les lymphocytes NK – de l'anglais *natural killer*, les « tueurs naturels » –, qui la poussent à « se suicider ». On appelle ce phénomène l'« apoptose ». Lorsque le système immunitaire est affaibli par une inflammation chronique et l'agression permanente d'agents chimiques, l'apoptose échoue et la cellule défectueuse commence à se multiplier : c'est le début de la tumeur, qui, pour se développer, a besoin d'être nourrie par des vaisseaux sanguins. On appelle ce phénomène l'« angiogenèse ». À terme, l'angiogenèse conduit à la création de métastases, c'est-à-dire à la colonisation de l'organisme par les cellules cancéreuses.

« Le cancer est comme une mauvaise herbe, m'a expliqué le professeur Richard Béliveau : pour s'initier, il a besoin d'une graine. Celle-ci doit être nourrie par des agents promoteurs pour pouvoir se développer. Lorsqu'on consomme de l'alimentation industrielle et transformée qui utilise, par exemple, des huiles hydrogénées ou des graisses trans, riches en oméga-6, on se met métaboliquement et physiologiquement en mode pro-inflammatoire, et on favorise la croissance de la graine. En revanche, si on consomme une grande quantité de végétaux, on bloque le développement de la mauvaise herbe. » Titulaire de la chaire en prévention et traitement du cancer de l'Université du Québec à Montréal, Richard Béliveau dirige une équipe de trente chercheurs qui étudient le potentiel anticancérigène des fruits et légumes. Il est l'auteur de plus de deux cent trente publications dans des revues médicales internationales.

« Ce que la recherche a montré au cours des vingt dernières années, c'est que certains végétaux contiennent des molécules qui pharmacologiquement ont le même effet que certains médicaments de chimiothérapie grâce à leurs composants phytochimiques, a-t-il rapporté lorsque je l'ai rencontré dans son laboratoire de Montréal le 7 décembre 2009[5]. Certaines de ces molécules sont cytotoxiques : elles détruisent les cellules cancéreuses. D'autres sont pro-apoptotiques : elles conduisent la cellule cancéreuse à se suicider. D'autres encore sont anti-inflammatoires : elles bloquent l'inflammation dont la cellule cancéreuse a besoin pour favoriser son développement. Lorsque le cancer est dans son enfance et tente lentement de s'implanter, on crée, en consommant ces molécules, un environnement hostile qui empêche la sélection clonale des cellules cancéreuses initiées – lesquelles, dans vingt, trente ou quarante ans, vont donner un cancer. On peut donc prévenir la promotion du cancer par l'alimentation. Cet arsenal de molécules anticancéreuses est présent dans la famille des crucifères (*brassica*) : chou pommé, chou-fleur, chou de Bruxelles ou, le meilleur d'entre tous, le brocoli[6], dont les glucosinolates favorisent l'apoptose[7]. Il y a aussi la famille *allium* : l'ail, l'oignon, les poireaux ou les échalotes, dont les composants sulfurés constituent une excellente protection contre le cancer, notamment de la prostate[8]. Il y a encore la famille des petits fruits rouges : les bleuets, les mûres, les cassis, les fraises et surtout les framboises, qui contiennent de l'acide ellagique, dont la vertu est de bloquer l'angiogenèse[9]. Il ne faut pas oublier le thé vert, dont les polyphénols et catéchines bloquent l'initiation de l'angiogenèse : j'ai moi-même testé son effet sur des lignées de cellules cancéreuses et j'ai constaté qu'il ralentit la croissance des cellules de la leucémie et des cancers du sein, de la prostate, du rein, de la peau et de la bouche[10]. Il y a encore le chocolat noir[11], les agrumes et le vin rouge, qui contient du resvératrol[12].

— Pourquoi tout cela n'est-il pas mieux connu ?

— Parce qu'il n'y a pas d'argent à gagner avec les résultats de mes études ! Il faut que je me batte en permanence pour obtenir du financement. Prenons l'exemple de la curcumine, qui est le principal constituant du curcuma : de nombreuses études ont montré que c'est un puissant anti-inflammatoire, qui agit sur toutes les étapes du cancer. Mais le curcuma ne peut pas être breveté, car il est utilisé dans la cuisine indienne depuis la nuit des temps ! »

Le pays du curcuma menacé par les maladies chroniques

Peu avant Noël 2009, j'ai passé quelques jours dans le pays du curcuma, cette épice au goût légèrement âcre qui donne sa couleur jaune au cari et dont les vertus thérapeutiques ont été décrites dans la médecine ayurvédique depuis au moins 3 000 ans. Je participais au troisième Symposium international sur le cancer translationnel qui était organisé à Bhubaneswar, la capitale de l'Orissa (au sud-est de l'Inde). L'un des organisateurs était Bharat Aggarwal, le directeur du laboratoire de recherche sur la cytokine du MD Anderson Cancer Center, un centre de renommée internationale, qui m'avait reçue à Houston (Texas) la semaine précédente. Il m'avait présenté ses travaux spectaculaires sur la curcumine, capable de décupler le pouvoir apoptique de la gemcitabine, un traitement classique du cancer du pancréas, sur des cellules cancéreuses humaines. Puis, il m'avait montré des images d'une tumeur du pancréas induite chez des souris où l'on voyait comment l'action de la curcumine asséchait progressivement les vaisseaux la nourrissant, pour la faire complètement disparaître[13]. « La curcumine a la capacité d'inhiber l'expression des protéines du facteur de transmission NF Kappa B, qui joue un rôle clé dans les processus inflammatoires, m'avait expliqué le chercheur américano-indien. C'est pourquoi elle agit sur l'apoptose, l'angiogenèse et les métastases. Avec John Mendelsohn, le président du MD Anderson Cancer Center, nous menons actuellement des essais cliniques sur des malades qui s'annoncent très prometteurs. »

Alors, bien sûr, lors du colloque de Bhubaneswar, les scientifiques ont beaucoup parlé de la curcumine, du facteur de transmission NF Kappa B, des mécanismes inflammatoires du cancer, mais aussi du « privilège de l'Inde » qui est en train de disparaître, comme l'a souligné le professeur Arvind Chaturvedi, le directeur de l'Institut de recherche sur le cancer de New Delhi. S'appuyant sur les documents d'un PowerPoint, il avait projeté des statistiques émanant du CIRC de Lyon (voir *supra*, chapitre 10). En 2001, le taux d'incidence des vingt principaux cancers était de trois à trente fois moins élevé (selon les sites) en Inde qu'aux États-Unis. La différence était particulièrement marquée pour le sein et la prostate. « Malheureusement, la situation est en train de changer, s'était alarmé Arvind Chaturvedi. Dans le Pendjab (nord de l'Inde), le berceau de la révolution verte, où l'on emploie beaucoup de pesticides sur les cultures intensives de blé, certains cancers ont nettement progressé. On constate la même chose dans les grandes métropoles, où les cancers du sein et de la prostate sont en forte augmentation, en raison du changement du mode de vie ainsi que des habitudes alimentaires. »

« Si nous ne tirons pas les leçons des erreurs commises par les autres, nous finirons par payer un prix très élevé, m'a dit le professeur indien lors de l'interview qu'il m'a accordée en marge du symposium. La réponse est simple : pas de polluants chimiques, pas d'aliments transformés, mais un mode de vie sain avec de l'exercice physique, pas ou peu de viande rouge, ni alcool ni tabac à fumer ou à mastiquer, avec bien sûr de la nourriture biologique[14]... »

Manger « bio »

« Que peut-on faire pour échapper aux polluants chimiques ? » La question m'a déjà été maintes fois posée lors des débats qui ont suivi les multiples projections de mon film *Le Monde selon Monsanto*. Et je l'entendrai sans doute encore souvent après la sortie de ce livre/film. Et, immuablement, je répondrai la même chose : « Il faut manger bio, autant que faire se peut. » Je n'entrerai pas ici dans la discussion sur le coût de l'alimentation biologique, car ce n'est pas le lieu (j'y consacrerai bientôt une nouvelle enquête), mais je tiens à évoquer des études récentes qui montrent que le bio protège efficacement les enfants des dangers (à faibles doses) des pesticides.

La toute première, publiée en 2003, a été conduite par des chercheurs des universités de Washington et de Seattle. Ceux-ci ont analysé l'urine de dix-huit enfants de deux à cinq ans nourris exclusivement avec des aliments issus de l'agriculture biologique, et de vingt et un enfants du même âge dont les parents s'approvisionnent dans des supermarchés conventionnels. Les scientifiques ont recherché la présence de cinq pesticides organophosphorés (et leurs métabolites) et ont constaté que les enfants du second groupe présentaient un niveau moyen de résidus six fois plus élevé que ceux du premier. Et de conclure : « La consommation de produits issus de l'agriculture biologique représente une manière relativement simple pour les parents de réduire l'exposition de leurs enfants aux pesticides[15]. »

Une autre étude publiée trois ans plus tard a montré qu'un changement de régime faisait très rapidement disparaître les résidus de pesticides relevés dans l'urine des enfants nourris avec des aliments issus de l'agriculture chimique. Celle-ci a été conduite par des chercheurs des deux universités précédentes, en collaboration avec le Center for Disease Control and Prevention d'Atlanta, qui ont mis vingt-trois enfants d'une école primaire au régime bio pendant cinq jours. Résultat : leur taux de résidus de pesticides organophosphorés, dont le malathion et le chlorpyriphos, était descendu à un niveau qui n'était pratiquement plus détectable au bout de dix jours. Comme le soulignent les auteurs, « cette étude montre que la principale voie d'exposition des enfants aux pesticides organophosphorés est l'alimentation[16]». Ces résultats ont été confirmés deux ans plus tard par une autre étude conduite pendant quatre saisons consécutives, au cours desquelles vingt-trois enfants de trois à onze ans ont changé plusieurs fois de régime alimentaire. Chaque fois, et quelle que soit la saison, le niveau de pesticides enregistré dans leur urine disparaissait moins de dix jours après leur passage à une nourriture biologique[17].

L'interdiction des pesticides permettrait d'économiser beaucoup d'argent

«Ce système produit des maladies parce que les normes politiques, économiques, réglementaires et idéologiques privilégient les valeurs de profit plutôt que celles de la santé humaine et du bien-être environnemental, écrivaient en 2005 David Egilman et Susanna Rankin Bohme, professeurs de médecine du travail et de l'environnement à l'université de Brown (Rhode Island). Les firmes ignorent largement les coûts sociaux et environnementaux de leurs activités en les externalisant ou en les faisant porter par les gouvernements, les voisins ou les ouvriers.» Et de souligner le paradoxe suprême du «système»: «Plus les firmes parviennent à faire payer par les autres la facture de leur impact sur la société, plus leurs profits sont élevés[18].»

Or, il suffit d'éplucher les bulletins annuels (disponibles sur Internet) de la Caisse nationale d'assurance maladie (CNAM) française pour mesurer à quel point «la charge que les maladies non transmissibles représente pour les individus, les sociétés et les systèmes de santé n'est pas tenable», pour reprendre les mots de l'OMS[19]. En France, le nombre d'assurés du régime général déclarés en «affection de longue durée[a]» (ALD) est passé de 3,7 millions en 1994 (11,9 % des salariés) à 8,6 millions au 31 décembre 2009 (soit une personne sur sept). Si ce nombre a été multiplié par deux en quinze ans, le phénomène s'est considérablement accéléré depuis 2004: entre 2006 et 2007, l'augmentation a été de + 4,2 %. On estimait alors que la part des ALD dans les dépenses de l'Assurance maladie était de 60% (sur un total de 42 milliards d'euros). Comme le reconnaît elle-même la CNAM dans un «Point d'information

---

a   Les «affections de longue durée» désignent les maladies chroniques dont les traitements, souvent très coûteux, sont pris en charge à 100% par la Caisse nationale d'assurance maladie, grâce à l'exonération du ticket modérateur.

mensuel» du 5 avril 2006, de 1994 à 2004 «le nombre de personnes prises en charge au titre des affections de longue durée a fortement augmenté (+ 73,5 % depuis 1994, + 53,3 % si on rapporte ce nombre à l'évolution de la population générale durant cette période)».

Cette explosion des ALD, dont tout indique qu'elle est largement d'origine environnementale, éclaire d'un jour nouveau le fameux «déficit de la Sécurité sociale» dont les gouvernements français successifs ne cessent de déplorer l'ampleur. En effet, ainsi que le souligne très justement André Cicolella, «une simple règle de trois montre que, si on avait eu en 2004 la même proportion d'ALD que dix ans plus tôt, les dépenses de maladie auraient été diminuées de sommes largement supérieures au déficit des dernières années, même en tenant compte de l'amélioration de l'espérance de vie des personnes en ALD (et donc de l'accroissement du coût global de leur traitement[20])». Et de conclure: «Les gains économiques engendrés par la non-survenue de pathologies sanitaires ne sont quasiment jamais pris en compte dans le calcul économique global[21].» Exception à la règle: en 2001, une équipe de chercheurs de l'Ontario avait entrepris de calculer le coût de quatre pathologies suspectées d'être liées à l'environnement aux États-Unis et au Canada: le diabète, la maladie de Parkinson, les effets neurodéveloppementaux et l'hypothyroïdisme, et le déficit intellectuel. D'après leur estimation, la non-survenue de ces maladies permettrait de *gagner* de 57 à 397 milliards de dollars par an, selon l'importance du facteur environnemental que l'on accorde à leur étiologie[22].

Point de vue que l'on retrouve dans la conclusion, assez radicale, d'un important rapport rendu public par le Parlement européen en 2008: «Les bénéfices sanitaires potentiels qu'entraînerait la restriction de l'usage des pesticides seraient accrus par la disparition des coûts de l'impact sanitaire associé à l'exposition aux pesticides. Ces coûts incluent les frais de traitement des malades, la valeur de la réduction de la qualité de la vie des individus, la valeur de la perte d'une vie due à la mort par exposition aux pesticides ou la perte de productivité (jours de travail) due à une intoxication par les pesticides, qu'elle soit aiguë ou chronique[23].» Ce volumineux document affirme que «les substances actives classées comme cancérogènes, mutagènes, toxiques pour la reproduction de la catégorie 1 ou 2 (CMR 1 ou 2), ou celles considérées comme des perturbateurs endocriniens [...] ne devraient pas être autorisées». Puis les auteurs citent une série d'études montrant le gain financier considérable que constituerait l'interdiction pure et simple des pesticides CMR et des perturbateurs endocriniens.

La première d'entre elles, réalisée en 1992, estimait, de manière très prudente, que les coûts sanitaires de l'exposition aux pesticides s'élevaient à 787 millions de dollars par an aux États-Unis[24]. Conduite en Europe quinze ans plus tard, une étude similaire – ne retenant que le coût des morts par cancer – évaluait à 26 milliards d'euros par an l'économie que permettrait l'interdiction des pesticides les plus dangereux[25]. De son côté, la Commission européenne a évalué en 2003 les bénéfices sanitaires qu'entraînera la restriction de l'usage des produits chimiques résultant de l'application du programme Reach (qui ne concerne pas les pesticides): 50 milliards d'euros au cours des trente prochaines années, dont 99 % proviendront de la réduction des morts par cancer[26].

Quel que soit l'angle retenu – plusieurs évaluations concernent les seuls coûts sanitaires de l'accroissement spectaculaire de l'autisme[27] –, toutes les études citées par le rapport européen confirment donc que, contrairement à ce qu'affirme la propagande de l'industrie, l'application du principe de précaution ne provoquera pas une catastrophe économique, mais permettra au contraire d'*économiser* beaucoup d'argent. Mais, comme me l'a expliqué l'épidémiologiste Richard Clapp lors de notre rencontre à Boston, « la logique du principe de précaution va à l'encontre des intérêts privés de l'industrie pharmaceutique, pour laquelle le cancer représente un "crabe aux pinces d'or" ». Et d'ajouter, avec un sourire entendu : « Or, ceux qui nous vendent les médicaments pour soigner nos maladies chroniques sont aussi ceux qui nous ont pollués et continuent de nous polluer. Ils gagnent sur tous les fronts… »

Le « *principe de précaution* », ou la nécessaire démocratisation du processus d'évaluation des risques

« Afin de protéger l'environnement, les États devraient largement appliquer le principe de précaution en fonction de leurs capacités. Là où il y a des risques de dommages sérieux et irréversibles, l'absence de certitude scientifique complète ne doit pas être utilisée comme un prétexte pour remettre à plus tard des mesures efficaces ayant un coût économique supportable pour prévenir la dégradation de l'environnement. » C'est en ces termes qu'a été défini pour la première fois le « principe de précaution », lors de la conférence des Nations unies sur l'environnement et le développement qui s'est tenue à Rio de Janeiro en juin 1992. Six ans plus tard, la Commission européenne donnait sa propre définition, qui a ensuite été adoptée par la plupart des pays européens : « Le principe de précaution est une approche de *gestion des risques* qui s'exerce dans une situation d'*incertitude scientifique*. Il se traduit par une *exigence d'action* face à un *risque potentiellement grave*, sans attendre les résultats de la recherche scientifique[28]. »

Pour comprendre l'enjeu du débat qui entoure le principe de précaution, il faut bien faire la distinction entre *précaution* (gestion de l'incertitude) et *prévention* (gestion d'un risque identifié). L'affaire de l'amiante illustre parfaitement cette différence, ainsi que l'expliquent les sociologues français Michel Callon, Pierre Lascoumes et Yannick Barthes dans leur livre *Agir dans un monde incertain*[29]. En effet, les dangers pour l'homme de cette substance étaient connus (au moins) depuis le début des années 1930, et « les risques de maladies pulmonaires étaient suffisamment avérés à partir de 1975 pour que soient prises des mesures de prévention réelle, la plus radicale étant l'interdiction ». C'est ce que feront différents pays industrialisés, sauf la France, qui attendra…1997. « Avant cette date (1975), les mesures qui auraient pu être prises auraient relevé de la précaution face à des dangers identifiés, mais mal·cernés[30]. » Dans ce contexte, « la précaution a pour préalable le constat d'une situation d'incertitude susceptible de créer des dommages graves ». Et elle implique la nécessité d'« opérer un tissage entre des informations éparses et hétérogènes pour construire des faisceaux d'indices convergents. L'objectif n'est pas la recherche d'une preuve consolidée et réplicable, mais l'édification progressive d'hypothèses, combinant données théoriques et observations empiriques, données objectives et subjectives[31] ».

Or, cette nouvelle manière de concevoir l'évaluation des risques chimiques suppose de revoir de fond en comble la relation entre science et politique, mais aussi entre science et société. Fini, en effet, les vérités assenées par ce que Michel Callon appelle la « science confinée[32] », cette science de laboratoire qui, « pour accroître sa productivité, s'est mise à l'écart du monde » et s'est affirmée comme la seule habilitée à donner son avis sur les risques encourus par l'ensemble des citoyens. L'application raisonnée du principe de précaution implique au contraire la collaboration avec la « recherche de plein air », celle qui est pratiquée par les profanes ou les gens du terrain, qui ont acquis une expertise liée à leur expérience concrète d'une situation dont ils estiment qu'elle pose un risque environnemental ou sanitaire.

Fini donc aussi les huis clos des agences de réglementation, les données couvertes par un extravagant « secret commercial », le déni des « fractions minoritaires de la communauté scientifique » ou du précieux travail des «lanceurs d'alerte». La démarche de précaution s'appuie sur une «démocratisation de la... démocratie», fondée sur le dialogue et non sur les arguments d'autorité, où «l'"acceptabilité" du risque est un processus social et non pas un objectif déterminable à l'avance[33]». Car, comme l'écrivait en 1994 Jacqueline Verrett, la toxicologue de la FDA: «Il faut que les agences de réglementation arrêtent de prêter des droits aux produits chimiques. Les produits chimiques n'ont aucun droit, ce sont les gens qui en ont[34]...»

Notes

Notes de l'introduction

1   Marie-Monique Robin, *Le Monde selon Monsanto. De la dioxine aux OGM, une multinationale qui vous veut du bien*, La Découverte/Arte Éditions, Paris et Stanké, Montréal, 2008.

2   Marie-Monique Robin, *Les Pirates du vivant* et *Blé : chronique d'une mort annoncée ?*, Arte, 15 novembre 2005.

3   Marie-Monique Robin, *Argentine : le soja de la faim*, Arte, 18 octobre 2005. Avec *Les Pirates du vivant*, il est disponible en DVD, dans la collection « Alerte verte ».

Notes du chapitre 1

1   Joël Robin, *Au nom de la terre. La foi d'un paysan*, Presses de la Renaissance, Paris, 2001.

2   Marie-Monique Robin, *Le Suicide des paysans*, TF1, 1995 (prix du documentaire de société au Festival international du scoop d'Angers).

3   Marie-Monique Robin, *Le Monde selon Monsanto. De la dioxine aux OGM, une multinationale qui vous veut du bien*, *op. cit.*

4   François Veillerette, *Pesticides, le piège se referme*, Terre vivante, Mens, 2007 ;

voir aussi : Fabrice Nicolino et François Veillerette, *Pesticides, révélations sur un scandale français*, Fayard, Paris, 2007.

5   www.victimes-pesticides.org. Lire aussi « Un nouveau réseau pour défendre les victimes des pesticides », www.lemonde.fr, 18 juin 2009.

6   « Malade des pesticides, je brise la loi du silence », *Ouest France*, 27 mars 2009.

7   « Alachlor », *WHO/FAO data sheets on pesticides*, n° 86, www.inchem.org, juillet 1996.

8   « Mais : le désherbage en prélevée est recommandé », *Le Syndicat agricole*, www.syndicatagricole.com, 19 avril 2007.

9   « Un agriculteur contre le géant de l'agrochimie », www.viva.presse.fr, 2 avril 2009.

10 Jean-François Barré, « Paul, agriculteur, "gazé" au désherbant! », *La Charente libre*, 17 juillet 2008.

11 www.medichem2004.org/schedule.pdf, page devenue depuis indisponible.

Notes du chapitre 2

1 Geneviève Barbier et Armand Farrachi, *La Société cancérigène. Lutte-t-on vraiment contre le cancer?*, «Points», Seuil, Paris, 2007, p. 51.

2 *Ibid.*, p. 58.

3 Pesticide Action Network UK, *Pesticides on a Plate. A Consumer Guide to Pesticide Issues in the Food Chain*, Londres, 2007.

4 «Safe use of pesticides», Public Service Announcement, 1964 (voir mon film *Notre poison quotidien*, Arte, 2011).

5 «Pesticides et santé des agriculteurs», http://references-sante-securite.msa.fr, 26 avril 2010 (c'est moi qui souligne).

6 Julie Marc, *Effets toxiques d'herbicides à base de glyphosate sur la régulation du cycle cellulaire et le développement précoce en utilisant l'embryon d'oursin*, Université de biologie de Rennes, 10 septembre 2004.

7 Voir Marie-Monique Robin, *Les Pirates du vivant*, *op. cit.*

8 Arthur Hurst, «Gas poisoning», *in Medical Diseases of the War*, Edward Arnold, London, 1918, p. 308-316 (cité par Paul Blanc, *How Everyday Products Make People Sick. Toxins at Home and in the Workplace*, University of California Press, Berkeley/Los Angeles, 2007, p. 116).

9 Hanspeter Witschi, «The story of the man who gave us Haber's law», *Inhalation Toxicology*, vol. 9, n° 3, 1997, p. 201-209.

10 *Ibid.*, p. 203.

11 David Gaylor, «The use of Haber's law in standard setting and risk assessment», *Toxicology*, vol. 149, n° 1, 14 août 2000, p. 17-19.

12 OMS/UNEP (United Nations Environment Programme), *Sound Management of Pesticides and Diagnosis and Treatment of Pesticides Poisoning. A Resource Tool*, 2006, p. 58.

13 Karl Winnacker et Ernst Weingaertner, *Chemische Technologie-Organische Technologie II*, Carl Hanser Verlag, Munich, 1954, p. 1005-1006.

14 Voir la fiche du Zyklon B dans la liste des produits phytosanitaires retirés sur le site du ministère français de l'Agriculture, e-phy.agriculture.gouv.fr.

15 *Ibid.*

16 Hanspeter Witschi, «The story of the man who gave us Haber's law», *loc. cit.*, p. 201-209.

17 Rachel Carson, *Silent Spring*, First Mariner Books Edition, New York, 2002, p. 7 et 18 (les citations que je donne de ce livre par la suite sont traduites à partir de cette édition).

18 Voir le chapitre «PCB, le crime en col blanc», *in* Marie-Monique Robin, *Le Monde selon Monsanto*, *op. cit.*, p. 19-40.

19 William Buckingham Jr, *Operation Ranch Hand. The Air Force and Herbicides in Southeast Asia, 1961-1971*, Office of Air Force History, Washington, 1982, p. iii.

20 Georganne Chapin et Robert Wasserstrom, «Agricultural production and malaria resurgence in Central America and India», *Nature*, n° 293, 17 septembre 1981, p. 181-185.

21 International Programme on Chemical Safety, «DDT and its derivatives», World Health Organization, www.inchem.org, Genève, 1979.

22 Rachel Carson, *Silent Spring*, *op. cit.*, p. 21.

23 James Troyer, «In the beginning: the multiple discovery of the first hormone herbicides», *Weed Science*, n° 49, 2001, p. 290-297.

24 Voir Marie-Monique Robin, *Le Monde selon Monsanto*, *op. cit.*, p. 41-81 (chapitre 2, «Dioxine: un pollueur qui travaille pour le Pentagone» et chapitre 3, «Dioxine: manipulations et corruption»).

25 Jean-Claude Pomonti, «Viêt-nam, les oubliés de la dioxine», *Le Monde*, 26 avril 2005.

26 Les estimations les plus fiables ont été publiées par Jane Mager Stellman, «The extent and patterns of usage of Agent Orange and other herbicides in Vietnam», *Nature*, 17 avril 2003.

27 Paul Blanc, *How Everyday Products Make People Sick*, *op. cit.*

28 *Ibid.*, p. 233.

29 Rachel Carson, *Silent Spring*, *op. cit.*, p. 155.

Notes du chapitre 3

1 Rachel Carson, *Le Printemps silencieux*, Plon, Paris, 1963. Roger Heim est notamment l'auteur de *Destruction et Protection de la nature*, Armand Colin, Paris, 1952.

2 Rachel Carson, *Silent Spring, op. cit.*, p. 16.

3 *Ibid.*, p. xi. Voir aussi Linda Lear et Rachel Carson, *The Life of the Author of « Silent Spring »*, Henry Holt and Company, New York, 1997.

4 Voir notamment Gérald Leblanc, « Are environmental sentinels signalling? », *Environmental Health Perspectives*, vol. 103, n° 10, octobre 1995, p. 888-890.

5 J'invite les lecteurs à découvrir cette interview ainsi que celle qu'a donnée Rachel Carson, un document rare, sur le site de la BBC : « Clip Bin : Rachel Carson », www.bbcmotiongallery.com.

6 Cité par Dorothy McLaughin, « *Silent Spring revisited* », www.pbs.org.

7 The Monsanto Corporation, *The Desolate Year*, New York, 1963.

8 *Time Magazine*, 28 septembre 1962, p. 45-46.

9 « The *Time* 100 : Rachel Carson », *Time Magazine*, 29 mars 1999.

10 Cité par Linda Lear et Rachel Carson, *The Life of the Author of « Silent Spring »*, *op. cit.*, p. 429-430.

11 Presidential Science Advisory Committee, « Use of pesticides », 15 mai 1963.

12 David Greenberg, « Pesticides: White House advisory body issues report recommending steps to reduce hazard to public », *Science*, 24 mai 1963, p. 878-879.

13 EPA, « DDT ban takes effect », www.epa.gov, 31 décembre 1972.

14 Rachel Carson, *Silent Spring, op. cit.*, p. 99.

15 « Indien: die chemische Apokalypse », *Der Spiegel*, n° 50, 10 décembre 1984.

16 *Ibid.*

17 Marie-Monique Robin, *Les Pirates du vivant, op. cit.* Le brevet a été finalement annulé par l'Office européen des brevets, après une bataille juridique de plus de dix ans.

18 OMS, « Public health impact of pesticides used in agriculture », Genève, 1990.

19 Voir Marie-Monique Robin, *Le Monde selon Monsanto, op. cit.*, p. 308 (où je raconte les funérailles d'un paysan indien qui s'est suicidé en ingérant un pesticide parce qu'il était endetté et que sa récolte de coton transgénique avait tourné au fiasco). Voir aussi Ashish Goel et Praveen Aggarwal, « Pesticides poisoning », *National Medical Journal of India*, vol. 20, n° 4, 2002, p. 182-191.

20 Jerry Jeyaratnam *et alii*, « Survey of pesticide poisoning in Sri Lanka », *Bulletin of the World Health Organization*, n° 60, 1982, p. 615-619. Toutes les études citées dans cette partie font partie du corpus du document cité de l'OMS.

21 Ania Wasilewski, « Pesticide poisoning in Asia », *IDRC Report*, janvier 1987. Lire aussi : Jerry Jeyaratnam *et alii*, « Survey of acute pesticide poisoning among agricultural workers in four Asian countries », *Bulletin of the World Health Organiztion*, n° 65, 1987, p. 521-527 ; Robert Levine, « Assessment of mortality and morbidity due to unintentional pesticide poisonings », unpublished WHO document, WHO/VBC/86 929. Voir aussi le livre précurseur de Mohamed Larbi Bouguerra, *Les Poisons du tiers monde*, La Découverte, Paris, 1985.

22 Edward Baker *et alii*, « Epidemic malathion poisoning in Pakistan malaria workers », *The Lancet*, n° 1, 1978, p. 31-34.

23 OMS/UNEP, *Sound Management of Pesticides and Diagnosis and Treatment of Pesticides Poisoning, op. cit.*

24 Pesticide Action Network Europe et MDRGF, « *Message dans une bouteille* ». *Étude sur la présence de résidus de pesticides dans le vin*, www.mdrgf.org, 26 mai 2008.

25 Afsset, « L'Afsset recommande de renforcer l'évaluation des combinaisons de protection des travailleurs contre les produits chimiques liquides », www.afsset.fr, 15 janvier 2010.

26 Entretien de l'auteure avec Jean-Luc Dupupet, Pézenas, 9 février 2010.

Notes du chapitre 4

1 « Le métier d'Odalis : relier les fournisseurs aux distributeurs et agriculteurs », www.terrena.fr.

2 « Maladie professionnelle liée aux fongicides : première victoire », tempsreel.nouvelobs.com, 26 mai 2005 ; voir aussi *Santé et Travail*, n° 30, janvier 2000, p. 52.

3 Brigitte Bègue, « Les pesticides sur la sellette », *Viva*, 14 août 2003.

4 Entretien de l'auteure avec Jean-Luc Dupupet, Pézenas, 9 février 2010.

5 Rachel Carson, *Silent Spring, op. cit.*, p. 188.

6 Michel Gérin, Pierre Gosselin, Sylvaine Cordier, Claude Viau, Philippe Quénel et Éric Dewailly, *Environnement et santé publique. Fondements et pratiques*, Edisem, Montréal, 2003.

7 *Ibid.*, p. 74.

8 Fabrice Nicolino et François Veillerette, *Pesticides, révélations sur un scandale français, op. cit.*, p. 289.

9 INRS, *Tableaux des maladies professionnelles. Guide d'accès et commentaires*, http://inrsmp.konosphere.com, p. 216-218.

10 Alice Hamilton, « Lead poisoning in Illinois », *in* American Association for Labor Legislation, *First National Conference on Industrial Diseases*, Chicago, 10 juin 1910.

11 INRS, *Tableaux des maladies professionnelles. Guide d'accès et commentaires, op. cit.*, p. 299.

12 « A new domestic poison », *The Lancet*, vol. 1, n° 105, 1862.

13 « Chronic exposure to benzene », *Journal of Industrial Hygiene and Toxicology*, octobre 1939, p. 321-377.

14 Estelle Saget, « Le cancer des pesticides », *L'Express*, 5 janvier 2007 ; voir aussi Estelle Saget, « Ces agriculteurs malades des pesticides », *L'Express*, 25 octobre 2004.

15 Cette lettre fait partie du dossier de Dominique Marchal que j'ai pu consulter.

16 David Michaels, *Doubt is their Product. How Industry's Assault on Science threatens your Health*, Oxford University Press, New York, 2008, p. 64.

17 Geneviève Barbier et Armand Farrachi, *La Société cancérigène, op. cit.*, p. 164.

18 Devra Davis, *The Secret History of the War on Cancer*, Basic Books, New York, 2007, p. xii.

19 Michel Gérin *et alii*, *Environnement et santé publique, op. cit.*, p. 90.

20 Geneviève Barbier et Armand Farrachi, *La Société cancérigène, op. cit.*, p. 163-164.

Notes du chapitre 5

1 Michael Alavanja *et alii*, « Health effects of chronic pesticide exposure : cancer and neurotoxicity », *Annual Review of Public Health*, vol. 25, 2004, p. 155-197.

2 David Michaels, *Doubt is their Product, op. cit.*, p. 61.

3 Michael Alavanja *et alii*, « Health effects of chronic pesticide exposure : cancer and neurotoxicity », *loc. cit.*, p. 155-197.

4 Margaret Sanborn, Donald Cole, Kathleen Kerr, Cathy Vakil, Luz Helena Sanin et Kate Bassil, *Systematic Review of Pesticides Human Health Effects*, The Ontario College of Family Physicians, Toronto, 2004.

5 Lennart Hardell et Mikael Eriksson, « A case-control study of non-Hodgkin lymphoma and exposure to pesticides », *Cancer*, vol. 85, 15 mars 1999, p. 1353-1360.

6 Hoar Zahm *et alii*, « A case-control study of non-Hodgkin's lymphoma and the herbicide 2,4-dichlorophenoxyacetic acid (2,4-D) in eastern Nebraska », *Epidemiology*, vol. 1, n° 6, septembre 1990, p. 349-356. Pour cette étude, 201 malades ont été comparés avec 725 personnes non malades.

7 Eva Hansen *et alii*, « A cohort study on cancer incidence among Danish gardeners », *American Journal of Industrial Medicine*, 1992, vol. 21, n° 5, p. 651-660.

8 Julie Agopian *et alii*, « Agricultural pesticide exposure and the molecular

connection to lymphomagenesis », *Journal of Experimental Medicine*, vol. 206, n° 7, 6 juillet 2009, p. 1473-1483.

9 Aaron BLAIR *et alii*, « Clues to cancer etiology from studiesoffarmers », *Scandinavian Journal of Work and Environmental Health*, vol. 18, 1992, p. 209-215 ; Aaron BLAIR et Hoar ZAHM, « Agricultural exposures and cancer », *Environmental Health Perspectives*, vol. 103, suppl. 8, novembre 1995, p. 205-208 ; Aaron BLAIR et Laura FREEMAN, « Epidemiologic studies in agricultural populations: observations and future directions », *Journal of Aeromedicine*, vol. 14, n° 2, 2009, p. 125-131.

10 John ACQUAVELLA *et alii*, « Cancer among farmers: a meta-analysis », *Annals of Epidemiology*, vol. 8, n° 1, janvier 1998, p. 64-74. L'introduction de l'article indique clairement que cette méta-analyse est une réponse à celle d'Aaron Blair.

11 Samuel MILHAM, « Letter », *Annual of Epidemiology*, vol. 9, 1999, p. 71 ; Samuel Milham est l'auteur de « Leukemia and multiple myeloma in farmers », *American Journal of Epidemiology*, n° 94, 1971, p. 307-310.

12 Linda BROWN, Aaron BLAIR *et alii*, « Pesticide exposures and agricultural risk factors for leukemia among men in Iowa and Minnesota », *Cancer Research*, vol. 50, 1990, p. 6585-6591.

13 Michael ALAVANJA *et alii*, « Health effects of chronic pesticide exposure: cancer and neurotoxicity », *loc. cit.* ; Sadik KHUDER, « Meta-analyses of multiple myeloma and farming », *American Journal of Industrial Medicine*, vol. 32, novembre 1997, p. 510-516.

14 Isabelle BALDI et Pierre LEBAILLY, « Cancers et pesticides », *La Revue du praticien*, vol. 57, suppl., 15 juin 2007.

15 Dorothée PROVOST *et alii*, « Brain tumours and exposure to pesticides: a case-control study in South-Western France », *Occupational and Environmental Medicine*, vol. 64, n° 8, 2007, p. 509-514.

16 Jean-François VIEL *et alii*, « Brain cancer mortality among French farmers: the vineyard pesticide hypothesis », *Archives of Environmental Health*, vol. 53, 1998, p. 65-70 ; Jean-François VIEL, *Étude des associations géographiques entre mortalité par cancers en milieu agricole et exposition aux pesticides*, thèse de doctorat, Faculté de médecine Paris-Sud, 1992.

17 André FOUGEROUX, « Les produits phytosanitaires. Évaluation des surfaces et des tonnages par type de traitement en 1988 », *La Défense des végétaux*, vol. 259, 1989, p. 3-8. André Fougeroux est aujourd'hui le responsable biodiversité chez Syngenta, une multinationale suisse spécialisée dans les pesticides et les semences transgéniques.

18 Petter KRISTENSEN *et alii*, « Cancer in offspring of parents engaged in agricultural activities in Norway: incidence and risk factors in the farm environment », *International Journal of Cancer*, vol. 65, 1996, p. 39-50.

19 Michael ALAVANJA, Aaron BLAIR *et alii*, « Use of agricultural pesticides and prostate cancer risk in the Agricultural Health Study cohort », *American Journal of Epidemiology*, vol. 157, n° 9, 2003, p. 800-814.

20 AGRICULTURAL HEALTH STUDY, http://aghealth.nci.nih.gov.

21 Michael ALAVANJA, Aaron BLAIR *et alii*, « Cancer incidence in the Agricultural Health Study », *Scandinavian Journal of Work and Environmental Health*, vol. 31, suppl. 1, 2005, p. 39-45.

22 Geneviève VAN MAELE-FABRY et Jean-Louis WILLEMS, « Prostate cancer among pesticide applicators: a meta-analysis », *International Archives of Occupational and Environmental Health*, vol. 77, n° 8, 2004, p. 559-570. À noter que les *odds ratios* obtenus dans les vingt-deux études sélectionnées variaient entre 0,63 et 2,77.

23 Isabelle BALDI et Pierre LEBAILLY, « Cancers et pesticides », *loc. cit.*

Notes du chapitre 6

1 Fabrice Nicolino et François Veille-rette, *Pesticides, révélations sur un scandale français, op. cit.,* p. 56.

2 « Le Gaucho retenu tueur officiel des abeilles. 450 000 ruches ont disparu depuis 1996 », *Libération,* 9 octobre 2000.

3 Pour plus de détails sur la carrière de Catherine Geslain-Lanéelle, voir Fabrice Nicolino et François Veille-rette, *Pesticides, révélations sur un scandale français, op. cit.,* p. 60.

4 Michael Alavanja *et alii,* « Health effects of chronic pesticide exposure: cancer and neurotoxicity », *loc. cit.,* p. 155-197.

5 Freya Kamel, Caroline Tanner, Michael Alavanja, Aaron Blair *et alii,* « Pesticide exposure and self-reported Parkinson's disease in the Agricultural Health Study », *American Journal of Epidemiology,* 2006, vol. 165, n° 4, p. 364-374.

6 Cité par Paul Blanc, *How Everyday Products Make People Sick, op. cit.,* p. 243.

7 *Ibid.*

8 Louis Casamajor *et alii,* « An unusual form of mineral poisoning affecting the nervous system: manganese », *Journal of the American Medical Association,* vol. 60, 1913, p. 646-640 (cité par Paul Blanc, *ibid.,* p. 250).

9 Hugo Mella, « The experimental production of basal ganglion symptomatology in macacus rhesus », *Archives of Neurology and Psychiatry,* vol. 11, 1924, p. 405-417 (cité par Paul Blanc, *ibid.,* p. 251).

10 Henrique B. Ferraz *et alii,* « Chronic exposure to the fungicide maneb may produce symptoms and signs of CSN manganese intoxication », *Neurology,* vol. 38, 1988, p. 550-553.

11 Giuseppe Meco *et alii,* « Parkinsonism after chronic exposure to the fungicide maneb (manganese-ethylene-bis-dithiocarbamate) », *Scandinavian Journal of Work Environment and Health,* vol. 20, 1994, p. 301-305.

12 William Langston, « The aetiology of Parkinson's disease with emphasis on the MPTP story », *Neurology,* vol. 47, 1996, p. 153-160.

13 « Maïs : le désherbage en prélevée est recommandé », *loc. cit.*

14 OMS/UNEP, *Sound Management of Pesticides and Diagnosis and Treatment of Pesticides Poisoning, op. cit.,* p. 92.

15 Isabelle Baldi *et alii,* « Neuropsychologic effects of long-term exposure to pesticides: results from the French Phytoner study », *Environmental Health Perspective,* août 2001, vol. 109, n° 8, p. 839-844.

16 Isabelle Baldi, Pierre Lebailly *et alii,* « Neurodegenerative diseases and exposure to pesticides in the elderly », *American Journal of Epidemiology,* vol. 1, n° 5, mars 2003, p. 409-414.

17 Caroline Tanner *et alii,* « Occupation and risk of parkinsonism. A multicenter case-control study », *Archives of Neurology,* vol. 66, n° 9, 2009, p. 1106-1113. L'étude portait sur 500 malades comparés à un groupe contrôle équivalent.

18 Alexis Elbaz *et alii,* « CYP2D6 polymorphism, pesticide exposure and Parkinson's disease », *Annals of Neurology,* vol. 55, mars 2004, p. 430-434. Le prix Épidaure a été créé par *Le Quotidien du médecin* pour encourager la recherche en médecine et écologie.

19 Martine Perez, « Parkinson : le rôle des pesticides reconnu », *Le Figaro,* 27 septembre 2006.

20 Alexis Elbaz *et alii,* « Professional exposure to pesticides and Parkinson's disease », *Annals of Neurology,* vol. 66, octobre 2009, p. 494-504.

21 Sadie Costello *et alii,* « Parkinson's disease and residential exposure to maneb and paraquat from agricultural applications in the Central Valley of California », *American Journal of Epidemiology,* vol. 169, n° 8, 15 avril 2009, p. 919-926.

22 David Pimentel, « Amounts of pesticides reaching target pests: environmental impacts and ethics », *Journal of Agricultural and Environmental Ethics,* vol. 8, 1995, p. 17-29.

23 Hayo van der Werf, « Évaluer l'impact des pesticides sur l'environnement »,

Le Courrier de l'environnement, n° 31, août 1997 (traduction française de « Assessing the impact of pesticides on the environment », *Agriculture, Ecosystems and Environment*, n° 60, 1996, p. 81-96).

24   *Ibid.* Pour plus d'informations, voir Dwight Glotfelty *et alii*, « Volatilization of surface-applied pesticides from fallow soil », *Journal of Agriculture and Food Chemistry*, vol. 32, 1984, p. 638-643 ; et Dennis Gregor et William Gummer, « Evidence of atmospheric transport and deposition of organochlorine pesticides and polychlorinated biphenyls in Canadian Arctic snow », *Environmental Science and Technology*, vol. 23, 1989, p. 561-565.

25   David Pimentel, « Amounts of pesticides reaching target pests: environmental impacts and ethics », *loc. cit.*

26   Beate Ritz, « Pesticide exposure raises risk of Parkinson's disease », www.niehs.nih.gov.

27   Robert Repetto et Sanjay S. Baliga, *Pesticides and the Immune System. The Public Health Risks*, World Resources Institute, Washington, 1996.

28   Entretien téléphonique de l'auteure avec Robert Repetto, 11 juin 2009.

29   Robert Repetto et Sanjay S. Baliga, *Pesticides and the Immune System. The Public Health Risks*, *op. cit.*, p. 22-35.

30   Michel Fournier *et alii*, « Limited immunotoxic potential of technical formulation of the herbicide atrazine (AAtrex) in mice », *Toxicology Letters*, vol. 60, 1992, p. 263-274.

31   J. Vos *et alii*, « Methods for testing immune effects of toxic chemicals: evaluation of the immunotoxicity of various pesticides in the rat », *in* Junshi Miyamoto (dir.), *Pesticide Chemistry, Human Welfare and the Environment. Proceedings of the 5th International Congress of Pesticide Chemistry*, Pergamon Press, Oxford, 1983.

32   A. Walsh et William E. Ribelin, « The pathology of pesticide poisoning », *in* William E. Ribelin et George Migaki (dir.), *The Pathology of Fishes*, The University of Wisconsin Press, Madison, 1975, p. 515-557.

33   Sylvain de Guise *et alii*, « Possible mechanisms of action of environmental contaminants on St. Lawrence Beluga whales (*Delphinapterus leucas*) », *Environmental Health Perspectives*, vol. 103, suppl. 4, mai 1995, p. 73-77.

34   Marlise Simons, « Dead Mediterranean dolphins give nations pause », *The New York Times*, 2 février 1992.

35   Alex Aguilar, « The striped dolphin epizootic in the Mediterranean Sea », *Ambio*, vol. 22, décembre 1993, p. 524-528.

36   Rik de Swart, « Impaired immunity in harbour seals (*Phoca vitulina*) exposed to bioaccumulated environmental contaminants: review of a long-term feeding study », *Environmental Health Perspectives*, vol. 104, n° 4, août 1996, p. 823-828.

37   Arthur Holleb *et alii*, « Principles of tumour immunology », *The America Cancer Society Textbook of Clinical Oncology*, Atlanta, 1991, p. 71-79.

38   Kenneth Abrams *et alii*, « Pesticide-related dermatoses in agricultural workers », *Occupational Medicine. State of the Art Reviews*, vol. 6, n° 3, juillet-septembre 1991, p. 463-492.

39   OMS/UNEP, *Sound Management of Pesticides and Diagnosis and Treatment of Pesticides Poisoning*, *op. cit.*, p. 94.

40   John Acquavella *et alii*, « A critique of the World Resources Institute's report "Pesticides and the immune system: the public health risks" », *Environmental Health Perspectives*, vol. 106, février 1998, p. 51-54.

Notes du chapitre 7

1   Entretien de l'auteure avec Peter Infante, Washington, 16 octobre 2009. Parmi ses travaux, voir notamment: Peter Infante et Gwen K. Pohl, « Living in a chemical world: actions and reactions to industrial carcinogens », *Teratogenesis, Carcinogenesis and Mutagenesis*, vol. 8, n° 4, 1988, p. 225-249. Il y écrit : « La synthèse de molécules chimiques s'est traduite par des bénéfices technologiques pour la société, mais a aussi augmenté les

2 Geneviève Barbier et Armand Far-rachi, *La Société cancérigène, op. cit.*

3 *Ibid.*, p. 16.

4 Jean Guilaine (dir.), *La Préhistoire française. Civilisations néolithiques et protohistoriques*, tome 2, Éditions du CNRS, Paris, 1976.

5 John Newby et Vyvyan Howard, «Environmental influences in cancer aetiology», *Journal of Nutritional & Environmental Medicine*, 2006, p. 1-59.

6 *Ibid.*, p. 9.

7 Vilhjalmur Stefansson, *Cancer: Disease of Civilization? An Anthropological and Historical Study*, Hill and Wang, New York, 1960; voir aussi Zac Goldsmith, «Cancer: a disease of industrialization», *The Ecologist*, n° 28, mars-avril 1998, p. 93-99.

8 John Lyman Bulkley, «Cancer among primitive tribes», *Cancer*, vol. 4, 1927, p. 289-295 (cité par Vilhjalmur Stefansson, *ibid.*).

9 Zac Goldsmith, «Cancer: a disease of industrialization», *loc. cit.*, p. 95.

10 Weston A. Price, «Report of an interview with Dr Joseph Herman Romig: nutrition and physical degeneration», 1939 (cité par Vilhjalmur Stefansson, *ibid.*).

11 Alexander Berglas, «Cancer: nature, cause and cure», Institut Pasteur, Paris, 1957 (cité par Vilhjalmur Stefansson, *ibid.*).

12 Frederick Hoffman, «Cancer and civilization, speech to Belgian National Cancer Congress at Brussels», 1923 (cité par Vilhjalmur Stefansson, *ibid.*).

13 Albert Schweitzer, *À l'orée de la forêt vierge*, La Concorde, 1923 (cité par Geneviève Barbier et Armand Farrachi, *La Société cancérigène, op. cit.*, p. 18).

14 R. de Bovis, «L'augmentation de la fréquence des cancers. Sa prédominance dans les villes et sa prédilection pour le sexe féminin sont-elles réelles ou apparentes?», *La Semaine médicale*, septembre 1902 (cité par Geneviève Barbier et Armand Farrachi, *ibid.*, p. 19).

15 Giuseppe Tallarico, *La Vie des aliments*, Denoël, Paris, 1947, p. 249.

16 Pierre Darmon, «Le mythe de la civilisation cancérogène (1890-1970)», *Communications*, n° 57, 1993, p. 73.

17 *Ibid.*, p. 71.

18 Roger Williams, «The continued increase of cancer with remarks as to its causations», *British Medical Journal*, 1896, p. 244 (cité par Pierre Darmon, *ibid.*, p. 71).

19 Pierre Darmon, *ibid.*

20 *Ibid.*, p. 73.

21 Bernardino Ramazzini, *Des maladies du travail*, AleXitère, Valergues, 1990. C'est moi qui souligne.

22 Paul Blanc, *How Everyday Products Make People Sick, op. cit.*, p. 31.

23 Karl Marx, *Le Capital. Livre premier*, Éditions sociales, Paris, 1976, p. 263-264.

24 Kerrie Schoffer et John O'Sullivan, «Charles Dickens: the man, medicine and movement disorders», *Journal of Clinical Neuroscience*, vol. 13, n° 9, 2006, p. 898-901.

25 Alex Wilde, «Charles Dickens could spot the shakes», *ABC Science on Line*, 19 octobre 2006.

26 Percivall Pott, *The Chirurgical Works of Percivall Pott*, Hawes Clark and Collins, Londres, 1775, vol. 5, p. 50-54 (cité par Paul Blanc, *How Everyday Products Make People Sick, op. cit.*, p. 228).

27 Henry Butlin, «On cancer of the scrotum in chimney-sweeps and others: three lectures delivered at the Royal College of Surgeons of England», British Medical Association, 1892 (cité par Paul Blanc, *ibid.*, p. 228).

28 Hugh Campbell Ross et John Westray Cropper, «The problem of the gasworks pitch industry and cancer», *The John Howard Mc Fadden Researches*, John Murray, Londres, 1912.

29 Paul Blanc, *How Everyday Products Make People Sick, op. cit.*, p. 229.

30 *Ibid.*, p. 132.

31 Auguste Delpech, «Accidents que développe chez les ouvriers en caoutchouc l'inhalation du sulfure de carbone en vapeur», *L'Union médicale*,

risques cancérigènes dus à l'exposition chimique.»

vol. 10, n° 60, 31 mai 1856 (cité par Paul Blanc, *ibid.*, p. 142).

32 Auguste Delpech, « Accidents produits par l'inhalation du sulfure de carbone en vapeur : expériences sur les animaux », *Gazette hebdomadaire de médecine et de chirurgie*, 30 mai 1856, p. 384-385 (cité par Paul Blanc, *ibid.*).

33 Auguste Delpech, « Industrie du caoutchouc soufflé : recherches sur l'intoxication spéciale que détermine le sulfure de carbone », *Annales d'hygiène publique et de médecine légale*, vol. 19, 1863, p. 65-183 (cité par Paul Blanc, *ibid.*, p. 143).

34 « Unhealthy trades », *London Times*, 26 septembre 1863.

35 Jean-Martin Charcot, « Leçons du mardi à la Salpêtrière : polyclinique 1888-1889, notes de cours de MM. Blin, Charcot, Henri Colin », *Le Progrès médical*, 1889, p. 43-53 (cité par Paul Blanc, *How Everyday Products Make People Sick*, *op. cit.*, p. 143).

36 Thomas Oliver, « Indiarubber : dangers incidental to the use of bisulphide of carbon and naphtha », *in Dangerous Trades*, Éditions Thomas Oliver, Londres, 1902, p. 470-474 (cité par Paul Blanc, *ibid.*, p. 151).

37 Paul Blanc, *How Everyday Products Make People Sick*, *op. cit.*, p. 168.

38 Isaac Berenblum, « Cancer research in historical perspective : an autobiographical essay », *Cancer Research*, janvier 1977, p. 1-7.

39 Devra Davis, *The Secret History of the War on Cancer*, *op. cit.*, p. 18.

40 « International Cancer Congress », *Nature*, vol. 137, 14 mars 1936, p. 426.

41 Devra Davis, *The Secret History of the War on Cancer*, *op. cit.*, p. 19-21.

42 William Cramer, « The importance of statistical investigations in the campaign against cancer », *Report of the Second International Congress of Scientific and Social Campaign Against Cancer*, Bruxelles, 1936 (cité par Devra Davis, *ibid.*, p. 21).

43 Devra Davis, *The Secret History of the War on Cancer*, *op. cit.*, p. 23.

44 Bureau international du travail, « Cancer of the bladder among workers in aniline factories », *Studies and Reports*, Series F, n° 1, Genève, 1921.

45 David Michaels, « When science isn't enough : Wilhelm Hueper, Robert A. M. Case and the limits of scientific evidence in preventing occupational bladder cancer », *International Journal of Occupational and Environmental Health*, vol. 1, 1995, p. 278-288.

46 Edgar E. Evans, « Causative agents and protective measures in the anilin tumor of the bladder », *Journal of Urology*, vol. 38, 1936, p. 212-215.

47 Wilhelm Hueper, *Autobiographie non publiée*, National Library of Medicine, Washington (cité par David Michaels, *Doubt is Their Product*, *op. cit.*, p. 21).

48 Wilhelm Hueper *et alii*, « Experimental production of bladder tumours in dogs by administration of beta-naphtylamine », *The Journal of Industrial Hygiene and Toxicology*, vol. 20, 1938, p. 46-84.

49 Wilhelm Hueper, *Autobiographie non publiée*, *op. cit.* (cité par David Michaels, « When science isn't enough », *loc. cit.*, p. 283).

50 David Michaels, *Doubt is Their Product*, *op. cit.*, p. 24.

51 *Ibid.*, p. 19-20. Cette lettre est consultable sur le site de David Michaels : www. defendingscience.org/upload/Evans_1947.pdf.

52 Elizabeth Ward *et alii*, « Excess number of bladder cancers in workers exposed to orthotoluidine and aniline », *The Journal of the National Cancer Institute*, vol. 3, 1991, p. 501-506.

53 David Michaels, « When science isn't enough », *loc. cit.*, p. 286.

Notes du chapitre 8

1 Devra Davis, *The Secret History of the War on Cancer*, *op. cit.*, p. 78.

2 Gerald Markowitz et David Rosner, *Deceit and Denial. The Deadly Politics of Industrial Pollution*, University of California Press, Berkeley/Los Angeles, 2002, p. 15.

3 *Ibid.*, p. 137.

4 William Kovarik, « Ethyl-leaded gasoline, how a classic occupational disease became an international

public health disaster», *International Journal of Occupational and Environmental Health*, octobre-décembre 2005, p. 384-439.

5   Gerald Markowitz et David Rosner, *Deceit and Denial, op. cit.* Le chapitre 2 est consacré à la «House of butterflies», p. 12-25.

6   Gerald Markowitz et David Rosner, «A gift of God? The public health controversy over leaded gasoline in the 1920s», *American Journal of Public Health*, vol. 75, 1985, p. 344-351.

7   William Kovarik, «Ethyl-leaded gasoline, how a classic occupational disease became an international public health disaster», *loc. cit.*, p. 384.

8   «Bar ethyl gasoline as 5th victim dies», *New York Times*, 31 octobre 1924.

9   «Chicago issues ban on leaded gasoline», *New York Times*, 8 septembre 1984.

10   «Bar ethyl gasoline as 5th victim dies», *loc. cit.*

11   «Use of ethylated gasoline barred pending inquiry», *The World*, 31 octobre 1924.

12   «No reason for abandonment», *New York Times*, 28 novembre 1924.

13   *Kehoe Papers*, Université de Cincinnati (cité par Devra Davis, *The Secret History of the War on Cancer, op. cit.*, p. 81).

14   Devra Davis, *ibid.*, p. 81.

15   *Ibid.*, p. 94.

16   René Allendy, *Paracelse. Le médecin maudit*, Dervy-Livres, Paris, 1987.

17   Paracelsus, «Liber paragraphorum», *Sämtliche Werke*, Éditions K. Sudhoff, tome 4, p. 1-4.

18   Andrée Mathieu, «Le 500e anniversaire de Paracelse», *L'Agora*, vol. 1, n° 4, décembre 1993-janvier 1994.

19   Michel Gérin et alii, *Environnement et santé publique, op. cit.*, p. 120. On soupçonne que les poisons utilisés par le malheureux roi – qui sera finalement tué par un mercenaire – étaient en fait éventés…

20   William Kovarik, «Ethyl-leaded gasoline, how a classic occupational disease became an international

21   Témoignage de Robert Kehoe, 8 juin 1966, *Hearings before a Subcommittee on Air and Water Pollution of the Committee on Public Works*, GPO, 1966, p. 222 (cité par William Kovarik, *ibid.*)

22   Gerald Markowitz et David Rosner, *Deceit and Denial, op. cit.*, p. 110.

23   William Kovarik, «Ethyl-leaded gasoline, how a classic occupational disease became an international public health disaster», *loc. cit.*, p. 391.

24   Wilhelm Hueper, *Autobiographie non publiée, op. cit.*, p. 222-223 (cité par Devra Davis, *The Secret History of the War on Cancer, op. cit.*, p. 98).

25   Le livre est paru depuis: Devra Davis, *Disconnect. The Truth About Cell Phone Radiation, What the Industry Has Done to Hide It, and How to Protect Your Family*, Dutton Adult, New York, 2010.

26   Cette expérience a nourri son premier livre: *When Smoke Ran Like Water. Tales of Environmental Deception and the Battle Against Pollution*, Basic Books, New York, 2002.

27   Entretien de l'auteure avec Devra Davis, Pittsburgh, 15 octobre 2009.

28   Lire notamment Gérard Dubois, *Le Rideau de fumée. Les méthodes secrètes de l'industrie du tabac*, Seuil, Paris, 2003.

29   John Hill, *Cautions Against the Immoderate Use of Snuff*, 1761, Londres, p. 27-38.

30   Étienne Frédéric Bouisson, *Tribut à la chirurgie*, Baillière, Paris, 1858-1861, vol. 1, p. 259-303.

31   Angel Honorio Roffo, «Der Tabak als Krebserzeugendes Agens», *Deutsche Medizinische Wochenschrift*, vol. 63, 1937, p. 1267-1271.

32   Franz Hermann Müller, «Tabakmissbrauch und Lungencarcinom», *Zeitschrift für Krebsforschung*, vol. 49, 1939, p. 57-85. Par «très gros fumeur» Franz Müller entendait quelqu'un qui fume quotidiennement «dix à quinze cigares, plus de trente-cinq cigarettes ou cinquante grammes de tabac à pipe».

33 Robert N. Proctor, *The Nazi War on Cancer*, Princeton University Press, Princeton, 2000; voir aussi Robert N. Proctor, «The Nazi war on tobacco: ideology, evidence and possible cancer consequences», *Bulletin of the History of Medicine*, vol. 71, n° 3, 1997, p. 435-488.

34 Eberhard Schairer et Erich Schöniger, «Lungenkrebs und Tabakverbrauch», *Zeitschrift für Krebsforschung*, vol. 54, 1943, p. 261-269. Les résultats de cette étude ont été réévalués en 1995 avec des outils statistiques plus modernes; la conclusion fut que la probabilité qu'ils soient dus au hasard était de 1 pour 10 millions (George Davey *et alii*, «Smoking and death», *British Medical Journal*, vol. 310, 1995, p. 396).

35 Anecdote rapportée par Richard Doll à Robert Proctor en 1997 (Robert N. Proctor, *The Nazi War on Cancer*, *op. cit.*, p. 46).

36 Richard Doll et Bradford Hill, «Smoking and carcinoma of the lung», *British Medical Journal*, vol. 2, 30 septembre 1950, p. 739-748.

37 Devra Davis, *The Secret History of the War on Cancer*, *op. cit.*, p. 146.

38 Cuyler Hammond et Daniel Horn, «The relationship between human smoking habits and death rates: a follow-up study of 187,766 men», *Journal of the American Medical Association*, 7 août 1954, p. 1316-1328. Les autres études sont: Ernest Wynder et Evarts Graham, «Tobacco smoking as a possible etiologic factor in bronchiogenic carcinoma», *Journal of the American Medical Association*, vol. 143, 1950, p. 329-336; Robert Schrek *et alii*, «Tobacco smoking as an etiologic factor in disease. I. Cancer», *Cancer Research*, vol. 10, 1950, p. 49-58; Levin Morton *et alii*, «Cancer and tobacco smoking: a preliminary report», *Journal of the American Medical Association*, vol. 143, 1950, p. 336-338; Ernest Wynder *et alii*, «Experimental production of carcinoma with cigarette tar», *Cancer Research*, vol. 13, 1953, p. 855-864.

39 *Times Magazine*, 1937, n° 12.

40 *US News and World Report*, 2 juillet 1954.

41 Brown & Williamson Tobacco Corp., «Smoking and health proposal», Brown & Williamson document n° 68056, 1969, p. 1778-1786, http://legacy.library.ucsf. edu/tid/nvs40f00. C'est l'auteur qui souligne.

42 Robert N. Proctor, «Tobacco and health. Expert witness report filed on behalf of plaintiffs in The United States of America, plaintiff, v. Philip Morris, Inc., *et al.*, defendants», Civil Action n° 99-CV-02496 (GK) (Federal case), *The Journal of Philosophy, Science & Law*, vol. 4, mars 2004.

43 «Project Truth: the smoking/health controversy: a view from the other side (prepared for the *Courier-Journal* and *Louisville Times*)», 8 février 1971 (document de Brown & Williamson Tobacco Corp., cité par David Michaels, *Doubt is Their Product*, *op.cit.*, p. 3).

44 *Le Nouvel Observateur*, 24 février 1975 (cité par Gérard Dubois, *Le Rideau de fumée*, *op. cit.*, p. 290).

45 Voir notamment le film de Nadia Collot, *Tabac: la conspiration*, 2006.

46 Evarts Graham, «Remarks on the aetiology of bronchogenic carcinoma», *The Lancet*, vol. 263, n° 6826, 26 juin 1954, p. 1305-1308.

47 Christie Todd Whitman, «Effective policy making: the role of good science. Remarks at the National Academy of Science's symposium on nutrient over-enrichment of coastal waters», 13 octobre 2000 (cité par David Michaels, *Doubt is Their Product*, *op. cit.*, p. 6).

48 Cité par Elisa Ong et Stanton Glantz, «Constructing "sound science" and "good epidemiology": tobacco, lawyers and public relations firms», *American Journal of Public Health*, vol. 91, n° 11, novembre 2001, p. 1749-1757 (c'est moi qui souligne). Ce document, ainsi que tous ceux que je cite dans cette section, sont accessibles sur un site ouvert par Philip Morris à la suite de sa condamnation

par la justice: www.pmdocs.com/
Disclaimer.aspx.

49 Elisa Ong et Stanton Glantz, «Constructing "sound science" and "good
epidemiology"», *loc. cit.*

50 André Cicolella et Dorothée Benoît
Browaeys, *Alertes santé. Experts et
cltoyens face aux intérêts privés*, Fayard,
Paris, 2005, p. 301.

51 *Ibid.*, p. 299.

52 David Michaels, *Doubt is Their Product, op. cit.*, p. 9.

Notes du chapitre 9

1 Entretien de l'auteure avec Peter
Infante, Washington, 16 octobre 2009.

2 Marie-Monique Robin, *Le Monde selon
Monsanto, op. cit.*, p. 61.

3 David Michaels, *Doubt is Their Product, op. cit.*, p. 60.

4 *Ibid.*, p. 66.

5 *Ibid.*, p. 69-70. C'est l'auteur qui
souligne.

6 Entretien de l'auteure avec Devra
Davis, Pittsburgh, 15 octobre 2009.

7 William Ruckelshaus, «Risk in a free
society», *Environmental Law Reporter*,
vol. 14, 1984, p. 10190 (cité par David
Michaels, *ibid.*, p. 69).

8 «Chronic exposure to benzene»,
*Journal of Industrial Hygiene and Toxi-
cology*, octobre 1939, p. 321-377.

9 Paul Blanc, *How Everyday Products
Make People Sick, op. cit.*, p. 62.

10 *Ibid.*, p. 67.

11 American Petroleum Institute, «API
Toxicological review: benzene», New
York, 1948 (cité par David Michaels,
Doubt is Their Product, op. cit., p. 70).
Je recommande aux lecteurs de lire
ce document, consultable sur le site
de David Michaels, www.defending-
science.org. C'est moi qui souligne.

12 Peter Infante, «The past suppression
of industry knowledge of the toxicity
of benzene to humans and potential
bias in future benzene research», *The
International Journal of Occupational
and Environmental Health*, vol. 12,
2006, p. 268-272.

13 Dante Picciano, «Cytogenic study of
workers exposed to benzene», *Environmental Research*, vol. 19, 1979, p. 33-38.

14 Peter Infante, Robert Rinsky *et alii*,
«Leukemia in benzene workers», *The
Lancet*, vol. 2, 1977, p. 76-78.

15 «Industrial Union Department v.
American Petroleum Institute»,
2 juillet 1980, 44 US 607 (accessible
sur le site www.publichealthlaw.net).

16 Devra Davis, *The Secret History of the
War on Cancer, op. cit.*, p. 385.

17 Robert Rinsky *et alii*, «Benzene and
leukemia: an epidemiologic risk
assessment», *New England Journal
of Medicine*, vol. 316, n° 17, 1987,
p. 1044-1050. L'équipe de Peter
Infante a déterminé quatre niveaux
d'exposition (par jour de travail):
moins de 1 ppm, de 1 à 5 ppm, de
5 à 10 ppm, et plus de 10 ppm. Il y
avait soixante fois plus de leucémies
dans le dernier niveau que dans le
premier...

18 OSHA, «Occupational exposure to
benzene: final rule», *Federal Register*,
vol. 52, 1987, p. 34460-34578.

19 Peter Infante, «Benzene: epidemiologic observations of leukemia by cell
type and adverse health effects associated with low-level exposure», *Environmental Health Perspectives*, vol. 52,
octobre 1983, p. 75-82.

20 David Michaels, *Doubt is Their Product, op. cit.*, p. 47.

21 Exponent, *Rapport annuel 2003*,
Form10K SEC filing, 26 juin 2005.

22 Susanna Rankin Bohme, John Zorabedian et David Egilman, «Maximizing profit and endangering health:
corporate strategies to avoid litiga-
tion and regulation», *International
Journal of Occupational and Environmental Health*, vol. 11, 2005,
p. 338-348.

23 *Ibid.*

24 Gerald Markowitz et David Rosner,
Deceit and Denial, op. cit. Le chapitre 6 est intitulé «Evidence of illegal
conspiracy by industry», p. 168-194.

25 *Ibid.*

26 Jian Dong Zhang *et alii*, «Chromium pollution of soil and water
in Jinzhou», *Chinese Journal of Pre-
ventive Medicine*, vol. 2, n° 5, 1987,
p. 262-264.

27 Jian Dong Zhang *et alii*, « Cancer mortality in a Chinese population exposed to hexavalent chromium », *The Journal of Occupational and Environmental Medicine*, vol. 39, n° 4, 1997, p. 315-319.

28 « Study tied pollutant to cancer; then consultants got hold of it », *Wall Street Journal*, 23 décembre 2005.

29 Paul Brandt-Rauf, « Editorial retraction », *The Journal of Occupational and Environmental Medicine*, vol. 48, n° 7, 2006, p. 749.

30 Richard Hayes, Yin Song-Nian *et alii*, « Benzene and the dose-related incidence of hematologic neoplasm in China », *Journal of the National Cancer Institute*, vol. 89, n° 14, 1997, p. 1065-1071.

31 Pamela Williams et Dennis Paustenbach, « Reconstruction of benzene exposure for the Pliofilm cohort (1936-1976) using Monte Carlo techniques », *Journal of Toxicology and Environmental Health*, vol. 66, n° 8, 2003, p. 677-781.

32 David Michaels, *Doubt is Their Product*, *op. cit.*, p. 46.

33 Susanna Rankin Bohme, John Zorabedian et David Egilman, « Maximizing profit and endangering health », *loc. cit.*

34 Gerald Markowitz et David Rosner, *Deceit and Denial*, *op. cit.*

35 Qinq Lan, Luoping Zhang *et alii*, « Hematotoxicity in workers exposed to low levels of benzene », *Science*, vol. 306, 3 décembre 2004, p. 1774-1776.

36 Benzene Health Research Consortium, « The Shanghai Health Study (PowerPoint presentation) », 1er février 2003 (cité par Lorraine Twerdok et Patrick Beatty, « Proposed studies on the risk of benzene-induced diseases in China: costs and funding »; document consultable sur le site de David Michaels, www.defendingscience.org).

37 Craig Parker, « Memorandum to manager of toxicology and product safety (Marathon Oil). Subject: International leveraged research proposal », 2000 (document consultable sur le site de David Michaels, www.defendingscience.org).

38 Susanna Rankin Bohme, John Zorabedian et David Egilman, « Maximizing profit and endangering health », *loc. cit.*

39 Arnold Relman, « Dealing with conflicts of interest », *New England Journal of Medicine*, vol. 310, 1984, p. 1182-1183.

40 International Committee of Medical Journal Editors, « Uniform requirements for manuscripts submitted to biomedical journals. Ethical considerations in the conduct and reporting of research: conflicts of interest », 2001 (voir Frank Davidoff *et alii*, « Sponsorship, authorship and accountability », *The Lancet*, vol. 358, 15 septembre 2001, p. 854-856).

41 Merrill Goozner, « Unrevealed: nondisclosure of conflicts of interest in four leading medical and scientific journals », *Integrity in Science. Project of the Center of Science in the Public Interest*, 12 juillet 2004.

42 *Ibid.*

43 Catherine DeAngelis *et alii*, « Reporting financial conflicts of interest and relationships between investigators and research sponsors », *Journal of the American Medical Association*, vol. 286, 2001, p. 89-91.

44 Catherine DeAngelis, « The influence of money on medical science », *Journal of the American Medical Association*, vol. 296, 2006, p. 996-998.

45 Phil Fontanarosa, Annette Flanagin et Catherine DeAngelis, « Reporting conflicts of interest, financial aspects of research and role of sponsors in funded studies », *Journal of the American Medical Association*, vol. 294, n° 1, 2005, p. 110-111.

46 Catherine DeAngelis, « The influence of money on medical science », *loc. cit.*

47 David Michaels, « Science and government: disclosure in regulatory science », *Science*, vol. 302, n° 5653, 19 décembre 2003, p. 2073.

48 Justin Bekelman, Yan Li et Cary Gross, « Scope and impact of financial conflicts of interest in biomedical research. A systematic review »,

Journal of the American Medical Association, vol. 289, 2003, p. 454-465.

49 Astrid JAMES, « The *Lancet*'s policy on conflicts of interest », *The Lancet*, vol. 363, 2004, p. 2-3.

50 Wendy WAGNER et Thomas McGARITY, « Regulatory reinforcement of journal conflict of interest disclosures: how could disclosure of interests work better in medicine, epidemiology and public health? », *Journal of Epidemiology and Community Health*, vol. 6, 2009, p. 606-607.

51 David MICHAELS, « Science and government: disclosure in regulatory science », *loc. cit.*

52 Marie-Monique ROBIN, *Le Monde selon Monsanto*, *op. cit.*, p. 341-344.

53 David MICHAELS, *Doubt is Their Product*, *op. cit.*, p. 256-257.

Notes du chapitre 10

1 PRESIDENT'S CANCER PANEL, *Reducing Environmental Cancer Risk. What We Can Do Now. 2008-2009 Annual Report*, U.S. Department of Health and Human Services, National Institutes of Health, National Cancer Institute, avril 2010.

2 *Les Causes du cancer en France*, rapport publié par l'Académie nationale de médecine, l'Académie nationale des sciences/Institut de France, le Centre international de recherche sur le cancer (OMS-Lyon), la Fédération nationale des centres de lutte contre le cancer, avec le concours de l'Institut national du cancer et de l'Institut national de veille sanitaire, 2007. La version française abrégée comporte 48 pages et la version intégrale en anglais, 275 pages. Les extraits que j'utilise proviennent de la version française.

3 *Ibid.*, p. 4. C'est moi qui souligne.

4 *Ibid.*, p. 6.

5 Sur le site de l'UIPP, cliquer sur la rubrique « Infos pesticides », puis « Santé et pesticides », « Des effets controversés » et « Produits phyto-pharmaceutiques et cancers ».

6 *Les Causes du cancer en France*, *op. cit.*, p. 42. C'est toujours moi qui souligne.

7 Entretien de l'auteure avec Richard Clapp, Boston, 29 octobre 2009.

8 André CICOLELLA et Dorothée BENOÎT BROWAEYS, *Alertes santé, op. cit.*, p. 155.

9 ACADÉMIE DES SCIENCES/COMITÉ DES APPLICATIONS DE L'ACADÉMIE DES SCIENCES, *La Dioxine et ses analogues. Rapport commun n° 4*, Institut de France, septembre 1994.

10 Entretien de l'auteure avec André Picot, Paris, 2 juin 2009.

11 « Circulaire du 30 mai 1997 relative aux dioxines et furanes » adressée par le ministre de l'Environnement aux préfets de département.

12 CENTRE INTERNATIONAL DE RECHERCHE CONTRE LE CANCER, *Monographie sur l'évaluation de l'effet cancérigène chez l'homme : PCDD et PCDF*, vol. 69, juillet 1997.

13 Voir notamment Roger LENGLET, *L'Affaire de l'amiante*, La Découverte, Paris, 1996.

14 Frédéric DENHEZ, *Les Pollutions invisibles. Quelles sont les vraies catastrophes écologiques ?*, Delachaux et Niestlé, Paris, 2006, p. 220.

15 Gérard DÉRIOT et Jean-Pierre GODEFROY, *Le Drame de l'amiante en France : comprendre, mieux réparer, en tirer des leçons pour l'avenir*, Rapport d'information n° 37, Sénat, Paris, 26 octobre 2005.

16 Étienne FOURNIER, « Amiante et protection de la population exposée à l'inhalation de fibres d'amiante dans les bâtiments publics et privés », *Bulletin de l'Académie nationale de médecine*, vol. 180, n° 4-16, 30 avril 1996.

17 INSERM, *Effets sur la santé des principaux types d'exposition à l'amiante*, La Documentation française, Paris, janvier 1997.

18 Joseph LADOU, « The asbestos cancer epidemic », *Environmental Health Perspective*, vol. 112, n° 3, mars 2004, p. 285-290. On estime que 30 millions de tonnes d'amiante ont été utilisées au cours du xxᵉ siècle.

19 *Les Causes du cancer en France*, *op. cit.*, p. 24.

20 Entretien de l'auteure avec Vincent Cogliano, Lyon, 10 février 2010.

21 *Ibid.* Au moment où j'écris ces lignes, en décembre 2010, j'apprends que Vincent Cogliano a rejoint son poste d'origine à l'Agence de protection de l'environnement des États-Unis.

22 Paolo Boﬀetta, Maurice Tubiana, Peter Boyle *et alii*, « The causes of cancer in France », *Annals of Oncology*, vol. 20, n° 3, mars 2009, p. 550-555.

23 Entretien de l'auteure avec Christopher Wild, Lyon, 10 février 2010.

24 *Les Causes du cancer en France, op. cit.*, p. 47.

25 « Time to strengthen public confidence at IARC », *The Lancet*, vol. 371, n° 9623, 3 mai 2008, p. 1478.

26 « Transparency at IARC », *The Lancet*, vol. 361, n° 9353, 18 janvier 2003, p. 189.

27 Lorenzo Tomatis, « The IARC monographs program: changing attitudes towards public health », *The International Journal of Occupational and Environmental Health*, vol. 8, n° 2, avril-juin 2002, p. 144-152. Lorenzo Tomatis est décédé en 2007.

28 « Letter to Dr Gro Harlem Brundtland, Director General WHO », 25 février 2002, publiée dans *The International Journal of Occupational and Environmental Health*, vol. 8, n° 3, juillet-septembre 2002, p. 271-273.

29 James Huﬀ *et alii*, « Multiple-site carcinogenicity of benzene in Fischer 344 rats and B6C3F1 mice », *Environmental Health Perspectives*, 1989, vol. 82, p. 125-163 ; James Huﬀ, « National Toxicology Program. NTP toxicology and carcinogenesis studies of benzene (CAS n° 71-43-2) in F344/N rats and B6C3F1 mice (gavage studies) », National Toxicology Program, *Technical Report Series*, vol. 289, 1986, p. 1-277.

30 Entretien de l'auteure avec James Huﬀ, Research Triangle Park, 27 octobre 2009.

31 Dan Ferber, « NIEHS toxicologist receives a "gag order" », *Science*, vol. 297, 9 août 2002, p. 215.

32 *Ibid.*

33 *Ibid.*

34 Entretien de l'auteure avec James Huﬀ, Research Triangle Park, 27 octobre 2009.

35 James Huﬀ, « IARC monographs, industry influence, and upgrading, downgrading, and under-grading chemicals. A personal point of view », *The International Journal of Occupational and Environmental Health*, vol. 8, n° 3, juillet-septembre 2002, p. 249-270.

36 Entretien de l'auteure avec Vincent Cogliano, Lyon, 10 février 2010.

37 André Cicolella et Dorothée Benoît Browaeys, *Alertes santé, op. cit.*, p. 203.

38 James Huﬀ, « IARC and the DEHP quagmire », *The International Journal of Occupational and Environmental Health*, vol. 9, n° 4, octobre-décembre 2003, p. 402-404 (National Toxicology Program, « Carcinogenesis bioassay of di [2-ethylhexyl] phthalate [CAS n° 117-81-7] in F344 rats and B6C3F1 mice [feed studies] », NTP TR 217, Research Triangle Park, 1982) ; William Kluwe, James Huﬀ *et alii*, « The carcinogenicity of dietary di-2-ethylhexyl phthalate (DEHP) in Fischer 344 rats and B6C3F1 mice », *Journal of Toxicology and Environmental Health*, vol. 10, 1983, p. 797-815.

39 Raymond David *et alii*, « Chronic toxicity of di (2-ethylhexyl) phthalate in rats », *Toxicological Sciences*, vol. 55, 2000, p. 433-443.

40 Ronald Melnick, « Suppression of crucial information in the IARC evaluation of DEHP », *International Journal of Occupational and Environmental Health*, vol. 9, octobre-décembre 2003, p. 84-85.

41 Cité par Ronald Melnick, James Huﬀ, Charlotte Brody et Joseph DiGangi, « The IARC evaluation of DEHP excludes key papers demonstrating carcinogenic effects », *The International Journal of Occupational and Environmental Health*, vol. 9, octobre-décembre 2003, p. 400-401.

42 Entretien de l'auteure avec Devra Davis, Pittsburgh, 15 octobre 2009.

43 Entretien de l'auteure avec Peter Infante, 16 octobre 2009.

44 David MICHAELS, *Doubt is their Product*, *op. cit.*, p. 60-61.
45 Entretien de l'auteure avec Vincent Cogliano, ·Lyon, 10 février 2010. Pour plus d'informations sur ce sujet capital, voir : Ronald MELNICK, Kristina THAYER et John BUCHER, « Conflicting views on chemical carcinogenesis ari sing from the design and evaluation of rodent carcinogenicity studies », *Environmental Health Perspectives*, vol. 116, n° 1, janvier 2008, p. 130-135.

Notes du chapitre 11

1 Devra DAVIS, *The Secret History of the War on Cancer*, *op. cit.*, p. 262.
2 *Ibid.*, p. 146.
3 *Ibid.*, p. 255.
4 Richard DOLL et Richard PETO, « The causes of cancer: quantitative estimates of avoidable risks of cancer in the United States today », *The Journal of the National Cancer Institute*, vol. 66, n° 6, juin 1981, p. 1191-1308.
5 Geneviève BARBIER et Armand FARRACHI, *La Société cancérigène*, *op. cit.*, p. 49.
6 Lucien ABENHAIM, *Rapport de la Commission d'orientation sur le cancer*, La Documentation française, Paris, 2003.
7 *Les Causes du cancer en France*, *op. cit.*, p. 7.
8 Rory O'NEILL, Simon PICKVANCE et Andrew WATTERSON, « Burying the evidence: how Great Britain is prolonging the occupational cancer epidemic », *The International Journal of Occupational and Environmental Health*, vol. 13, 2007, p. 432-440.
9 André CICOLELLA, *Le Défi des épidémies modernes. Comment sauver la Sécu en changeant le système de santé*, La Découverte, Paris, 2007, p. 48.
10 Eva STELIAROVA-FOUCHER *et alii*, « Geographical patterns and time trends of cancer incidence and survival among children and adolescents in Europe since the 1970s (The ACCIS project): an epidemiological study », *The Lancet*, vol. 364, n° 9451, 11 décembre 2004, p. 2097-2105.
11 Cette entrevue a été filmée le 13 janvier 2010. Et la traduction est du mot à mot...

12 Entretien de l'auteure avec Devra Davis, Pittsburgh, 15 octobre 2009.
13 Devra DAVIS et Joel SCHWARTZ, « Trends in cancer mortality: US white males and females, 1968-1983 », *The Lancet*, vol. 331, n° 8586, 1988, p. 633-636.
14 Devra DAVIS et David HOEL, « Trends in cancer in industrial countries », *Annals of the New York Academy of Sciences*, vol. 609, 1990.
15 Devra DAVIS, *The Secret History of the War on Cancer*, *op. cit.*, p. 257.
16 Devra DAVIS, Abraham LILIENFELD et Allen GITTELSOHN, « Increasing trends in some cancers in older Americans: fact or artifact? », *Toxicology and Industrial Health*, vol. 2, n° 1, 1986, p. 127-144.
17 PRESIDENT'S CANCER PANEL, *Reducing Environ mental Cancer Risk*, *op. cit.*, p. 4.
18 Philippe IRIGARAY, John NEWBY, Richard CLAPP, Lennart HARDELL, Vyvyan HOWARD, Luc MONTAGNIER, Samuel EPSTEIN, Dominique BELPOMME, « Lifestyle-related factors and environmental agents causing cancer: an overview », *Biomedicine & Pharmacotherapy*, vol. 61, 2007, p. 640-658.
19 Voir·Johannes BOTHA *et alii*, « Breast cancer incidence and mortality trends in 16 European countries », *European Journal of Cancer*, vol. 39, 2003, p. 1718-1729.
20 Dominique BELPOMME, Philippe IRIGARAY, Annie SASCO, John NEWBY, Vyvyan HOWARD, Richard CLAPP, Lennart HARDELL, « The growing incidence of cancer: role of lifestyle and screening detection (review) », *The International Journal of Oncology*, vol. 30, n° 5, mai 2007, p. 1037-1049.
21 John NEWBY *et alii*, « The cancer incidence temporality index: an index to show temporal changes in the age of onset of overall and specific cancer (England and Wales, 1971-1999) », *Biomedicine & Pharmacotherapy*, vol. 61, 2007, p. 623-630.
22 André CICOLELLA, *Le Défi des épidémies modernes*, *op. cit.*, p. 21-22. Le risque de cancers de l'estomac a quant à lui été divisé par cinq pour les femmes

et par 2,5 pour les hommes. On attribue cette diminution à l'usage du réfrigérateur, qui a entraîné une baisse de la consommation de produits salés et fumés, responsables des cancers de l'estomac.

23 Dominique Belpomme *et alii*, «The growing incidence of cancer: role of lifestyle and screening detection (review)», *loc. cit.*

24 Catherine Hill et Agnès Laplanche, «Tabagisme et mortalité: aspects épidémiologiques», *Bulletin épidémiologique hebdomadaire*, n° 22-23, 27 mai 2003.

25 Geneviève Barbier et Armand Farrachi, *La Société cancérigène, op. cit.*, p. 38.

26 Lucien **Abenhaim**, *Rapport de la Commission d'orientation sur le cancer, op. cit.*

27 Geneviève Barbier et Armand Farrachi, *La Société cancérigène, op. cit.*, p. 35.

28 Geoffrey Tweedale, «Hero or Villain? Sir Richard Doll and occupational cancer», *The International Journal of Occupational and Environmental Health*, vol. 13, 2007, p. 233-235.

29 Lennart Hardell et Anita Sandstrom, «Case-control study: soft tissue sarcomas and exposure to phenoxyacetic acids or chlorophenols», *The British Journal of Cancer*, vol. 39, 1979, p. 711-717; Mikael Eriksson, Lennart Hardell *et alii*, «Soft tissue sarcoma and exposure to chemical substances: a case referent study», *British Journal of Industrial Medicine*, vol. 38, 1981, p. 27-33; Lennart Hardell, Mikael Eriksson *et alii*, «Malignant lymphoma and exposure to chemicals, especially organic solvents, chlorophenols and phenoxy acids», *British Journal of Cancer*, vol. 43, 1981, p. 169-176; Lennart Hardell et Mikael Erikson, «The association between soft-tissue sarcomas and exposure to phenoxyacetic acids: a new case referent study», *Cancer*, vol. 62, 1988, p. 652-656.

30 *Royal Commission on the Use and Effects of Chemical Agents on Australian Personnel in Viêt-nam, Final Report*, vol. 1-9, Australian Government Publishing Service, Canberra, 1985.

31 «Agent Orange: the new controversy. Brian Martin looks at the Royal Commission that acquitted Agent Orange», *Australian Society*, vol. 5, n° 11, novembre 1986, p. 25-26.

32 Monsanto Australia Ltd, «Axelson and Hardell. The odd men out. Submission to the Royal Commission on the use and effects on chemical agents on Australian personnel in Vietnam», 1985.

33 Cité *in* Lennart Hardell, Mikael Eriksson et Olav Axelson, «On the misinterpretation of epidemiological evidence, relating to dioxin-containing phenoxyacetic acids, chlorophenols and cancer effects», *New Solutions*, printemps 1994.

34 Chris Beckett, «Illustrations from the Wellcome Library. An epidemiologist at work: the personal papers of Sir Richard Doll», *Medical History*, vol. 46, 2002, p. 403-421.

35 Marie-Monique Robin, *Le Monde selon Monsanto, op. cit.*, p. 72.

36 Sarah Boseley, «Renowned cancer scientist was paid by chemical firm for 20 years», *The Guardian*, 8 décembre 2006.

37 Cristina Odone, «Richard Doll was a hero, not a villain», *The Observer*, 10 décembre 2006.

38 Geoffrey Tweedale, «Hero or Villain?», *loc. cit.*

39 Richard Peto, *The Times*, 9 décembre 2006.

40 Richard Stott, «Cloud over Sir Richard», *The Sunday Mirror*, 10 décembre 2006.

41 Julian Peto et Richard Doll, «Passive smoking», *British Journal of Cancer*, vol. 54, 1986, p. 381-383. Julian Peto est le frère de Richard Peto.

42 Elizabeth Fontham, Michael J. Thun *et alii*, on behalf of ACS Cancer and the Environment Subcommittee, «American Cancer Society perspectives on environmental factors and cancer», *Cancer Journal for Clinicians*, vol. 59, 2009, p. 343-351.

43 Entretien de l'auteure avec Michael Thun, Atlanta, 25 octobre 2009.

44 Gerald MARKOWITZ et David ROSNER, *Deceit and Denial, op. cit.*, p. 168.

45 Cité *in* Marie-Monique ROBIN, *Le Monde selon Monsanto, op. cit.*, p. 19.

46 Henry Smyth à T.W. Nale, 24 novembre 1959 (cité par Gerald MARKOWITZ et David ROSNER, *ibid.*, p. 172).

47 Cité par Gerald MARKOWITZ et David ROSNER, *ibid.*, p. 173.

48 Lettre de Robert Kehoe à R. Emmet Kelly, 2 février 1965, archives de la Manufacturing Chemists' Association (cité par *ibid.*, p. 174).

49 Lettre de R. Emmet Kelly à A. G. Erdman, Pringfield, « PVC Exposure », 7 janvier 1966, archives de la MCA (cité par *ibid.*, p. 174).

50 Lettre de Rex Wilson au docteur J. Newman, « Confidential », 6 janvier 1966, archives de la MCA (cité par *ibid.*, p. 174).

51 Rex WILSON, John CREECH *et alii*, « Occupational acroosteolysis: report of 31 cases », *Journal of the American Medical Association*, vol. 201, 1967, p. 577-581.

52 Lettre de Verald Rowe, Biochemical Research Laboratory, à William McCormick, Director, Department of Industrial Hygiene and Toxicology, the B.F. Goodrich Company, 12 mai 1959. Ce document est consultable à l'adresse www.pbs.org/tradesecrets/docs.

53 Pierluigi VIOLA, « Cancerogenic effect of vinyl chloride », article présenté au Xᵉ Congrès international sur le cancer, 22-29 mai 1970, Houston ; Pierluigi VIOLA *et alii*, « Oncogenic response of rats, skin, lungs and bones to vinyl chloride », *Cancer Research*, vol. 31, mai 1971, p. 516-522.

54 Memorandum de L.B. Crider à William McCormick, Goodrich, « Some new information on the relative toxicity of vinyl chloride monomer », 24 mars 1969, archives de la MCA (cité par Gerald MARKOWITZ et David ROSNER, *Deceit and Denial, op. cit.*, p. 184). L'étude de Maltoni sera publiée en 1975, malgré l'interdiction de ses commanditaires : Cesare MALTONI *et alii*, « Carcinogenicity bioassays of vinyl chloride: current results », *Annals of New York Academy of Sciences*, vol. 246, 1975, p. 195-218.

55 Mémorandum de AC Siegel (Tenneco Chemicals, Inc.) à GI Rozland (Tenneco Chemicals, Inc), « Subject: vinylchloride technical task group meeting », 16 novembre 1972 (document consultable sur le site de David Michaels, www.defendingscience.org).

56 Lettre de DM Elliott (General Manager, Production, Solvents and Monomers Group, Imperial Chemical Industries Limited, Mond Division) à GE Best (Manufacturing Chemists' Association), 30 octobre 1972 ; « Meeting minutes: Manufacturing Chemists' Association, vinyl chloride research coodinators », 30 janvier 1973 (documents consultables sur le site de David Michaels, www.defendingscience.org).

57 Les réunions sont présidées par Théodore Torkelson de Dow Chemicals. Sont représentées Union Carbide, Uniroyal, Ethyl Corporation, Goodrich, Shell Oil Company, Exxon corporation, Tenneco Chemicals, Diamond Shyrock Corporation, Allied Chemical Corporation, Firestone Plastics Company, Continental Oil Company, Air Products & Chemicals, Inc.

58 « Meeting minutes: Manufacturing Chemists' Association, vinyl chloride research coordinators », 21 mai 1973, archives de la MCA (document consultable sur le site de David Michaels, www.defendingscience.org).

59 H. L. KUSNETZ (Manager of Industrial Hygiene, Head Office, Shell Oil Co.), « Notes on the meeting of the VC committee », 17 juillet 1973, archives de la MCA (*ibid.*).

60 R. N. Wheeler (Union Carbide), « Memorandum to Carvajal JL, Dernehl CU, Hanks GJ, Lane KS, Steele AB, Zutty NL. Subject: vinyl chloride research: MCA report to NIOSH », 19 juillet 1973, archives de la MCA (*ibid.*).

61 John CREECH *et alii*, « Angiosarcoma of the liver among polyvinyl chloride workers », *Morbidity and Mortality Weekly Report*, vol. 23, n° 6, 1974, p. 49-50.

62 OSHA, « Press release. News : OSHA investigating Goodrich cancer fatalities », 24 janvier 1974 (document consultable sur le site de David Michaels, www.defendingscience. org).

63 *Markus, Key. Deposition in the United States District Court for the Western District of New York, in the matter of Holly M. Smith v. the Dow Chemical Company ; PPG Industries, Inc., and Shell Oil Company v. the Goodyear Tire and Rubber Company. CA no. 94-CV-0393*, 19 septembre 1995 (*ibid.*).

64 David MICHAELS, *Doubt is Their Product*, *op. cit.*, p. 36.

65 J'invite le lecteur à consulter le site très instructif de la filiale française de Hill & Knowlton : www.hillandknowlton.fr.

66 HILL & KNOWLTON, « Recommendations for public affairs program for SPI's vinyl chloride committee. Phase 1 : preparation for OSHA hearings », juin 1974 (document consultable sur le site de David Michaels, www.defendingscience.org).

67 Paul H. WEAVER, « On the horns of vinyl chloride dilemma », *Fortune*, n° 150, octobre 1974.

68 « PVC rolls out of jeopardy, into jubilation », *Chemical Week*, 5 septembre 1977.

69 Chlorure de polyvinyle (PVC) [9002-86-2] (vol. 19, suppl. 7, 1987).

70 Richard DOLL, « Effects of exposure to vinyl chloride : an assessment of the evidence », *Scandinavian Journal of Work and Environment Health*, vol. 14, 1988, p. 61-78. En 1981, Peter Infante avait aussi conduit une métaanalyse sur le chlorure de vinyle où il était parvenu à des conclusions opposées à celles de Richard Doll : Peter INFANTE, « Observations of the site-specific carcinogenicity of vinyl chloride to humans », *Environmental Health Perspectives*, vol. 41, octobre 1981, p. 89-94.

71 Jennifer Beth SASS, Barry CASTLEMAN, David WALLINGA, « Vinyl chloride : a case study of data suppression and misrepresentation », *Environmental Health Perspectives*, vol. 113, n° 7, juillet 2005, p. 809-812.

72 Richard DOLL, « Deposition of William Richard Shaboe Doll, Ross v. Conoco, Inc. », Case n° 90-4837, LA 14th Judicial District Court, Londres, 27 janvier 2000.

73 Dominique BELPOMME, *Ces maladies créées par l'homme. Comment la dégradation de l'environnement met en péril notre santé*, Albin Michel, Paris, 2004.

74 Geneviève BARBIER et Armand FARRACHI, *La Société cancérigène*, *op. cit.*, p. 114.

75 Jacques FERLAY, Philippe AUTIER, Mathieu BONIOL *et alii*, « Estimates of the cancer incidence and mortality in Europe in 2006 », *Annals of Oncology*, vol. 3, mars 2007, p. 581-592.

76 Eva STELIAROVA-FOUCHER *et alii*, « Geographical patterns and time trends of cancer incidence and survival among children and adolescents in Europe since the 1970s (The ACCIS project) : an epidemiological study », *The Lancet*, vol. 364, n° 9451, 11 décembre 2004, p. 2097-2105.

77 BUREAU RÉGIONAL DE L'OMS POUR L'EUROPE, « Des maladies chroniques qu'il est généralement possible de prévenir causent 86 % des décès en Europe », Communiqué de presse EURO/05/06, Copenhague, 11 septembre 2006. C'est moi qui souligne.

78 AFSSET/INSERM, *Cancers et Environnement. Expertise collective*, octobre 2008.

79 Suketami TOMINAGA, « Cancer incidence in Japanese in Japan, Hawaii, and Western United States », *National Cancer Institute Monograph*, vol. 69, décembre 1985, p. 83-92 ; voir aussi Gertraud MASKARINEC, « The effect of migration on cancer incidence among Japanese in Hawaii », *Ethnicity & Disease*, vol. 14, n° 3, 2004, p. 431-439.

80 André CICOLELLA et Dorothée BENOÎT BROWAEYS, *Alertes santé*, *op. cit.*, p. 25.

81 *Ibid.*, p. 23.

82 Paul LICHTENSTEIN *et alii*, « Environmental and heritable factors in the causation of cancer analyses of cohorts of twins from Sweden, Denmark and Finland », *New English Journal of Medicine*, vol. 343, n° 2, 13 juillet 2000, p. 78-85.

83 « Action against cancer », European Parliament resolution on the Commission communication on action against cancer : European Partnership, 6 mai 2010.

Notes du chapitre 12

1 Entretien de l'auteure avec Erik Millstone, Brighton, 12 janvier 2010.
2 Entretien de l'auteure avec Herman Fontier, Parme, 19 janvier 2010. C'est moi qui souligne.
3 Bruno Latour, *La Science en action. Introduction à la sociologie des sciences*, La Découverte, Paris, 1989. Toutes les citations qui suivent sont extraites des pages 59, 64 et 107.
4 Léopold Molle, « Éloge du professeur René Truhaut », *Revue d'histoire de la pharmacie*, vol. 72, n° 262, 1984, p. 340-348.
5 Jean Lallier, *Le Pain et le Vin de l'an 2000*, documentaire diffusé sur l'ORTF le 17 décembre 1964. Ce film fait partie des bonus du DVD de mon film *Notre poison quotidien*.
6 René Truhaut, « Le concept de la dose journalière acceptable », *Microbiologie et Hygiène alimentaire*, vol. 3, n° 6, février 1991, p. 13-20.
7 René Truhaut, « 25 years of JECFA achievements », Rapport présenté à la 25ᵉ session du JECFA, 23 mars-1ᵉʳ avril 1981, OMS Genève (archives de l'Organisation mondiale de la santé).
8 René Truhaut, « Le concept de la dose journalière acceptable », *loc. cit.*
9 *Ibid.*
10 Interview diffusée dans le journal télévisé de l'ORTF le 3 juin 1974.
11 René Truhaut, « Le concept de la dose journalière acceptable », *loc. cit.* C'est moi qui souligne.
12 *Ibid.* C'est moi qui souligne.
13 René Truhaut, « 25 years of JECFA achievements », *loc. cit.*
14 *Ibid.*
15 René Truhaut, « Le concept de la dose journalière acceptable », *loc. cit.*
16 *Ibid.*
17 « The ADI concept. A tool for insuring food safety », ILSI Workshop, Limelette, Belgique, 18-19 octobre 1990.
18 www.ilsi.org/Europe.
19 « WHO shuts Life Sciences Industry Group out of setting health standards », *Environmental News Service*, 2 février 2006.
20 WHO/FAO, « Carbohydrates in human nutrition », *FAO Food and Nutrition Paper*, n° 66, 1998, Rome.
21 Tobacco Free Initiative, « The tobacco industry and scientific groups. ILSI : a case study », www.who.int, février 2001.
22 Derek Yach et Stella Aguinaga Bialous, « Junking science to promote tobacco », *American Journal of Public Health*, vol. 91, 2001, p. 1745-1748.
23 « WHO shuts Life Sciences Industry Group out of setting health standards », *loc. cit.*
24 Environmental Working Group, « EPA fines Teflon maker DuPont for chemical cover-up », www.ewg.org, Washington, 14 décembre 2006. Voir aussi : Amy Cortese, « DuPont, now in the frying pan », *The New York Times*, 8 août 2004.
25 Michael Jacobson, « Lifting the veil of secrecy from industry funding of nonprofit health organizations », *International Journal of Occupational and Environmental Health*, vol. 11, 2005, p. 349-355.
26 Diane Benford, « The acceptable daily intake, a tool for ensuring food safety », *ILSI Europe Concise Monographs Series*, International Life Sciences Institute, 2000.
27 *Ibid.* C'est moi qui souligne.
28 René Truhaut, « Principles of toxicological evaluation of food additives », Joint FAO/WHO Expert Committee on Food Additives, OMS, Genève, 4 juillet 1973. C'est moi qui souligne.
29 Entretien de l'auteure avec Diane Benford, Londres, 11 janvier 2010.
30 House of Representatives, *Problems Plague the EPA Pesticide Registration Activities*, U.S. Congress, House Report 98-1147, 1984.
31 Office of Pesticides and Toxic Substances, *Summary of the IBT Review Program*, EPA, Washington, juillet 1983.

32 « Data validation. Memo from K. Locke, Toxicology Branch, to R. Taylor, Registration Branch », EPA, Washington, 9 août 1978.

33 COMMUNICATIONS AND PUBLIC AFFAIRS, « Note to correspondents », EPA, Washington, 1er mars 1991.

34 *The New York Times*, 2 mars 1991.

35 Diane BENFORD, « The acceptable daily intake, a tool for ensuring food safety », *loc. cit.*

36 René TRUHAUT, « Principles of toxicological evaluation of food additives », *loc. cit.*

37 Entretien de l'auteure avec Ned Groth, Washington, 17 octobre 2009.

38 René TRUHAUT, « Principles of toxicological evaluation of food additives », *loc. cit.* C'est moi qui souligne.

39 Diane BENFORD, « The acceptable daily intake, a tool for ensuring food safety », *loc. cit.* C'est moi qui souligne.

40 Entretien de l'auteure avec Erik Millstone, Brighton, 12 janvier 2010.

41 Entretien de l'auteure avec James Turner, Washington, 17 octobre 2009.

42 Entretien de l'auteure avec Angelika Tritscher, Genève, 21 septembre 2009.

43 Entretien de l'auteure avec Herman Fontier, Parme, 19 janvier 2010.

44 Rachel CARSON, *Silent Spring*, *op. cit.*, p. 242.

45 Ulrich BECK, *La Société du risque*, Flammarion, Paris, 2008, p. 35. C'est l'auteur qui souligne.

46 *Ibid.*, p. 89.

47 *Ibid.*, p. 74.

48 *Ibid.*, p. 36.

49 Diane BENFORD, « The acceptable daily intake, a tool for ensuring food safety », *loc. cit.* C'est moi qui souligne.

50 René TRUHAUT, « Principles of toxicological evaluation of food additives », *loc. cit.*

51 Directive 91/414/CEE du Conseil, du 15 juillet 1991, concernant la mise sur le marché des produits phytopharmaceutiques, *Journal officiel*, nº L 230, 19 août 1991, p. 0001-0032. C'est moi qui souligne.

52 Éliane PATRIARCA, « Le texte des rapporteurs UMP est révélateur du rétropédalage de la droite sur les objectifs du Grenelle », *Libération*, 4 mai 2010.

53 Claude GATIGNOL et Jean-Claude ÉTIENNE, *Pesticides et Santé*, Office parlementaire des choix scientifiques et technologiques, Paris, 27 avril 2010.

54 Federal Insecticide, Fungicide, and Rodenticide Act (FIFRA), 3 (b) (5).

55 Michel GÉRIN *et alii*, *Environnement et santé publique*, *op. cit.*, p. 371.

Notes du chapitre 13

1 HEALTH & CONSUMER PROTECTION DIRECTORATE GENERAL, *Review Report for the Active Substance Chlorpyrifos-Methyl*, European Commission, SANCO/3061/99, 3 juin 2005. Ce document compte soixante-six pages !

2 Entretien de l'auteure avec Bernadette Ossendorp, Genève, 22 septembre 2009.

3 Entretien de l'auteure avec James Huff, Research Triangle Park, 27 octobre 2009.

4 Ulrich BECK, *La Société du risque*, *op. cit*, p. 107.

5 *Ibid.*, p. 116, 117, 125 et 126. C'est l'auteur qui souligne.

6 *Ibid.*, p. 118 et 124.

7 HEALTH & CONSUMER PROTECTION DIRECTORATE GENERAL, « Review report for the active substance chlorpyrifos-methyl », European Commission, 3 juin 2005.

8 R. TEASDALE, « Residues of chlorpyrifosmethyl in tomatoes at harvest and processed fractions (canned tomatoes, juice and puree) following multiple applications of RELDAN 22 (EF-1066), Italy 1999 », R99-106/GHE-P-8661, 2000, Dow GLP (unpublished).

9 A. DORAN et A. B. CLEMENTS, « Residues of chlorpyrifos-methyl in wine grapes at harvest following two applications of EF-1066 (RELDAN 22) or GF-71, Southern Europe 2000 », (N137) 19952/GHE-P-9441, 2002, Dow GLP (unpublished).

10 Entretien de l'auteure avec Angelo Moretto, Genève, 21 septembre 2009.

11 Entretien de l'auteure avec Erik Millstone, Brighton, 12 janvier 2010.

12 Joint FAO/WHO Meeting on Pesticide Residues 2009, «List of substances scheduled for evaluation and request for data. Meeting Geneva, 16-25 September 2009», octobre 2008.

13 Voir Thomas Zeltner *et alii*, «Tobacco companies strategies to undermine tobacco control activities at the World Health Organization», *Report of the Committee of Experts on Tobacco Industry Documents*, OMS, juillet 2000. Voir aussi: Sheldon Krimsky, «The funding effect in science and its implications for the judiciary», *Journal of Law and Policy*, 16 décembre 2005.

14 Entretien de l'auteure avec Angelika Tritscher, Genève, 21 septembre 2009.

15 Toutes les citations de cette section proviennent de courriels que j'ai précieusement gardés.

16 Entretien téléphonique de l'auteure avec Jean-Charles Bocquet, 11 février 2010.

17 Courriel envoyé par Sue Breach le 24 février 2010, sans que soit précisé le nom de l'auteur de la «réponse écrite».

18 Pour plus de détails, voir: Deborah Cohen et Philip Carter, «WHO and the pandemic flu "conspiracies"», *British Medical Journal*, 3 juin 2010.

19 Entretien de l'auteure avec Ned Groth, Washington, 17 octobre 2009.

20 20 Erik Millstone, Eric Brunner et Ian White, «Plagiarism or protecting public health?», *Nature*, vol. 371, 20 octobre 1994, p. 647-648.

21 Erik Millstone, «Science in trade disputes related to potential risks: comparative case studies», European Commission, Joint Research Centre Institute for Prospective Technological Studies, Eur21301/EN, août 2004; Erik Millstone *et alii*, «Riskassessment policies: differences across jurisdictions», European Commission, Joint Research Centre Institute for Prospective Technological Studies, janvier 2008.

22 FAO/WHO, «Principles and methods for the risk assessment of chemicals in food», *Environmental Health Criteria*, nº 240, 2009. C'est moi qui souligne.

23 René Truhaut, «Principles of toxicological evaluation of food additives», Joint FAO/WHO Expert Committee on Food Additives, OMS, Genève, 4 juillet 1973.

24 «Reasoned opinion of EFSA prepared by the Pesticides Unit (PRAPeR) on MRLs of concern for the active substance procymidone (revised risk assessment)», *EFSA Scientific Report*, nº 227, 21 janvier 2009, p. 1-26. C'est moi qui souligne.

25 Entretien de l'auteure avec Angelo Moretto, Genève, 21 septembre 2009.

26 Ulrich Beck, *La Société du risque, op. cit.*, p. 126. C'est l'auteur qui souligne.

27 Entretien de l'auteure avec Herman Fontier, Parme, 19 janvier 2010.

28 Eurobarometer, «Risk issues. Executive summary on food safety», février 2006.

29 *Official Journal of the European Communities*, nº L 225/263, 21 août 2001.

30 Entretien de l'auteure avec Manfred Krautter, Hambourg, 5 octobre 2009.

31 Lars Neumeister, «Die unsicheren Pestizidhöchstmengen in der EU. Überprüfung der harmonisierten EU-Höchstmengen hinsichtlich ihres potenziellen akuten und chronischen Gesundheitsrisikos», Greenpeace et GLOBAL 2000, Les Amis de la Terre/Autriche, mars 2008.

32 Entretien de l'auteure avec Herman Fontier, Parme, 19 janvier 2010.

33 «2007 annual report on pesticide residues», *EFSA Scientific Report (2009)*, nº 305, 10 juin 2009.

34 Entretien de l'auteure avec Eberhard Schüle, Stuttgart, 6 octobre 2009.

35 Entretien de l'auteure avec Herman Fontier, Parme, 19 janvier 2010.

Note du chapitre 14

1 Edgar Monsanto Queeny, *The Spirit of Enterprise*, Charles Scribner's Sons, New York, 1943.

2 D. R. Lucas et J. P. Newhouse, «The toxic effect of sodium L-glutamate on

the inner layers of the retina », *AMA Archives of Ophtalmology*, vol. 58, n° 2, août 1957, p. 193-201.

3 Dale Purves, George J. Augustine, David Fitzpatrick, William C. Hall, Anthony-Samuel Lamantia, James O. McNamara, Leonard E. White, *Neurosciences*, DeBoeck, Bruxelles, 2005, p. 145.

4 John Olney, « Brain lesions, obesity, and other disturbances in mice treated with monosodium glutamate », *Science*, vol. 164, n° 880, mai 1969, p. 719-721 ; John Olney *et alii*, « Glutamate-induced brain damage in infant primates », *Journal of Neuropathology and Experimental Neurology*, vol. 31, n° 3, juillet 1972, p. 464-488 ; John Olney, « Excitotoxins in foods », *Neurotoxicology*, vol. 15, n° 3, 1994, p. 535-544.

5 Entretien de l'auteure avec John Olney, La Nouvelle-Orléans, 20 octobre 2009.

6 « Directive 89/107/CEE du Conseil du 21 décembre 1988 relative au rapprochement des législations des États membres concernant les additifs pouvant être employés dans les denrées destinées à l'alimentation humaine », *Journal officiel*, n° L 040, 11 février 1989, p. 0027-0033. C'est moi qui souligne.

7 « Directive 95/2/CE du Parlement européen et du Conseil concernant les additifs alimentaires autres que les colorants et les édulcorants », 20 février 1995, *Journal officiel de l'Union européenne*, n° L 61, 18 mars 1995.

8 BBC, « The early show, artificial sweeteners, new sugar substitute », 28 septembre 1982.

9 Pat Thomas, « Bestselling sweetener », *The Ecologist*, septembre 2005, p. 35-51.

10 John Henkel, « Sugar substitutes: Americans opt for sweetness and lite », *FDA Consumer Magazine*, novembre-décembre 1999.

11 Voir le site de « Mission Possible », l'association créée par Betty Martini : www.dorway.com.

12 Ulrich Beck, *La Société du risque*, *op. cit.*, p. 99.

13 Robert Ranney *et alii*, « Comparative metabolism of aspartame in experimental animals and humans », *Journal of Toxicology and Environmental Health*, vol. 2, 1976, p. 441-451.

14 Herbert Helling, « "Food and drug sweetener strategy. Memorandum confidential-Trade Secret Information" to Dr. Buzard, Dr. Onien, Dr. Jenkins, Dr. Moe, Mr. O'Bleness », 28 décembre 1970.

15 John Olney, « Brain damage in infant mice following oral intake of glutamate, aspartate or cysteine », *Nature*, vol. 227, n° 5258, 8 août 1970, p. 609-611 ; Bruce Schainker et John Olney, « Glutamate-type hypothalamic-pituatary syndrome in mice treated with aspartateorcysteateininfancy », *Journal of Neural Transmission*, vol. 35, 1974, p. 207-215 ; John Olney *et alii*, « Brain damage in mice from voluntary ingestion of glutamate and aspartate », *Neurobehavioral Toxicology and Teratology*, vol. 2, 1980, p. 125-129.

16 James Turner et Ralph Nader, *The Chemical Feast. The Ralph Nader Study Group Report on Food Protection and the Food and Drug Administration*, Penguin, Londres, 1970. Ralph Nader est un avocat célèbre pour sa défense du droit des consommateurs, qui, par ailleurs, fut quatre fois candidat à l'élection présidentielle, dont deux sous les couleurs du parti vert des États-Unis.

17 Entretien de l'auteure avec James Turner, Washington, 17 octobre 2009.

18 Lettres d'Adrian Gross au sénateur Howard M. Metzenbaum, 30 octobre et 3 novembre 1987 (consultables sur le site www. dorway.com).

19 Committee on Labor and Public Health, « Record of hearings of April 8-9 and July 10, 1976, held by Sen. Edward Kennedy, Chairman, Subcommittee on Administrative Practice and Procedure, Committee on the Judiciary, and Chairman, Subcommittee on Health », p. 3-4.

20 FDA, « Bressler Report », 1er août 1977.

21 Entretien de l'auteure avec John Olney, La Nouvelle-Orléans, 20 octobre 2009.

22 Andy Pasztor et Joe Davidson, «Two ex-US prosecutors roles in case against Searle are questioned in probe», *The Wall Street Journal*, 7 février 1986.

23 John Olney, «Aspartame board of inquiry. Prepared statement», University School of Medicine St. Louis, Missouri, 30 septembre 1980.

24 *Ibid.*

25 Department of Health and Human Services, «Aspartame: decision of the Public Board of Inquiry», Food and Drug Administration, docket n° 75F-0355, 30 septembre 1980.

26 «Medical professor at Pennsylvania State is nominated to head Food and Drug Agency», *The New York Times*, 3 avril 1981.

27 Florence Graves, «How safe if your diet soft drink?», *Common Cause Magazine*, juillet-août 1984.

28 «Food additives permitted for direct addition to food for human consumption: Aspartame», *Federal Register*, 8 juillet 1983, docket n° 82F-0305.

29 Lettre d'Adrian Gross au sénateur Howard M. Metzenbaum, 3 novembre 1987. C'est moi qui souligne.

30 Organisation mondiale de la santé, «Évaluation de certains additifs alimentaires (colorants, épaississants et autres substances). 19ᵉ rapport du comité mixte FAO/OMS d'experts des additifs alimentaires», *Série de rapports techniques*, n° 576, 1975.

31 Organisation mondiale de la santé, «20ᵉ rapport du comité mixte FAO/OMS d'experts des additifs alimentaires», *Série de rapports techniques*, n° 599, 1976.

32 Organisation mondiale de la santé, «21ᵉ rapport du comité mixte FAO/OMS d'experts des additifs alimentaires», *Série de rapports techniques*, n° 617, 1977.

33 Organisation mondiale de la santé, «24ᵉ rapport du comité mixte FAO/OMS d'experts des additifs alimentaires», *Série de rapports techniques*, n° 653, 1980.

34 Iroyuki Ishii *et alii*, «Toxicity of aspartame and its diketopiperazine for Wistar rats by dietary administration for 104 weeks», *Toxicology*, vol. 21, n° 2, 1981, p. 91-94.

35 Organisation mondiale de la santé, «25ᵉ rapport du comité mixte FAO/OMS d'experts des additifs alimentaires», *Série de rapports techniques*, n° 669, 1981.

36 Entretien de l'auteure avec Hugues Kenigswald, Parme, 19 janvier 2010.

Notes du chapitre 15

1 Congressional Record, «Proceedings and debates of the 99th Congress, first session», vol. 131, Washington, 7 mai 1985.

2 *Hearing Before the Committee on Labor and Human Resources United States Senate One Hundredth Congress. Examining the Health and Safety Concerns of NutraSweet (Aspartame)*, 3 novembre 1987.

3 Pour plus d'informations sur les «portes tournantes» liées à l'aspartame, voir: Gregory Gordon, «NutraSweet: questions swirl», *United Press International Investigative Report*, 12 octobre 1987.

4 «FDA handling of research on NutraSweet is defended», *The New York Times*, 18 juillet 1987.

5 Richard Wurtman et Timothy Maher, «Possible neurologic effects of aspartame, a widely used food additive», *Environmental Health Perspectives*, vol. 75, novembre 1987, p. 53-57; Richard Wurtman, «Neurological changes following high dose aspartame with dietary carbohydrates», *New England Journal of Medicine*, vol. 309, n° 7, 1983, p. 429-430.

6 Richard Wurtman, «Aspartame: possible effects on seizures susceptibility», *The Lancet*, vol. 2, n° 8463, 1985, p. 1060.

7 La lettre a été publiée dans Gregory Gordon, «NutraSweet: questions swirl», *loc. cit.*

8 *Ibid.*

9 Jacqueline Verrett et Jean Carper, *Eating May Be Hazardous to Your Health*, Simon and Schuster, New York, 1994, p. 19-21.

10 *Ibid.*, p. 42 et 48.

11   Entretien de l'auteure avec David Hattan, Washington, 19 octobre 2009.

12   Hyman J. Roberts, *Aspartame (NutraSweet), Is it Safe?*, The Charles Press, Philadelphie, 1990, p. 4.

13   Hyman J. Roberts, « Reactions attributed to aspartame-containing products: 551 cases », *Journal of Applied Nutrition*, vol. 40, n° 2, 1988, p. 85-94.

14   Hyman J. Roberts, *Aspartame Disease. An Ignored Epidemic*, Sunshine Sentinel Press, West Palm Beach, 2001.

15   Lettre de John Olney à Howard Metzenbaum, 8 décembre 1987.

16   Richard Wurtman, *Dietary Phenylalanine and Brain Function*, Birkhauser, Boston, 1988.

17   Ralph Walton, Robert Hudak et Ruth Green-Waite, « Adverse reactions to aspartame: double-blind challenge in patients from vulnerable population », *Biological Psychiatry*, vol. 34, n° 1, juillet 1993, p. 13-17.

18   Entretien de l'auteure avec Ralph Walton, New York, 30 octobre 2009.

19   John Olney *et alii*, « Increasing brain tumor rates: is there a link to aspartame? », *Journal of Neuropathology and Experimental Neurology*, vol. 55, n° 11, 1996, p. 1115-1123.

20   David Michaels, *Doubt is Their Product, op. cit.*, p. 143.

21   Paula Rochon *et alii*, « A study of manufacturer-supported trials of nonsteroidal anti-inflammatory drugs in the treatment of arthritis », *Archives of Internal Medicine*, vol. 154, n° 2, 1994, p. 157-163. Voir aussi : Sheldon Krimsky, « The funding effect in science and its implications for the judiciary », *Journal of Law Policy*, vol. 13, n° 1, 2005, p. 46-68.

22   Henry Thomas Stelfox *et alii*, « Conflict of interest in the debate over calcium-channel antagonists », *New England Journal of Medicine*, vol. 338, n° 2, 1998, p. 101-106.

23   Justin Bekelman *et alii*, « Scope and impact of financial conflicts of interest in biomedical research », *Journal of the American Medical Association*, vol. 289, 2003, p. 454-465 ; Valerio Gennaro, Lorenzo Tomatis, « Business bias : how epidemiologic studies may underestimate or fail to detect increased risks of cancer and other diseases », *International Journal of Occupational and Environmental Health*, vol. 11, 2005, p. 356-359.

24   Bruno Latour, *La Science en action, op. cit.*, p. 98.

25   Harriett Butchko et Frank Kotsonis, « Acceptable daily intake *vs* actual intake: the aspartame example », *Journal of the American College of Nutrition*, vol. 10, n° 3, 1991, p. 258-266.

26   Lewis Stegink et Jack Filer, « Repeated ingestion of aspartame-sweetened beverage: effect on plasma amino acid concentrations in normal adults », *Metabolism*, vol. 37, n° 3, mars 1988, p. 246-251.

27   Richard Smith, « Peer review: reform or revolution? », *British Medical Journal*, vol. 315, n° 7111, 1997, p. 759-760. Voir aussi : Richard Smith, « Medical journals are an extension of the marketing arm of pharmaceutical companies », *PLoS Medicine*, vol. 2, n° 5, 2005, p. 138.

28   Entretien de l'auteure avec James Huff, Research Triangle Park, 27 octobre 2009.

29   Cité par Greg Gordon, « FDA resisted proposals to test aspartame for years », *Star Tribune*, 22 novembre 1996.

30   National Toxicology Program, *Toxicology Studies of Aspartame (CAS n° 22839-47-0) in Genetically Modified (FVB Tg. AC Hemizygous) and B6.129-Cdkn2atm1Rdp (N2) deficient Mice and Carcinogenicity Studies of Aspartame in Genetically Modified [B6.129-Trp53tm1Brd (N5) Haploinsufficient] Mice (Feed Studies)*, octobre 2005.

31   Cesare Maltoni, « The Collegium Ramazzini and the primacy of scientific truth », *European Journal of Oncology*, vol. 5, suppl. 2, 2000, p. 151-152.

32   Morando Soffritti, Cesare Maltoni *et alii*, « Mega-experiments to identify and assess diffuse carcinogenic risks », *Annals of the New York Academy of Sciences*, vol. 895, décembre 1999, p. 34-55.

33   Voir Morando Soffritti, Cesare Maltoni *et alii*, « History and major projects, life-span carcinogenicity bioassay design, chemicals studied, and results », *Annals of the New York Academy of Sciences*, vol. 982, 2002, p. 26-45 ; Cesare Maltoni et Morando Soffritti, « The scientific and methodological bases of experimental studies for detecting and quantifying carcinogenic risks », *Annals of the New York Academy of Sciences*, vol. 895, 1999, p. 10-26.

34   Morando Soffritti *et alii*, « First experimental demonstration of the multipotential carcinogenic effects of aspartame administered in the feed to Sprague-Dawley rats », *Environmental Health Perspectives*, vol. 114, n° 3, mars 2006, p. 379-385 ; Fiorella Belpoggi, Morando Soffritti *et alii*, « Results of long-term carcinogenicity bioassay on Sprague-Dawley rats exposed to Aspartame administered in feed », *Annals New York Academy of Sciences*, vol. 1076, 2006, p. 559-577.

35   Center for Food Safety and Applied Nutrition, « FDA Statement on European Aspartame Study », 20 avril 2007.

36   « Opinion of the scientific panel on food additives, flavourings, processing aids and materials in contact with food (AFC) related to a new long-term carcinogenicity study on aspartame », EFSA-Q-2005-122, 3 mai 2006.

37   Morando Soffritti *et alii*, « Life-Span exposure to low doses of aspartame beginning during prenatal life increases cancer effects in rats », *Environmental Health Perspectives*, vol. 115, 2007, p. 1293-1297.

38   « Mise à jour de l'avis formulé à la demande de la Commission européenne sur la seconde étude de carcinogénicité de l'ERF menée sur l'aspartame, tenant compte de données de l'étude soumises par la Fondation Ramazzini en février 2009 », EFSA-Q-2009-00474, 19 mars 2009. C'est moi qui souligne.

39   « Brèves et dépêches technologies et sécurité », 23 avril 2009. Ce n'est pas moi qui souligne. Au moment où j'écris ces lignes, j'apprends que l'Institut Ramazzini a publié une nouvelle étude conduite sur des souris gravides, qui montre que l'aspartame induit des cancers du foie et du poumon chez les mâles (Morando Soffritti *et alii*, « Aspartame administered in feed, beginning prenatally through life-span, induces cancers of the liver and lung in male Swiss mice », *American Journal of Industrial Medicine*, vol. 53, n° 12, décembre 2010, p. 1197-1206).

40   Voir William Reymond, « Coca-Cola serait-il bon pour la santé ? », *Bakchich*, 19-20 avril 2008.

41   « Les boissons light ? C'est le sucré... sans sucres », *La Dépêche*, 29 septembre 2009 ; « Souvent accusé, le faux sucre est blanchi », www.liberation.fr, 14 septembre 2009.

42   Entretien de l'auteur avec Catherine Geslain-Lanéelle, Parme, 19 janvier 2010.

Notes du chapitre 16

1   Entretien de l'auteure avec Ana Soto et Carlos Sonnenschein, Tufts University, Boston, 28 octobre 2009.

2   Ana Soto, Carlos Sonnenschein *et alii*, « P-Nonyl-phenol: an estrogenic xenobiotic released from "modified" polystyrene », *Environmental Health Perspectives*, vol. 92, mai 1991, p. 167-173.

3   Entretien de l'auteure avec Ana Soto et Carlos Sonnenschein, Tufts University, Boston, 28 octobre 2009.

4   Rachel Carson, *Silent Spring, op. cit.*, p. 207.

5   « Rachel Carson talks about effects of pesticides on children and future generations », *BBC Motion Gallery*, 1er janvier 1963.

6   Theo Colborn, Dianne Dumanoski et John Peterson Myers, *Our Stolen Future. Are We Threatening Our Fertility, Intelligence and Survival? A Scientific Detective Story*, Plume, New York, 1996 (traduction française : *L'Homme en voie de disparition ?*, Terre vivante, Mens, 1998).

7   *Ibid.*, p. 145.

8   *Ibid.*, p. 106.

9   *Ibid.*, p. 91.

10 Eric Dewailly *et alii*, « High levels of PCBs in breast milk of Inuit women from Arctic Quebec », *Bulletin of Environmental Contamination and Toxicology*, vol. 43, n° 5, novembre 1989, p. 641-646.

11 Joseph Jacobson *et alii*, « Prenatal exposure to an environmental toxin: a test of the multiple effects model », *Developmental Psychology*, vol. 20, n° 4, juillet 1984, p. 523-532.

12 Joseph Jacobson et Sandra Jacobson, « Intellectual impairment in children exposed to polychlorinated biphenyls *in utero* », *New England Journal of Medicine*, vol. 335, 12 septembre 1996, p. 783-789.

13 Entretien de l'auteure avec Theo Colborn, Paonia, 10 décembre 2009.

14 Parmi les nombreuses études publiées par Louis Guillette, je recommande celle-ci : Louis Guillette *et alii*, « Developmental abnormalities of the gonad and abnormal sex hormone concentrations in juvenile alligators from contaminated and control lakes in Florida », *Environmental Health Perspectives*, vol. 102, n° 8, août 1994, p. 680-688.

15 André Cicolella et Dorothée Benoît Browaeys, *Alertes Santé, op. cit.*, p. 231.

16 Bernard Jégou, Pierre Jouannet et Alfred Spira, *La fertilité est-elle en danger?*, La Découverte, Paris, 2009, p. 54.

17 *Ibid.*, p. 147.

18 Theo Colborn, Dianne Dumanoski et John Peterson Myers, *Our Stolen Future, op. cit.*, p. 82.

19 Bernard Jégou, Pierre Jouannet et Alfred Spira, *La fertilité est-elle en danger?, op. cit.*, p. 60.

20 Elisabeth Carlsen, Niels Skakkebaek *et alii*, « Evidence for decreasing quality of semen during past 50 years », *British Medical Journal*, vol. 305, n° 6854, 12 septembre 1992, p. 609-613.

21 Jacques Auger, Pierre Jouannet *et alii*, « Decline in semen quality among fertile men in Paris during the last 20 years », *New England Journal of Medicine*, vol. 332, 1995, p. 281-285.

22 Bernard Jégou, Pierre Jouannet et Alfred Spira, *La fertilité est-elle en danger?, op. cit.*, p. 61.

23 Shanna Swan, « The question of declining sperm density revisited: an analysis of 101 studies published 1934-1996 », *Environmental Health Perspectives*, vol. 108, n° 10, octobre 2000, p. 961-966.

24 Bernard Jégou, Pierre Jouannet et Alfred Spira, *La fertilité est-elle en danger?, op. cit.*, p. 71-74.

25 Voir Richard Sharpe et Niels Skakkebaek, « Are oestrogens involved in falling sperm counts and disorders of the male reproductive tract? », *The Lancet*, vol. 29, n° 341, 29 mai 1993, p. 1392-1395.

26 Voir Niels Skakkebaek *et alii*, « Testicular dysgenesis syndrome: an increasingly common developmental disorder with environmental aspects », *Human Reproduction*, vol. 16, n° 5, mai 2001, p. 972-978.

27 Katharina Main, Niels Skakkebaek *et alii*, « Human breast milk contamination with phthalates and alterations of endogenous reproductive hormones in infants three months of age », *Environmental Health Perspectives*, vol. 114, n° 2, février 2006, p. 270-276. De nombreuses études ont montré ce lien, comme : Shanna Swan *et alii*, « Decrease in anogenital distance among male infants with prenatal phthalate exposure », *Environmental Health Perspectives*, vol. 113, n° 8, août 2005, p. 1056-1061.

28 « Alerte aux poêles à frire », www.liberation.fr, 30 septembre 2009. DuPont de Nemours, détenteur de la marque Téflon depuis 1954, a annoncé qu'il cesserait d'utiliser le PFOA d'ici... 2015.

29 Voir Ulla Nordström, Niels Skakkebaek *et alii*, « Do perfluoroalkyl compounds impair human semen quality? », *Environmental Health Perspectives*, vol. 117, n° 6, juin 2009, p. 923-927.

30   Les auteurs de ce « brouillon » sont Dave Fischer (Bayer), Richard Balcomb (American Cyanamid), C. Holmes (BASF), T. Hall (Sandoz), K. Reinert et V. Kramer (Rohm & Haas), Ellen Mihaich (Rhône-Poulenc), R. McAllister et J. McCarthy (ACPA).

Notes du chapitre 17

1   NIEHS News, « Women's health research at NIEHS », *Environmental Health Perspectives*, vol. 101, n° 2, juin 1993.

2   Edward Charles DODDS *et alii*, « Œstrogenic activity of certain synthetic compounds », *Nature*, vol. 141, février 1938, p. 247-248.

3   Howard BURLINGTON et Verlus Frank LINDERMAN, « Effect of DDT on testes and secondary sex characters of white leghorn cockerels », *Proceedings of the Society for Experimental Biology and Medicine*, vol. 74, n° 1, mai 1950, p. 48-51.

4   C'est ce que Kehoe écrit dans un rapport remis à un comité du Renseignement américain et britannique en janvier 1947 (cité par Devra DAVIS, *The Secret History of the War on Cancer*, *op. cit.*, p. 91).

5   *Ibid.*, p. 90.

6   Alan PARKES, Edward Charles DODDS et R. L. NOBLE, « Interruption of early pregnancy by means of orally active oestrogens », *British Medical Journal*, vol. 2, n° 4053, 10 septembre 1938, p. 557-559.

7   Sidney John FOLLEY *et alii*, « Induction of abortion in the cow by injection with stilboestrol diproporniate », *The Lancet*, vol. 2, 1939.

8   Antoine LACASSAGNE, « Apparition d'adénocarcinomes mammaires chez des souris mâles traitées par une substance œstrogène synthétique », *Comptes rendus des séances de la Société de biologie*, vol. 129, 1938, p. 641-643.

9   R. GREENE *et alii*, « Experimental intersexuality. The paradoxical effects of estrogens on the sexual development of the female rat », *The Anatomical Record*, vol. 74, n° 4, août 1939, p. 429-438.

10   « Estrogen therapy. A warning », *Journal of the American Medical Association*, vol. 113, n° 26, 23 décembre 1939, p. 2323-2324.

11   Cité par Jacqueline VERRETT, *Eating May Be Hazardous to Your Health*, *op. cit.*, p. 167. L'usage du distilbène sera interdit pour les volailles en 1959 et pour le bétail en 1980.

12   Olive SMITH et George SMITH, « Diethylstilbestrol in the prevention and treatment of complications of pregnancy », *American Journal of Obstetrics and Gynecology*, vol. 56, n° 5, 1948, p. 821-834 ; Olive SMITH et George SMITH, « The influence of diethylstilbestrol on the progress and outcome of pregnancy as based on a comparison of treated with untreated primigravidas », *American Journal of Obstetrics and Gynecology*, vol. 58, n° 5, 1949, p. 994-1009.

13   Susan E. BELL, *DES Daughters. Embodied Knowledge and the Transformation of Women's Health Politics*, Temple University Press, Philadelphie, 2009, p. 16.

14   James FERGUSON, « Effect of stilbestrol on pregnancy compared to the effect of a placebo », *American Journal of Obstetrics and Gynecology*, vol. 65, n° 3, mars 1953, p. 592-601.

15   William DIECKMANN *et alii*, « Does the administration of diethylstilbestrol during pregnancy have therapeutic value? », *American Journal of Obstetrics and Gynecology*, vol. 66, n° 5, novembre 1953, p. 1062-1081.

16   Yvonne BRACKBILL *et alii*, « Dangers of diethylstilbestrol: review of a 1953 paper », *The Lancet*, vol. 2, 1978, n° 8088, p. 520.

17   Pat CODY, *DES Voices, from Anger to Action*, DES Action, Colombus, 2008, p. 13.

18   William GARDNER, « Experimental induction of uterine cervical and vaginal cancer in mice », *Cancer Research*, vol. 19, n° 2, février 1959, p. 170-176.

19   Alfred BONGIOVANNI *et alii*, « Masculinization of the female infant associated with estrogenic therapy alone during

gestation: four cases», *Journal of Clinical Endocrinology and Metabolism*, vol. 19, août 1959, p. 1004.

20 Norman M. Kaplan, «Male pseudo-hermaphroditism: report of a case, with observations on pathogenesis», *New England Journal of Medicine*, 1959, vol. 261, p. 641.

21 Theo Colborn, Dianne Dumanoski et John Peterson Myers, *Our Stolen Future, op. cit.*, p. 49.

22 *Ibid.*, p. 50. Ce sont les auteurs qui soulignent.

23 *Ibid.*

24 «The full story of the drug Thalidomide», *Life Magazine*, 10 août 1962.

25 «Rachel Carson talks about effects of pesticides on children and future generations», *BBC Motion Gallery*, 1er janvier 1963.

26. Theo Colborn, Dianne Dumanoski et John Peterson Myers, *Our Stolen Future, op. cit.*, p. 50.

27 Arthur Herbst, Howard Ulfelder et David Poskanzer, «Adenocarcinoma of the vagina. Association of maternal stilbestrol therapy with tumor appearance in young women», *The New England Journal of Medicine*, vol. 284, n° 15, 22 avril 1971, p. 878-881.

28 Jacqueline Verrett, *Eating May Be Hazardous to Your Health, op. cit.*, p. 163.

29 Theo Colborn, Dianne Dumanoski et John Peterson Myers, *Our Stolen Future, op. cit.*, p. 53.

30 Susan E. Bell, *DES Daughters, op. cit.*, p. 1.

31 Pat Cody, *DES Voices. From Anger to Action, op. cit.*, p. 4.

32 *Ibid.*, p. 43.

33 *Ibid.*, p. 93.

34 *Ibid.*, p. 85.

35 *Ibid.*, p. 90.

36 *Ibid.*, p. 97.

37 *Ibid.*, p. 96.

38 Susan Bell, *DES Daughters, op. cit.*, p. 23.

39 *Ibid.*, p. 27.

40 Sheldon Krimsky, *Hormonal Chaos. The Scientific and Social Origins of the Environmental Hypothesis*, Johns Hopkins University Press, Baltimore, 2002, p. 2.

41 *Ibid.*, p. 11.

42 Susan Bell, *DES Daughters, op. cit.*, p. 27.

43 Il est impossible de citer ici toutes les études réalisées par John McLachlan sur le DES. Je n'en signale que deux: Retha Newbold et John McLachlan, «Vaginal adenosis and adenocarcinoma in mice exposed prenatally or neonatally to diethylstilbestrol», *Cancer Research*, vol. 42, n° 5, mai 1982, p. 2003-2011; John McLachlan et Retha Newbold, «Reproductive tract lesions in male mice exposed prenatally to diethylstilbestrol», *Science*, vol. 190, n° 4218, 5 décembre 1975, p. 991-992.

44 Entretien de l'auteure avec John McLachlan, La Nouvelle-Orléans, 22 octobre 2009.

45 Retha Newbold et John McLachlan, «Vaginal adenosis and adenocarcinoma in mice exposed prenatally or neonatally to diethylstilbestrol», *loc. cit.*

46 Retha Newbold, «Cellular and molecular effects of developmental exposure to diethylstilbestrol: implications for other environmental estrogens», *Environmental Health Perspectives*, vol. 103, octobre 1995, p. 83-87.

47 Retha Newbold *et alii*, «Increased tumors but uncompromised fertility in the female descendants of mice exposed developmentally to diethylstilbestrol», *Carcinogenesis*, vol. 19, n° 9, septembre 1998, p. 655-663.

48 Retha Newbold *et alii*, «Proliferative lesions and reproductive tract tumors in male descendants of mice exposed developmentally to diethylstilbestrol», *Carcinogenesis*, vol. 21, n° 7, 2000, p. 1355-1363.

49 Retha Newbold *et alii*, «Adverse effects of the model environmental estrogen diethylstilbestrol are transmitted to subsequent generations», *Endocrinology*, vol. 147, suppl. 6, juin 2006, p. 11-17; Retha Newbold, «Lessons learned from perinatal exposure to diethylstilbestrol», *Toxicology and Applied Pharmacology*, vol. 199, n° 2, 1er septembre 2004, p. 142-150.

50 Parmi elles, une étude réalisée par l'Institut du cancer des Pays-Bas : Helen KLIP *et alii*, « Hypospadias in sons of women exposed to diethylstilbestrol *in utero*: a cohort study », *The Lancet*, vol. 359, n° 9312, 30 mars 2002, p. 1101-1107.

51 Felix GRÜN et Bruce BLUMBERG, « Environmental obesogens: organotins and endocrine disruption *via* nuclear receptor signaling », *Endocrinology*, vol. 47, n° 6, 2006, p. 50-55.

52 Retha NEWBOLD *et alii*, « Effects of endocrine disruptors on obesity », *International Journal of Andrology*, vol. 31, n° 2, avril 2008, p. 201-208 ; Retha NEWBOLD *et alii*, « Developmental exposure to endocrine disruptors and the obesity epidemic », *Reproductive Toxicology*, vol. 23, n° 3, avril-mai 2007, p. 290-296.

Notes du chapitre 18

1 www.bisphenol-a.org.

2 Aruna KRISHNAN, David FELDMAN *et alii*, « Bisphenol-A: an estrogenic substance is released from polycarbonate flasks during autoclaving », *Endocrinology*, vol. 132, n° 6, juin 1993, p. 2279-2286.

3 Cité par Theo COLBORN, Dianne DUMANOSKI et John PETERSON MYERS, *Our Stolen Future, op. cit.*, p. 130.

4 Liza GROSS, « The toxic origins of disease », *PLoS Biology*, vol. 5, n° 7, 26 juin 2007, p. 193. Le syndrome de Down est aussi appelé « trisomie 21 ».

5 Patricia HUNT *et alii*, « Bisphenol A exposure causes meiotic aneuploidy in the female mouse », *Current Biology*, vol. 13, n° 7, avril 2003, p. 546-553 ; Martha SUSIARJO, Patricia HUNT *et alii*, « Bisphenol A exposure *in utero* disrupts early oogenesis in the mouse », *PLoS Genetics*, vol. 3, n° 1, 12 janvier 2007, p. 5.

6 Nena BAKER, *The Body Toxic*, North Point Press, New York, 2008, p. 151.

7 Elizabeth GROSSMAN, « Two words: bad plastic », www.salon.com, 2 août 2007.

8 Caroline MARKEY, Enrique LUQUE, Monica MUÑOZ DE TORO, Carlos SONNENSCHEIN et Ana SOTO, « *In utero* exposure to bisphenol A alters the development and tissue organization of the mouse mammary gland », *Biology of Reproduction*, vol. 6 5, n° 4, 1er octobre 2001, p. 1215-1223.

9 Theo COLBORN, Dianne DUMANOSKI et John PETERSON MYERS, *Our Stolen Future, op. cit.*, p. 30.

10 *Ibid.*, p. 31.

11 Frederick VOM SAAL et Franklin BRONSON, « Sexual characteristics of adult female mice are correlated with their blood testosterone levels during prenatal development », *Science*, vol. 208, n° 4444, 9 mai 1980, p. 597-599 (cité *in Our Stolen Future, ibid.*, p. 34).

12 Frederick VOM SAAL *et alii*, « The intrauterine position (IUP) phenomenon », *in* Ernst KNOBIL et Jimmy NEILL (dir.), *Encyclopedia of Reproduction*, Academic Press, New York, vol. 2, 1999, p. 893-900 ; « Science watch: prenatal womb position and supermasculinity », *The New York Times*, 31 mars 1992.

13 Theo COLBORN, Dianne DUMANOSKI et John PETERSON MYERS, *Our Stolen Future, op. cit.*, p. 35.

14 *Ibid.*, p. 38.

15 *Ibid.*, p. 39.

16 *Ibid.*, p. 42.

17 Bernard JÉGOU, Pierre JOUANNET et Alfred SPIRA, *La fertilité est-elle en danger?, op. cit.*, p. 10-12.

18 CENTER FOR DISEASE CONTROL AND PREVENTION, *Fourth National Report on Human Exposure to Environmental Chemicals*, www.cdc.gov, Atlanta, 2009. Je reviendrai dans le chapitre 19 sur ce rapport qui présente la « charge chimique corporelle » de milliers de citoyens américains.

19 Antonia CALAFAT, « Exposure of the U.S. population to bisphenol A and 4-tertiaryoctylphenol: 2003-2004 », *Environmental Health Perspectives*, vol. 116, 2008, p. 39-44.

20 Antonia CALAFAT *et alii*, « Exposure to bisphenol A and other phenols in neonatal intensive care unit premature infants », *Environmental Health Perspectives*, vol. 117, n° 4, avril 2009, p. 639-644.

21 Entretien de l'auteure avec Frederick VOM SAAL, La Nouvelle-Orléans, 22 octobre 2009.

22 Frederick VOM SAAL *et alii*, « Prostate enlargement in mice due to foetal exposure to low doses of estradiol or diethylstilbestrol and opposite effects at low doses », *Proceedings of the National Academy of Sciences of the USA*, vol. 94, n° 5, mars 1997, p. 2056-2061.

23 Susan NAGEL, Frederick VOM SAAL *et alii*, « Relative binding affinity-serum modified access (RBA-SMA) assay predicts the relative *in vivo* bioactivity of the xenoestrogens bisphenol A and octylphenol », *Environmental Health Perspectives*, vol. 105, n° 1, janvier 1997, p. 70-76.

24 Liza GROSS, « The toxic origins of disease », *PLoS Biology*, vol. 5, n° 7, 2007, p. 193.

25 Frederick VOM SAAL *et alii*, « A physiologically based approach to the study of bisphenol A and other estrogenic chemicals on the size of reproductive organs, daily sperm production, and behavior », *Toxicoly and Industrial Health*, vol. 14, n° 1-2, janvier-avril 1998, p. 239-260.

26 Liza GROSS, « The toxic origins of disease », *loc. cit.*

27 *Ibid.*

28 *Ibid.*

29 Channda GUPTA, « Reproductive malformation of the male offspring following maternal exposure to estrogenic chemicals », *Proceedings of the Society for Experimental Biology and Medicine*, vol. 224, 1999, p. 61-68. Peu après la publication de l'étude de Channda Gupta, la même revue a publié un éditorial soulignant que les « résultats initiaux » de Frederick vom Saal « avaient été confirmés » : Daniel SHEEHAN, « Activity of environmentally relevant low doses of endocrine disruptors and the bisphenol A controversy: initial results confirmed », *Proceedings of the Society for Experimental Biology and Medicine*, vol. 224, n° 2, 2000, p. 57-60.

30 Liza GROSS, « The toxic origins of disease », *loc. cit.*

31 Barbara ELSWICK, Frederick MILLER et Frank WELSCH, « Comments to the editor concerning the paper entitled "Reproductive malformation of the male offspring following maternal exposure to estrogenic chemicals" by C. Gupta », *Proceedings of the Society for Experimental Biology and Medicine*, vol. 226, 2001, p. 74-75.

32 Channda GUPTA, « Response to the letter by B. Elswick *et alii* from the Chemical Industry Institute of Toxicology », *Proceedings of the Society for Experimental Biology and Medicine*, vol. 226, 2001, p. 76-77.

33 Voir notamment : Derek YACH et Stella AGUINAGA BIALOUS, « Tobacco, lawyers and public health, junking science to promote tobacco », *American Journal of Public Health*, vol. 91, n° 11, novembre 2001, p. 1745-1748.

34 Cité par Cindy SKRZYCKI, « Nominee's business ties criticized », *The Washington Post*, 15 mai 2001.

35 « George M. Gray », www.sourcewatch. org.

36 Lorenz RHOMBERG, « Needless fear drives proposed plastics ban », *San Francisco Chronicle*, 17 janvier 2006.

37 George GRAY *et alii*, « Weight of the evidence evaluation of low-dose reproductive and developmental effects of bisphenol A », *Human and Ecological Risk Assessment*, vol. 10, octobre 2004, p. 875-921.

38 Frederick VOM SAAL et Claude HUGHES, « An extensive new literature concerning low-dose effects of bisphenol A shows the need for a new risk assessment », *Environmental Health Perspectives*, vol. 113, août 2005, p. 926-933.

39 Voir John PETERSON MYERS et Frederick VOM SAAL, « Should public health standards for endocrine-disrupting compounds be based upon 16th century dogma or modern endocrinology? », *San Francisco Medicine*, vol. 81, n° 1, 2008, p. 30-31.

40 Evanthia DIAMANTI-KANDARAKIS *et alii*, « Endocrine disrupting chemicals: an Endocrine Society scientific

statement», *Endocrine Reviews*, vol. 30, n° 4, juin 2009, p. 293-342.

41 «Opinion of the scientific panel on food additives, flavourings, processing aids and materials in contact with food on a request from the Commission related to 2,2-bis (4-hydroxyphenyl) propane (bisphenol A)», Question n° EFSA-Q-2005-100, 29 novembre 2006.

42 Rochelle TYL *et alii*, «Three-generation reproductive toxicity study of dietary bisphenol A in CD Sprague-Dawley rats», *Toxicological Sciences*, vol. 68, 2002, p. 121-146.

43 Au moment de son évaluation, l'EFSA ne disposait que d'un rapport préliminaire de l'étude de Rochelle Tyl («Draft final report») qui a été publiée en 2008: Rochelle TYL *et alii*, «Two-generation reproductive toxicity evaluation of bisphenol A in CD-1 (Swiss mice)», *Toxicological Sciences*, vol. 104, n° 2, 2008, p. 362-384.

44 John PETERSON MYERS *et alii*, «Why public health agencies cannot depend on good laboratory practices as a criterion for selecting data: the case of bisphenol A», *Environmental Health Perspectives*, vol. 117, n° 3, mars 2009, p. 309-315. Parmi les auteurs figurent Ana Soto, Carlos Sonnenschein, Louis Guillette, Theo Colborn et John McLachlan.

45 Meg MISSINGER et Susanne RUST, «Consortium rejects FDA claim of BPA's safety. Scientists say 2 studies used by U.S. agency overlooked dangers», *Journal Sentinel*, 11 avril 2009.

46 John PETERSON MYERS *et alii*, «Why public health agencies cannot depend on good laboratory practices...», *loc. cit.*

47 L'anecdote a été rapportée par John Peterson Myers, coauteur de *Our Stolen Future*, qui participait à l'audition (John PETERSON MYERS, «The missed electric moment», *Environmental Health News*, 18 septembre 2008).

48 Meg MISSINGER et Susanne RUST, «Consortium rejects FDA claim of BPA's safety...», *loc. cit.*

49 «Opinion of the scientific panel on food additives, flavourings, processing aids and materials in contact with food on a request from the Commission related to 2,2-bis (4-hydroxyphenyl) propane (bisphenol A)», *loc. cit.*

50 John PETERSON MYERS *et alii*, «Why public health agencies cannot depend on good laboratory practices...», *loc. cit.*

51 *Ibid.*

52 Frederick VOM SAAL *et alii*, «Chapel Hill bisphenol A expert panel consensus statement: integration of mechanisms, effects in animals and potential to impact human health at current levels of exposure», *Reproductive Toxicology*, vol. 24, 2007, p. 131-138. Parmi les signataires figurent notamment Ana Soto, Carlos Sonnenschein, Retha New-bold, John Peterson Myers, Louis Guillette et John McLachlan.

53 NATIONAL TOXICOLOGY PROGRAM, «NTP-CERHR monograph on the potential human reproductive and developmental effects of bisphenol A», septembre 2008. Ce n'est pas moi qui souligne.

54 SANTÉ CANADA, «Draft screening assessment for phenol, 4,4'-(1-methylethylidene) bis (80-05-7)», avril 2008.

55 Xu-Liang CAO, «Levels of bisphenol A in canned liquid infant formula products in Canada and dietary intake estimates», *Journal of Agricultural and Food Chemistry*, vol. 56, n° 17, 2008, p. 7919-7924; Xu-Liang CAO et Jeannette CORRIVEAU, «Migration of bisphenol A from polycarbonate baby and water bottles into water under severe conditions», *Journal of Agricultural and Food Chemistry*, vol. 56, n° 15, 2008, p. 6378-6381. Une troisième étude a montré le même phénomène de migration dans des canettes de boissons gazeuses: Xu-Liang CAO *et alii*, «Levels of bisphenol A in canned soft drink products in Canadian markets», *Journal of Agricultural and Food Chemistry*, vol. 57, n° 4, 2009, p. 1307-1311.

56   « Toxicokinetics of bisphenol A. Scientific opinion of the Panel on food additives, flavourings, processing aids and materials in contact with food (AFC) », Question n° EFSAQ-2008-382, 9 juillet 2008.

57   Afssa, « Avis de l'Agence française de sécurité sanitaire des aliments relatif au bisphénol A dans les biberons en polycarbonate susceptibles d'être chauffés au four à micro-ondes. Saisine n° 2008-SA-0141 », 24 octobre 2008.

58   www.plasticseurope.org.

Notes du chapitre 19

1   WuQiang Fan, Tyrone Hayes *et alii*, « Atrazine-induced aromatase expression is SF-1 dependent: implications for endocrine disruption in wildlife and reproductive cancers in humans », *Environmental Health Perspectives*, vol. 115, mai 2007, p. 720-727.

2   Décision 2004/141/CE du 12 février 2004.

3   « Pesticide atrazine can turn male frogs into females », *Science Daily*, 1er mars 2010.

4   Nena Baker, *The Body Toxic. How the Hazardous Chemistry of Everyday Things Threatens Our Health and Wellbeing*, North Point Press, New York, 2008, p. 67.

5   WWF, *Gestion des eaux en France et politique agricole : un long scandale d'État*, 15 juin 2010. Les deux départements français les plus contaminés par l'atrazine (et les nitrates) sont l'Eure-et-Loir et la Seine-et-Marne.

6   « Regulators plan to study risks of atrazine », *New York Times*, 7 octobre 2009.

7   Nena Baker, *The Body Toxic, op. cit.*, p. 67.

8   A. Donna *et alii*, « Carcinogenicity testing of atrazine: preliminary report on a 13-month study on male Swiss albino mice treated by intraperitoneal administration », *Giornale italiano di medicina del lavoro*, vol. 8, n° 3-4, mai-juillet 1986, p. 119-121 ; A. Donna *et alii*, « Preliminary

experimental contribution to the study of possible carcinogenic activity of two herbicides containing atrazine-simazine and trifuralin as active principles », *Pathologica*, vol. 73, n° 1027, septembre-octobre 1981, p. 707-721.

9   A. Pinter *et alii*, « Long-term carcinogenicity bioassay of the herbicide atrazine in F344 rats », *Neoplasma*, vol. 37, n° 5, 1990, p. 533-544.

10   « Occupational exposures in insecticide application and some pesticides », *IARC Monographs on the Evaluation of Carcinogenic Risks to Humans*, vol. 53, WHO/IARC, 1991.

11   Lawrence Wetzel, « Chronic effects of atrazine on estrus and mammary tumor formation in female Sprague-Dawley and Fischer 344 rats », *Journal of Toxicology and Environmental Health*, vol. 43, n° 2, 1994, p. 169-182 ; James Stevens, « Hypothesis for mammary tumorigenesis in Sprague-Dawley rats exposed to certain triazine herbicides », *Journal of Toxicology and Environmental Health*, vol. 43, n° 2, 1994, p. 139-153 ; J. Charles Eldridge, « Factors affecting mammary tumor incidence in chlorotriazinetreated female rats: hormonal properties, dosage, and animal strain », *Environmental Health Perspectives*, vol. 102, suppl. 1, décembre 1994, p. 29-36.

12   M. Kettles *et alii*, « Triazine exposure and breast cancer incidence: an ecologic study of Kentucky counties », *Environmental Health Perspectives*, vol. 105, n° 11, 1997, p. 1222-1227.

13   « Some chemicals that cause tumours of the kidney or urinary bladder in rodents and some other substances », *IARC Monographs on the Evaluation of Carcinogenic Risks to Humans*, vol. 73, WHO/IARC, 1999. Lors de ma rencontre en février 2010 avec Vincent Cogliano, chef des monographies du CIRC, celui-ci m'a informée que l'atrazine figurait sur la liste des produits à réévaluer en priorité.

14   Paul MacLennan, « Cancer incidence among triazine herbicide manufacturing workers », *Journal of Occupational and Environmental Medicine*, vol. 44,

nº 11, novembre 2002, p. 1048-1058. À noter que, deux ans plus tard, des scientifiques d'Exponent (voir *supra*, chapitre 9) ont publié une autre étude dans la même revue, montrant qu'il n'y avait pas de lien entre l'exposition à l'atrazine dans l'usine et le cancer de la prostate ! (Patrick Hessel *et alii*, « A nested case-control study of prostate cancer and atrazine exposure », *Journal of Occupational and Environmental Medicine*, vol. 46, nº 4, 2004, p. 379-385).

15 Tyrone Hayes *et alii*, « Hermaphroditic, demasculinized frogs after exposure to the herbicide atrazine at low ecologically relevant doses », *Proceedings of the National Academy of Sciences USA*, vol. 99, 2002, p. 5476-5480 ; Tyrone Hayes *et alii*, « Feminization of male frogs in the wild », *Nature*, vol. 419, 2002, p. 895-896 ; Tyrone Hayes *et alii*, « Atrazine-induced hermaphroditism at 0.1 ppb in American leopard frogs (*Rana pipiens*) : laboratory and field evidence », *Environmental Health Perspectives*, vol. 111, 2002, p. 568-575.

16 William Brand, « Research on the effects of a weedkiller on frogs pits hip Berkeley professor against agribusiness conglomerate », *The Oakland Tribune*, 21 juillet 2002.

17 EPA, « Potential for atrazine to affect amphibian gonadal development », octobre 2007 (Docket ID : EPA-HQ-OPP-2007-0498).

18 Tyrone Hayes, « There is no denying this : defusing the confusion about atrazine », *BioScience*, vol. 5, nº 12, 2004, p. 1138-1149.

19 Robert Gilliom *et alii*, « The quality of our nation's waters. Pesticides in the Nation's streams and ground water, 1992-2001 », US Geological Survey, mars 2006.

20 Tyrone Hayes, « Pesticide mixtures, endocrine disruption and amphibian declines : are we underestimating the impact ? », *Environmental Health Perspectives*, vol. 114, nº 1, avril 2006, p. 40-50. Dans cette étude, Tyrone Hayes rappelle que, depuis 1980, 32 % des espèces de grenouilles ont disparu et que 43 % sont en déclin.

21 Department of Health and Human Services, *Fourth National Report on Human Exposure to Environmental Chemicals*, Center for Disease Control and Prevention, Atlanta, 2009.

22 Cité par Nena Baker, *The Body Toxic*, *op. cit.*, p. 25.

23 « La chimie ronge le sang des députés européens », *Libération*, 22 avril 2004.

24 « Une cobaye verte et inquiète », *Libération*, 22 avril 2004.

25 WWF/Greenpeace, « A present for life, hazardous chemicals in umbilical cord blood », septembre 2005.

26 Robin Whyatt et Dana Barr, « Measurement of organophosphate metabolites in postpartum meconium as a potential biomarker of prenatal exposure : a validation study », *Environmental Health Perspectives*, vol. 109, nº 4, 2001, p. 417-420.

27 Robin Whyatt *et alii*, « Contemporary-use pesticides in personal air samples during pregnancy and blood samples at delivery among urban minority mothers and newborns », *Environmental Health Perspectives*, vol. 111, 2003, p. 749-756. Les bébés sont suivis pendant toute leur enfance pour mesurer les effets éventuels des pesticides sur leur développement neurocognitif.

28 Cécile Chevrier *et alii*, « Biomarqueurs urinaires d'exposition aux pesticides des femmes enceintes de la cohorte Pélagie réalisée en Bretagne, France (2002-2006) », *Bulletin épidémiologique hebdomadaire*, Hors série, 16 juin 2009, p. 23-28.

29 John Adgate *et alii*, « Measurement of children's exposure to pesticides : analysis of urinary metabolite levels in a probability-based sample », *Environmental Health Perspectives*, vol. 109, 2001, p. 583-590. Des résultats similaires ont été obtenus dans l'Iowa : Brian Curwin, Michael Alavanja *et alii*, « Urinary pesticide concentrations among children, mothers and fathers living in farm and non-farm households in Iowa », *Annals of Occupational Hygiene*, vol. 51, nº 1, 2007, p. 53-65.

30 Pesticide Action Network North America, « Chemical trespass: pesticides in our bodies and corporate accountability », mai 2004.

31 « Enquête sur les substances chimiques présentes dans notre alimentation », Générations futures avec Health & Environmental Alliance, le Réseau environnement santé et WWF France, 2010.

32 « Une association alerte sur les substances chimiques contenues dans les repas des enfants », www.lemonde.fr, 1er décembre 2010.

33 « Des résidus chimiques dans l'assiette des enfants », *Le Monde*, 1er décembre 2010.

34 Ulla Hass *et alii*, « Combined exposure to anti-androgens exacerbates disruption of sexual differentiation in the rat », *Environmental Health Perspectives*, vol. 115, suppl. 1, décembre 2007, p. 122-128 ; Stine Broeng Metzdorff, Ulla Hass *et alii*, « Dysgenesis and histological changes of genitals and perturbations of gene expression in male rats after *in utero* exposure to antiandrogen mixtures », *Toxicological Science*, vol. 98, n° 1, juillet 2007, p. 87-98.

35 Sofie Christiansen, Ulla Hass *et alii*, « Synergistic disruption of external male sex organ development by a mixture of four antiandrogens », *Environmental Health Perspectives*, vol. 117, n° 12, décembre 2009, p. 1839-1846.

36 Ulrich Beck, *La Société du risque, op. cit.*, p. 121-123.

37 Andreas Kortenkamp, « Breast cancer and exposure to hormonally active chemicals : an appraisal of the scientific evidence », Health & Environment Alliance, www.envhealth.org, avril 2008.

38 Voir notamment : Warren Porter, James Jaeger et Ian Carlson, « Endocrine, immune and behavioral effects of aldicarb (carbamate), atrazine (triazine) and nitrate (fertilizer) mixtures at groundwater concentrations », *Toxicology and Industrial Health*, vol. 15, n° 1-2, 1999, p. 133-150.

39 Jesus Ibarluzea *et alii*, « Breast cancer risk and the combined effect of environmental oestrogens », *Cancer Causes and Control*, vol. 15, 2004, p. 591-600.

40 Andreas Kortenkamp *et alii*, « Low-level exposure to multiple chemicals: reason for human health concerns? », *Environmental Health Perspectives*, vol. 115, suppl. 1, décembre 2007, p. 106-114.

41 Philippe Grandjean et Philippe Landrigan, « Developmental neurotoxicity of industrial chemicals. A silent pandemic », *The Lancet*, 8 novembre 2006 ; Philippe Landrigan, « What causes autism? Exploring the environmental contribution », *Current Opinion in Pediatrics*, vol. 22, n° 2, avril 2010, p. 219-225 ; Philippe Landrigan *et alii*, « Environmental origins of neurodegenerative disease in later life », *Environmental Health Perspectives*, vol. 113, n° 9, septembre 2005, p. 1230-1233.

42 Mark Blainey *et alii*, « The benefits of strict cut-off criteria on human health in relation to the proposal for a regulation concerning plant protection products », Comité de l'environnement, de la santé publique et de la sécurité alimentaire du Parlement européen, octobre 2008, IP/A/ENVI/ST/2008-18.

43 Francesca Valent *et alii*, « Burden of disease attributable to selected environmental factors and injury among children and adolescents in Europe », *The Lancet*, vol. 363, 2004, p. 2032-2039.

44 Vincent Garry, « Pesticides and children », *Toxicology and Applied Pharmacology*, vol. 198, 2004, p. 152-163.

45 Deborah Rice et Stan Barone, « Critical periods of vulnerability for the developing nervous system: evidence from humans and animal models », *Environmental Health Perspectives*, vol. 108, suppl. 3, 2000, p. 511-533.

46 Voir Patricia M. Rodier, « Developing brain as a target of toxicity », *Environmental Health Perspectives*, vol. 103, suppl. 6, septembre 1995, p. 73-76.

47 Voir Gary Ginsberg, Dale Hattis et Babasaheb Sonawane, « Incorporating pharmacokinetic difference between children and adults in assessing children's risk to environmental toxicants », *Toxicology and Applied Pharmacology*, vol. 198, 2004, p. 164-183.

48 Voir Cynthia F. Bearer, « How are children different from adults? », *Environmental Health Perspectives*, vol. 103, suppl. 6, 1995, p. 7-12.

49 Voir M. Lackmann, K.H.Schaller, J.Angerel, « Organochlorine compounds in breastfed *vs* bottle-fed infants: preliminary results at six weeks of age », *Science of the Total Environment*, vol. 329, 2004, p. 289-293 ; G. Solomon et P. Weiss, « Chemical contaminants in breast milk: time trends and regional variability », *Environmental Health Perspectives*, vol. 110, n° 6, 2002, p. 339-347.

50 Entretien de l'auteure avec Jacqueline Clavel, Villejuif, 6 janvier 2010.

51 Jérémie Rudant *et alii*, « Household exposure to pesticides and risk of childhood hematopoietic malignancies: the ESCALE study (SFCE) », *Environmental Health Perspectives*, vol. 115, n° 12, décembre 2007, p. 1787-1793.

52 Donald Wigle *et alii*, « A systematic review and meta-analysis of childhood leukemia and parental occupational pesticide exposure », *Environmental Health Perspectives*, vol. 117, n° 5, mai 2009, p. 1505-1513. L'une des études de référence est celle de Claire Infante-Rivard *et alii*, « Risk of childhood leukemia associated with exposure to pesticides and with gene polymorphisms », *Epidemiology*, vol. 10, septembre 1999, p. 481-487.

53 Marie-Monique Robin, *Le Monde selon Monsanto*, op. cit., p. 75-79.

54 Vincent Garry *et alii*, « Pesticide appliers, biocides, and birth defects in rural Minnesota », *Environmental Health Perspectives*, vol. 104, n° 4, 1996, p. 394-399 ; Vincent Garry *et alii*, « Birth defects, season of conception, and sex of children born to pesticide applicators living in the Red River Valley of Minnesota, USA », *Environmental Health Perspectives*, vol. 110, suppl. 3, 2002, p. 441-449 ; Vincent Garry *et alii*, « Male reproductive hormones and thyroid function in pesticide applicators in the Red River Valley of Minnesota », *Journal of Toxicology and Environmental Health*, vol. 66, 2003, p. 965-986.

55 De nombreuses études montrent le lien entre l'exposition maternelle aux pesticides et les malformations congénitales : Ana Maria Garcia *et alii*, « Parental agricultural work and selected congenital malformations », *American Journal of Epidemiology*, vol. 149, 1999, p. 64-74 ; Petter Kristensen *et alii*, « Birth defects among offspring of Norwegian farmers 1967-1991 », *Epidemiology*, vol. 8, 1997, p. 537-554.

Notes de la conclusion

1 Stéphane Foucart, « Pourquoi on vit moins vieux aux États-Unis », *Le Monde*, 27 janvier 2011.

2 Catherine Vincent, « Une personne sur dix est obèse dans le monde », *Le Monde*, 7 février 2011.

3 Pierre Weill, *Tous gros demain ?*, Plon, Paris, 2007, p. 21.

4 David Servan-Schreiber, *Anticancer. Prévenir et lutter grâce à nos défenses naturelles*, Robert Laffont, Paris, 2007, p. 114.

5 Voir Richard Béliveau et Denis Gingras, *Les Aliments contre le cancer*, Éditions du Trécarré, Montréal, Paris, 2005.

6 Jed Fahey, « Broccoli sprouts: an exceptionally rich source of inducers of enzymes that protect against chemical carcinogens », *Proceedings of the National Academy of Sciences USA*, vol. 94, n° 19, septembre 1997, p. 10367-10372.

7 Denis Gingras et Richard Béliveau, « Induction of medulloblastoma cell apoptosis by sulforaphane, a dietary anticarcinogen from Brassica vegetables », *Cancer Letters*, vol. 203, n° 1, janvier 2004, p. 35-43.

8 Michel Demeule et Richard Béliveau, « Diallyl disulfide, a chemopreventive

agent in garlic, induces multidrug resistance-associated protein 2 expression», *Biochemical and Biophysical Research Communications*, vol. 324, nº 2, novembre 2004, p. 937-945.

9   Lyne Labrecque et Richard Béliveau, «Combined inhibition of PDGF and VEGF receptors by ellagic acid, a dietary-derived phenolic compound», *Carcinogenesis*, vol. 26, nº 4, avril 2004.

10 Borhane Annabi et Richard Béliveau *et alii*, «Radiation induced-tubulogenesis in endothelial cells is antagonized by the antiangiogenic properties of green tea polyphenol (-) epigallocatechin-3-gallate», *Cancer Biology & Therapy*, vol. 6, novembre-décembre 2003, p. 642-649; Anthony Pilorget et Richard Béliveau, «Medulloblastoma cell invasion is inhibited by green tea epigallocatechin-3-gallate», *Journal of Cellular Biochemistry*, vol. 90, nº 4, novembre 2003, p. 745-755.

11 John Weisburger, «Chemopreventive effects of cocoa polyphenols on chronic diseases», *Experimental Biology and Medicine*, vol. 226, nº 10, novembre 2001, p. 891-897.

12 Meishiang Jang *et alii*, «Cancer chemopreventive activity of resveratrol, a natural product derived from grapes», *Nature*, vol. 25, nº 2, 1999, p. 65-77.

13 Bharat Aggarwal *et alii*, «Anticancer potential of curcumin: preclinical and clinical studies», *Anticancer Research*, vol. 23, 2003, p. 363-98; Bharat Aggarwal, «Prostate cancer and curcumin add spice to your life», *Cancer Biology & Therapy*, vol. 7, nº 9, septembre 2008, p. 1436-1440; S. Aggarwal, Bharat Aggarwal *et alii*, «Curcumin (diferuloylmethane) downregulates expression of cell proliferation and antiapoptotic and metastatic gene products through suppression of IkappaBalpha kinase and Akt activation», *Molecular Pharmacology*, vol. 69, 2006, p. 195-206; Ajaikumar Kunnumakkara, Preetha Anand, Bharat Aggarwal, «Curcumin inhibits proliferation,

invasion, angiogenesis and metastasis of different cancers through interaction with multiple cell signaling proteins», *Cancer Letters*, vol. 269, nº 2, octobre 2008, p. 199-225.

14 Entretien de l'auteure avec Arvind Chaturvedi, Bhubaneswar, 21 décembre 2009.

15 Cynthia Curl *et alii*, «Organophosphorus pesticide exposure of urban and suburban preschool children with organic and conventional diets», *Environmental Health Perspectives*, vol. 111, 2003, p. 377-382.

16 Chensheng Lu *et alii*, «Organic diets significantly lower children's dietary exposure to organophosphorus pesticides», *Environmental Health Perspectives*, vol. 114, nº 2, 2006, p. 260-263.

17 Chensheng Lu *et alii*, «Dietary intake and its contribution to longitudinal organophosphorus pesticide exposure in urban/suburban children», *Environmental Health Perspectives*, vol. 116, nº 4, avril 2008, p. 537-542.

18 David Egilman et Susanna Rankin Bohme, «Over a barrel: corporate corruption of science and its effects on workers and the environment», *International Journal of Occupational and Environmental Health*, vol. 11, 2005, p. 331-337.

19 Cité par André Cicolella, *Le Défi des épidémies modernes, op. cit.*, p. 5.

20 *Ibid.*, p. 17.

21 *Ibid.*, p. 29.

22 Tom Muir et Marc Zegarac, «Societal costs of exposure to toxic substances: economic and health costs of four case studies that are candidates for environmental causation», *Environmental Health Perspectives*, vol. 109, suppl. 6, décembre 2001, p. 885-903.

23 Mark Blainey, Catherine Ganzleben, Gretta Goldenman, Iona Pratt, «The benefits of strict cut-off criteria on human health in relation to the proposal for a regulation concerning plant protection products», 2008, IP/A/ENVI/ST/2008-18.

24 David Pimentel *et alii*, «Environmental and economic costs of

pesticide use», *Bioscience*, vol. 42, n° 10, 1992, p. 750-760.

25 Jacques Ferlay *et alii*, «Estimates of the cancer incidence and mortality in Europe in 2006», *Annals of Oncology*, vol. 18, n° 3, 2007, p. 581-592.

26 Commission européenne, *Commission Staff Working Paper*, 2003.

27 Michael Ganz, «The lifetime distribution of the incremental societal costs of autism», *Archives of Pediatrics and Adolescent Medicine*, vol. 161, n° 4, avril 2007, p. 343-349; Krister Järbrink, «The economic consequences of autistic spectrum disorder among children in a Swedish municipality», *Autism*, vol. 11, n° 5, septembre 2007, p. 453-463.

28 Commission européenne DG XXIV (consommation, santé), décembre 1998. C'est moi qui souligne.

29 Michel Callon, Pierre Lascoumes et Yannick Barthes, *Agir dans un monde incertain. Essai sur la démocratie technique*, Seuil, Paris, 2001.

30 *Ibid.*, p. 270.

31 *Ibid.*, p. 289.

32 Les citations qui suivent sont issues du chapitre de Michel Callon, «La science confinée», *in* Michel Callon, Pierre Lascoumes et Yannick Barthes, *Agir dans un monde incertain, op. cit.*

33 Michel Gérin *et alii*, *Environnement et santé publique, op. cit.*, p. 79.

34 Jacqueline Verrett, *Eating May Be Hazardous to Your Health, op. cit.*

Index

Table des matières

II
Science et industrie : la fabrique du doute

III
Une réglementation
au service de l'industrie

IV
L'incroyable scandale
des perturbateurs endocriniens

Cet ouvrage a été composé en ITC Stone Serif Std 9,75/12,96
et achevé d'imprimer en avril 2011
sur les presses de Marquis Imprimeur, Québec, Canada.

certifié   procédé   100% post-   archives   énergie
sans chlore   consommation permanentes biogaz